Um Bestseller pra chamar de meu

Marian Keyes

✳✳✳

MELANCIA

FÉRIAS!

SUSHI

Casório?!

É Agora... ou Nunca

LOS ANGELES

Um Bestseller

pra chamar de meu

Tem Alguém Aí?

Cheio de Charme

A Estrela Mais Brilhante do Céu

Um Bestseller pra chamar de meu

marian Keyes

6ª EDIÇÃO

Tradução
RENATO MOTTA

BERTRAND BRASIL

Copyright © Marian Keyes, 2004

Título original: *The Other Side of the Story*

Capa: Carolina Vaz

Editoração: DFL

Texto revisado segundo o novo
Acordo Ortográfico da Língua Portuguesa

2012
Impresso no Brasil
Printed in Brazil

CIP-Brasil. Catalogação na fonte
Sindicato Nacional dos Editores de Livros, RJ

K55b 6ª ed.	Keyes, Marian Um bestseller pra chamar de meu/Marian Keyes; tradução Renato Motta. – 6ª ed. – Rio de Janeiro: Bertrand Brasil, 2012. 742p. Tradução de: The other side of the story ISBN 978-85-286-1362-9 1. Romance irlandês. I. Motta, Renato. II. Título.
08-4494	CDD – 828.99153 CDU – 821.111 (415)-3

Todos os direitos reservados pela:
EDITORA BERTRAND BRASIL LTDA.
Rua Argentina, 171 — 2º andar — São Cristóvão
20921-380 — Rio de Janeiro — RJ
Tel.: (0xx21) 2585-2070 — Fax: (0xx21) 2585-2087

Atendimento e venda direta ao leitor:
mdireto@record.com.br ou (0xx21) 2585-2002

AGRADECIMENTOS

Agradeço a todos na Penguin, especialmente a Louise Moore, e ao pessoal da Curtis Brown, na pessoa de Jonathan Lloyd.

Precisei de muitos conselhos de especialistas enquanto escrevia este livro, e todos aos quais pedi ajuda me ofereceram muito do seu tempo e do seu conhecimento. Quaisquer erros são culpa minha.

Obrigada ao corpo de bombeiros da cidade de Nova York, em especial a Chris O'Brien e aos soldados do fogo da Intervale Ave, 1.215. (Às vezes eu simplesmente *amo* o meu trabalho.) Obrigada aos policiais Anthony Torres, Daniel Hui, Charlie Perry e Kevin Perry, do Departamento de Polícia da Cidade de Nova York, a Kathleen, Natalie, Clare e Shane Perry, a Viv Gaine, da Visible Gain, empresa organizadora de eventos, a Orlaith McCarthy, Michelle Ní Longain e Eileen Prendergast, da BCM Hanby Wallace, a John e Shirley Baines, e a Tom e Ann Heritage, de Church Farm, Oxhill.

Obrigada às "Able ladies": Orlaith Brennan, Maria Creed, Gwen Hollingsworth, Celia Houlihan, Sinead O'Sullivan e Aideen Kenny.

Pelo incentivo, pela leitura dos capítulos inacabados e apoio em geral, agradeço a Suzanne Benson, Jenny Boland, Susie Burgin, Ailish Connolly, Gai Griffin, Jonathan "Jojo" Harvey, Suzanne Power, Anne-Marie Scanlon, Kate Thompson, Louise Voss e toda a família Keyes. Como este livro levou muito tempo para ser escrito, tenho a terrível sensação de estar esquecendo de agradecer a alguém que me ajudou nos primeiros dias. Se essa pessoa for você, lamento sinceramente e atribuo a culpa à minha memória, que é muito falha.

Finalmente, como sempre, não há palavras suficientes para agradecer a Tony por sua fenomenal generosidade, sua paciência, suas sacadas, sua intuição, sua gentileza, sua vontade de trabalhar, sua habilidade e seu jeito de ser fabuloso em tudo. Não estou brincando ao dizer que este livro não teria sido possível sem ele.

Para Niall, Ljiljana, Ema e Luka Keyes

"Os tempos estão difíceis. As crianças já não obedecem aos pais e todo mundo está escrevendo um livro."

MARCUS TULLIUS CICERO, ESTADISTA,
ORADOR E ESCRITOR (106-43 a.C.)

"Existem três lados em toda história. O seu lado, o lado deles e a verdade."

AUTOR ANÔNIMO

PARTE UM

PARTE UM

Gemma

1

PARA: Susan_inseattle@yahoo.com
DE: Gemma 343@hotmail.com
ASSUNTO: papai fujão

Susan, você pediu novidades. Pois bem, eu lhe trago novidades. Apesar de achar que você vai se arrepender de ter pedido. Parece que meu pai abandonou a minha mãe. Não tenho certeza de o quanto isso é sério. Mando mais notícias assim que as tiver, e quando as tiver.

Gemma xxx

Assim que atendi a ligação, achei que ele tinha morrido. Por duas razões. Primeira: participei de um número preocupante de funerais, nos últimos tempos — amigos dos meus pais e, o que é pior, pais dos meus amigos. Segunda: mamãe ligou para o meu celular; foi a primeira vez que ela fez isso em toda a minha vida, pois ela sempre acreditou piamente que só se pode ligar para um celular de outro celular, como se fossem aparelhos de radioamador, ou algo do tipo. Portanto, quando coloquei o telefone no ouvido e ouvi a voz embargada de mamãe dizendo "Ele se foi!", quem pode me culpar por eu achar que papai tinha batido as botas e agora seríamos apenas nós duas, eu e mamãe?

— Ele fez a mala e se foi.

— Ele fez a...? — Só nesse momento percebi que papai talvez não estivesse morto.

— Venha para casa — disse ela.

— Certo... — Mas eu estava no trabalho. Não simplesmente no escritório, mas no salão de convenções de um hotel, supervisionando os detalhes finais de um congresso médico (*O que está por trás da dor nas costas*). Era um evento gigantesco que levara semanas para ser preparado; na véspera, eu ficara lá até meia-noite e meia, coordenando a chegada das centenas de delegados e resolvendo seus problemas (realocando os hóspedes não fumantes que haviam voltado a fumar entre o dia da reserva e o da chegada, esse tipo de coisa). Hoje, finalmente, era o Dia D e em menos de uma hora duzentos quiropráticos iam invadir o lugar, cada um deles esperando

a) um crachá e uma cadeira
b) café com dois tipos de biscoitos (um simples e outro refinado) às 11 da manhã
c) almoço, com três pratos (incluindo uma opção vegetariana), às 12:45
d) café e dois tipos de biscoito (ambos simples) às 3:30 da tarde
e) coquetéis ao anoitecer, seguidos por um jantar de gala com lembrancinhas, dança e roça-roça (opcional)

Na verdade, ao atender o telefone, pensei que fosse o sujeito que nos alugara o telão, garantindo que ele já estava a caminho, acompanhado — essa é a parte mais importante — do telão.

— Conte-me o que aconteceu — pedi à minha mãe, dividida entre duas tarefas conflitantes. *Não dá para eu ir embora agora...*

— Conto tudo quando você chegar. Venha logo! Estou num estado lastimável, só Deus sabe o que eu seria capaz de fazer.

Isso me convenceu. Fechei o celular e olhei para Andrea, que obviamente havia sacado que algo estranho acontecera.

— Está tudo bem? — murmurou ela.

— Foi o meu pai.

Percebi pelo seu olhar que ela também pensou que ele tivesse batido as botas (expressão que o próprio papai costumava usar). (Pronto! Lá estou eu de novo falando como se ele realmente tivesse morrido.)

— Minha nossa!... Seu pai... Ele...?

— Não, não — expliquei. — Ele ainda está vivo.

— Vá logo, vá logo! — Ela me empurrou na direção da saída, certamente visualizando uma despedida no leito de morte.

— Não posso ir. Como é que vai ficar tudo isso aqui? — Indiquei o salão de convenções.

— Eu e Moisés vamos cuidar de tudo; vou ligar para a firma e pedir para a Ruth vir nos ajudar. Não se preocupe, você deixou tudo muito bem-preparado, o que poderia dar errado?

Evidentemente, a resposta correta para essa pergunta era: "Qualquer coisa." Eu já organizava eventos havia sete anos e, durante esse tempo, já vira de tudo, desde oradores que despencaram do palco por terem exagerado na dose até professores brigando pela conquista do último biscoito refinado.

— Sim, mas... — Eu ameaçara Andrea e Moisés, avisando-lhes que, mesmo estando mortos, eles deveriam aparecer para trabalhar de manhã cedo. E ali estava eu, pronta para abandonar o meu posto por causa de... *Por quê*, exatamente?

Que dia! A manhã mal começara e um monte de coisas já tinha saído errado. A começar pelo meu cabelo. Há séculos que eu estava sem tempo para cortá-lo, e então, em meio a um chilique, eu mesma havia passado a tesoura nele. Na verdade, pretendia apenas apará-lo, mas depois que comecei não consegui parar, e acabei com uma franja ridiculamente curta.

As pessoas muitas vezes me diziam que eu parecia um pouco com Liza Minnelli em *Cabaret*, mas quando cheguei ao hotel, naquela manhã, Moisés me cumprimentou dizendo "Vida longa e próspera" e me saudou com os dedos separados em V, à moda dos vulcanos. Depois, quando pedi que ele ligasse novamente para o sujeito do telão, ele me explicou, com ar solene: "Isso seria ilógico, capitão." Pronto! Pelo visto, eu já não era mais a Liza Minnelli de *Cabaret*, mas o Sr. Spock, de *Star Trek*. (Nota rápida: Moisés não é um sujeito com cara de aposentado e uma barba bíblica, trajando um manto empoeirado e sandálias de espancar crianças, e sim um cara descolado, de origem nigeriana, que veste roupas da moda.)

— Vá! — Andrea me deu outro empurrãozinho na direção das portas. — Cuide de tudo e nos avise se pudermos ajudar em alguma coisa.

Essas são as palavras típicas que se usam quando alguém morre. De repente, eu me vi no estacionamento. O nevoeiro frio e cerrado de janeiro me envolveu por completo, mas aquilo só serviu para eu me lembrar que havia esquecido o casaco dentro do hotel. Nem pensei em voltar para pegá-lo, pois não me pareceu importante.

Ao entrar no carro, um homem assobiou — para o carro, não para mim. Tenho um Toyota MR2, pequeno e esportivo (muito pequeno, por sinal; ainda bem que eu tenho só um metro e cinquenta e oito de altura). A escolha do carro não foi minha — A F&F Dignan é que insistiu nisso. Faria boa presença, disseram, para uma mulher com as minhas funções. Ah, e o filho deles estava vendendo o carro, mesmo, baratinho. Argh!

Os homens exibem reações opostas a ele. Durante o dia, assobios e piscadas de olho. Mas *à noite*, quando eles voltam do pub mamados, a história é diferente. Passam o canivete na capota de lona ou quebram o vidro com um tijolo. Na verdade, não pretendem furtar o carro, só deixá-lo mortalmente ferido, e esse é o motivo de o pobrezinho passar mais tempo na oficina de lanternagem do que nas ruas. Na esperança de angariar a simpatia desses homens misteriosamente amargos, meu vidro traseiro informa: "Meu outro carro é um Cortina 89 caindo aos pedaços." (Anton fez esse adesivo especialmente para mim; acho que eu devia tê-lo tirado quando Anton foi embora, mas aquele não era o momento de pensar nisso.)

A estrada para a casa dos meus pais estava quase vazia; todo o tráfego pesado vinha na direção contrária, para o centro de Dublin. Movendo-me através do *fog* que espiralava em volta como gelo-seco, a estrada vazia me fez sentir como se eu estivesse sonhando.

Até cinco minutos antes, aquela tinha sido uma terça-feira perfeitamente normal. Eu entrara em ritmo de "Primeiro Dia de Congresso". Estava ansiosa, é claro — sempre pinta um probleminha de última hora —, mas não me sentia nem de perto preparada para aquilo.

Não fazia a menor ideia do que me esperava ao chegar à casa dos meus pais. Obviamente, algo estava muito errado, mesmo que fosse apenas mamãe pirando na batatinha. Acho que ela não faz o tipo, mas, com essas coisas, nunca se sabe. *"Ele fez a mala e se foi..."* Isso, por si só, já era tão esquisito quanto porcos voadores. Era mamãe quem sempre fazia a mala do papai, fosse para um congresso de vendedores ou uma simples excursão do clube de golfe. Foi nessa hora que eu saquei que mamãe se enganara. Portanto, ou ela realmente *havia* pirado na batatinha ou papai realmente *estava* morto. Um sobressalto de pânico me fez seguir em frente, com o pé na tábua.

Estacionei o carro todo torto, do lado de fora da casa (geminada e simples, estilo anos sessenta). O carro de papai não estava lá. Mortos não dirigem.

Essa onda de alívio começou a me acalmar, mas deu meia-volta de repente e se transformou novamente em terror. Papai nunca ia dirigindo para o trabalho, sempre pegava o ônibus; o sumiço do carro me provocou uma sensação ruim.

Mamãe já abrira a porta da frente antes mesmo de eu saltar do carro. Vestia um roupão cor de pêssego e um bob laranja prendia-lhe a franja.

— Ele se foi!

Eu corri e fui direto para a cozinha. Precisava me sentar. Embora parecesse maluquice, acalentava a ideia de que papai estaria sentadinho ali, comentando, estupefato: "Estou dizendo a ela que eu não fui embora, mas ela não acredita em mim." Na cozinha, havia só uma torrada fria, facas sujas de manteiga e os badulaques normais de uma mesa de café.

— Aconteceu alguma coisa? Vocês brigaram?

— Não, nada. Ele tomou o café normalmente. Mingau. Eu mesma preparei, veja aqui. — Apontou para uma tigela que exibia restos de mingau. Só restos. Ele devia pelo menos ter tido a decência de se engasgar de vergonha.

"Depois do café, seu pai disse que queria conversar comigo. Pensei que ele fosse me dar sinal verde para eu mandar fazer uma estufa para as plantas. Mas ele me disse que não estava feliz, que as coisas não funcionavam mais e ele ia embora."

— "As coisas não funcionavam mais"? Puxa, mas vocês têm trinta e cinco anos de casados! Talvez... Talvez seja uma crise de meia-idade.

— Seu pai tem quase sessenta anos, está *velho* demais para uma crise de meia-idade.

Mamãe tinha razão. Papai perdera a chance de ter a sua crise de meia-idade uns quinze anos antes, quando ninguém teria dado muita importância, e nós até mesmo esperávamos por ela; em vez disso, porém, ele continuou a perder cabelo e a se portar de forma vaga e gentil.

— Depois disso, ele pegou a mala e jogou coisas lá dentro.

— Não acredito! "Jogou coisas" como?... Ele *fez* a própria mala? Como conseguiu?

Mamãe me pareceu meio indecisa e então, para provar a mim — e provavelmente a ela também —, subimos as escadas e ela apontou para um lugar vazio no guarda-roupa do quarto de hóspedes, onde uma mala costumava ficar. (Parte de um conjunto de malas que eles ganharam depois de juntar pontos enchendo o tanque do carro.) Então, ela me levou até o quarto deles e mostrou os espaços vazios no armário. Ele levara o sobretudo, o casaco de neve e o terno bom. Deixou para trás uma espantosa quantidade de moletons coloridos, agasalhos tricotados e calças velhas que só poderiam ser descritos como "lixo". Tudo desbotado, em modelos horrorosos, feitos de tecidos vagabundos, com cortes medonhos. Eu também teria deixado aquilo tudo para trás.

— Ele vai ter que voltar aqui para acabar de pegar as roupas — disse mamãe.

Eu não contaria com aquilo.

— Bem que eu o achei meio distraído ultimamente — disse ela. — Comentei isso com você.

Chegamos a pensar que talvez fosse um princípio de Alzheimer. De repente, eu me dei conta. Papai *estava* com Alzheimer. Não tinha mais a cabeça no lugar. Devia estar dirigindo por aí, a esmo, piradi- nho, convencido de que era a princesa Anastácia da Rússia. Precisávamos alertar a polícia.

— Qual é a placa do carro?

Mamãe me olhou, surpresa.

— Sei lá! — respondeu.

— Como não sabe?

— Por que eu deveria saber? Simplesmente ando naquele troço, não o dirijo.

— Então, vamos ter que procurar, porque eu também não sei.

— E por que precisamos da placa?

— Porque não podemos simplesmente dizer aos guardas que procurem por um Nissan Sunny azul dirigido por um homem de cin- quenta e nove anos que talvez imagine ser o último dos Romanov. Onde ficam os documentos do carro?

— Sobre uma das prateleiras da sala de jantar.

Depois de procurarmos com cuidado, inclusive no escritório de papai, não consegui achar nenhuma informação, e mamãe não aju- dou muito.

— O carro do papai é da empresa, não é?

— Ahn... Acho que sim.

— Vou ligar para lá e talvez alguém da firma, uma secretária, sei lá, possa nos ajudar.

Ao ligar para o telefone direto do papai, eu sabia que ele não iria atender, pois, onde quer que ele estivesse, no trabalho é que não era. Com a mão no bocal do fone, pedi que mamãe continuasse procu- rando o número da placa, a fim de o informarmos à polícia de Kilmacud. Mas antes mesmo que ela se levantasse da cadeira, alguém atendeu o telefone. Era papai.

— Pa-papai? É o senhor mesmo?!

— Gemma? — respondeu ele, com voz desconfiada. Aquilo, em si, não era incomum. Ele sempre atendia meus telefonemas com voz desconfiada, e com bons motivos. Eu só ligava para ele

a) para avisar que minha tevê enguiçara e pedir para ele ir lá em casa com a caixa de ferramentas

b) para dizer que o meu gramado precisava ser aparado e pedir para ele ir lá com o cortador de grama

c) para comunicar que a minha sala da frente precisava ser pintada e perguntar se ele não poderia ir até lá com seus panos de cobrir a mobília, rolos, pincéis, tinta e fita crepe, além de uma sacola cheia de barras de chocolate.

— Papai, o senhor está no trabalho? — Pergunta idiota.

— Sim, eu...

— O que aconteceu?

— Escute, eu pensei em ligar para você mais tarde, mas as coisas enrolaram um pouco por aqui. — Ele estava ofegante. — Os planos para o protótipo do novo lançamento devem ter vazado, a concorrência vai divulgar um comunicado à imprensa. Eles têm um novo produto também, praticamente igual ao nosso; deve ser espionagem indus...

— Papai!

Antes de seguirmos adiante, preciso lhes contar que meu pai trabalha no departamento de vendas de uma grande fábrica de doces. (Não vou dizer o nome porque, diante das circunstâncias, não pretendo lhes oferecer nenhuma publicidade gratuita.) Papai trabalhou para eles a minha vida toda, e uma das vantagens do emprego é que ele podia levar para casa a quantidade que quisesse dos produtos — e de graça. Isso equivale a dizer que nossa casa transbordava de barras de chocolate e eu era muito mais popular com meus amiguinhos da rua do que teria sido se não fosse por isso. Obviamente mamãe e eu éramos terminantemente proibidas de comprar qualquer coisa das companhias rivais, "para não dar mole". Embora eu me ressentisse com esse decreto ditatorial (que não era exatamente um decreto, pois papai era muito brando para impor decretos), nunca consegui me rebelar contra isso e, embora pareça ridículo, na primeira vez em que provei um bombom Ferrero Rocher, eu me senti culpada *de verdade*. (Sei que é brincadeira aquele diálogo no anúncio em que um sujeito fala, ao provar um bombom deles: "Embaixador, assim o senhor está nos mimando demais." Mas a verdade é que fiquei muito impressionada, especialmente por eles serem tão perfeitamente redondos. Mas quando sugeri, com ar casual, que a fábrica de papai deveria lançar bombons redondinhos, ele me fitou com olhar triste e perguntou: "Aconteceu algo que você queira me contar?")

— Papai, estou ligando aqui de casa porque mamãe está muito chateada. Quer me contar o que está havendo, por favor? — Em vez de pai, eu o tratava como uma criança rebelde que havia feito algo impensado, mas cairia em si depois da minha bronca.

— Pretendia ligar para você mais tarde, filha.

— Pois bem, aproveite que eu liguei antes.

— Agora eu não posso.

— Mas é melhor que possa! — Um sinal de alerta começou a piscar dentro de mim. Ele não estava se desmontando como um biscoito esfarelento do jeito que achei que aconteceria assim que eu falasse com ele usando de firmeza. — Papai, mamãe e eu estamos preocupadas com o senhor. Achamos que talvez o senhor esteja, digamos... — Como expressar isso? — Meio perturbado das ideias.

— Pois não estou.

— O senhor *pensa* que não. Pessoas mentalmente perturbadas geralmente não sabem que estão mentalmente perturbadas.

— Gemma, eu sei que me afastei um pouco e andei distante nos últimos tempos, reconheço. Mas isso não é caduquice.

O papo não rolava do jeito que eu havia previsto, *nem um pouco*. Ele não me parecia pirado. Nem envergonhado com o sermão. Parecia saber de algo que eu não sabia.

— O que houve? — Minha voz era quase um sussurro.

— Não posso conversar, estou com um problema aqui que precisa ser resolvido agora.

Eu disse, com voz impertinente:

— Acho que a situação do seu casamento é mais importante do que o novo tablete sabor tiramisu que...

— SSSSHHHH! — Ele sibilou, junto do fone. — Quer que o mundo inteiro descubra? Já me arrependi muito por ter lhe contado.

O medo me deixou muda. Ele nunca ficava bravo comigo.

— Ligo para você assim que eu puder. — Seu tom era muito firme. É até engraçado, porque ele me pareceu falar com um jeito de... pai.

— E então...? — mamãe quis saber, ávida, assim que eu desliguei.

— Ele vai ligar depois.

— Quando?

— Assim que puder.

Mordendo os nós dos dedos, eu não tinha certeza sobre o que fazer em seguida. Papai não me pareceu maluco, mas também não estava agindo de forma normal.

Simplesmente não me ocorria nada que eu pudesse fazer para ajudar. Nunca estivera em uma situação daquelas antes e não havia precedente nem manual de instruções. Tudo o que podíamos fazer era esperar por uma notícia que eu sabia, por instinto, que não seria nada boa. Mamãe continuava tagarelando "O que você acha?... Gemma, o que acha disso?", como se eu fosse um adulto com todas as respostas.

A única coisa que se salvou foi que eu não me levantei de repente, toda alegrinha, perguntando: "Que tal uma xícara de chá?", ou o que seria ainda pior: "Vamos preparar um chazinho?" Acho que chá não conserta nada e jurei baixinho que, não importavam as circunstâncias, aquela crise não conseguiria me transformar em bebedora de chá.

Considerei a ideia de ir até o trabalho dele para um confronto, mas, se rolava a tal "crise do sabor tiramisu", talvez eu nem conseguisse encontrá-lo.

— Para onde ele se mudaria? — desabafou mamãe, com jeito queixoso. — Nenhum dos nossos amigos iria acolhê-lo.

Ela estava certa. O lance no círculo de amigos dos meus pais era que o homem cuidava das finanças e das chaves do carro, mas as mulheres eram a força motriz do lar. Eram elas que davam a palavra final sobre quem entrava e quem saía, e mesmo que um dos amigos de papai tivesse lhe oferecido o quarto de hóspedes para passar a noite, sua mulher não permitiria nem que papai passasse da entrada, por pura lealdade à minha mãe. Portanto, se ele não ia para a casa de nenhum dos amigos, para onde poderia ir?

Eu não conseguia imaginá-lo sentado em um colchão bolorento ao lado de um fogareiro portátil de uma boca e uma chaleira enferrujada que não apitasse ao ferver.

A não ser que ele alimentasse a ideia maluca de que conseguiria sobreviver longe de mamãe e de seus confortos caseiros. Ele iria passar três dias jogando golfe sozinho com a máquina de atirar bolas e voltaria para casa assim que precisasse de meias limpas.

— Quando é que ele vai ligar de volta? — perguntou mamãe, mais uma vez.

— Não sei. Vamos assistir tevê.

Enquanto mamãe assistia ao programa *Sunset Beach*, escrevi para Susan o meu primeiro e-mail do dia. Susan — também conhecida como "minha linda Susan", para distingui-la de qualquer outra Susan talvez não tão linda — era a terceira do trio formado, além dela, por mim e por Lily, e, depois do grande desastre, resolvera ficar do meu lado.

Havia menos de uma semana, no dia 1º de janeiro, ela se mudara para Seattle, com um contrato de dois anos como relações públicas de um banco muito importante. Seu plano era achar algum cara da Microsoft para namorar, mesmo que ele fosse do baixo escalão, mas descobriu rapidinho que todos eles trabalham vinte e sete horas por dia e não têm muito tempo para dedicar a uma Susan romântica e interessada em badalação. Ter diante de si múltiplas opções na hora de pedir um simples café só servira, até agora, para ele preencher seu vazio existencial, e por isso ela estava solitária, querendo novidades.

Contei-lhe poucos detalhes e então apertei a tecla "enviar" do meu Communicator Plus, um notebook tão pesado e com tantas funções que só falta ler meus pensamentos. A empresa me dera um daqueles para trabalhar, à guisa de presente. Tá... Me engana que eu gosto! Na realidade, o trambolho só servia para eu me tornar mais escrava do que já era — eles podiam me achar em toda parte e na hora que quisessem. O tijolo era *tão* pesado que rasgara a costura do forro de seda da minha segunda melhor bolsa.

Quando *Sunset Beach* acabou, papai ainda não voltara a ligar, e eu anunciei:

— Isso não está certo. Vou ligar para ele de novo.

2

PARA: Susan_inseattle@yahoo.com
DE: Gemma 343@hotmail.com
ASSUNTO: papai fujão continua sumido

Vamos lá, tenho novidades. Você vai precisar de um Valium quando ouvir isso, portanto não leia nem mais uma palavra sequer antes de pegar o remédio. Anda logo, vai!

Voltou? Está pronta? Muito bem. Meu pai, Noel Hogan, arrumou uma namorada. E a história é muito pior que isso. Ela tem trinta e seis anos. *Apenas quatro anos mais velha que eu.*

Onde foi que ele a conheceu? Onde você acha que poderia ser? No trabalho, é claro! Ela é a (nossa, isso é tão previsível que chega a ser enfadonho...)... Ela é a secretária dele. Seu nome é Colette, tem dois filhos, uma menina com nove e um menino com sete, os dois de um casamento anterior. Na verdade, ela não era realmente *casada* com o outro cara e, quando eu comentei isso com mamãe, ela disse: "Isso não é de estranhar. Para que comprar a vaca quando se consegue leite de graça?"

O fato é que eles passaram muito tempo trabalhando juntos, preparando o lançamento do novo tablete sabor tiramisu, e acabaram ficando íntimos.

Sim, eu já havia contado a Susan toda a saga do tablete tiramisu. Sei que era um segredo de Estado que eu prometi a papai não contar a ninguém, mas Susan se mostrou tão empolgada com o assunto que eu não consegui manter o bico fechado. Ela adoraria fazer uma monografia sobre esse tema. *Do tabletinho simples ao tabletão crocante com amêndoas e castanhas — o futuro das barras de chocola-*

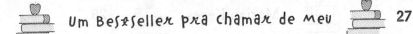

te no século XXI. "Imagine só o monte de pesquisas que eu ia ter de fazer", ela costumava dizer.

Precisei ir correndo até em casa, saindo às pressas do trabalho (e deixando duzentos quiropráticos agitadíssimos nas mãos de Andrea) para arrancar a fórceps todas essas informações de papai, como se fosse o jogo das vinte perguntas. "O senhor está com dívidas?"... "Está doente?"... Até finalmente acertar na mosca: "O senhor está tendo um caso?"

A coisa já está rolando há três meses — pelo menos, foi isso que papai me disse. Que papo é esse de ele cair fora de um casamento de trinta e cinco anos por causa de um lance que só tem três meses? E quando ele pretendia nos contar a respeito? Será que achou que podia simplesmente fazer a mala em uma terça-feira de manhã e cair fora para sempre sem ter de se explicar?

Sem falar na sua falta de peito. Ele se abre comigo ao telefone, me deixa com um abacaxi na mão e me pede para eu soltar a bomba em cima de mamãe. Ei, se liga!... Eu sou apenas a filha dele e minha mãe é sua mulher. Mas, quando eu mencionei esse detalhe, ele saiu pela tangente, dizendo: "Ah, converse com ela; as mulheres lidam melhor com esse tipo de situação."

Nem teve a delicadeza de me deixar sair correndo contar para mamãe na mesma hora; antes disso, ele me contou sobre As Delícias de Colette, enquanto mamãe continuava em casa, entocada como um animal ferido.

"Ela me faz sentir jovem", declarou papai, como se eu devesse me sentir feliz por sua causa. Em seguida, disse — e antes mesmo de as palavras saírem de sua boca, eu já sabia que ele ia dizer aquilo: "Eu me sinto um adolescente." Eu comentei: "Acho que dá para conseguir outro adolescente para o senhor. Prefere homem ou mulher?", mas acho que ele não entendeu a piadinha. Que coroa ridículo!

Contar à mamãe que seu marido a trocara pela secretária foi literalmente a coisa mais difícil que eu já fiz em toda a minha vida. Acho que seria mais fácil contar que ele havia morrido.

Mas ela aceitou bem a notícia — bem demais. Simplesmente disse "Entendo", parecendo uma pessoa muito razoável. "Uma namorada? Foi o que você disse? Vamos ver tevê."

Então, por mais maluco que isso pareça, ela se sentou diante da telinha, mesmo sem conseguir ver nada direito (bem, *eu*, pelo menos, não consegui). De repente, sem aviso, ela desligou o aparelho e disse: "Sabe de uma coisa...? Bem que eu gostaria de conversar com ele."

Mamãe foi para o telefone. Dessa vez ele atendeu a ligação e eles tiveram o que me pareceu um papo calmo... Calmo demais.

"Sim, Gemma me contou tudo, mas eu achei que ela talvez tivesse entendido algo errado. Hã-hã... Sei... Ela não entendeu nada errado. Hã-hã... Colette... Você está apaixonado por ela... Entendo... Entendo... Sim, mas é claro que você merece ser feliz... Ah, ela tem um lindo apartamento...? Que bom, isso é ótimo! Um lindo apartamento é sempre bom... Cuidar da sua correspondência? Sim, claro... Tudo bem, pode deixar comigo. Bem, a gente se vê qualquer hora dessas."

Assim que colocou o fone no gancho, ela informou: "Ele arrumou uma namorada." Como se fosse novidade.

Voltou para a cozinha, e eu na cola dela.

"Ele arrumou uma namorada. Noel Hogan arrumou uma namorada. Resolveu morar com ela em seu lindo apartamento."

Nesse instante, abriu um armário, pegou um prato e disse:

"Meu marido de trinta e cinco anos de casado arrumou uma namorada." Com a maior naturalidade, atirou o prato contra a parede como se fosse um *frisbee*; ele se espatifou em mil pedacinhos. Depois atirou outro... E mais outro. Foi adquirindo velocidade e os pratos zuniam pela cozinha cada vez mais rápidos; entre um arremesso e outro, eu tinha que abaixar a cabeça para evitar a explosão de cacos, que aumentavam em número.

Enquanto ela brincava de disco voador com o aparelho vagabundo da cozinha, azul e branco, eu não me incomodei muito. Afinal, ela fazia exatamente o que se esperava que fizesse. Mas quando ela foi para a sala de estar e pegou uma das bailarinas de porcelana — você sabe qual é, um daqueles bibelôs medonhos que vêm sempre em pares, mas que ela adora —, e, depois de hesitar por um segundo a varejou pela janela, *aí sim* eu fiquei preocupada.

"Pretendo pegar o carro e ir até lá para matá-lo", grunhiu ela, parecendo possuída. Se não fosse pelo fato de que:

a) ela não sabe dirigir;

b) papai tinha levado o carro e

c) ela nunca entraria no meu carro nem morta, porque ele é muito "cha-
mativo".

acho que ela teria feito isso de verdade.

Ao compreender que não poderia ir a lugar algum, mamãe começou a
puxar as pontas das próprias roupas (tentando rasgá-las, talvez?). Eu tentei
segurar as mãos dela para impedi-la, mas ela era muito mais forte do que eu.
A essa altura, eu já estava superapavorada. Ela continuava totalmente descontrolada e eu não tinha a mínima ideia sobre o que fazer. Para quem eu
poderia ligar? Por ironia, a primeira pessoa em quem eu pensei foi papai, mas
não daria certo, em especial por ser tudo culpa dele. Por fim, liguei para Cody.
É claro que eu não esperava nenhum tipo de solidariedade, mas precisava de
um conselho prático. Ele atendeu com a sua voz de "fora de expediente", isto
é, tão afrescalhado quanto um monte de tendas cor de cereja enfeitadas
com penas de pavão. "Que choque, querida! Conta logo esse babado!..."

"Papai abandonou mamãe. O que devo fazer?"

"Nossa! É ela que eu estou ouvindo aí no fundo?"

"Você está ouvindo o quê?... Guinchos? Então é ela!"

"Ela está...? Esse barulho é o de pastorinhas de porcelana barata sendo
quebradas?"

Fui dar uma olhada.

"Não. Potinhos de servir doce. Você quase acertou. O que devo fazer?"

"Esconda a porcelana cara." Quando ficou óbvio que eu não ia acompanhar o deboche, ele disse, com um jeito gentil, para seus padrões: "Chame
um médico, querida."

Por aqui é mais difícil achar um médico que atenda em casa do que
comer *apenas uma* castanha de caju (aliás, algo absolutamente impossível,
como nós duas sabemos muito bem.) Telefonei e consegui achar a sra. Foy,
a recepcionista rabugenta do dr. Bailey. Eu já lhe contei dela? A mulher
começou a trabalhar para ele antes do Dilúvio e qualquer pedido de consulta parece uma ofensa à falta de tempo do médico. Mas eu consegui convencer a velha megera de que era mesmo uma emergência; os sons histéricos de
mamãe ao fundo devem ter ajudado, é claro.

Meia hora depois, o dr. Bailey apareceu usando roupas de jogar golfe e
— acredite se quiser — aplicou uma injeção em mamãe. Eu achava que pes-

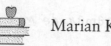

soas que estão se rasgando todas só recebiam injeções quando se tornavam agitadas demais. Não sei o que eles colocam nessa medicação, mas deve ser droga da melhor qualidade, porque mamãe parou de arfar na mesma hora diante dos nossos olhos e se largou toda mole sobre a cama.

"O senhor tem mais disso?", perguntei, mas o médico respondeu:

"Rá-rá-rá! Conte-me o que aconteceu."

"Meu pai nos deixou e foi morar com a secretária."

Esperava que o bom doutor se mostrasse chocado, mas sabe o que aconteceu? Uma espécie de culpa surgiu de relance em seu rosto... Não estou brincando, mas me pareceu nitidamente ouvir a palavra "Viagra" sendo sussurrada em pleno ar, como uma bolha de sabão azulzinha. Papai havia se consultado com ele recentemente, eu poderia apostar!

O médico me pareceu louco para ir logo embora dali.

"Ajeite-a na cama", disse ele, "mas não a deixe sozinha. Se ela acordar..." Ele colocou dois comprimidos na mão e os entregou para mim. "Dê-lhe isso aqui, mas só em caso de emergência." Em seguida, me deu uma receita para calmantes e saiu chispando rumo ao décimo terceiro buraco. Seus sapatos com ferrinhos deixaram punhados de grama sobre o tapete da sala.

Ajeitei mamãe na cama — ela ainda estava de roupão, então não foi preciso despi-la. Fechei as cortinas e deitei ao lado dela, em cima do edredom. Eu estava usando o meu terninho Nicole Farhi e, apesar de não tê-lo comprado em nenhuma liquidação e saber que ele ia ficar cheio de fiapos de edredom, não liguei. Isso prova o quanto eu estava apavorada.

Tudo aquilo era muito estranho. Você sabe como são as coisas por aqui. *Ninguém* abandona a esposa. As pessoas se casam e continuam casadas por cento e setenta anos, mesmo que se odeiem profundamente. Não que mamãe e papai parecessem se odiar, porque não era esse o caso. Eles simplesmente eram... você sabe como é... casados.

Fiz uma pausa e apaguei o último parágrafo. A mãe de Susan morreu quando ela estava com dois anos; seu pai se casou novamente quando ela fez vinte. O casamento acabara havia três anos e, embora Carol não fosse sua mãe verdadeira e Susan não estivesse nem morando com eles quando tudo começou a dar errado, ela continuava muito abalada com o que acontecera.

Resumindo... Eu estava ali largada sobre a cama vestindo um terno de grife quando os sinos da igreja começaram a dar as badaladas do meio-dia. Estava em um quarto escuro com minha mãe sedada ao lado e ainda nem chegara a hora do almoço. Isso me deu um calafrio de medo e então liguei para o trabalho, só para sentir que não era a única pessoa no planeta. Andrea deixou escapar que os telões não haviam chegado para o congresso dos quiropráticos, mas insistiu que tudo estava correndo bem. Obviamente não estava nada bem. Como é que os médicos podiam olhar para as imagens das colunas tortas sem os telões?

Ah, que se dane! Para ser franca, algo sempre sai errado em um congresso, não importa o quanto eu me prepare. Pelo menos os arranjos de centro de mesa para o jantar de gala haviam chegado. (Havíamos encomendado malvas e outras flores de hastes compridas e moles, e resolvemos prender arame fino em volta dos caules, para deixá-los parecendo uma coluna vertebral. Ideia de Andrea, que é muito criativa.)

A pobre Andrea estava *louca* para saber o que acontecera com papai, se ele tivera um infarto, um derrame ou o quê, mas você sabe como são as regras de etiqueta: não se deve perguntar nada assim, de cara. Eu simplesmente disse que ele estava bem, mas ela não desistiu.

"O estado dele é estável?", ela quis saber.

"Estável? Bem, ele certamente não me parece estável."

Desliguei rapidinho, mas estou com esse problema. Todo mundo no trabalho pensa que papai está à beira da morte. E agora...? Como é que eu posso lhes contar a verdade? Como dizer que a única coisa grave é ele ter arranjado uma namorada?

Isso era muito embaraçoso, além do fato de que um monte de gente do meu trabalho conhecia papai e eles jamais acreditariam quando eu contasse o que acontecera. Para falar a verdade, embora papai tivesse me contado *pessoalmente* que arranjara uma namorada, eu também não acreditava. Isso simplesmente não fazia o gênero dele. Até o seu nome está errado, você não acha? "Senhoras e senhores, reflitam no fundo de seus corações e se perguntem com sinceridade: Noel Hogan parece o nome de um homem que larga a mulher por outra que poderia ser sua filha? Seu nome não deveria ser Johnny Chancer ou Steve Gleam? Pois eu lhes asseguro, senhoras e senhores do júri, que Noel Hogan é o nome de um homem que lê romances de John

Grisham, monta a árvore genealógica da família até quatro gerações passadas, um homem cujo grande herói não é Arnold Schwarzenegger, nem Rambo, e sim o Inspetor Morse; em outras palavras, senhoras e senhores, um homem que jamais daria à sua mulher e filha um único momento de preocupação."

Continuando... Depois de séculos deitada na cama, resolvi limpar a louça quebrada e eu juro por Deus... Você precisava ver o estado da cozinha; havia cacos de pratos quebrados por toda parte — dentro da manteiga, flutuando na jarra de leite. Tinha um pedaço de prato com dez centímetros de comprimento espetado em um vasinho de violetas, parecendo uma obra de arte vanguardista.

Muitos enfeites da sala de estar viraram farelo. É claro que alguns deles eram tão horríveis que ficamos no lucro, mas morri de pena da pobre bailarina. Seus dias de balé acabaram.

Depois disso voltei para o quarto e me deitei ao lado de mamãe, que estava fazendo uns barulhos engraçados, assobiando e roncando ao mesmo tempo, mas fiquei por cima do edredom. Havia umas revistas ridículas no chão ao lado da cama e eu passei o resto da tarde lendo todas, de cabo a rabo.

O lance, Susan, é que eu fiquei preocupada com o meu comportamento a partir dessa hora. O aquecedor desligou sozinho às onze da noite e o quarto ficou gelado, mas eu não me cobri. Achei que, enquanto não entrasse na cama *junto com* mamãe, eu estaria apenas lhe fazendo companhia, mas no instante em que eu me enfiasse debaixo das cobertas isso significaria que papai realmente não ia voltar para casa. Acabei cochilando e, quando acordei, fazia tanto frio que eu parecia anestesiada e nem senti a pele; quando cutucava o braço com o dedo, dava para ver a marca do dedo na pele, mas eu não sentia nada. Comecei a me distrair com aquilo, pois era parecido com estar morta. Ainda me cutuquei algumas vezes e então resolvi vestir o casaco de mamãe. Não ia me servir de nada pegar hipotermia só porque papai tinha pirado na batatinha. Mesmo assim, não consegui entrar debaixo das cobertas. Quando tornei a acordar, o diabo do sol já se levantara e eu fiquei chateada comigo mesma. Enquanto ainda estava escuro, havia esperança de que papai viesse para casa, e se eu tivesse aguentado acordada, ali, de guarda, o dia jamais teria amanhecido. Maluquice, eu sei, mas foi assim que eu me senti.

A primeira frase de mamãe, ao acordar, foi: "Ele não veio para casa."

A segunda foi: "O que você está fazendo com o meu casaco bom?"

Então é isso aí, essa foi a última atualização da novela. Mais novidades quando as tiver, assim que as tiver.

Beijos,

Gemma xxx

P.S. — A culpa de tudo isso é sua. Se você não tivesse arrumado esse emprego em Seattle, cidade onde não conhece ninguém, não estaria se sentindo solitária, louca para saber novidades de casa, e a minha vida não teria se autodestruído só para eu atender ao seu pedido.

P.S. 2 — O P.S. anterior foi brincadeira, viu?

3

Meu celular tocou. Era Cody. Cody não é o nome verdadeiro dele, é claro. O nome real é Aloysius, mas, assim que ele entrou na escola, nenhum dos novos coleguinhas conseguia pronunciá-lo. O melhor que conseguiam era "Wishy".

— Preciso de um apelido! — pediu Cody a seus pais. — Algo que as pessoas consigam falar.

O sr. Cooper (nome de batismo: Aonghas) lançou um olhar para a sra. Cooper (nome de batismo: Mary). Ele tinha sido contra a ideia de dar esse nome ao menino desde o princípio. Sabia tudo o que havia para saber a respeito de arrastar pela vida um nome impronunciável, mas a sua esposa era uma mulher religiosa e havia insistido. Aloysius era o nome de um santo altamente conceituado — aos nove anos, fizera voto de castidade e acabou morrendo aos vinte e três, quando cuidava de vítimas de peste e pegou a doença — era uma honra receber o nome dele.

— Muito bem, escolha um apelido. Qualquer um que você goste, filho — concordou a sra. Cooper, com ar magnânimo.

— O nome que eu escolho éééé... Cody!

Uma pausa.

— Cody?

— Sim, Cody.

— Cody é um nome estranho, filho. Você não prefere escolher outro? Paddy é um apelido legal. Ou quem sabe Butch.

Cody/Aloysius balançou a cabecinha de cinco anos para os lados, com determinação. — Podem me espancar, se quiserem, mas meu nome é Cody.

— Espancar você? — reagiu o sr. Cooper, indignado. Virando-se para a sra. Cooper, perguntou: — Que tipo de histórias você anda lendo para esse menino?

A sra. Cooper ficou ruborizada. *As Vidas dos Santos* era uma leitura boa e educativa. Era culpa dela que todos eles acabassem fritos em óleo fervente, atravessados por um monte de flechas ou apedrejados até a morte?

Cody foi a primeira pessoa que eu conheci em toda a minha vida que imaginava ter uma "vocação". Passou dois anos em um seminário, aprendendo os fundamentos do sacerdócio (especialmente a parte de espancar pessoas), até o dia em que, como ele mesmo conta, "caiu na real e descobriu que ele não era nenhum santo, simplesmente era gay".

— Prepare-se, Gemma — disse-me Cody. — Você vai precisar ter coragem.

— Ai, minha nossa! — reagi, pois quando Cody avisa que você precisa de coragem é porque as novidades que traz são realmente pavorosas.

Cody é um cara engraçado. É muito honesto, quase exageradamente honesto. Quando você lhe pergunta "Diga-me, Cody, com toda a honestidade, pois eu consigo aguentar. Minha celulite está aparecendo por fora desse vestido?", ele responde com sinceridade.

Agora, cá entre nós... Obviamente ninguém faz essa pergunta se acha que a resposta vai ser "sim". Quando uma mulher pergunta isso, é porque está orgulhosamente convencida de que, depois de um mês de escovadas, uso do aparelho francês para emagrecimento três vezes por dia e a proteção de meias-calças anticelulite, além da cartada final: uma saia de lycra com resistência de nível industrial, a resposta vai ser um imenso e redondo NÃO.

Cody é a única pessoa que lhe diz que dá para notar uma textura de "casca de laranja" por baixo da roupa. Acho que não faz isso por crueldade; creio que banca o advogado do diabo só para proteger do ridículo as pessoas que lhe são íntimas e caras. Pode-se dizer que ele desaprova falsas esperanças e acha que pender para o lado do otimismo só serve para nos fazer de tolas e deixar o resto do mundo em vantagem sobre nós.

— Trata-se de Lily — afirmou ele. — Lily Wright — repetiu, ao perceber que eu não disse nada. — Estou falando do livro dela. Acaba de sair. Chama-se *As Poções de Mimi*. O *Irish Times* vai publicar a resenha no sábado.

— Como é que você sabe?

— Encontrei uma pessoa ontem à noite que me informou. — Cody conhece todo tipo de gente. Jornalistas, políticos, donos de boates. Trabalha no Departamento de Assuntos Internacionais do governo e faz o estilo Clark Kent: sério, ambicioso e heterossexual durante o dia, até o fim do expediente, momento em que saca suas armas imbatíveis (bebidas e preparados energéticos) e sai em defesa da Irlanda. Circula por muitas áreas e tem acesso a todo tipo de informação privilegiada.

— A resenha é boa? — Meus lábios pareciam não reagir de imediato à minha necessidade de falar.

— Acho que sim.

Eu ouvira dizer, séculos atrás, que ela conseguira um contrato para a publicação de um livro; meu queixo caiu diante dessa injustiça. *Eu* é que devia escrever um livro; vivia falando sobre isso. O problema é que minha carreira literária até agora consistia apenas em ler livros escritos por outras pessoas e atirá-los contra a parede, declarando: "Isso é uma bosta! Até dormindo eu escrevo melhor do que ela!"

Por algum tempo, toda vez que passava diante de uma livraria, eu entrava e procurava pelo livro de Lily, mas não encontrava nada, e tantos meses haviam passado — mais de um ano — que eu cheguei à conclusão de que não ia acontecer.

— Obrigada por me contar, Cody.

— Noel já voltou para casa?

— Ainda não.

Cody estalou a língua de impaciência e soltou:

— Quando Deus fecha uma porta, bate com a seguinte bem na sua cara. Bem... Você sabe... Ligue pra mim, se precisar. — Em se tratando de Cody, isso representava um estado de preocupação profunda e eu fiquei comovida.

Desliguei o celular e olhei para mamãe. Seus olhos latejavam de ansiedade.

— Era o seu pai?

— Não, mamãe. Sinto muito. — Já estávamos no meio da manhã de quarta-feira e o clima estava pra baixo. Muito pra baixo. Ela estava em um estado tão patético quando acordou que, quando nós descemos logo cedo para tomar café, ao passarmos pela porta da frente, quase deu um grito e exclamou:

— Meu santo Cristo, Maria e José! Ninguém fechou a correntinha da porta! — Foi olhar mais de perto. — Nem passaram a tranca!

Foi correndo até a cozinha e examinou a porta dos fundos.

— Passaram só uma volta na fechadura da porta de serviço e esqueceram de ligar o alarme. E não venha me dizer que as janelas também não estavam fechadas!

Pelo visto, papai executava uma rotina noturna para lacrar a casa e deixá-la mais protegida que Fort Knox.

— Por que você não trancou tudo? — perguntou mamãe. Seu ar não era de acusação, ela simplesmente parecia intrigada.

— Não tranquei porque não sabia que era para trancar.

Isso provocou um ar ainda mais intrigado e, depois de uma pausa, ela declarou:

— Pois bem, agora você já sabe.

Eu já estava prontinha para ir trabalhar, mas mamãe me pareceu tão perdida, parecendo uma criança, que eu liguei para Andrea, a fim de saber como andavam as coisas por lá; ela me surpreendeu dizendo que o jantar de gala tinha sido "muito divertido", que os médicos ficaram doidões, começaram a entortar os arranjos do centro das mesas dizendo que aquilo era hérnia de disco e coisas desse tipo. Acho que Andrea acabou saindo com um deles.

Ela disse que eu não precisava ir trabalhar, o que foi muito gentil da sua parte, porque arrumar as coisas depois de um congresso é uma trabalheira que ninguém merece — levar os delegados de balsa até o aeroporto, devolver as cadeiras, os refletores e os telões para as empresas de aluguel — embora os telões não tivessem aparecido, o que representava um trabalho a menos —, brigar com o hotel por causa da conta etc.

Para retribuir sua gentileza, eu contei a Andrea, rapidamente, o que realmente acontecera com papai.

— Isso é crise de meia-idade — garantiu-me ela. — Qual é a marca do carro dele?

— Nissan Sunny.

— Certo. A qualquer momento ele vai trocá-lo por um Mazda MX5 vermelho, mas logo depois voltará ao normal.

Voltei para onde mamãe estava e lhe informei sobre as novidades, mas ela simplesmente disse:

— O seguro para carros vermelhos é mais caro, pelo menos foi o que eu li em algum lugar. Quero que ele volte para casa.

Ela tinha os cotovelos sobre a mesa, ainda cheia dos restos do café da manhã da véspera: tigelas, facas cheias de manteiga, xícaras (Aaaargh!). Eu nem me dei ao trabalho de tirar a mesa ao limpar a louça quebrada; provavelmente achei que aquilo fosse tarefa da mamãe. Ela sempre teve orgulho por ser uma boa dona de casa — pelo menos em circunstâncias normais. Naquele momento, parecia não dar a mínima para a sujeira. Dei início à limpeza, empilhando os pratos e pires, mas, quando peguei a tigela onde papai comera mingau, mamãe gritou:

— Não!

Pegou a tigela da minha mão e a colocou no colo.

Em seguida, ligou novamente para o escritório de papai. Estava ligando de cinco em cinco minutos desde as oito e meia, mas caía sempre na secretária. Já eram dez e meia.

— Podemos ir até o trabalho do seu pai, Gemma? Por favor. Eu preciso vê-lo.

Seu desespero em estado bruto era *insuportável*.

— É melhor falarmos com ele antes, mamãe — E se nós aparecêssemos em sua sala e fôssemos dispensadas?... Eu não podia correr esse risco.

— Mãe, será que a senhora se importaria se eu desse uma saidinha por dez minutos?

— Aonde você vai? — Sua voz ficou embargada por causa das lágrimas. — Não me abandone!

— Vou dar um pulo nas lojas aqui perto. Prometo voltar logo. A senhora quer alguma coisa? Um litro de leite?

— Pra que precisamos disso? O leiteiro não trouxe o leite?

Leiteiro. Ali era outro planeta.

Procurei pelo meu casaco, mas logo lembrei que o deixara com os quiropráticos. Tinha de sair com aquela roupa mesmo. O terninho da véspera estava todo amarrotado e coberto de fiapos de edredom.

— Você vai demorar muito? — gritou mamãe, quando eu saí.

— Não, volto já, já.

Fui voando até um shopping que ficava ali perto e só faltou eu saltar do carro antes mesmo de estacionar. Meu coração pulava. Por ora, o drama provocado por papai fora relegado a segundo plano. O livro de Lily era a causa da minha boca seca. Corri pela porta de entrada torcendo para não dar de cara com ninguém do trabalho e entrei na livraria em alerta total, sentindo-me uma espiã invadindo a embaixada inimiga. Corri os olhos da esquerda para a direita, esperando uma barricada formada pelos livros de Lily, e então virei a cabeça para ver se alguém me seguira. Ninguém até ali. Com minha Visão de Superansiedade, avistei a estante dos lançamentos em menos de um segundo e filmei cada capa — o Homem de Seis Milhões de Dólares não desempenharia aquela tarefa tão depressa —, mas não havia nenhum título escrito por Lily.

E se eles não tivessem o livro em estoque ali? Afinal, aquela era uma livraria pequena, de bairro. Senti que precisava ir até uma livraria maior, no centro, para continuar a busca. Não ia desistir até ter uma cópia do livro de Lily nas mãos.

Próximo passo: procurar por ordem alfabética. Os autores com W estavam nas prateleiras mais baixas, perto do chão. Lá fui eu, colocando-me de cócoras. Waters, Werther, Wogan... ai, Cristo, estava ali. Era o nome dela. Lily Wright. As letras eram cheias de voltinhas e frescuras, assim: Lily Wright. E o título tinha as mesmas letras: *As Poções de Mimi*.

Meu coração martelou com mais força e minhas mãos estavam tão úmidas de suor que deixaram marcas na capa. Folheei o livro depressa, mas meus dedos tremiam. Procurava pelo texto que falava sobre a autora e por fim o encontrei:

Lily Wright mora em Londres, com o companheiro, Anton, e a filhinha, Ema.

Meu santo Cristo. Ver tais palavras na orelha de um livro tornou tudo mais real que nunca. Estava *impresso*.

Todo mundo — os editores dela, seus leitores, os funcionários das livrarias e o povo que trabalhava na gráfica —, todos iam achar que aquilo era verdade. Anton era companheiro de Lily e eles tinham uma filhinha. Eu me senti abandonada e excluída daquela panelinha, pois era a única pessoa no planeta que ainda considerava Anton meu, por direito. Todo mundo, *em toda parte*, ia achar que a afirmação de Lily era verdadeira. Uma tremenda injustiça! Ela o roubara, mas, em vez de ser tratada como a criminosa comum que era, todos lhe davam tapinhas nas costas, parabenizando-a e dizendo: "Muito bem, um tremendo companheiro o seu. Boa menina!" Sem mencionar o fato de que, para piorar, ela parecia mais magra do que nunca. É claro. Não havia a mínima pista de que ela ficaria bem melhor se fizesse um transplante de cabelo em estilo Burt Reynolds. Não é implicância minha não... Ela mesma se cansou de repetir essa frase. Nada disso... A fim de exibir apenas seus atributos positivos, ela parecia linda na foto, cheia de cabelos. Na contracapa havia outra foto pequena, em preto-e-branco. Olhei atentamente, com a boca seca e uma careta agridoce. Olhem só para ela, toda delicada, com olhos imensos, loura, cheia de cachinhos, parecendo um anjo alto e esbelto. E ainda dizem que as câmeras não mentem...

Cheguei a achar que não devia pagar por aquele livro — afinal, a autora não só roubara o homem que eu mais amava no mundo, mas ainda por cima escrevera um livro a meu respeito. Tive uma daquelas vontades quase irresistíveis de esbravejar com o vendedor. "Tudo o que está neste livro é sobre mim, sabia?", mas consegui me controlar.

Sem me lembrar como, paguei pelo livro, saí da loja e fiquei lá fora parada, no frio, acompanhando o texto com o dedo, página por página, em busca do meu nome. Assim, em uma primeira olhada, não consegui vê-lo. Continuei procurando e então percebi que ela devia ter trocado o meu nome, para evitar processos ou algo assim. Eu, provavelmente, era a "Mimi" do título. Cheguei à página sete antes de sair do transe em que estava e sacar que era melhor voltar para a casa quentinha da minha mãe do que ficar ali em pé no meio da rua, lendo.

Assim que coloquei os pés novamente em casa, vi mamãe no portal da cozinha, com a voz embargada:

— Ele arranjou uma namorada.

Enquanto eu estive fora, ela finalmente conseguira falar com papai, e era como se tivesse acabado de descobrir a novidade.

— Isso nunca aconteceu com ninguém que eu conheço. O que eu fiz de errado?

Ela foi até onde eu estava e se lançou em meus braços, arrasada. Algo duro bateu no meu quadril — foi a tigela de mingau, que ela guardara no bolso do roupão. Chorava como uma criança, com direito a todos os *wa-wa-waaas*, arfadas secas, soluços e tosses; aquilo me partiu o coração. Mamãe me pareceu em um estado tão terrível que eu lhe dei os dois comprimidos para emergências e a levei de volta para a cama. Assim que a vi sossegada, respirando um pouco mais devagar, apertei a receita que o dr. Bailey deixara com força entre os dedos — na primeira oportunidade que eu tivesse, iria à farmácia.

Então, em um acesso de fúria, liguei para papai, que pareceu surpreso — *surpreso*, imaginem só — ao ouvir minha voz.

— Venha aqui em casa hoje à noite para se explicar — disse eu, com voz zangada.

— Não há nada para explicar — tentou ele. — Colette disse que...

— Foda-se a Colette! Estou cagando e andando para O QUE a Colette diz. — O senhor precisa se dar ao respeito e vir até aqui.

— Olhe esse palavreado! — disse ele, com voz ressentida. — Tudo bem. Eu passo em casa lá pelas sete horas.

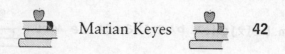

Desliguei e senti o chão literalmente tremer sob meus pés. Meu pai estava tendo um caso. *Meu pai largara a minha mãe.*

Fui para o quarto, me acomodei na cama ao lado de mamãe e comecei a ler o livro que falava de mim.

No meio da tarde, mamãe abriu um olho.

— O que você está lendo?

— Um livro.

— Ah.

4

PARA: Susan_inseattle@yahoo.com
DE: Gemma 343@hotmail.com
ASSUNTO: Que tipo de mulher rouba o homem da sua melhor amiga, em seguida escreve um livro e nem sequer menciona o fato?

Outro dia, outra *douleur*.

Acabo de receber novas notícias chocantes. O livro de Lily foi lançado. Essa mesma, Lily Cada-um-por-si Wright. Lily estou-ficando-careca Wright. É a história mais maluca que eu já li, uma espécie de livro para crianças, só que sem figuras e com palavras muito compridas. Fala de uma bruxa chamada Mimi (sim, isso mesmo, você leu direito, uma bruxa) que se muda para um vilarejo, que tanto poderia ficar na Irlanda quanto na Inglaterra ou em Marte, e começa a interferir na vida de todo mundo. Ela inventa encantamentos com instruções do tipo "coloque um punhado de compaixão, uma pitada de inteligência e uma generosa quantidade de amor". Eu quase engasguei. Eu não apareço na história, nem você, nem mesmo Anton eu consegui encontrar. A única pessoa que eu reconheci foi uma garota vingativa de cabelos cacheados que só pode ser o Cody.

Levei quatro horas para ler o livro todo, mas imagino que milhões de pessoas vão comprá-lo, ela vai ficar milionária e virar celebridade. A vida é realmente cruel.

Assim que acabei, tive de aprontar mamãe, porque papai estava vindo. Ela se recusava a trocar de roupa — acho que começou a curtir demais aquele roupão. Quanto à tigela de mingau, ela não larga aquilo. Até parece que está à espera dos peritos para recolhê-lo como evidência do crime e etiquetá-lo como Prova A.

Então ele chegou. Usou a própria chave para abrir a porta, o que eu achei muito estranho. Ao vê-lo, eu me apavorei de verdade. Não faz nem dois dias e ele já parece diferente. Mais ligado, com uma silhueta mais definida, menos fora de foco, sei lá... Só percebi o quanto o negócio era sério ao ver que ele usava roupas novas. Bem, pelo menos eu nunca as tinha visto antes. Uma jaqueta de camurça marrom — meu santo Cristo dos Bazares! Costeletas aparadas, um corte moderno e dinâmico no cabelo e, o pior de tudo... Tênis! Minha santa Mãe de Deus, aqueles tênis! Ofuscantemente brancos e tão grandes que parecia que os tênis é que usavam papai, e não o contrário.

"O que está acontecendo?", perguntei.

Sem nem ao menos se sentar, ele anunciou que sentia muito, mas estava apaixonado por Colette, e ela por ele.

Isso foi a coisa mais esquisita e terrível de ouvir. O que havia de errado naquela situação? Simplesmente tudo.

"Mas e quanto a nós?", perguntei. "E quanto à mamãe?" Pensei que ia deixá-lo embatucado nessa hora, porque ele fora absolutamente devotado a nós por toda a sua vida. Mas você sabe o que ele me disse? Simplesmente "Sinto muito".

O que, é claro, significava que ele não sentia coisíssima nenhuma. Simplesmente não dava a mínima, o que eu não conseguia compreender, porque ele sempre foi muito gentil e carinhoso. Levou um tempo para a ficha cair e eu perceber o que acontecia, porque aquele era o meu PAI, entende? Então — isso foi outro susto terrível — percebi que ele estava envolto por aquele casulo amoroso dentro do qual tudo o que a pessoa sente é a própria felicidade e ela não consegue imaginar que nem todos à sua volta estão no mesmo clima. Nunca imaginei que essas coisas acontecessem com gente velha, muito menos *pais*.

Nesse momento, mamãe perguntou, com voz miúda:

"Você vai ficar para jantar conosco?"

Fala sério! Ela realmente fez isso! Então eu disse na mesma hora, muito angustiada:

"Ele não pode jantar conosco, porque não temos mais pratos." Então contei para ele, com ar acusador: "Mamãe quebrou toda a louça ontem de tão pau da vida que ela ficou com o senhor."

Isso não o abalou. Ele simplesmente informou:

"Eu não poderia ficar, de qualquer modo." Lançou um olhar furtivo para a porta da frente. Na mesma hora me deu um estalo e eu gritei:

"Ela está lá fora! O senhor a trouxe até aqui!"

"Gemma!", ele reagiu, mas eu já estava na porta e confirmei. Havia realmente uma mulher sentada no banco do carona do Nissan Sunny. Meu queixo quase caiu. Existia realmente outra mulher na vida dele. Papai não estava imaginando coisas por excesso de trabalho.

Você sabe como, nos livros, os autores sempre descrevem o olhar de mulheres que roubam o homem de outras como "duro" só para o leitor não sentir simpatia por elas. Pois bem, Colette era assim, tinha realmente um olhar duro. Logo que me viu na porta, ela fez uma cara de "não se meta comigo". Agindo como uma lunática, corri até o carro, grudei a cara no vidro fechado, bem junto dela, cobri o lábio superior com o inferior, arregalei os olhos e a xinguei de um palavrão horrível. Verdade seja dita, ela não demonstrou medo e não recuou um centímetro sequer; simplesmente me lançou um olhar frio com os olhos redondos muito azuis.

Papai apareceu atrás de mim na mesma hora, ralhando:

"Gemma, deixe-a em paz, a culpa não é dela." Em seguida, murmurou: "Desculpe, amor." E não foi para mim que ele disse isso! Completamente derrotada, tornei a entrar em casa e, acredite se quiser, Susan, sabe o que eu pensei...? Que ela tinha feito luzes e os seus cabelos eram mais bonitos que os meus.

Papai ficou só mais uns cinco minutinhos, e então, bem na hora de sair, fez surgir do bolso da (mal consigo digitar o nome) jaqueta de camurça marrom quatro embalagens do tiramisu em barra que estavam em teste. Por um segundo, eu me senti quase comovida — pelo visto ele planejava nos manter à base de chocolate —, mas então disse:

"Contem-me suas impressões e me avisem caso achem que o sabor café é forte demais."

Eu atirei a minha barra de volta para ele, atingindo-o em uma das costeletas, e berrei:

"Faça a sua própria pesquisa de mercado!"

Mamãe, porém, se agarrou à sua barra como se ela fosse um bote salvavidas.

Logo depois estávamos novamente só mamãe e eu, sentadas em silêncio, boquiabertas.

Foi só então que a sensação de choque tomou conta de mim por completo; nada daquilo parecia real. Eu não conseguia mais rodar programa nenhum em meu sistema.

Como foi que aquilo tudo acontecera? O pior é que... Quer saber de uma coisa? Em meio a todos os outros sentimentos, eu ainda consegui um jeitinho de me sentir envergonhada. Isso é péssimo, mas a verdade é que... Nossa, só de pensar em meu pai pulando a cerca e fazendo outras coisas...! E *fazendo essas coisas* com uma mulher da minha idade. Já é terrível imaginar os próprios pais fazendo sexo um com o outro, mas transando com pessoas de fora ainda é pior...

Lembra de quando o seu pai se casou com Carol? E de como a ideia de eles transarem um com o outro era tão aterrorizante que chegamos à conclusão de que estavam juntos só pelo companheirismo? Se ao menos eu conseguisse me convencer de que esse era o mesmo caso agora!

E qual é o lance da tal Colette de olhar duro e cabelos com luzes? Meu pai é tão quadrado que usa camiseta por baixo da roupa. *Camiseta*, dá pra acreditar?

Aaargh! Acabei de ter uma visão dos dois em plena transa.

"Depois de tudo o que eu fiz por ele — lamentou mamãe. — Me abandonar agora, quando eu estou no crepúsculo da vida. O que eu fiz de errado?"

Sabe de uma coisa, Susan? Eu sempre tive medo de ter filhos por achar que não conseguiria enfrentar as desilusões amorosas deles durante a adolescência, mas nem nos piores pesadelos eu achei que teria de enfrentar esse problema com a minha *mãe*.

Você sabe como ela é — a esposa perfeita, sempre preparando pratos deliciosos, mantendo a casa impecável, nunca preocupando papai quando ele ficava angustiado com o fato de as barras de chocolate não venderem tanto quanto deveriam. E ela conseguiu manter a silhueta na menopausa. Até o terrível período de menopausa ela enfrentou com autoconfiança; nem uma vezinha sequer foi parada na porta do supermercado por tentar sair com uma lata de sardinhas escondida na sacola sem pagar. (Por que será que é sempre uma lata de sardinhas?)

Só posso lhe garantir uma coisa: Isso me fez ficar muito cabreira com os homens. De que adianta? Você lhes oferece toda a sua vida, se mata de cozinhar até defumar a cara no meio da fumaça, morre de fome para evitar a osteoporose e tudo isso para quê? Para eles jogarem você pro alto bem na hora em que começa a sua descida rumo à velhice e trocarem você por outra mulher que curte homens de camiseta e faz luzes no cabelo?

"Ele não merecia a senhora", foi o que eu disse à minha mãe. Mas ela fez cara feia e me repreendeu. "É do seu pai que você está falando."

Mas o que mais eu poderia dizer a ela? Que o mar está cheio de peixões? A senhora vai encontrar outra pessoa? Puxa vida, mamãe está com sessenta e dois anos: ela é boazinha, tem um jeito aconchegante e parece a vovó de alguém.

Se você tiver chance, ligue para mim. Estou na casa de mamãe. Ela está morrendo de medo de ficar sozinha, então eu resolvi passar algum tempo aqui com ela, pelo menos até papai cair na real e voltar para casa.

Beijos,
Gemma

P.S. — Não se preocupe, eu não ligo de você não estar sem Valium em casa e acho que o rum com Coca foi um ótimo substituto. Você fez muito bem.

Mamãe deixou que eu fosse ao meu apartamento pegar roupas limpas, porque era uma viagem de quinze minutos.

— Se você não voltar em quarenta minutos, eu vou ficar com medo — ela me garantiu.

Nessas horas eu odeio ser filha única. Mamãe teve dois abortos espontâneos — um antes de eu nascer e outro depois — e não adiantou aquele monte de cavalinhos de pau e triciclos cor-de-rosa que nada disso compensou o fato de eu não ter irmãos nem irmãs.

Enquanto dirigia, meus pensamentos se voltaram para Colette e suas luzes. O maior choque era ela ter quase a mesma idade que eu. Será que isso significava que meu pai andava paquerando minhas amigas? Ele tinha ficha limpa nessa história de casos e flertes — até a véspera, essa ideia me provocaria acessos de riso —, mas de repente eu analisava a possibilidade com outros olhos. Lembrei de como papai se comportava. Ele sempre fora muito legal com as minhas amigas e lhes oferecia chocolates sempre que elas apareciam, mas era por gentileza, quase o mesmo que convidá-las para entrar em casa. E quando eu estava no fim da adolescência, até os vinte e poucos anos, ele era o pai que costumava sair de casa às duas da manhã com um casacão por cima do pijama, a fim de me apanhar, e a mais umas nove ou dez amigas pelas boates da cidade. Nós geralmente estávamos ligeiramente altas (pra não dizer "completamente tortas"), e foi memorável a vez em que Susan abriu a janela de trás do carro e vomitou meia garrafa de Schnapps de pêssego, deixando a porta do carro toda cagada. Papai não percebeu nada até a manhã seguinte, quando, balançando as chaves na mão, saiu de casa para jogar golfe e reparou que uma das portas do carro estava coberta de vômito ressecado. Em vez de ficar alterado e ter chiliques, como aconteceu com o sr. Byers no dia em que Susan vomitou no seu canteiro de flores ("Diga àquela fedelha para vir até aqui limpar essa sujeira! Ela nem devia ingerir álcool, para início de conversa, porque é menor de idade, obviamente não aguenta bebida!" etc., etc.), tudo que papai disse, balançando a cabeça, foi: "Ah, querida! Aquela Susan..." e voltou para casa, a fim de pegar um balde com água e um esfregão. Nessa hora eu achei que papai era simplesmente um sujeito gentil, mas agora estava matutando se não havia algo mais libidinoso por trás daquilo.

Um pensamento revoltante.

Peguei um monte de sinais vermelhos pelo caminho, o que acabou me atrasando, mas pelo menos a senha do portão eletrônico estava funcionando. Meu apartamento fica em um condomínio metido a besta, cheio de onda, e entre as muitas vantagens que oferece estão uma academia de ginástica (com aparelhos ridiculamente pobres) e um portão eletrônico instalado para proporcionar "segurança". O problema é que, quase sempre, a senha do portão não funciona e as pessoas não conseguem sair do prédio para trabalhar, ou não conseguem entrar em casa na volta do trabalho, dependendo da hora do dia em que o troço enguiça.

Dei uma olhada na correspondência — seis ou sete folhetos anunciando *power yoga* e irrigação do cólon — e verifiquei a secretária eletrônica: nada urgente; todo mundo terminava a mensagem dizendo: "Vou tentar ligar para o celular." (Até parece que vão me achar. Minha vida seria muito mais fácil se os celulares tivessem rodinhas e me seguissem por toda parte.) Em seguida peguei meus apetrechos de maquiagem, roupa de baixo e o carregador do celular. Joguei tudo em uma bolsa e tentei achar roupas para trabalhar que estivessem limpas. Encontrei uma blusa passadinha a ferro em um dos cabides, mas precisava de duas. Uma expedição pelas gavetas resultou na localização de outra, mas de repente eu me lembrei que o motivo de ela estar ali, intocada, é que havia manchas amareladas por baixo dos braços, manchas que não haviam saído com a lavagem e eu preferi não usá-la mais. Pois agora ela ia ter que servir; resolvi que não tiraria o casaco. Por fim, guardei o terno riscas e giz e os sapatos de salto alto. (Eu *nunca* uso salto baixo. Meus sapatos geralmente são tão altos que às vezes, quando eu os tiro, as pessoas olham em volta, confusas, e perguntam "Para onde ela foi?", e eu tenho de dizer: "Estou aqui embaixo.")

Antes de sair lancei um olhar melancólico para a minha cama; naquela noite eu iria dormir no quarto de hóspedes da casa de meus pais, e não seria a mesma coisa. Eu adoro a minha cama. Deixe-me lhes dizer por quê...

Algumas das minhas coisas favoritas
Coisa favorita Nº 1
Minha Cama: uma história de amor

Minha cama é linda. Não é uma cama velha qualquer não. É uma cama que eu mesma montei, mas isso não significa que ela veio de alguma loja com mobília em estilo "monte você mesmo". Primeiro, eu comprei um colchão caríssimo, ou seja, não era o mais barato da loja. Acho que era o terceiro mais barato. Isso é que é extravagância!

Depois comprei a base. Eu não tenho apenas um, mas dois edredons. Um deles serve para me cobrir, obviamente. O outro, porém — vocês vão gostar disso —, fica *por baixo* do lençol e eu me deito por cima dele. É um truque que a minha mãe me ensinou, e não dá para descrever a maravilha que é cair na cama e ser acolhida por esse envelope duplo macio e recheado de plumas. Os dois edredons parecem me acariciar, murmurando: *Está tudo bem agora. Você está em nossos braços, fique numa boa. Esqueça seus medos, agora está tudo bem, você está a salvo* — como o herói faz com a mocinha da história no fim do filme, depois de ela ter fugido o tempo todo dos patifes do FBI e ter finalmente conseguido expor as safadezas deles sem levar nenhum tiro.

Os lençóis, o revestimento dos edredons e as fronhas são todos de algodão, é claro. Além disso, são completamente brancos, brancos, imaculadamente brancos (com exceção de algumas manchas de café).

O detalhe especial é a cabeceira, também conhecida como a melhor parte. Claud, um amigo de Cody, foi quem a fez para mim (eu paguei pelo serviço, não foi presente não...). Ela parece até cabeceira de cama de uma estrela de cinema dos anos cinquenta: imensa, acolchoada, cheia de curvas e voltinhas, estofada em seda bronze-claro com algumas rosas estampadas; é um pouco conto de fadas, um pouco *Art nouveau*... Em outras palavras: é fantástica! As pessoas sempre reparam nela. Para falar a verdade, a primeira vez que Anton a viu, exclamou: "Olhe só para a sua cama! É superfeminina!", e deu uma gargalhada gostosa antes de me arrastar para cima dela em companhia dele. Ah, dias felizes...

Pois bem: lancei um último olhar pesaroso para a minha cama, desejando não abandoná-la, e consultei, como sempre, as minhas irmãs imaginárias. "Vá você cuidar da mamãe!", disse eu à primeira. "Afinal, você é a mais velha." Como não adiantou nada, acabei indo eu mesma.

Ao sair do carro e entrar em casa com meu terno impecável e minhas blusas limpas, mamãe perguntou:

— Para que você precisa dessas roupas?

— Para trabalhar.

— *Trabalhar*? — Pareceu que ela nunca tinha ouvido falar em tal coisa.

— Sim, senhora. Trabalhar.

— Quando?

— Amanhã.

— Não vá.

— Mamãe, eu tenho que ir. Vou perder o emprego se não for.

— Tire uma licença especial.

— Eles só dão licenças desse tipo quando alguém da família morre.

— Eu gostaria que ele tivesse morrido.

— Mamãe!

— Mas gostaria, mesmo. Receberíamos uma tonelada de simpatia e solidariedade das pessoas. Além de respeito. E os vizinhos todos iriam trazer comida.

— Quiches — disse eu (porque era o que eles levavam).

— Tortas de maçã também. Marguerite Kelly leva uma torta de maçã maravilhosa para os funerais (isso foi dito com um certo ar de amargura, e vocês saberão por que em um minuto). Em vez de ter a decência de morrer, ele arrumou uma namorada e me abandonou. E agora vem você me falar nessa história de ir trabalhar. Tire alguns dias de férias.

— Não sobrou nenhum.

— Licença médica, então. O dr. Bailey pode lhe dar um atestado. Eu pago a consulta.

— Mamãe, eu *não posso.* — Comecei a entrar em pânico.

— Mas o que há de tão importante?

— O casamento de Davinia Westport é na quinta-feira que vem.

— Grande coisa!

Trata-se de um dos casamentos mais badalados do ano, para ser exata. O mais importante, complexo, caro e aterrorizante evento que eu já aceitei organizar, e só a logística da coisa me ocupou durante meses, tanto acordada quanto dormindo.

Só a decoração com flores é uma tarefa que envolve cinco mil tulipas que vão chegar da Holanda em um avião frigorífico, além de um especialista em flores e mais seis assistentes que vêm de Nova York. O bolo vai ser uma réplica da Estátua da Liberdade com quase

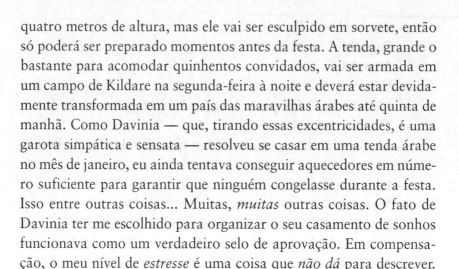
quatro metros de altura, mas ele vai ser esculpido em sorvete, então só poderá ser preparado momentos antes da festa. A tenda, grande o bastante para acomodar quinhentos convidados, vai ser armada em um campo de Kildare na segunda-feira à noite e deverá estar devidamente transformada em um país das maravilhas árabes até quinta de manhã. Como Davinia — que, tirando essas excentricidades, é uma garota simpática e sensata — resolveu se casar em uma tenda árabe no mês de janeiro, eu ainda tentava conseguir aquecedores em número suficiente para garantir que ninguém congelasse durante a festa. Isso entre outras coisas... Muitas, *muitas* outras coisas. O fato de Davinia ter me escolhido para organizar o seu casamento de sonhos funcionava como um verdadeiro selo de aprovação. Em compensação, o meu nível de *estresse* é uma coisa que *não dá* para descrever. Os chefs podiam se envenenar com a própria comida, os floristas podiam desenvolver uma inesperada alergia a pólen, os cabeleireiros podiam destroncar os pulsos, a tenda podia ser vandalizada, pois, no fim de tudo, quem ia ter de resolver o problema era eu.

Só que eu não poderia contar nenhum dos detalhes para mamãe, porque era tudo altamente confidencial, e ela conseguia ser pior do que eu para guardar segredos — metade do bairro já sabia do lançamento da barra de chocolate sabor tiramisu.

— Mas se você for para o trabalho, o que vai ser de mim?

— Talvez pudéssemos pedir a uma das vizinhas para vir aqui passar o dia com a senhora.

Silêncio.

— Pode ser, mamãe? Porque, como a senhora sabe, eu recebo salário para aparecer lá, coisa que eu não faço há dois dias.

— Que vizinhas?

— Ahnnnn...

Um recente abalo modificara o delicado equilíbrio na estrutura da comunidade local. Durante muito tempo, parecia que toda a vizinhança era formada de mulheres da mesma idade de mamãe ou mais velhas, e todas se chamavam Mary, Maura, May, Maria, Moira, Mary, Maree, Mary, Mary e Mary. A única exceção era a sra. Prior, cujo nome de batismo eu não lembro, só sei que era holandesa. Elas estavam sempre passando lá em casa a fim de entregar envelopes para a coleta da igreja, pedir um pulôver emprestado ou... ou... Vocês sabem, esse tipo de coisa.

Recentemente, porém, três ou quatro das Marys haviam se mudado: Mary e o sr. Webb venderam a casa e se mudaram para um apartamento em um condomínio para aposentados, "agora que as crianças cresceram"; O sr. Sparrow morreu e Mary Sparrow, grande amiga de mamãe, foi morar com a irmã em Wales. Quanto às outras duas Marys? Confesso que não lembro, pois não prestava tanta atenção quanto deveria aos relatos de mamãe sobre os eventos locais. Ah, lembrei!... Mary Griffin e o marido foram para a Espanha, por causa da artrite dela. E quanto à outra Mary?... Ah, sei lá, mais tarde eu me lembro.

— A sra. Parsons — sugeri. — Ela é simpática. Ou então a sra. Kelly.

Essa não foi uma grande ideia, conforme pude perceber na mesma hora. As relações andavam abaladas — educadas, como sempre, é claro, mas desgastadas — desde que a sra. Parsons pedira à sra. Kelly para preparar o bolo do aniversário de vinte e um anos de Celia Parsons, em vez de pedir isso à minha mãe, que, conforme todo mundo no pedaço sabia muito bem, era quem fazia os bolos de vinte e um anos de todos os moradores da nossa rua; ela os montava no formato de uma chave. (Isso tudo aconteceu há mais de oito anos, o problema é que guardar rancor é um dos hobbies por aqui.)

— A sra. Kelly — tornei a sugerir. — Não foi culpa dela a sra. Parsons ter lhe encomendado o bolo.

— Mas ela não devia ter aceitado a tarefa. Devia ter se recusado.

Suspirei. Já havíamos conversado sobre aquele assunto umas mil vezes.

— Celia Parsons não queria uma chave, queria uma garrafa de champanhe.

— Dodie Parsons poderia ter me perguntado, pelo menos, se seu *conseguiria* fazer um bolo assim.

— Talvez, mas ela sabia que a sra. Kelly tinha um livro sobre decoração de bolos.

— Pois eu não preciso de livro para seguir. Consigo ter ideias próprias.

— Exato! A senhora é o máximo!

— E todo mundo comentou que a massa do bolo estava seca e esfarelada como areia.

— É verdade.

— Ela devia se manter na sua área de especialização: tortas de maçã para funerais.

— Tudo bem, mas agora falando sério, mamãe... Não foi culpa da sra. Kelly.

Era importante promover um estreitamento de relações entre mamãe e a sra. Kelly porque eu não podia mais tirar folgas no trabalho. Francis e Frances — sim, *esses* mesmo, os F&F da F&F Dignan — ficaram muito satisfeitos quando eu consegui o contrato para organizar o casamento de Davinia e me disseram que se tudo saísse perfeito eu poderia ficar com todas as bodas da empresa. Se, por outro lado, eu estragasse tudo, já viram, né...? O fato é que eu morria de medo de Frances e Francis. Todo mundo morria. Frances tinha um cabelo grisalho cortado em estilo joãozinho e isso realçava seu maxilar de lutador de boxe. Embora ela não fumasse charutos, não usasse calças de homem nem se sentasse com as pernas abertas, era assim que eu a via sempre que fechava os olhos — coisa que não acontecia com frequência, pelo menos voluntariamente. Francis, seu companheiro de maldades, parecia um ovo com pernas: todo o peso do seu corpo se concentrava na altura do estômago, mas seus membros inferiores pareciam dois palitos e eram mais magros do que as pernas de Kate Moss. Ele tinha o rosto redondo e era careca, exceto por dois tufos de cabelo que pareciam espetados nas orelhas, o que o tornava muito parecido com Yoda. Quem não o conhecia direito o achava um bundão. Todos diziam que era Frances quem mandava e desmandava, mas estavam errados: *todos dois* sabiam mandar e desmandar, cada um ao seu modo.

Se alguma coisa saísse errada naquele casamento, eles me mandariam para a SSJ (A Sala sem Janelas, a versão deles para a sala 101) e diriam que eu os desapontara. Depois, quase como quem comenta um detalhe, me dariam um pé na bunda. Por serem casados, muitas vezes apregoavam aos quatro ventos que a empresa, para eles, era como uma família. Eles certamente conheciam muito bem a fórmula para me fazer sentir uma colegial culpada e incentivar outras gerentes de relacionamento (entre elas, eu mesma) a competir acirradamente com os colegas, como se aquilo fosse — segundo fui informada por quem sabe dessas coisas — uma saudável rivalidade entre irmãos.

Mas vamos em frente.

— Então, mamãe...? Posso pedir à sra. Kelly para vir aqui?

Mamãe continuava muda.

De repente abriu a boca. Por alguns instantes, nenhum som saiu, mas eu sabia que vinha algo. Então, de algum ponto longínquo do fundo da sua alma, veio um longo e doloroso lamento de dor. Era quase como um ruído de estática, mas com um fundo levemente humano. Foi de arrepiar. Prefiro um bom quebra-quebra de pratos a qualquer hora do dia a encarar aquilo.

Ela piou, respirou fundo e recomeçou a emitir o som de estática. Eu balancei o seu braço e implorei:

— Mamãe! Por favor, mamãe!

— Noel se foi. Noel se foi. — Nesse momento, o som de estática parou e ela começou a guinchar de forma incontrolável, exatamente como fizera naquela manhã, quando eu tive de acalmá-la com os comprimidos de emergência do dr. Bailey. Só que o remédio acabara; eu devia ter ido à farmácia quanto tive chance. Será que havia alguma farmácia aberta até tarde, em algum lugar?

— Mamãe, vou só pedir a alguém para vir ficar com a senhora enquanto eu vou comprar o remédio.

Ela não me deu atenção. Voei porta afora, segui rua acima até a casa da sra. Kelly. Quando ela atendeu a porta e viu o estado em que eu me encontrava, obviamente achou que era hora de preparar a massa e descascar maçãs para fazer uma torta.

Expliquei-lhe meu problema e ela disse que conhecia uma farmácia ali perto.

— Eles fecham às dez.

Eram dez para as dez. Hora de ganhar uma multa por excesso de velocidade.

Dirigi como uma louca e cheguei à farmácia um minuto depois das dez, mas ainda havia alguém ali dentro. Bati à porta de vidro. Um homem veio caminhando com toda a calma do mundo e abriu a porta para mim.

— Obrigada! Muito obrigada, mesmo! — Entrei.

— É bom ser tão querido — comentou ele.

Eu lhe entreguei a receita toda amarrotada.

— Por favor, me diga que o senhor tem esse remédio aqui. É uma emergência!

Ele alisou o papel e disse:

— Não se preocupe, nós temos esse produto, sim. Sente-se ali enquanto eu pego.

Ele sumiu atrás de um biombo branco e foi até onde ficavam os remédios mais fortes enquanto eu afundava na cadeira, tentando retomar o fôlego.

— Isso mesmo! — Ouvi a voz incorpórea dele por trás do biombo de fórmica. — Respire fundo e bem devagar. Inspire... Segure... Solte.

Ele reapareceu com os tranquilizantes e me disse, com voz suave:

— Cuide-se bem e lembre-se: nada de operar máquinas pesadas depois de ingerir esses comprimidos.

— Certo. Obrigada. Muito obrigada. — Quando eu estava atrás do volante, foi que me dei conta de que ele achou que o remédio era para mim.

5

Normalmente eu não leio as resenhas de livros e por isso levei algum tempo para localizá-las no jornal de sábado. Enquanto lia por alto os artigos a respeito de biografias de obscuros generais ingleses e um livro sobre a guerra dos bôeres, comecei a suspeitar que daquela vez Cody estava enganado. De repente o meu coração deu um salto que me machucou o peito. O danado do Cody tinha razão. A resenha que eu procurava *havia* saído. Ele sabe tudo.

ESTREIA ENCANTADORA

[As Poções de Mimi, de Lily Wright — Editora Dalkin Emery — £6.99]

A estreia de Lily Wright não é bem um romance, e sim uma fábula longa — e não há nada de mal nisso. Uma bruxa branca, a Mimi do título, chega misteriosamente a uma pequena cidade de localização indeterminada e dá início ao seu tipo muito particular de bruxaria. Casamentos abalados são fortalecidos e amantes separados voltam a se encontrar. Parece açucarado demais para ter substância? Pois segure o ceticismo e siga o fluxo da leitura. Em um texto enredado em magia, *As Poções de Mimi* consegue ser uma encantadora comédia de costumes e ao mesmo tempo uma ácida crítica social. É tão saboroso quanto uma torrada coberta com manteiga em uma noite fria e igualmente viciante.

Com as mãos trêmulas, larguei o jornal. Acho que eles gostaram. Respire fundo... Prenda... Solte bem devagar. Respire fundo... Prenda... Solte bem devagar. Oh, Deus, eu estava com inveja. Com tanta inveja que sentia o sangue ficar verde e quente, correndo nas veias.

Percebi tudo naquele instante: Lily Wright iria se tornar uma celebridade. Apareceria em um monte de jornais e todos iriam amá-la. Apesar do seu cabelo ralo, ela estaria nas páginas da revista *Hello!* Iria aparecer no *Parkinson*. Talvez até no *David Letterman* e na *Oprah*. Ia se encher de grana, finalmente conseguiria pagar um entrelaçamento capilar ao estilo Burt Reynolds e todos iriam amá-la ainda mais. Ela se envolveria com obras de caridade e ganharia um prêmio. Teria sua própria limusine. E uma casa gigantesca. Com segurança particular. Ela teria tudo!

Tornei a pegar o jornal e li novamente toda a resenha em busca de algo — qualquer coisa — negativo. Tinha de haver *alguma* coisa. Quanto mais eu lia, porém, mais me convencia de que aquela resenha demonstrava entusiasmo puro.

Afastei o jornal de mim com raiva, fazendo-o farfalhar. Por que a vida era assim tão cruel? Por que algumas pessoas conseguiam simplesmente tudo? Lily Wright tem um homem maravilhoso — meu; tem uma linda garotinha — metade minha; agora, tem uma gloriosa carreira. Não era justo.

Meu celular tocou e eu o atendi correndo. Era Cody.

— Você leu? — perguntou ele.

— Sim. E você?

— Eu também li. — Um momento de silêncio. — Foi legal para ela.

Cody caminha sobre uma linha muito estreita entre mim e Lily. Recusou-se a tomar partido quando a grande briga ocorreu, e nunca fala mal dela, embora, sob circunstâncias normais, ele poderia representar a Irlanda em campeonatos de falar mal a distância (se isso fosse um esporte olímpico, por exemplo). Certa vez ele teve a cara de pau de sugerir que o fato de Lily roubar Anton de mim talvez tivesse provocado tanta dor nela quanto em mim. E ele falava sério! Em teoria, eu consigo entender a posição de Cody — Lily não fizera nada contra ele —, mas às vezes, como naquele dia, ouvir aquilo era uma barra para aturar.

* * *

Era manhã de sábado, e fazia cinco dias desde que papai saíra de casa — *cinco dias* — e ainda não voltara. Eu tinha certeza de que a essa altura ele já teria voltado. Foi isso que me impediu de ir embora: achar que a situação era muito, muito temporária; que ele deixara a empolgação lhe subir à cabeça, por causa do estresse provocado pelo lançamento da barra sabor tiramisu, mas logo estaria de volta com os pés no chão.

Fiquei esperando, esperando e esperando. Fiquei esperando o barulho da sua chave na fechadura; fiquei esperando vê-lo aparecer no saguão de entrada e reclamando do terrível erro que cometera; fiquei esperando aquele inferno acabar.

Na quinta-feira eu telefonara para papai quatro vezes pedindo para ele voltar para casa, e a cada vez ouvi a mesma resposta — que ele sentia muito, mas não ia voltar. Então cheguei à conclusão de que já ligara muito para ele e que talvez alguns dias de silêncio de minha parte e de mamãe o fizessem voltar à realidade.

Uma semana. Resolvi dar uma semana de prazo a ele. A essa altura, ele já teria voltado. *Tinha* de voltar, porque a alternativa era impensável.

Não fui trabalhar na quinta nem na sexta-feira. Não consegui — estava preocupada demais com mamãe. Mas trabalhei na casa dela. Passei a quinta-feira dando telefonemas, enviando faxes e e-mails, agitando os preparativos para o casamento de Davinia. Consegui até mesmo enviar uns dois e-mails para Seattle, desabafei um pouco mais com Susan e acabei concordando com ela. Sim, o paletó do papai poderia ser mais feio... Ele poderia ter franjas.

Na manhã de sexta-feira, Andrea foi até a casa de mamãe com as pastas do evento e nós verificamos todas as listas. Os preparativos do casamento de Davinia Westport consistiam em uma infinidade de listas que não paravam de crescer. Havia a lista dos horários de chegada dos convidados, a lista dos motoristas encarregados de ir buscá-los, a lista de onde cada um deles iria ficar hospedado, bem como das suas exigências individuais.

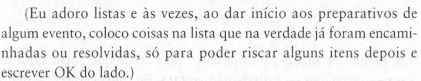

(Eu adoro listas e às vezes, ao dar início aos preparativos de algum evento, coloco coisas na lista que na verdade já foram encaminhadas ou resolvidas, só para poder riscar alguns itens depois e escrever OK do lado.)

Depois, vieram os cronogramas. Boletins de hora em hora sobre quando a grande tenda seria erguida, em que momento os hectares de cetim iriam chegar, quando o piso de madeira seria instalado e também a iluminação e o sistema de aquecimento. Estávamos fazendo grandes avanços até na tarde de sexta-feira, quando Davinia telefonou para avisar que um casal de amigos, Blue e Sienna, havia rompido o relacionamento, e eles não poderiam mais ser colocados na mesma mesa durante a festa. Todo o resto do planejamento teve de ser paralisado pelas duas horas que se seguiram, enquanto construíamos um novo esquema para a distribuição dos convidados. O pior é que essa pequena perturbação na superfície provocou ondas de choque que se espalharam por todo o mapa de localização dos convidados para a festa, porque todos pareciam ter dormido com todos os outros. Cada um dos movimentos propostos tinha um impacto negativo: Sienna não poderia sentar à mesa quatro porque a nova namorada de Blue, August, seria instalada lá. Também não poderia se sentar à mesa cinco porque o seu ex, Charlie, ficaria ali. Na mesa seis estava a ex de Blue, Lia, que ele dispensara para ficar com Sienna. Na mesa sete... etc. O pior é que se nós tentássemos remover algum dos obstáculos — colocando August em uma nova mesa, por exemplo —, *ela* acabaria cara a cara com alguém que já chifrara ou com quem simplesmente dormira. Era como tentar rearrumar um Cubo Mágico.

O que piorava as coisas era o fato de eu não conseguir a atenção total de Andrea. Ela não tirava os olhos das barras de chocolate que estavam casualmente atiradas ao longo do peitoril da janela da cozinha, dentro do cesto de pão e em cima da geladeira.

— Vir aqui é como estar solta em uma loja de doces! — exclamou ela.

Como um monte de barras de chocolate sempre esteve à minha disposição durante toda a minha vida, eu não tinha essa empolgação toda por elas, mas até que aquela abundância estava sendo providencial desde terça-feira. Mais alarmante do que mamãe ter perdido a vontade de viver foi ela ter perdido a vontade de cozinhar. Como eu não tinha a menor ideia de como se preparava comida, era mais fácil me encher de biscoitos com chocolate quando chegava a hora das refeições.

Dei de presente a Andrea um punhado de chocolates, na esperança de ela se concentrar no trabalho.

— Fique focada — implorei. — Faça isso por Davinia, se não quiser fazer por mim.

Sabem o que acontece...? Davinia Westport era uma espécie de pássaro raro em nossa profissão. Embora fosse elegante e podre de rica, era gente fina. (Exceto, como eu já expliquei, pelo fato de insistir em se casar sob uma tenda árabe no mês mais frio do ano.) Muitas vezes o cliente é a pior coisa do meu trabalho; pior até mesmo do que salões de festa que pegam fogo dois dias antes do casamento ou convidados em um evento para levantar fundos que se intoxicam com a salmonela do frango e têm de ser levados às pressas para a emergência, onde colocam as próprias tripas para fora enquanto rola o sorteio da rifa. Davinia era diferente. Não me telefonava desesperada no meio da noite reclamando que a sua suéter de gola rulê chegara com o tom errado de preto, ou que estava com herpes e era melhor eu resolver esse problema.

Andrea e eu acabamos tudo mais ou menos às oito da noite de sexta-feira. Assim que ela saiu, cheia de gratidão pelo estoque de doces que eu lhe dera, mamãe me apareceu com a lista de compras de supermercado para a semana seguinte. Acabou não indo comigo porque nas várias vezes em que sugeri que fosse se aprontar, ela agarrava a sua camisola cor de pêssego (cada vez mais amarrotada), apertava-a mais junto do corpo e choramingava: "Não me obrigue a fazer isso." Só que quando eu voltei e comecei a desempacotar as coisas, ela começou a reclamar que eu tinha comprado tudo errado.

— Para que comprou essa manteiga? — quis saber ela, olhando para mim com a mesma cara intrigada da primeira noite, quando descobriu que eu não trancara a porta da frente. — A marca que nós usamos é outra. E não gostamos de sucrilhos de marcas conhecidas, preferimos o genérico. Você está jogando dinheiro fora... — resmungou.

Antes de eu ir para a cama, a saga de fechar toda a casa tinha início; verificar todas as janelas, prender as portas duplas com tranca, passar a corrente nas portas externas e deixar o lugar tão seguro quanto os altos padrões de mamãe exigiam. Estava exausta quando fui para a cama, me arrastando — e não consegui deixar de sentir um pouco de pena por mim mesma. Era noite de sexta e eu devia estar lá fora, em alguma balada, em vez de servindo de babá para minha mãe. Como eu gostaria que papai voltasse para casa...!

Como estava chateada demais para conseguir pegar no sono, eu me refugiei em fantasias. Inventar histórias em que namorados fujões voltam e inimigos são vencidos é o meu truque principal para apresentar em festas e reuniões. Consegui uma reputação excelente nessa área, especialmente entre os amigos de Cody, e, às vezes, pessoas que eu acabo de conhecer me pedem para inventar uma história para elas.

Vou contar como funciona. Geralmente, as pessoas me fazem um pequeno esboço do desastre. Por exemplo: o namorado de alguém é avistado na Brown Thomas comprando uma bolsa da Burberry e pedindo que a embrulhem para presente. Naturalmente, a jovem em questão imagina que o presente é para ela e faz o que qualquer mulher sensata faria — vai correndo comprar sandálias para combinar com a bolsa. Só que quando ela encontra o namorado, o cara desmancha o namoro... Sem nem ao menos amortecer o golpe dando a bolsa de presente. Obviamente ele acabou de conhecer outra pessoa!

Em seguida, recolho um pouco mais de informações do tipo "quanto tempo eles têm de namoro", "qual o preço da bolsa" etc. Penso por alguns instantes e surjo com alguma coisa assim:

"Muito bem, imagine a cena... Daqui a três meses você se encontra com ele na rua, por acaso, e vai estar mais linda do que nunca..." Uma pausa para planejar o visual, incluindo o cabelo e as descrições da roupa — sim, você pode vestir as calças listradas que viu na *Vogue* e, sim, elas ficam fantásticas com o top de gola em V. (Tudo bem, gola alta, se ela preferir.) E ela também estará usando as botas que acabaram de entrar na moda, *obviamente.* — Em seguida, eu continuo. "As bolsas da Burberry acabaram de entrar em liquidação e você comprou *duas.* Não, não, espere um instante... Você não comprou *nenhuma*, pois quem vai desejar bolsas que ninguém mais quer? Não, nada disso... Você ganhou um bônus no trabalho e comprou uma Orla Kiely legítima, daquelas com fila de espera para a entrega da fábrica; além do mais, acabou de voltar das férias em um lugar ensolarado, onde pegou icterícia, de modo que está não apenas magra como um palito, mas também com uma cor maravilhosa. Em compensação, o carro dele acabou de ser rebocado em meio a uma chuva torrencial e um dos seus sapatos acabou de ser roubado por um larápio violento daqueles que frequentam o centro da cidade." Etc., etc... É a minha atenção aos detalhes que as pessoas adoram, segundo me contaram, e quando Anton fugiu com Lily, eu fui um caso típico da sonhadora que cura a si mesma.

O enredo no qual tentei buscar conforto envolvia escapulir para uma remota comunidade rural típica dos livros românticos da Mills & Boon. Uma cidadezinha à beira-mar, evidentemente; um marzão fantástico, muito agitado, com ondas imensas, muita espuma e tudo a que eu tenho direito. Eu sairia para dar longas e loucas caminhadas ao longo da praia ou à beira dos rochedos; enquanto andava a esmo com ar sombrio, um fazendeiro musculoso me avistaria e, mesmo eu estando com os cabelos desgrenhados e sem corte, ele iria se interessar por mim. É claro que ele não era apenas um fazendeiro, mas também um diretor de cinema ou um ex-empresário que acabou de vender sua inovadora companhia por milhões de libras. Eu teria um ar etéreo e frágil, mas, por ter sido tão magoada recentemente, seria rude com ele ao encontrá-lo na vendinha do vilarejo, apesar de ele tentar ser gentil comigo. Entretanto, em vez de me chamar de vaca grosseira, como faria na vida real, e voltar correndo para a piranha da cidadezinha, ele passaria a me deixar dois ovos frescos na porta de casa, todas as manhãs. Eu voltaria da minha caminhada solitária ao longo do penhasco e encontraria os ovos — ainda com o calor da galinha, é claro — esperando para ser comidos no desjejum. (O fato de meu café da manhã normalmente ser um miniMagnum e três tigelas de cereais em bolinhas não vem ao caso.) Eu prepararia uma deliciosa omelete temperada com a salsinha colhida no lindo jardim ao lado da casa. Ou então ele me deixaria um buquê de flores do campo recém-colhidas, e na vez seguinte em que nos encontrássemos eu não perguntaria, com ar de deboche: "Já percebi que a Interflora não faz entregas aqui, certo?" Em vez disso, eu agradeceria a ele e lhe informaria que ranúnculos amarelos são as minha flores prediletas (até parece...!). Em algum ponto da história, eu acabaria dentro da cozinha dele, de onde o veria lá fora, amamentando um pequeno cordeiro com uma mamadeira, e meu coração congelado começaria lentamente a derreter. Até certa manhã, quando, durante a minha caminhada, um pedaço do penhasco iria desmoronar, me carregando junto para o abismo. Apesar dos avisos de que as bordas das trilhas estavam instáveis, eu, como se desejasse a morte, não lhes dera ouvidos. De algum modo, porém, o fazendeiro musculoso estaria presente no exato instante da queda, e, vendo-me pendurada sobre o mar revolto em meio à névoa salgada, viria correndo com seu trator, algumas cordas e me resgataria da pequena saliência da rocha em que eu conseguira, felizmente, me segurar, de forma instável. Nossa, quanta baboseira nessa terra do "felizes para sempre"!

PARA: Susan_inseattle@yahoo.com
DE: Gemma 343@hotmail.com
ASSUNTO: o drama continua

Espere só para ouvir isso. Ontem à noite eu estava na cama, tentando me confortar com a fantasia do fazendeiro que também é diretor de cinema, quando ouvi um ruído vindo do quarto de mamãe. Parecia alguém batendo na parede, e de repente ela estava chamando, com voz de lamento: "Gemma... Gemma...!", só que era mais ou menos assim: "Ddgeemmmaaah... ddgemmmaaah...!" Eu corri até lá e ela estava meio de lado, torcendo-se toda na cama como um hadoque moribundo e dizendo: "Meu coração!" (Viu só...? As pessoas *realmente fazem* isso na vida real.) "Estou tendo um infarto!"

Eu acreditei nela — mamãe estava cinza, seu peito arfava e seus olhos ficaram esbugalhados. Agarrei o telefone ao lado da sua cama com tanta força que ele caiu no chão.

Isso é o troço mais estranho, ligar para o número de emergência — eu só fizera isso uma vez na vida: Anton estava com uma assustadora crise de soluços e eu completamente bêbada. (Na verdade, ele também, e esse era o motivo dos soluços.) Já havíamos tentado de tudo para acabar com os soluços. Passar um pedaço de metal gelado (a chave da porta) pelas costas dele, beber pelo lado errado da xícara, analisar o seu extrato bancário para ver o quanto ele estava no vermelho. Na hora, aquilo me pareceu uma emergência, mas a telefonista foi curta, grossa e me dispensou.

Agora a história era diferente. A telefonista me levou muito a sério, disse para eu colocar a mamãe em posição de recuperação (o que quer que isso queira dizer) e me garantiu que uma ambulância estava a caminho. Enquanto esperávamos, segurei a mão de mamãe e fiquei implorando para que ela não morresse.

— Pois morrer é o que eu pretendo — informou ela, com a voz ofegante. — Isso seria uma boa lição para o seu pai.

O pior é que eu nem tinha o telefone da nova casa de papai. Devia ter insistido para que ele me desse o número da Colette cara-dura, para o caso de emergência, mas tive vergonha de pedir.

Mamãe respirava com dificuldade, fazendo força para inspirar — garanto que foi uma cena apavorante —, e eu não acreditava em tamanha falta de sorte. Imagine só! Perder os dois pais na mesma semana! Aquilo não apareceu no meu horóscopo do jornal de domingo.

Foi uma daquelas vezes em que desejei que as aulas noturnas de outono que você e eu costumávamos frequentar (para desistir sempre na terceira semana) tivessem sido de primeiros socorros, em vez de ioga ou conversação em espanhol. Quem sabe eu teria aprendido alguma coisa que fizesse a diferença entre a minha mãe viver ou morrer?

Eu meio que me lembrava de algo relacionado a aspirina. Parece que havia alguma coisa a ser feita com esse remédio, em caso de infarto. Você devia dar um comprimido de aspirina à pessoa ou *não devia* dar um comprimido desses de jeito nenhum?...

A distância, ouvi o som das sirenes cada vez mais próximas, e então, através das cortinas do quarto, vi luzes azuis piscando e girando. Corri para a porta da frente e dez minutos depois, quando consegui destrancar todas as fechaduras, trincos, trancas e correntinhas, dois rapazes muito musculosos (você ia gostar deles, Susan) irromperam em casa, seguiram pelos degraus acima com uma maca dobrável, prenderam mamãe nela, desceram escada abaixo comigo atrás tentando acompanhá-los e a colocaram na ambulância. Eu entrei na ambulância com ela e de repente eles já ligavam mamãe a todo tipo de monitores.

Fomos fazendo "Uóóónn..." através das ruas, enquanto os homens examinavam tudo e acompanhavam os resultados nos aparelhos ligados à minha mãe. Não sei explicar como descobri, só sei que senti rapidamente a atmosfera mudar de extrema eficiência para algo menos agradável. Os dois caras ficaram trocando olhares meio engraçados e o nó no meu estômago piorou.

— Ela vai morrer? — perguntei.

— Não.

— Não...?!

Um dos sujeitos explicou:

— Não há nada errado com a sua mãe. Nada de infarto, nada de derrame. Todos os sinais vitais estão ótimos.

— Mas ela quase não conseguia respirar — expliquei. — E ficou com a cara cinza.

— Provavelmente foi um ataque de pânico. Consulte um clínico geral e peça para ele receitar um Valium para ela.

Dá pra imaginar o mico?! A sirene foi desligada. A ambulância pegou um retorno e começou a fazer o caminho de volta, a uma velocidade muito menor. Mamãe e eu fomos levadas de volta para casa e deixadas do lado de fora do portão. Morrendo de vergonha. Os rapazes até que foram legais a respeito do lance. Quando eu saltei e pedi desculpas por fazê-los perder tempo, eles disseram apenas: "Tudo bem, não esquente!"

Voltei para a cama e, juro por Deus, senti o rosto vermelho de vergonha, *pegando fogo*. Toda vez que começava a pegar no sono, eu me lembrava do vexame, soltava um "Aaargh!" e me sentava na cama. Levei horas para conseguir dormir e, quando acordei, no sábado de manhã, foi o dia em que li a elogiosa resenha do livro de Lily no *Irish Times* (anexada a este e-mail, estou enviando a cópia do artigo tirada do site do jornal).

Odeio a minha vida.

Apesar disso, estou feliz por estar divertindo você. Logo você vai fazer novas amizades e não vai mais se sentir tão sozinha.

Agora preciso ir, porque o dr. Bailey está aqui (de novo!). Por favor, me escreva contando coisas legais a respeito de Seattle.

Beijos,
Gemma

P.S. — Eu não devia fazer graça, mas se você realmente está louca para saber, achei o sabor café concentrado demais e preferi o de chocolate ao leite, em vez do meio amargo.

Peguei a receita para ir à farmácia. O dr. Bailey prescrevera tranquilizantes mais fortes. Depois, escreveu alguma coisa em seu caderninho e comentou:

— Talvez eu lhe receite alguns antidepressivos, também.

— O único antidepressivo que eu preciso é o meu marido voltando para casa — assegurou mamãe.

— Isso ainda não está à venda — disse o dr. Bailey, dirigindo-se
para as escadas e todo animado para voltar à sua partida de golfe.

Fui à mesma farmácia do outro dia. Além de eles terem sido sim-
páticos comigo, era mais perto de casa.

Os sininhos da porta tocaram quando eu entrei e alguém me
cumprimentou:

— Olá, mais uma vez!

Era o mesmo homem que salvara a minha vida na quarta-feira à
noite.

— Olá! — Eu lhe entreguei a receita. Ele leu tudo com atenção e
deu uma risadinha de solidariedade. — Sente-se um pouco.

Enquanto ele sumia atrás do biombo de fórmica em busca dos
comprimidos para deixar mamãe mais alegrinha, percebi um monte
de coisas interessantes nas quais eu não tinha reparado em minha
visita-relâmpago de quarta à noite.

Havia não apenas a parafernália típica de uma farmácia, um
monte de analgésicos e xaropes, mas também cremes para o rosto a
preços razoáveis e o mais interessante de tudo: esmaltes de unhas. Eis
como eu me sinto a respeito de esmalte de unhas...

Algumas das minhas coisas favoritas
Coisa favorita Nº 2
Minhas unhas: um testemunho

Durante toda a vida, odiei minhas unhas. Tenho braços curtos e isso aparece mais do que nunca no comprimento dos meus dedos. Há coisa de seis
meses, por ordem expressa de Susan, comecei a fazer as unhas. Isso significa entrar numa de alongá-las e fortalecê-las com todo tipo de unhas postiças estilo abracadabra. Mas o melhor de tudo é que elas não dão pinta de

serem postiças. Parecem unhas normais, bonitas, pintadas com uma cor interessante. (Não gosto daquelas garras vermelhonas e pontiagudas, que mais parecem coisa de bruxa ou de mulher fatal.)

Eu me sinto diferente quando estou com as unhas feitas. Fico mais dinâmica, gesticulo mais e consigo apavorar meus funcionários. Consigo demonstrar impaciência só de tamborilar sobre a mesa, e dá para encerrar uma reunião com alguns ruídos diferentes, à minha escolha.

Sou totalmente dependente de unhas compridas. Sem elas, eu me sinto como Sansão sem os cabelos, parece que estou nua e sem poderes. Deixei de rir quando alguém debocha das mulheres que encaram quebrar uma unha como um desastre, pois unha quebrada tem em mim o mesmo efeito da criptonita no Superman.

Pela primeira vez na vida eu comecei a comprar esmalte de unhas. Sempre me senti meio por fora desse departamento, mas compensei o tempo perdido e agora tenho um monte de vidrinhos de esmalte. Opacos e claros, metálicos, cintilantes e opalescentes.

O único problema é descobrir o que fazer quando as coisas dão errado no trabalho, agora que eu não posso mais roer as unhas. Eu poderia arrumar umas unhas falsas para roer, do mesmo jeito que as pessoas conseguem cigarros sem tabaco quando param de fumar. Melhor ainda: em vez disso, eu poderia *começar* a fumar.

Quando o sujeito simpático reapareceu de trás do biombo com os comprimidos de felicidade, eu já escolhera um esmalte: um tom bege leitoso, a mesma cor do céu em janeiro, a qual, por sinal, fica absolutamente horrível no céu de janeiro, porém, por incrível que pareça, fica muito chique num esmalte de unhas.

— Essa é uma cor linda, muito alegre — comentou o vendedor.

Achei que aquela era uma observação engraçada, vinda de um homem. Especialmente por não ser verdadeira.

Logo em seguida, porém, ele já estava me dando instruções.

— Tome os antidepressivos uma vez por dia. Se pular um dia, não dobre a dose no dia seguinte, mantenha a dose normal. Só tome os calmantes em caso de emergência, porque eles viciam com facilidade. — Nesse ponto eu lembrei que, na quarta-feira à noite, ele havia pensado que os calmantes eram para mim. Pelo visto, ele estava achando que os antidepressivos também eram para mim, e eu não soube como lhe contar que eram para a minha mãe.

— Ahn... Obrigada.

— Cuide-se bem — gritou ele, quando eu saí.

Ao chegar à casa de mamãe, senti a ansiedade aumentando por dentro. Eu precisava ir para a *minha* casa.

Tinha de:

a) colocar a minha roupa para lavar
b) colocar a lata de lixo com rodinhas para o lixeiro esvaziar
c) pagar as contas
d) programar o vídeo para gravar *I Love 1988*.

Além disso, no mundo exterior, eu tinha de:

e) comprar um presente de aniversário para Cody
f) arrumar um par de meias-calças bem sofisticado para o casamento de Davinia (eu ia participar da festa como se fosse uma convidada, embora estivesse trabalhando). (Eu bem que deveria ganhar um adicional para vestuário, porque preciso comprar um monte de coisas caras para trabalhar. Chapéus, vestidos de gala e um monte de outros itens.)
g) fazer as unhas.

No instante em que me levantei, devo ter transmitido a minha intenção de sair dali, porque mamãe me perguntou na mesma hora, muito ansiosa:

— Aonde é que você vai?

— Preciso passar na minha casa, mamãe. Tenho roupa para lavar e...

— Quanto tempo vai demorar?

— Algumas horas, de modo que...

— Quer dizer que você vai voltar antes das três da tarde. Por que não traz a sua roupa e deixa comigo, para eu lavá-la?

— Não precisa.

— Ela ia ficar muito mais bem-cuidada.

— Sim, mas eu preciso fazer outras coisas, também.

— E quanto a mim? Você vai me abandonar aqui sozinha?

Fui dirigindo até em casa com uma sensação de medo pesando no estômago como um saco de pedras. *Tinha* de haver outras pessoas que pudessem ajudar, mas, ao fazer uma análise rápida das opções, encontrei pouca coisa:

1) Irmãos ou irmãs? Nada.

2) Um cônjuge carinhoso que me desse apoio? Nada.

3) Irmãos ou irmãs de mamãe? Nada também. Assim como eu, mamãe foi filha única — obviamente isso era um problema de família.

4) Irmãos e irmãs de papai? Bingo! Ele tinha duas irmãs — uma delas morava em Rhode Island e a outra em Inverness. Havia também um irmão, tio Leo, mas ele morrera havia menos de sete meses, de infarto fulminante, enquanto comprava brocas novas na Woody para a sua furadeira. O choque foi terrível! O pior é que a mulher dele, Margot, que era uma das melhores amigas de mamãe, morreu menos de cinco semanas depois. Um caso de Síndrome do Coração Partido, vocês provavelmente estão imaginando. Na verdade, foi um caso de fazer a curva muito depressa em uma noite chuvosa, derrapar com o carro e bater de frente com um muro. Foi horrível, especialmente por acontecer logo depois da morte do tio Leo — Margot era muito divertida, e embora eu só a visse em casamentos, no Natal e outras festas de família, até eu sentia a sua falta.

5) Vizinhos? O melhor que eu consegui foi a pobre e estigmatizada sra. Kelly. Isso não me entrava na cabeça, porque quando eu era criança a nossa ruazinha parecia uma comunidade; todas as famílias tinham mais ou menos a mesma faixa etária.

Agora, sem que eu percebesse, tudo mudara e a maioria dos vizinhos era composta de famílias muito mais novas. Quando ocorrera aquela mudança? Quando foi que todo mundo começara a morrer ou se mudar para apartamentos mais fáceis de cuidar, que são a última parada antes da casa geminada de sala e três quartos no céu?

6) Amigos? Mamãe e papai não faziam exatamente parte de um grupo grande e animado, e todos os amigos de mamãe eram também amigos de papai. Eles formavam um "casal", saíam com outros casais e se referiam às pessoas como "um casal adorável". Havia "os Baker" — papai jogava golfe com o sr. Baker. E havia também "os Tyndal".

7) Consultor espiritual de mamãe? Era o padre sei-lá-o-nome. Será que valia a pena tentar?

O senhor arrumou uma hora excelente para nos abandonar, sr. Noel Hogan, seu sacana. Ele não me ouviu, mas foi bom mesmo assim. Eu não conseguia pensar em outra coisa. E se ele nunca mais voltasse para casa? E se as coisas ficassem daquele jeito para sempre? Como é que eu ia aguentar se mamãe começasse a hiperventilar toda vez que eu a deixasse sozinha em casa? Como é que eu ia conseguir manter meu emprego? Como é que eu ia fazer com a minha vida?

7

Eu *tinha* de ir trabalhar na segunda-feira de manhã. Tinha mesmo, tinha *de verdade*. Davinia solicitara um encontro comigo. Além do mais, eu precisava ir até Kildare para verificar *in loco* e me assegurar que a tenda estava sendo montada no terreno certo. Sei que isso parece maluquice total, mas já tinha acontecido com Wayne Diffney, da banda de rock Laddz (vocês sabem quem é... ele é o "maluco" com os cabelos extrassuperembaraçados). A tenda do casamento dele foi erguida no terreno errado e não houve tempo de desmontá-la para tornar a montá-la no local correto. Para piorar a situação, uma soma extorsiva teve de ser paga ao dono da fazenda invadida. Graças a Deus a festa não era da nossa agência, mas isso abalou a estrutura dos organizadores de eventos em toda a Irlanda.

Portanto, no domingo à noite, sentindo-me culpada e na defensiva, apertei o botão de "mudo" no controle remoto da tevê e disse:

— Escute, mamãe, eu *preciso* de verdade ir trabalhar amanhã.

Ela não respondeu nada, ficou simplesmente ali, sentada, olhando para as imagens silenciosas na telinha, como se não tivesse me ouvido.

Aquele tinha sido um dia terrível. Mamãe não fora à missa, e é impossível convencer alguém não familiarizado com a típica "mãe católica irlandesa" da seriedade que isso representa. A "mãe católica irlandesa" não perde a missa de domingo nem quando pega raiva do cachorro do vizinho e começa a espumar pelo canto da boca. Ela simplesmente leva um caixa de lenços de papel, limpa tudo discretamente e encara o problema com bravura. Se uma das suas pernas cair pelo caminho, ela continua indo em frente aos pulos. Se a outra perna cair, ela vai se arrastando até a igreja ajudada pelas mãos e ainda consegue acenar de forma graciosa para os vizinhos que passam de carro.

Às dez da manhã do domingo, interrompi mamãe, que estava sentada com ar passivo diante da tevê, assistindo à retrospectiva semanal sobre o mercado de ações.

— Mamãe, a senhora não deveria estar se aprontando para ir à missa?

(Nesse exato momento, eu me lembrei quem era a quarta Mary que se mudara da nossa rua. Não era Mary coisa nenhuma. Era a sra. Prior — *Lotte*. Com um nome desses, não era de estranhar que eu não tivesse lembrado. A missa que estava para começar deve ter me trazido o nome à cabeça, porque mamãe uma vez dissera: "Gosto muito da Lotte, apesar de ela ser luterana." Só que no verão anterior Lotte fora participar da grande competição de danças típicas no céu e o sr. Prior vendera a casa para morar no asilo.)

Mamãe pareceu não ter ouvido, então eu ofereci:

— Mamãe! Está na hora de a senhora se aprontar para a missa. Eu a levo de carro.

— Eu não vou.

Meu estômago despencou no pé.

— Tudo bem, eu vou à missa com a senhora.

— Eu não acabei de dizer que não vou? Todo mundo vai ficar olhando para mim.

Aproveitei a oportunidade de me vingar, dizendo para mamãe a frase que ela repetira para mim a vida toda, sempre que eu me preocupava com os outros.

— Não seja tola, mamãe! Eles estão muito mais interessados neles mesmos. Quem iria se dar ao trabalho de prestar atenção na senhora?

— Todos eles — disse ela, com ar tristonho, e, na verdade, estava com a razão.

Sob condições normais, a missa das onze, aos domingos, funcionava como um baile de formatura. Para mamãe e suas amigas, era como sair para a balada. Quando alguém da nossa rua ganhava um novo casaco de inverno, a estreia para o público acontecia na missa das onze.

Agora, no entanto, que mamãe se transformara em uma mulher abandonada pelo marido, ela ia roubar a cena de qualquer casaco de inverno — e provavelmente haveria vários casacos sendo estreados na missa, pois estávamos em janeiro, o mês das liquidações. Todos os cochichos e olhares de lado seriam dirigidos à mamãe e ao seu estado de total abandono, deixando na poeira, por exemplo, o casacão de gola alta marrom feito em lã ou fibra de poliéster que a sra. Parsons havia comprado em uma irresistível queima, com setenta e cinco por cento de desconto.

Por tudo isso, mamãe não foi à missa, passou mais um dia vestindo o roupão cor de pêssego e agora se recusava a me escutar.

— Mamãe, por favor, olhe para mim. Eu realmente *preciso* ir trabalhar amanhã.

Eu desliguei a tevê de repente e só então ela se virou para mim, magoada.

— Eu estava assistindo...!

— Não estava não.

— Tire mais um dia de folga.

— Mamãe, eu preciso ir para o trabalho logo cedo, porque cada segundo dos próximos quatro dias vai ser muito importante.

— Isso é falta de planejamento, deixar tudo para o último minuto.

— Nada disso. O aluguel da tenda custa vinte mil euros por dia e precisamos colocar tudo lá dentro nos poucos dias que temos pela frente.

— Andrea não pode cuidar disso?

— Não, a responsabilidade é minha.

— E a que horas você vai estar aqui de volta?

Uma sensação de pânico surgiu em meu peito. Normalmente eu passaria o dia inteiro no trabalho antes de um evento desses, e a cada minuto em que eu não estivesse trabalhando tentaria compensar o precioso sono atrasado. Só que, pelo visto, eu teria de fazer a viagem de uma hora e vinte minutos de Dublin até Kildare, todos os dias, ida e volta. Duas horas e quarenta minutos de sono perdido! Por dia! Aaargh!

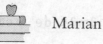

* * *

Na manhã da segunda-feira, quando o relógio tocou às seis, eu já estava acordada, chorando. Não só porque eram seis da manhã de uma segunda-feira, mas também porque sentia saudades do meu pai.

Aquela tinha sido a semana mais estranha de toda a minha vida. Eu estava chocada e tentei *de verdade* cuidar de mamãe. Agora, todo o resto desaparecera e tudo o que eu sentia era tristeza.

As lágrimas molharam o meu travesseiro. De um jeito irracional e absolutamente infantil, eu queria que papai nunca tivesse ido embora e que tudo continuasse do jeito que sempre fora.

Ele era o meu pai e era em casa que ele deveria estar. Papai era um homem calado que deixava a maior parte das conversas para a minha mãe, mas mesmo assim a sua ausência na casa era quase palpável.

Aquilo só podia ser culpa minha. Eu não dera atenção a ele. Não dera atenção a nenhum dos dois. Agi assim por achar que eles estavam felizes juntos. Para ser franca, eu nunca *pensara* a respeito daquilo, de tão felizes que eles pareciam. Eles nunca me deram sequer um minuto de preocupação e simplesmente seguiam pela vida juntos, parecendo gostar muito um do outro. Tudo bem... Papai trabalhava e jogava golfe, e mamãe ficava em casa o dia todo, mas eles compartilhavam um monte de hobbies — palavras cruzadas, passeios até Wicklow para ver a paisagem e adoravam eventos do tipo "morte na comunidade", como as excursões *Morse*, *Assassinato em Midsomer* e outras. Uma vez eles viajaram para participar de um fim de semana temático desse tipo, chamado *Um Misterioso Assassinato*, mas acho que as coisas não saíram exatamente como haviam imaginado: eles queriam algo em estilo "investigação séria sobre um homicídio", onde haveria um "crime" a ser desvendado e uma série de pistas que finalmente levaria à descoberta do vilão. Em vez disso, ficaram bebendo o tempo todo e acabaram em uma trouxa de roupa suja dentro de um guarda-roupa, sendo apalpados por outros codetetives que mal conseguiam prender o riso.

Será que papai se sentia infeliz havia muito tempo? Ele sempre fora uma pessoa de modos muito discretos, mas será que em torno dele havia uma capa de algo mais sombrio, como depressão? Será que ele passara vários anos desejando levar outra vida? Até aquele momento eu nunca pensara nele como uma pessoa, apenas como marido, pai e entusiasta de golfe. Obviamente, havia mais, muito mais a respeito dele, e a extensão desse território desconhecido me deixava confusa e envergonhada.

Eu me arrastei para fora da cama e me vesti para trabalhar.

Às dez da manhã o terreno em Kildare parecia um set de filmagem — havia caminhões e gente por toda parte.

Eu usava um conjunto de fones sobre a cabeça e um pequeno microfone. Parecia a Madonna no show *Blonde Ambition*, com a diferença de que o meu sutiã não era tão pontudo.

A tenda chegara da Inglaterra e dezessete das vinte pessoas contratadas para montá-la já haviam chegado. Eu encomendara quatro toaletes químicos portáteis, uma equipe de carpinteiros já trabalhava duro para construir uma passarela temporária de madeira e, pelo telefone, conseguira convencer um fiscal da alfândega a liberar o caminhão refrigerado cheio de tulipas e deixá-lo fazer sua entrega fora da cidade.

Depois de receber os fornos para a tenda de preparação de alimentos — que foram entregues com dois dias de antecedência, mas pelo menos haviam chegado —, fui me sentar no carro, liguei o aquecimento e telefonei para papai no trabalho, a fim de lhe pedir, mais uma vez, que voltasse para casa.

Muito gentil, mas com firmeza, ele disse que não, e eu acabei expressando uma preocupação que pintara em minha cabeça durante o fim de semana.

— Papai, como é que mamãe vai se arranjar sem grana?

— Vocês não receberam a carta?

— Que carta?

— Enviei uma carta, explicando tudo.

Na mesma hora eu liguei para mamãe e ela atendeu, ofegante.

— Noel?

Meu coração afundou de pena.

— Não, mamãe, sou eu. Chegou alguma carta de papai? A senhora poderia dar uma olhadinha?

Ela saiu e voltou logo em seguida.

— Sim, chegou um envelope com cara de assunto oficial, endereçado a mim.

— Onde estava?

— No peitoril da janela, com o resto da correspondência.

— Mas... Por que a senhora não o abriu?

— Ora, eu sempre deixo essas coisas importantes para o seu pai resolver.

— Mas o envelope foi enviado *pelo* papai. É do papai para a senhora. Dá para a senhora abri-lo?

— Não, prefiro esperar até você voltar para casa. Ah, mais uma coisa... O dr. Bailey veio aqui e me deu a receita de uns comprimidos para dormir. Como eu faço para comprá-los?

— Vá até a farmácia — sugeri.

— Não. — A voz dela pareceu abalada. — Não posso sair de casa. Você não pode ir para mim? Ela fica aberta até as dez da noite, e antes disso você certamente já estará em casa.

— Vou fazer o possível. — Desliguei e cobri o rosto com as mãos. (Se eu tornasse a ligar, ia ouvir a voz ofegante da minha mãe ao atender, perguntando "Noel?", em uma repetição infinita como a do filme *Feitiço do Tempo*.)

Sair às oito e meia da noite foi quase como trabalhar apenas meio expediente. Dirigi de volta para casa tão depressa quanto poderia sem ser parada pelos guardas; cheguei em casa, peguei a receita e saí como uma bala em direção à farmácia. O sujeito do outro dia não estava lá, graças a Deus. Entreguei o pedaço de papel a uma garota com ar de tédio, mas então o tal atendente simpático surgiu de trás do biombo e me saudou com um animado "Oi, tudo bem!?". *Será que ele morava na farmácia?*, fiquei me perguntando. *Quem sabe vivendo à base de balas e pastilhas para tosse e recostando a cabeça, à noite, sobre uma pilha de compressas para calos?*

Ele pegou a receita e perguntou baixinho, com ar solidário:

— Não está conseguindo dormir? — Ele analisou meu rosto e o que viu nele o fez balançar a cabeça, pesaroso. — Sim... Às vezes os antidepressivos provocam isso, no início.

Seu ar compreensivo — apesar de dirigido à pessoa errada — era confortador. Lançando-lhe um leve sorriso de gratidão, voltei para a casa de mamãe. Ao chegar lá, sentamos para abrir a apavorante carta de papai.

Era uma carta do advogado dele. Nossa, será que era algo sério? Embora eu estivesse quase trocando as letras, por causa do cansaço, entendi do que se tratava.

Papai propunha o que chamava de "acordo financeiro provisório". Isso soava meio sinistro, pois indicava que haveria um acordo financeiro definitivo mais tarde. A carta dizia que ele daria mensalmente à minha mãe uma determinada quantia, e com esse dinheiro ela teria de pagar todas as contas, inclusive a prestação da casa.

— Certo, vamos ter que fazer um levantamento das despesas. Quanto é a prestação da casa?

Mamãe olhou para mim como se eu tivesse lhe pedido para me explicar a teoria da relatividade.

— Tudo bem, vamos às contas dos serviços. Quanto é a conta de luz, mais ou menos?

— Eu... Eu não sei. Era o seu pai que fazia todos os pagamentos. Sinto muito — disse ela, com uma carinha tão humilde que eu senti que não dava para ir em frente.

Com mais nada.

Era difícil de acreditar que mamãe um dia tivera um emprego — ela trabalhava como secretária em uma empresa, e foi lá que ela conheceu papai. Só que ela parou de trabalhar quando engravidou de mim; depois do primeiro aborto, ela não queria se arriscar. Talvez ela tivesse desistido do emprego de qualquer modo, depois de eu nascer, porque era assim que as mulheres irlandesas faziam naquela época. Quando as outras mães voltaram ao mercado de trabalho, já com todos os filhos na escola, mamãe ficou em casa. Eu era preciosa demais, ela explicou. Para ser franca, a verdade é que nós não precisávamos do dinheiro; embora papai nunca tenha conseguido ser promovido a gerentão, diretor de fornecimento ou outro cargo executivo, sempre tivemos grana suficiente.

— Acho que já fizemos todas as contas — suspirei. — Vamos dormir.

— Tem só mais uma coisinha — disse ela. — Estou com erupções cutâneas. — Ela esticou a perna e puxou a ponta da camisola. Sua coxa estava coberta de pontos inchados.

— A senhora precisa consultar um médico. — Torci a boca de nervoso.

Ela acabou rindo também.

— Não posso ligar para o dr. Bailey e pedir para ele me fazer mais uma consulta domiciliar.

E eu não posso mais ir à farmácia. O balconista simpático deve estar achando que eu sou uma maluca completa.

A manhã de terça-feira foi muito agitada nos campos de Kildare. O designer de interiores e sua equipe de oito sujeitos fortões corriam de um lado para outro, a fim de transformar uma tenda cheirando a grama úmida em uma cintilante Terra das Maravilhas das Mil e Uma Noites. A estrutura, porém, ainda não estava completamente erguida, de modo que ambas as equipes tentavam trabalhar em conjunto. Porém, a partir do instante em que um dos sujeitos que armavam a tenda pisou em um pedaço de cetim dourado com as botas sujas de lama, foi criada uma linha divisória entre as equipes e uma batalha começou a ser ensaiada.

O designer de interiores, um gay do tipo Muscle Mary, muito musculoso e interessado em conseguir o corpo perfeito, chamou o trabalhador com botas enlameadas de "brutamontes desastrado".

Em vez de se ofender, porém, o montador da tenda achou "brutamontes desastrado" o adjetivo mais engraçado de todos os que ouvira em sua vida, e ficou repetindo o novo apelido para os companheiros. "Ouviram só, rapazes? Cuidado comigo, porque eu sou um brutamontes desastrado. Um *brutamontes*!"

Em seguida, ele chamou o Muscle Mary de "gorducho com cara de cafetão", o que era a pura verdade, mas não condizia exatamente com um ambiente de trabalho harmonioso e eu fui obrigada a utilizar minhas consideráveis habilidades de negociadora para impedir que a equipe de decoradores saísse arrastando os babados (não há outra maneira de descrever) para fora dali.

Quando a harmonia foi restabelecida, fui até uma parte gelada do campo, esperando conseguir um pouco de privacidade, e telefonei para tia Gwen em Inverness.

Depois de soltar um pequeno guincho de alegria quando eu lhe informei quem falava, ela começou a descrever o quanto era maravilhoso ouvir a minha voz e me perguntou com quantos anos eu estava, o que me obrigou a dar-lhe um corte — não consegui evitar, pois o tempo era escasso. De forma sucinta, contei tudo sobre papai e encerrei a história dizendo:

— Será que a senhora não poderia ter uma conversa com ele?

No mesmo instante, tia Gwen encarnou o papel de velha dama hesitante.

— Bem, querida, não sei se... Eu não poderia... Não cabe a mim me meter... Você disse que ele está com uma jovem...? O que eu poderia dizer a ele...?

Nesse instante, algo chamou a minha atenção: os decoradores e os operários estavam do lado de fora da tenda, na clareira que ficava entre os banheiros químicos portáteis e a estrada. Para meu horror, eles pareciam estar se preparando para brigar. Vários dos operários já arregaçavam as mangas e um dos decoradores balançava uma garrafinha de água Evian de forma ameaçadora. Hora de agir.

— Tá legal, obrigada, tia Gwen. — Em meio às desculpas esfarrapadas dela, fechei o celular com um estalo e corri pela grama congelada.

Mais tarde tentei ligar para tia Eilish, em Rhode Island, mas ela andava em companhia de um grupo esquisito, um monte de gente altamente analisada que não conseguiria emitir uma opinião pessoal e direta nem que tivesse com uma arma apontada para suas cabeças. Sua resposta foi:

— Somos todos adultos. Seu pai é responsável pela forma como decide levar a vida, do mesmo modo que a sua mãe também é responsável pela forma com que leva a dela.

— Então eu devo aceitar isso como um não, certo?

— Não. O "não" nada mais é do que um tipo diferente de oportunidade. Eu não acredito na palavra "não".

— Mas a senhora acabou de pronunciá-la.

— Não, nada disso.

Depois, tentei Gerry Baker, o parceiro de golfe de papai, mas ele soltou uma gargalhada que me pareceu meio falsa.

— Eu imaginei que você fosse me telefonar. Bem, na verdade eu achei que a *sua mãe* é quem iria ligar. Aposto que você quer que eu troque umas palavrinhas com o seu pai.

— Sim! — *Graças ao bom Cristo apareceu alguém que poderia nos ajudar.* — O senhor faria isso por nós?

— Não esquente. Ele vai cair na real por si mesmo.

Desconsolada, liguei para a sra. Tyndal, com a esperança de que ela pudesse ajudar a cuidar de mamãe. Nada feito. Ela me pareceu deliberadamente fria e em seguida fingiu que havia alguém batendo à sua porta, só para se livrar de mim.

Eu já ouvira falar de mulheres abandonadas que reclamavam que suas "amigas" não se davam mais com elas, com medo de elas tentarem roubar seus maridos. Sempre rotulara isso como paranoia, mas era verdade.

Só cheguei em casa naquela noite quase à uma da manhã. Mamãe ainda estava acordada, porém, para minha surpresa, me pareceu um pouco melhor. O olhar apático que ela exibia me pareceu menos acentuado e mostrou um ar de leveza. Logo eu descobri por quê.

— Li aquele livro — ela me informou, quase animada.

— Que livro?

— *As Poções de Mimi*. Achei fantástico.

— É mesmo...?! — Subitamente eu me senti amedrontada. Não queria que ninguém gostasse dele.

— A história me alegrou um pouco. Você nem comentou que foi a Lily que o escreveu! Só quando eu vi a foto dela na contracapa é que me dei conta. Que grande façanha escrever um livro. — Depois disse, com ar saudoso: — Eu sempre gostei muito da Lily, ela era sempre tão *simpática*.

— Ei!... Espere um pouco!... Se liga, mãe!... Ela roubou o meu namorado, lembra?

— Ahn... Sim, eu sei. E ela escreveu algum outro livro?

— Um só — disse eu, sem querer muito papo. — Mas ele não foi publicado.

— E por que não? — perguntou mamãe, parecendo indignada.

— Porque... Porque ninguém gostou dele. — Eu estava sendo cruel. Alguns agentes literários até haviam gostado, de certo modo. Eles *quase* gostaram. Se ela ao menos trocasse um dos personagens, ou fizesse com que a história acontecesse no Maine, ou tivesse escrito tudo no tempo passado...

Durante anos Lily escrevera e reescrevera o livro — como era mesmo o nome dele?... Tinha algo a ver com água... Ah, lembrei: *Claro como Cristal* foi o nome que ela dera. O problema é que, mesmo depois de ela fazer todas as mudanças, ninguém o queria. Apesar de ter mexido muito no texto, ela conseguiu ser rejeitada por não apenas um, nem mesmo dois, mas *três* agentes, e isso me impressionara muito.

— Vou emprestar *As Poções de Mimi* para a sra. Kelly — disse mamãe. — Ela aprecia um bom livro.

O fato de mamãe ter gostado do livro de Lily serviu de gatilho para o retorno da ansiedade que aquela semana horrível conseguira disfarçar; na primeira oportunidade que eu tive, no dia seguinte, liguei para Cody. Ele não estava no escritório, mas consegui falar com ele pelo celular. Sua respiração estava ofegante e eu deduzi que ele estava na esteira. Ou então transando.

— Como vão as vendas do livro de Lily?

— Nada de muito especial.

— Graças a Deus.

— Ora, ora...

— Ah, não enche!

Então, quase hesitante, ele perguntou:

— Você leu?

— Claro! Foi a história mais maluca que eu já li. E você?... Já leu?

— Já.

— E o que achou?

Ele esperou um segundo.

— Achei que... Na verdade, achei maravilhoso.

Pensei que ele estivesse sendo sarcástico. Puxa, afinal de contas aquele era *Cody*.

De repente percebi que não era o caso e o medo quase me matou. Se Cody, o sujeito mais cético em todo o planeta, achou o livro lindo, então é porque era mesmo.

8

PARA: Susan_inseattle@yahoo.com
DE: Gemma 343@hotmail.com
ASSUNTO: O demônio da bebida

O aniversário de Cody foi comemorado na noite de sábado — preciso dizer mais alguma coisa? Ele preparou uma festa no Marmoset, o mais novo restaurante de Dublin, e convidou vinte dos amigos mais chegados. Ficou furioso por eu não ter podido colocar as minhas habilidades de organizadora de eventos ao seu dispor. Para ser franca, o único motivo de eu ter ido é o fato de ter mais medo de Cody do que de mamãe. Mas vamos lá... Para encurtar o assunto, o alívio pelo casamento de Davinia, que correu sem grandes imprevistos, se somou ao estresse do resto da minha vida e eu fiquei doidona.

Obviamente eu temia isso desde o princípio, pois preparei um plano à prova de falhas para me manter na linha: resolvi não beber vinho, porque, com essa história de completar o cálice o tempo todo, não dá para controlar a quantidade de bebida ingerida. Em vez disso, portanto, pedi só vodca com tônica e — aqui é que está o pulo do gato — depois de cada uma delas eu transferia a fatia de limão para o copo que chegava com a nova dose. Desse modo, eu tinha controle do número de drinques que já tomara, e quando o copo estivesse cheio de fatias de limão a ponto de não caber mais bebida nenhuma, eu saberia que era hora de ir para a casa. Genial, não é?

Não.

Fui uma das últimas a chegar, não só porque mamãe ficou inventando desculpas para atrasar a minha saída, mas também porque o Marmoset é um daqueles estabelecimentos ridículos que não informam ao mundo a sua localização — nada de letreiros externos, nem placa com o número da rua, nem janelas. Exatamente como os lugares da moda faziam em Nova York e Londres, cinco anos atrás. Por fim, consegui achar o lugar e lá estava a Princesa Cody à cabeceira da mesa, recebendo seus presentes. Eu havia passado o maior sufoco, pois aquela tarde havia sido a primeira vez que mamãe me deixara ir às compras desde que começara o problema com papai. A empolgação me subiu à cabeça e eu nem sabia por onde começar nem o que comprar. Foi por isso que, em vez de procurar logo um presente de aniversário para Cody, acabei comprando — imaginem só... — um recipiente para guardar carvão. Não me perguntem por que, eu só sei que algo no design da peça me atraiu; eu estava simplesmente ali, circulando pelo departamento de utensílios domésticos da Dunne's, quando vi o produto e subitamente percebi que *precisava* comprá-lo. Em seguida — por favor, não espalhem isso para ninguém —, fui até a seção de brinquedos e comprei uma varinha de condão. Ela vinha com uma estrela purpurinada na ponta, de onde saíam uns fiapinhos de cor lilás. Fiquei intrigada e envergonhada, pois senti a maior vontade de ter uma daquelas; decidi que o motivo daquilo era papai ter fugido de casa e carregado minhas lembranças da infância, e a varinha de condão seria uma tentativa de tê-las de volta.

Bem, tudo isso é para dizer que no tempo que sobrou eu só consegui comprar uma garrafa de champanhe para Cody e pregar um arranjo de fitas em forma de rosa ao lado do rótulo, o qual, por sinal, acabou ficando torto, porque minhas mãos vivem trêmulas; quando eu lhe entreguei o presente, ele fez a famosa cara de desdém debochado e disse, com veneno escorrendo pelos cantos da boca:

— Vejo que você gastou um tempão imaginando o que poderia me trazer.

Eu estava a ponto de dar as costas para ele e voltar para casa, a fim de assistir a um show de prêmios na tevê.

— Eu não preciso ficar aqui só para ser insultada — disse a ele. — Há um monte de outros lugares onde consigo isso.

Nesse momento — desfraldem as bandeiras! —, Cody me pediu desculpas e obrigou Trevor a se levantar e me oferecer o lugar que ficava à sua direita.

As pessoas à sua volta eram as de sempre: barulhentas, lindas e divertidas. Os homens com unhas feitas e as mulheres superproduzidas, exibindo bolsas Burberry. Sylvie estava lá, Jennifer também, e algumas outras que eu não lembro o nome.

Mergulhei de cabeça nas vodcas com tônica e, para ser sincera, comecei a me divertir muito. Contei a Cody o quanto curtia a novidade de estar ali comendo em um prato grande, pois na casa de mamãe só comíamos em pires, pois foi o que sobrou depois do quebra-quebra e eu ainda não tinha arrumado tempo para comprar pratos novos.

Nesse instante, Cody bateu com a faca no próprio copo (caíram alguns fiapos do tempero de ervas finas dentro do champanhe, mas ele nem notou), pediu silêncio e me obrigou a contar a história de como papai havia nos abandonado. Como eu já estava na sexta vodca, aquilo não me pareceu tão terrível e eu achei até divertido. Consegui a atenção de toda a mesa, que se dobrou e teve convulsões de riso quando eu descrevi o novo visual de papai, a história da ambulância e as minhas múltiplas visitas à farmácia. Em seguida, eu lhes falei da semana que tive, acordando às cinco da manhã e voltando de Kildare à uma da manhã do dia seguinte. Contei como, no dia do casamento, os banheiros portáteis já estavam em um estado terrível e as pessoas não queriam limpá-los porque aquilo não era tarefa delas, e então eu tive de arregaçar as mangas do terno que usaria no casamento, vestir luvas de borracha e empunhar a escova de lavar privadas. Enquanto esfregava toda a sujeira, tive de manter na cabeça o dramático enfeite de cabelo feito com penas de pavão, pois não havia nenhum lugar limpo onde eu pudesse colocá-lo.

Na hora, aquilo me pareceu *repulsivo*, mas ali, contando o caso para pessoas que se dobravam de tanto rir, subitamente percebi o lado engraçado da história. Foi HILÁRIO. Tão hilário que, em determinado momento, comecei a urrar de tanto rir. Sylvie e Raymond tiveram de ir comigo ao toalete feminino, para me ajeitar. Depois, pedi mais um vodca-tônica e dei o pontapé inicial para o segundo tempo.

Contei a todos sobre a barra de chocolate sabor tiramisu, até mesmo para os garçons e as pessoas das outras mesas.

A partir desse ponto, as imagens começaram a ficar meio desfocadas. Lembro que a conta veio com um valor indecentemente elevado e todo mundo começou a me culpar, pois a vodca-tônica custava dez libras a dose e eu tomara pelo menos onze. Ainda mais nebulosas são as lembranças de eu me recusar terminantemente a ir embora do Marmoset porque ainda havia espaço para três ou quatro fatias de limão no meu copo. A isso se seguiu uma imagem difusa que pode ou não ser um sonho... Eu entrando em um táxi com Cody e Sylvie e, de algum modo, conseguindo prender a orelha ao fechar a porta do veículo. Como acordei com a orelha parecendo uma couve-flor roxa, talvez isso realmente tenha acontecido. Depois disso, não lembro de mais nada...

Parei de escrever. Se eu não fizesse uma versão reduzida do que aconteceu depois, aquele e-mail ia ficar mais comprido do que *Guerra e Paz*. Porque na manhã seguinte à festa de Cody acordei na minha cama, em meu apartamento, e antes mesmo de perceber que eu estava *debaixo* do edredom, tive um mau pressentimento. Tive a sensação esquisita de estar *desarrumada*, e uma investigação minuciosa revelou que eu estava totalmente vestida, mas o sutiã por baixo da blusa se abrira e minhas calcinhas estavam arriadas até quase os joelhos, embora eu continuasse de calças. Assim que percebi isso, o desconforto foi insuportável.

Enquanto eu me contorcia na cama tentando me ajeitar e virando de lado — como costumamos fazer nessas horas —, vi caído no chão, como um daqueles contornos que a polícia faz para marcar o local onde um cadáver foi achado, um homem. Tinha cabelos pretos e vestia terno. Eu *não fazia ideia* de quem poderia ser. Não tinha a *mínima* ideia. Ele abriu um olho, apertou-o de leve, para me focalizar, e disse:

— Bom-dia!

— Bom-dia. — Eu retribuí o cumprimento.

Quando ele abriu o outro olho, *achei* que o conhecia. Reconheci o seu rosto, tinha quase certeza disso.

— Sou o Owen — ele informou, tentando me ajudar. — Você me conheceu ontem à noite, no Hamman.

Hamman era o novo bar da moda, mas eu nem imaginava que tivesse ido até lá.

— Por que você está deitado aí no chão? — perguntei.

— Porque você me empurrou para fora da cama.

— Por que fiz isso?

— Sei lá!

— Você não está com frio?

— Estou quase congelando.

— Você parece muito jovem.

— Tenho vinte e oito.

— Eu sou mais velha... — Olhando em volta do quarto, perguntei: — O que o meu novo recipiente de guardar carvão está fazendo aqui?

— Você o pegou para me mostrar. Aliás, contou a todo mundo a respeito dele, ontem à noite; parecia muito empolgada com a compra. E com razão — acrescentou ele. — É realmente uma beleza!

Ele foi fazer xixi e eu queria que sumisse dali, fosse embora e me deixasse dormir para eu descobrir depois que imaginara tudo.

— Você está com uma cara horrível! — comentou ele, mostrando-se muito observador. — Vou lhe preparar uma xícara de chá e depois caio fora.

— Nada de chá! — gritei.

— Café?

— Tudo bem.

Depois disso, eu só me lembro de acordar de um salto com a boca parecendo um pergaminho, imaginando se sonhara com aquilo. Mas havia uma xícara de café ao meu lado, gelado. Eu voltara ao estado de coma antes de conseguir bebê-la. O baldinho de carvão ainda estava em cima da penteadeira e um monte de coisinhas adoráveis — esmaltes de unhas, loções tonificantes, o pó compacto da Origins — estava entornado e espalhado pelo chão em volta, fitando os meus olhos de anteontem como bonecas de pano traumatizadas por um desastre de carro.

Foi horrível. Quando eu saí da cama e tentei me levantar, minhas pernas quase cederam na primeira tentativa. Na sala da frente, as almofadas haviam sido todas arrancadas do sofá, como se alguém (eu e Owen?) tivesse brigado corpo a corpo. Marcas redondas se espalhavam por todo o lindo piso de madeira, cortesia de uma garrafa de vinho tinto que fora esquecida aberta, e havia uma horrível mancha, que parecia de sangue, sobre o meu carpete gelo feito com oitenta por cento de pura lã. Pelos cacos de vidro em volta da mancha, parece que havíamos caído sobre um cálice de vinho durante a luta corpo a corpo.

Então fiquei realmente horrorizada ao reparar que o piso de madeira estava cheio de bolhas prateadas, mas uma inspeção cuidadosa mostrou que se tratava apenas de um monte de CDs espalhados pelo chão e refletindo a luz do sol. No saguão de entrada, um bilhetinho muito revoltado fora enfiado por baixo da porta: Gary e Gaye, do andar de cima, reclamando do barulho. Eles pareciam FURIOSOS e eu desejei estar morta. Teria de pedir desculpas a eles, mas me pareceu que eu nunca mais ia conseguir articular uma única palavra.

Obviamente esse tipo de cena era comum todos os sábados e domingos de manhã, mas havia vários anos, literalmente — bem, pelo menos *um* ano —, desde a última vez em que eu ficara tão doidona.

A novidade é que algo mudara desde a última vez em que eu levara para casa um homem que nem me lembrava de ter conhecido, porque o boyzinho esperto me deixara um bilhete. Eu sempre achei que esse tipo de cara geralmente se escafedia silenciosamente às quatro da manhã com a cueca no bolso para nunca mais ser visto. O bilhete, escrito às pressas com o meu delineador no folheto sobre irrigação do cólon (eu recebia um monte deles), dizia assim:

Anjo do Balde de Carvão: Achei você estranhamente encantadora. Vamos repetir a dose uma hora dessas. Pode deixar que eu telefono assim que as marcas roxas sararem. Owen.

P.S. — Vida longa e próspera.

Pode deixar que eu telefono.

Diante dessas palavras, algo conseguiu se arrastar por entre meus olhos doloridos e os cabelos desgrenhados até alcançar o cérebro inchado e eu percebi que o terrível mau pressentimento que me invadia não era provocado apenas pelos horrores da ressaca, mas por mamãe! Eu me virei para o telefone, quase com medo de olhar. A luz da secretária eletrônica piscava; parecia piscar três vezes mais depressa, como se estivesse *furiosa* (será que aquilo era possível? Será que a velocidade aumentava quando havia um monte de mensagens não respondidas?).

Que horror! Tive uma sensação terrível, apavorante, um terror pavorosamente apavorante. Era como se meu despertador não tivesse tocado e eu tivesse perdido o casamento da minha melhor amiga, uma viagem grátis de Concorde até Barbados, uma cirurgia de vida ou morte...

Eu nem devia estar no *meu* apartamento. Devia ter voltado para a casa de mamãe na noite anterior. Eu prometera de pés juntos, foi a única forma de conseguir convencê-la a me deixar ir para a rua. Como foi que eu pude me esquecer dela? Como foi que eu voltei a pegar no sono, depois de acordar de manhã? Como era possível eu não ter me lembrado dela até aquela hora?

Apertei o botão "play" e, quando a voz monótona em estilo Margaret Thatcher anunciou "Você... tem... dez... recados", eu quis morrer. As primeiras quatro ligações eram de Gary e Gaye, do andar de cima. Eles estavam zangados. Muito, muito zangados. Então os recados de mamãe começaram. O primeiro foi às cinco da manhã. "Onde você está? Por que não voltou para casa? Por que não atende o celular? Eu não consegui dormir a noite toda." Outra chamada às seis e quinze, outra às oito e meia e mais uma às nove e vinte. Mamãe parecia mais desesperada a cada ligação e no recado das dez e meia ela respirava com muita dificuldade. "Não me sinto bem. É o coração. Dessa vez é mesmo um infarto. Onde você está?"

O último recado não era de mamãe, e sim da sra. Kelly:

"Sua pobre mãe foi para o hospital em um estado terrível", informou ela, com frieza na voz. "Se você conseguir algum tempo livre para entrar em contato com a sua casa, agradeceríamos muito."

9

PARA: Susan_inseattle@yahoo.com
DE: Gemma 343@hotmail.com
ASSUNTO: Levou três dias para os horrores se dissiparem

Só hoje é que consegui voltar a ingerir alimentos sólidos.

Mamãe — graças ao bom Cristo — não teve um infarto, só outro ataque de pânico. As enfermeiras bateram um bom papo com ela e a alertaram de que é "contravenção desperdiçar o tempo da polícia". Mas quando mamãe lhes explicou sobre o sumiço de papai e eu passando a noite fora, elas redirecionaram sua insatisfação para mim; eu me senti tão culpada que parece até que levei um soco no queixo.

Papai ainda não voltou. Durante toda a semana passada, quando eu trabalhei como uma máquina, nem tive tempo de pensar com calma no assunto. Agora, porém, que a minha rotina voltou ao normal, percebi que já faz duas semanas que ele foi embora. É como se eu estivesse em transe — para onde foram essas duas semanas? Sinto-me chocada ao perceber como o tempo voou e agora resolvi esperar um mês; até lá, ele provavelmente terá voltado.

Cody e a sra. Kelly, bem como todo mundo no meu trabalho, ficam buzinando na minha cabeça o tempo todo, comentando sobre o grande filho da mãe que ele é, mas quando eu tento concordar com eles e, em vez disso, me mostro insegura e chorosa, eles me olham com estranheza e dá para ver que estão pensando: "Puxa, até parece que foi o marido *dela* que foi embora." Esposas têm todo o direito de se mostrar inseguras e chorosas, mas, quando se trata de filhas, todo mundo espera que elas participem do festival de insultos. Bem que eu tentei chamá-lo de "velho idiota e insensível" e a sra. Kelly me incentivou, dizendo "Isso mesmo, garota!". Mas logo em seguida comecei a chorar e ela ficou visivelmente irritada.

O problema tem várias camadas. Às vezes acho que me convenci do fato de papai ter ido embora de vez e arruinado tudo, mas de repente eu me animo e acho que ele vai voltar logo para casa. Então eu me toco de que ele até agora não voltou; a sensação bate mais fundo e é mais dolorosa do que na vez anterior. Mas ainda acho que devemos lhe dar um mês, pois trinta dias é um número redondo.

Quanto à varinha de condão, sim, obrigada por me lembrar que eu sempre adorei coisas cafonas e vagabundas. Embora eu não saiba o que há de cafona na minha touca de banho "Hello Kitty vai a Nova York". Ela é linda, sem mencionar que é muito prática.

Estarei trabalhando no escritório a semana toda. É um alívio estar de volta ao meu horário de apenas dez horas de trabalho por dia — e estar perto das lojas. Ando comprando coisas. Objetos esquisitos. Ontem, na hora do almoço, comprei um chaveiro de vidro no formato de um sapato de salto agulha cintilante com uma flor azul na ponta. Depois pintei minhas unhas de dez cores diferentes, cada uma em tom mais claro do que a anterior. Graças a Deus eu ainda sou relativamente jovem.

Isso aí, vamos em frente que atrás vem gente. Mande uma piada para mim.

Montes de beijos,
Gemma xxx

Ao voltar para casa depois do trabalho naquela noite — como acontecia quase todo dia —, dei uma passadinha na farmácia para comprar coisas para mamãe. Dessa vez foi pomada para pé de atleta — não faço a menor ideia de como ela possa ter pegado isso, considerando que a coisa mais atlética que ela já fez na vida foi abrir um pacote de biscoitos. Antes mesmo de eu pedir a pomada, o balconista simpático me disse:

— *Você* estava em excelente forma na noite de sábado.

Todo o sangue que circulava quase exclusivamente pelo meu rosto deu início a um súbito e veloz êxodo; minhas pernas e mãos começaram a executar sua dança agitada, o que foi muito chato, porque eu tinha acabado de conseguir que elas parassem de tremer.

— Onde foi mesmo que nós nos encontramos? — perguntei, com os lábios absolutamente sem cor.

Ele parou de falar, pareceu surpreso e logo em seguida meio desconfortável. Por fim, disse:

— No Hamman.

— No *Hamman*? — Minha nossa, quem *mais* eu havia encontrado no Hamman, na noite de sábado?

— Você me parece... surpresa.

Pode apostar que sim. A história toda. Imaginem só, encontrar o balconista da farmácia no Hamman e não me lembrar de nada. *E* logo no dia em que ele conseguira autorização para sair de trás do balcão. Que roupa será que ele estava usando? Eu não conseguia imaginá-lo com nenhuma outra roupa que não fosse um guarda-pó branco. Será que ele foi com um grupo grande de outros farmacêuticos, todos usando guarda-pó?

— Eu estava meio alta — cochichei para ele.

— Tudo bem, era noite de sábado — disse ele, mas então mostrou uma cara meio séria e perguntou: — O seu médico não lhe avisou que você não devia beber enquanto estiver tomando antidepressivos?

Era a hora de contar tudo:

— Não, ele não me avisou. Sabe o que é...? As receitas que eu tenho trazido não são para mim, são para a minha mãe. Desculpe não ter lhe contado antes, mas é que não me pareceu certo comentar sobre essas coisas.

Ele afastou o corpo ligeiramente do balcão, olhou fixamente para mim e balançou a cabeça levemente para a frente algumas vezes, enquanto absorvia a informação, até que finalmente disse:

— Algum daqueles remédios era para você?

Tentei lembrar da longa lista de remédios que havia comprado para mamãe; não apenas os antidepressivos, mas também os calmantes, os comprimidos para dormir, o anti-histamínico para as erupções cutâneas, os antiácidos para o estômago, os analgésicos para a sinusite...

— O esmalte de unhas foi para mim.

— Sabe de uma coisa? — perguntou ele, refletindo sobre aquilo. — Estou me sentindo um tolo.

— Não sinta — disse eu. — A culpa foi minha, eu devia ter lhe contado logo de cara e gostei muito por alguém ser simpático comigo, mesmo sem haver nada de errado com a minha saúde.

— Tudo bem, então — disse ele, ainda meio sem graça.

— Só por curiosidade — quis saber eu. — O que achou do Hamman?

— Ah, foi legal. Os frequentadores é que eram todos um pouco jovens demais.

Na mesma hora eu perguntei a mim mesma qual seria a idade dele. Até aquele momento não pensara nele como alguém que tivesse uma identidade e idade próprias. Para ser franca, nem mesmo pensara nele como um ser humano, pois via apenas uma presença benigna que me entregava remédios que impediam minha mãe de ficar completamente zureta.

— É o guarda-pó — disse ele, lendo meus pensamentos. — Ele desumaniza as pessoas. Eu provavelmente não sou muito mais velho do que você, Maureen, e acabei de me tocar de que esse provavelmente não é o seu nome.

— Não. Eu me chamo Gemma.

— Eu também tenho um nome — disse ele. — Johnny.

PARA: Susan_inseattle@yahoo.com
DE: Gemma 343@hotmail.com
ASSUNTO: As surpresas continuam

Adivinhe só...? O boyzinho me telefonou. O rapaz que eu conheci na noite do aniversário de Cody. Owen, ou sei lá o nome dele. Quer sair comigo. "Para quê?", perguntei. "Para tomar um drinque", ele disse. "Você levou quase duas semanas para me ligar de volta", disse eu. "É que eu estava me fazendo de difícil", replicou ele.

De qualquer modo, eu lhe comuniquei que não podia sair e ele disse "Eu entendo. Você quer passar mais tempo em companhia do seu baldinho de carvão."

É claro que não era nada disso. O fato é que eu não conseguiria um passe livre de mamãe, nesse momento. Ela só me deixa sair para trabalhar ou levar suas receitas à farmácia, e eu não tenho energia para reagir a isso, especialmente depois de ter feito aquele papelão no aniversário de Cody...

E quanto a você? Conte como vão as coisas! Nenhum namorado ainda?

Beijos,
Gemma

Por falar em receita, os comprimidos de mamãe para dormir acabaram — ela os consumia como se fossem Confeti —, então eu fui rapidinho, de carro, até a farmácia e, como sempre, o carinha simpático estava em pé atrás do balcão.

— Oi, Gemma — cumprimentou ele. — Não é Maureen. É Gemma. Vou acabar me habituando, com o tempo. Vai ser como a gilete. Ninguém mais fala "lâmina de barbear", só "gilete"; no início era meio esquisito, mas agora todo mundo já acostumou.

— É feito "amido de milho" e maisena — concordei. — Existe algum momento em que você não está aqui na loja?

Ele pensou por alguns instantes.

— Não.

— Mas por quê? Você não tem como arranjar outro farmacêutico para ajudar a cuidar da loja?

— Tenho alguém que me ajuda. Meu irmão. Só que ele sofreu um acidente de moto.

Depois de um breve instante, emiti um gemido de solidariedade, embora nem conhecesse o tal irmão.

— Quando aconteceu?

— Em outubro.

— Nossa, mas isso faz séculos.

— E ainda vai levar mais um tempão até ele ficar bom. O coitado acabou com a perna.

Mais gemidos de solidariedade.

— Não consegui encontrar um substituto até agora.

— Mas você precisa trabalhar tantas horas assim? Não dá para fechar a loja um pouco mais cedo?

— Todo mundo sabe que nós ficamos abertos até as dez horas. Lembra aquela primeira noite em que você veio aqui? E se a loja estivesse fechada?

Fechei os olhos só de imaginar a cena. Eu às voltas com uma mãe maluca e sem ter como desligá-la. Ele tinha razão.

— Eu também quase não saio — informei, pois não queria que ele achasse que era o único naquela situação. — Para você ter uma ideia, vir aqui conta como um evento social.

— Como assim? — Ele se mostrou muito curioso e eu não podia culpá-lo. Eu estaria me enforcando com gaze, de tanto tédio, se tivesse que ficar sentada naquela loja o tempo todo lendo a parte de trás dos envelopes de aspirina. Então eu lhe contei a história toda — *toda* mesmo! — o telefonema, as luzes que Colette fizera no cabelo, as costeletas de papai, o "infarto" de mamãe e a quantidade absurda de tevê que eu assistia todo dia.

Então chegou alguém pedindo um colírio e eu o deixei atender o cliente.

10

Como sou filha única, era inevitável que eu acabasse tomando conta de um dos meus pais em sua velhice. Só que eu não estava pronta, pelo menos ainda não. Sempre imaginei que isso fosse algo muito distante no futuro, e a imagem difusa que me aparecia sempre incluía um homem para dividir o fardo comigo. Além do mais, imaginei que o outro pai ausente teria a decência de estar morto, e não morando com a secretária. Bem, é isso o que acontece com os planos quase infalíveis, como bem sabemos.

Em um espaço de tempo espantosamente curto, a minha antiga vida virara do avesso e se tornara uma linha reta em um monitor cardíaco. Embora eu continuasse curtindo a minha velha vida a distância — meu apartamento, meus amigos, minha independência —, era mais fácil entregar os pontos e ficar com mamãe. Aliás, para ser honesta, com o sumiço de papai eu sentia necessidade de me segurar em mamãe, que foi o que me restou.

Mesmo sem planejar o esquema, eu e mamãe acabamos entrando em uma rotina que consistia basicamente em nós duas enfurnadas dentro de casa, como duas velhas esquisitas. Ela me permitia sair para ir trabalhar — ou ir à farmácia comprar seus remédios —, mas logo eu voltava para casa, sentava no sofá ao lado dela e assistia à mesma sequência de programas: um episódio duplo dos *Simpsons*, uma hora de *Buffy, a Caça-vampiros* e depois o telejornal das nove da noite.

Quando eu trabalhava até tarde, ela via os programas sozinha e depois me fazia um relatório de tudo que vira na tevê, com detalhes. Nos fins de semana, assistíamos a seriados de mistério, geralmente

Midsomer Murders ou *Morse*, o tipo de coisa que ela costumava fazer com papai. O mais estranho era que, embora nunca estivesse sozinha, eu me sentia terrivelmente solitária.

Mamãe e eu quase não tínhamos assunto uma com a outra. Às vezes ela perguntava:

— Por que você acha que ele foi embora?

— Provavelmente pelo fato de tio Leo e tia Margot terem morrido um logo depois do outro.

— Eu também me senti arrasada por causa de Leo e de Margot — replicou ela —, mas não me imagino tendo um caso.

— Bem, então talvez seja porque ele vai fazer sessenta anos em agosto. As pessoas ficam meio piradas quando completam um aniversário que termina em zero.

— Eu completei sessenta há dois anos. Por acaso tive um caso com alguém?

Estávamos na expectativa de papai voltar para casa e a vida voltar ao normal, mas na verdade ela se tornara uma eterna vigília, embora nunca a víssemos desse jeito. Mamãe não cozinhava mais, então subsistíamos à base de biscoitos, pastinhas e licor Baileys. Sempre que eu me levantava, nem que fosse para fazer um xixi rapidinho, ela me olhava assustada e eu me sentia cheia de culpa.

Ninguém acreditou que eu não tivesse conseguido convencer papai a voltar para casa, a começar por mim mesma.

— Mas você sempre consegue ajeitar todas as coisas! — espantou-se Cody.

— Com exceção da minha própria vida. — Não falei isso para me autodepreciar, mas só para Cody não ser obrigado a dizê-lo.

As coisas também não andavam grande coisa no trabalho, embora eu não tivesse perdido nenhum cliente. (Aaargh! Que pensamento horrível! Esse era um deslize que definitivamente me faria merecer ir para a Sala sem Janelas.) Por outro lado, eu também não conseguira nenhum cliente novo, e Frances & Francis não estavam nem um pouco satisfeitos, pois, como não cansavam de me lembrar quase todo dia, minha meta era aumentar o faturamento em quinze por cento ao ano. (Era só dez por cento até o ano passado, mas eles andavam planejando umas férias na Espanha.)

— Os novos clientes não vão cair do céu, Gemma — ladrava Frances. — Você tem que sair em busca deles como se fosse um cão de caça.

O pior é que eu perdera o pique. Meu trabalho depende integralmente de eu estar alerta e ligada. Quando eu levo gente do departamento de recursos humanos de grandes companhias para almoçar, eles precisam ficar ofuscados pela minha energia, a fim de adquirirem a certeza de que o próximo congresso vai ser um evento especial, glamouroso, divertido e excelente para a imagem da empresa.

As pessoas se preocupavam comigo, especialmente Cody.

— Você não sai mais de casa. Não devia desistir da vida.

— Eu não desisti. Vou ficar assim só até papai voltar para casa. Eu lhe dei um prazo de dois meses para acordar, e só se passaram seis semanas.

— E se ele não voltar?

— Vai voltar, sim. — Eu estava com esperanças renovadas devido a várias coisas, especialmente ao fato de não termos recebido mais nenhuma carta falando do tal "acordo financeiro permanente".

— Se a sua mãe não sair dessa, você vai ter que deixá-la por conta própria.

— Não posso. Ela vai começar a chorar e ter hiperventilação. É mais fácil ficar com ela. Ela nem vai mais à missa. Diz que religião é algo sem sentido.

Cody se mostrou chocado e disse:

— Na verdade, ela tem razão, mas eu não sabia que as coisas estavam assim tão mal. Vou dar uma passada lá.

Ele apareceu naquele mesmo dia. Sentou-se ao lado de mamãe e disse:

— Escute o que eu vou dizer, Maureen... Ficar aqui sentada não vai trazê-lo de volta.

— Nem ir a bailes ou jogar bridge.

— Maureen, a vida continua.

— Não para mim.

Ele acabou desistindo depois de algum tempo e comentou com uma espécie de admiração, ao sair:

— Ela é muito determinada, não acha?

— Eu não lhe disse? "Teimosa como uma mula" é a expressão certa.

— Hoje eu descobri a quem você puxou. Temos algum chocolate novo sendo lançado? Opa!... — Com um jeito teatral, colocou a mão na boca. — Não, acho que não. Ela está com aparência de quem comeu o pão que o diabo amassou.

— Olhe... — Eu ensaiei uma objeção firme, mas ele me interrompeu com determinação e colocou a palma da mão no próprio peito:

— Cody Cooper, caia na real! — exclamou, como se falasse consigo mesmo. — É melhor alguém dizer logo o que precisa ser dito. Sua mãe era uma mulher atraente, Gemma, com um estilo de beleza anos cinquenta, tipo Debbie Reynolds. Por falar nisso, o que houve com o cabelo dela?

— As raízes estão aparecendo. Ela precisa tingi-lo, mas não quer saber de ir ao cabeleireiro. Estou contando os dias em que papai está fora pelo comprimento das suas raízes brancas, e elas estão muito compridas.

— Sua mãe está acabada, já era!... — Cody parou para causar impacto, antes de continuar: — Pode acontecer o mesmo com você. Pense nisso.

Depois desapareceu de repente, como o Cavaleiro Mascarado. Eu não queria pensar no que ele dissera de mim, então comecei a pensar em mamãe.

Normalmente as pessoas não veem os pais com os mesmos olhos com que analisam as outras pessoas, mas acho que mamãe realmente foi bonita, de um jeito meio rechonchudo. Batatas da perna gorduchas, braços lisinhos, cintura fina, pés e mãos macios e pequenos. (Eu tenho uma silhueta parecida com a dela, o que é uma pena, porque esse tipo de corpo está fora de moda, no momento.) Por muito tempo, ela pareceu mais nova do que papai, e não sei exatamente em que momento a coisa mudou, mas o fato é que agora isso não era mais verdade. Até a crise atual, ela ia ao cabeleireiro com frequência

— obviamente não voltava com nenhum penteado revolucionário e a única pista de que ela mexera nos cabelos era a aparência deles, mais brilhantes e duros do que o normal, mas o importante é que ela tentava. E adorava se vestir bem. Não preciso nem informar a vocês que eram sempre roupas que eu não usaria nem que a minha vida dependesse disso: casaquinhos de lã com aplicações ou blusas com botões cintilantes. Mas ela adorava usar roupas novas e se empolgava muito quando conseguia coisas baratas em alguma liquidação. Em época de queimas de estoque, ela ia à cidade sozinha, de ônibus, e sempre voltava para casa triunfante. "Parecia até o fim do mundo — um monte de megeras empurrando e me dando cotoveladas para alcançar as melhores peças, mas eu as deixei comendo poeira."

Em seguida ela expunha alegremente as peças da pilhagem; espalhava tudo em cima da cama e me desafiava a adivinhar quanto cada uma custara.

— Puxa, sei lá!

— Vamos lá, dê um chute!

— É para dizer o preço antes ou depois da liquidação?

— Antes.

— Setenta e cinco.

— Setenta e cinco? É pura lã!

— Cem.

— Mais.

— Cento e cinquenta.

— Menos.

— Cento e trinta.

— Acertou! Agora, adivinhe quanto eu paguei por ela.

— Quarenta?

— Ah, assim não dá, Gemma, você não está colaborando.

— Cem.

— Menos, menos!

— Noventa?

— Menos.

— Setenta?

— Está esquentando.

— Sessenta?

— Mais.

— Sessenta e cinco?

— Acertou! Metade do preço. E é pura lã!

Isso tinha que rolar para cada item que ela havia comprado e papai sempre compartilhava a empolgação dela. "Isso foi muito bom, amor." E muitas vezes ele comentava comigo, com toda a sinceridade: "Gemma, sua mãe é uma mulher muito elegante."

É de espantar que eu tenha ficado tão surpresa quando ele a abandonou?

Se bem que ela o fazia passar por todo o processo de adivinhar os preços também, em todas as peças, então o fato de ele ir embora talvez não seja tão surpreendente assim.

PARA: Susan_inseattle@yahoo.com

DE: Gemma 343@hotmail.com

ASSUNTO: Vaca traidora

Imagine só!... Andrea chegou correndo perto de mim no trabalho e me informou, toda alegrinha e com os olhos brilhantes: "Acabei de ler aquele livro que Lily Wright escreveu!" Até parece que ela esperava uma medalha pela façanha de lê-lo ou algo assim. Disse que adorou o livro, pois a história levantou o seu astral. Deve ter reparado na cara que eu fiz, porque calou o bico. Nossa, como as pessoas são tapadas!

Nem mamãe nem eu voltamos a colocar os olhos no papai desde o dia em que eu atirei a barra de chocolate sabor tiramisu nele. E ele também não telefonou... nem uma vezinha. Dá pra acreditar? As únicas vezes em que consigo falar com ele é quando telefono para o escritório e Colette não está lá para mentir, dizendo que ele foi ao dentista. Ele nunca apareceu em casa para pegar suas roupas, sua correspondência, nada. Ele me pediu que eu enviasse as cartas que chegassem para o escritório, mas eu me recusei a fazer isso, pois queria uma desculpa para ele passar em casa e ser obrigado a nos ver. Mesmo assim, ele não apareceu. Em vez disso, comentou: "Tudo bem... São só contas e coisas desse tipo, nada de importante."

Dei uma parada e pensei bem antes de escrever o resto. A parte em que eu ia contar a Susan que todas as manhãs, há mais de quinze dias, eu acordava às cinco, perdia o sono, imaginando o que poderia acontecer e sentia um pânico quase sufocante. Eu tinha trinta e dois anos e minha vida parecia ter acabado. Quando é que as coisas iam voltar aos eixos? Eu não tinha nenhum relacionamento que me servisse como rota de fuga. Aliás, com a vida que levava, provavelmente eu nunca conseguiria conhecer alguém. Ou papai voltava para casa ou... Ou o quê...?

Alguma coisa *tinha* de mudar.

Só que nada funcionava com papai. Nem desculpas, nem promessas, nem raiva e nem apelos para o seu senso de responsabilidade.

— Papai — eu dizia —, por favor, me ajude, eu não consigo aguentar essa barra sozinha. Mamãe não está preparada para viver sem o senhor.

— Sei o quanto é duro, mas ela vai acabar se acostumando. — Seu tom continuava gentil, mas sua falta de envolvimento com o problema era alarmante. Ele não se importava.

Minha inocência sumira de vez e se transformara em algo sujo e corrompido. Quando eu era menina, achava que papai conseguiria consertar *qualquer coisa*. Tia Eilish costumava fazer uma piadinha que na época era quase uma blasfêmia: "Qual é a diferença entre Deus e Noel Hogan? É que Gemma acha que Deus não tem condições de ser Noel Hogan."

Só que agora eu estava em um mundo diferente. Nada de soluções mágicas. Eu não conseguia suportar aquilo. Ainda mais por ter sido sempre a "filhinha do papai". Todos os dias, até eu completar quatro anos, ele chegava do trabalho para me pegar e nós seguíamos pela rua de mãos dadas (eu empurrando o meu carrinho de bonecas com um bebê Soneca dentro) até as lojas perto de casa, para ele comprar cigarros.

Agora, toda aquela proximidade desaparecera para sempre e eu nunca mais seria a sua garotinha. Ele conhecera outra mulher e, embora eu soubesse que aquilo era idiota e irracional, sentia-me rejeitada. O que havia de errado comigo para ele me trocar por alguém só quatro anos mais velha?

Mamãe tinha razão. Era como se ele estivesse morto, só que ainda pior.

Meu maior medo era que Colette engravidasse. Aquilo iria realmente complicar de forma irremediável toda aquela lamentável confusão e nós *nunca mais* conseguiríamos ter as coisas de volta como elas costumavam ser.

O mais irônico é que eu sempre quis uma irmã, desde pequena. Cuidado com o que você deseja.

Cada vez que eu falava com papai, me encolhia toda de medo, para o caso de ele avisar: "Você vai ter uma irmãzinha ou um irmãozinho." Será que isso estava fadado a acontecer, qualquer dia? Eu tinha até medo de perguntar, pois isso poderia colocar ideias na cabeça dele, mas a verdade é que eu nunca fui muito paciente, então eu lhe telefonei um dia e disse:

— Papai, tem uma coisa que eu gostaria de pedir ao senhor.

— É sobre o gramado? — quis saber ele. — Não se preocupe, pois ele só precisa ser aparado em abril e o cortador está no depósito do quintal.

— Se Colette engravidar... — Deliberadamente, eu fiz uma pausa para dar a ele a chance de pular e avisar, atropelando as palavras, que nada daquilo iria acontecer. Mas não aconteceu nada disso. Assim, eu me obriguei a continuar: — Pois bem... Se ela engravidar, quero que o senhor me avise. Ouviu o que eu pedi? Será que o senhor atenderia a esse meu pedido?

— Ah, Gemma, não faça assim comigo.

Eu suspirei, já arrependida de ter aberto a boca.

— Desculpe, papai, mas o senhor me telefona para contar?

— Sim, telefono.

Por isso é que, embora eu estivesse magoada por ele nunca ligar, aquilo também era uma espécie de alívio.

Vamos voltar a Susan.

Eu também adquiri uma fixação com a ideia de comprar uma torradeira Hello Kitty. Ela é tão bonitinha e, imagine só... O desenho da Hello Kitty fica impresso nas torradas.

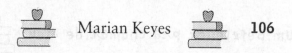

Consegui instalar um acesso à internet com banda larga no computador pré-histórico de papai. Apesar de ser muito talentoso, o meu celular blackberry tijolão não é muito bom para procurar imagens coloridas de torradeiras Hello Kitty.

Deseje-me sorte.

Beijos,
Gemma

P.S. — Já faz seis semanas desde que papai foi embora e mamãe está indo muito bem. Perdeu quase vinte quilos, aplicou luzes, para clarear os cabelos, fez um lifting discreto no rosto e arrumou um namorado de trinta e cinco anos. Eles vão passar as férias juntos em Cap Ferrat. Ela continua se recusando a aprender a dirigir, mas nada disso importa, pois seu novo namorado (Helmut, ele é suíço) sempre manda um motorista apanhá-la ou ele mesmo a pega em seu Aston Martin vermelho com portas que se abrem para fora como asas.

Apertei a tecla de "enviar" e então passei para o computador velho de papai. Eu ia encontrar uma torradeira Hello Kitty na internet, nem que morresse tentando.

— O que está fazendo? — Mamãe tinha entrado no quarto e se colocou atrás de mim, olhando por sobre os meus ombros enquanto eu teclava e digitava.

— Estou procurando uma torradeira Hello Kitty.

— Por quê?

— É que... — eu analisava a lista de produtos com concentração total — ... eu li que Reese Witherspoon tem uma.

Mamãe ficou calada por alguns segundos, até que, por fim, perguntou:

— Se Reese Whitherspoon se jogasse de um penhasco, você faria a mesma coisa?

PARA: Susan_inseattle@yahoo.com
DE: Gemma 343@hotmail.com
ASSUNTO: Um dia negro

O último tablete de chocolate grátis que havia em casa foi consumido. Talvez isso ajude a sacudir mamãe de seu marasmo. Ela parecia ter se enfiado em um buraco feito de rotina e se manteve no fundo dele, quase soterrada por chocolates.

Sim, é claro que eu estava brincando quando falei da transformação dela! Por Deus! Acho que ela está vestindo a mesma camisola bordada desde que papai foi embora, e ainda não largou a tigela de mingau. Quanto a perder todo aquele peso, acho que ela *ganhou* quase vinte quilos, pois não parou de comer chocolates todo esse tempo. Diz que se sente "mais próxima" de papai quando consome produtos que a firma dele fabrica.

Beijos,
Gemma

P.S. — Encomendei a torradeira. Agora vou querer uma mochila da Barbie.

P.S.2 — Helmut possui uma espessa cabeleira loura (muito parecida com a de mamãe), exibe um bronzeado permanente e o corpo esbelto e flexível que, curiosamente, eu não curto muito. Usa produtos La Prairie, especialmente os da linha *skin-caviar*, os verdadeiros, aqueles carésimos com microcápsulas de caviar imersas em regeneradores naturais. Ele deixou um pote no banheiro, então é claro que eu experimentei, e no dia seguinte ele me pressionou, chamando o que eu fiz de "furto". Naturalmente neguei tudo, mas ele disse que sabia que tinha sido eu, porque deixei a marca dos meus dedos no frasco, e afirmou que só uma selvagem enfia o dedo e tira um naco de creme facial *skin-caviar* da La Prairie.

Eu reclamei de ser chamada de selvagem e fui me queixar à minha mãe. Ela estava sentada na cama, encostada à cabeceira, usando um baby-doll perolado de seda, tomando o desjejum — uma torrada de pão integral coberta por uma camada quase invisível de mel. Acabara de acordar e já estava penteada e maquiada. Eu lhe contei o que acabara de acontecer.

— Ah, querida — suspirou ela. Mamãe nunca me chamou de "querida".
— Eu gostaria muito que vocês dois parassem de brigar por minha causa e tentassem se dar bem um com o outro.

— Não sei o que a senhora vê nele!

— Bem, querida... — Ela ergueu as sobrancelhas perfeitas (quando será que mamãe tinha começado a fazer as sobrancelhas, e ainda mais a erguê-las?). — Digamos que ele é... muuuito bom por baixo dos lençóis.

— Informações demais, mamãe! Não quero saber detalhes, sou sua filha!

Mamãe levantou da cama. Seu baby-doll mal lhe cobria o traseiro. Por falar nisso, estava com pernas espetaculares para uma velha senhora de sessenta e dois anos. Embora ultimamente ela informasse às pessoas que tinha completado quarenta e nove anos e já começara a planejar sua festa de cinquenta primaveras, no ano que vem.

Eu a alertei para o fato de que, se ela estava com quarenta e nove, tinha só dezesseis anos quando eu nasci.

— Eu me casei quase criança, querida.

— Então papai tinha treze!

— Quem...? — Sorriu ela, com ar ausente.

— Papai. O homem com quem a senhora se casou.

— Ah, esse... — Ela lançou um pequeno aceno de desdém com a mão, conseguindo transmitir indiferença e pena de papai.

11

PARA: Susan_inseattle@yahoo.com
DE: Gemma 343@hotmail.com
ASSUNTO: Vivendo em um mundo de fantasia

Escrevi um conto curto. Acho que você gostaria de lê-lo.

Noel Hogan estava quieto assistindo ao jogo de golfe quando outro estrondo assustador veio do quarto de cima, fazendo estremecer o lustre de cristal falso. Geri e Robbie estavam destruindo tudo, mas ele se sentia muito cansado para levantar dali e ir até lá se desgastar com eles. Não que isso fizesse alguma diferença, pois eles simplesmente iriam rir na cara dele. Voltando a prestar atenção no jogo, Noel disse a si mesmo que era normal as crianças arremessarem aparelhos de tevê do alto do beliche.

Colette o deixara tomando conta dos anjinhos enquanto ia à cidade. Disse que aquela era uma boa oportunidade para ele construir pontes no seu relacionamento com os pentelhos psicóticos (palavras dele, não dela), mas no fundo Noel suspeitava que ela queria apenas circular pelas lojas sem ter os lindinhos agarrados à sua saia.

Depois de algum tempo, Noel percebeu que os estrondos haviam parado. Ah, eles que se danem! E agora, o que foi?... Seu coração quase parou ao ver a porta da sala se abrir e Robbie entrar, acompanhado de Geri, um com a cara mais endemoninhada que o outro. Engraçado... Os dois eram a imagem da mãe, mas ela não tinha cara de endemoninhada. Ou será que tinha...?

Geri pegou o controle remoto da tevê e trocou de canal, com ar casual.

— Eu estava assistindo o jogo — informou Noel.

— Problema seu! Você não mora nesta casa.

Geri zapeou por vários canais, desprezando qualquer coisa que tivesse interesse, até parar no que parecia o funeral de um cardeal, muito solene e acompanhado de um coro fúnebre.

Ficaram todos em silêncio ouvindo o coro pouco melodioso, até que Robbie exclamou:

— Nós odiamos você.

— Sim. Você não é nosso pai.

— Parece nosso avô. Só que mais velho.

Mais silêncio. Noel não poderia dizer que ele também os odiava, pois ainda estava na fase de conquistá-los.

— Mamãe está na rua gastando toda a sua grana — informou Geri. — Esse é o único motivo de ela estar com você. Mamãe vai comprar coisas lindas para ela, para mim, para Robbie e também para o nosso pai. E quando ela gastar o seu dinheiro todo, vai romper o namoro. Se você ainda estiver vivo.

As observações malignas de Geri calaram fundo em Noel. Colette realmente andava gastando muito, e a uma velocidade desenfreada.

— Vocês querem um pouco de chocolate? — Crianças adoram chocolate.

— Não, esse troço é uma bosta! Nós só gostamos de chocolates Ferrero Rocher.

Por fim, ele ouviu o barulho da chave de Colette na porta. Graças a Deus! Ela entrou e colocou dezenas de sacolas da Marks and Spencer em cima da mesa.

— Oi, amor! — Ela beijou Noel no nariz e anunciou, com ar brincalhão: — Trouxe um presentinho para você!

Empadão de bacon! Pensou Noel. Daqueles da Marks and Spencer, com muito bacon, os melhores que o dinheiro podia comprar. Que mulher maravilhosa! Ele teve razão para largar a sua adorável e fiel esposa de trinta e cinco anos por ela.

Colette colocou a mão no fundo de uma das sacolas e lentamente puxou algo lá de dentro. Ouviu-se um barulho de plástico sendo manuseado, como o de uma embalagem de empadão de bacon — só que não era empadão de bacon. Era um sutiã. Um sutiã de nylon preto e turquesa. De arrasar. Então a mão tornou a entrar dentro da sacola e voltou com outra peça íntima que combinava com o sutiã.

— Linda calcinha — elogiou ele, entrando no clima.

— Isso não é uma calcinha comum. — Com o mesmo jeito brincalhão, Colette atirou o pedaço de renda sobre ele e a peça pareceu grudar sozinha em sua cabeça, desmanchando seu topete e eriçando-lhe os poucos cabelos. — É um *fio dental*!

Fio dental. Noel percebeu o que uma calcinha fio dental significava. Era sinal de que ela estava a fim de uma transa naquela noite. De novo. Antes, porém, eles teriam o desfile de moda íntima, onde ela circularia de um lado para outro do quarto usando apenas roupas de baixo minúsculas, quase esfregando a bunda na cara dele e dançando em volta do cabide para calças, já que não havia uma coluna para *pole dance*. Aquilo acontecia toda noite.

Ela era insaciável e ele estava exausto.

— Tem mais alguma coisa na sacola? — perguntou ele, ainda com a esperança de conseguir empadão de bacon.

— Claro! — Ela pegou uma cinta-liga que combinava com o sutiã e o fio dental.

Noel concordou com a cabeça, com ar tristonho. Ele devia estar louco por achar que ela lhe traria empadão de bacon. Ela nunca mais havia permitido que ele comesse um daqueles. Dizia que ele era velho, muito rodado e que suas artérias deviam estar muito frágeis.

Só que aquela dieta sem gordura que ela impusera para ele o estava matando.

FIM

O que achou? Será que as coisas são desse jeito? Não seria o máximo? Eu faria qualquer coisa para ele voltar para casa.

Era hora da minha visita a Johnny, o atendente da farmácia. Ele estava de papo com uma mulher que precisava de algo para tosse seca.

— Aqui está a Gemma. Ela saberá lhe informar.

— Informar o quê?

— Quanta grana é preciso levar para um fim de semana em Paris?

— Muita — respondi. — Um monte de grana.

— Ele me aconselhou pelo menos quatrocentas libras — informou a Senhora Tosse Seca, apontando para Johnny.

— Ah, isso fazendo um cálculo *por baixo*. Há sapatos maravilhosos em Paris. Sem falar nas joias. E nas roupas. Pense só nos jantares. — Nossa! — Eu *adoraria* ir a Paris.

— Eu também — disse Johnny.

Nossos olhos se encontraram.

— Eu levo você — propôs ele. — Podemos passar duas semanas lá.

— Duas semanas? Que tal um mês? — Com isso, tivemos um acesso de riso incontrolável.

Sorrindo, a Senhora Tosse Seca nos observou em silêncio. Mas, quando Johnny e eu conseguimos interromper o ataque de qui-qui-quis e olhamos um para o outro, tivemos outro ataque de riso, dessa vez ainda maior.

— O que é tão engraçado? — quis saber ela.

— Nada — respondeu Johnny, quase sem fôlego. — Nada mesmo. — Esse é o problema.

PARA: Susan_inseattle@yahoo.com
DE: Gemma 343@hotmail.com
ASSUNTO: Me bate mais uma vez, amor

Adivinhe só...? Owen, o boyzinho, tornou a ligar. Disse que olhou para a sua perna, sentiu que faltava alguma coisa e então percebeu que era a imensa marca roxa que eu provocara ao empurrá-lo para fora da cama, naquela noite. Queria saber se havia alguma possibilidade de repetir a dose, e acho que ele me pegou em um momento vulnerável, porque eu disse que sim. Aguarde mais detalhes. Não sei como vou fazer com mamãe, mas pensarei em algo. Estou planejando me divertir muito...

Beijos,
Gemma

Até que era bom eu dar uma saída. As horas passadas com mamãe em casa prejudicavam muito a minha percepção da realidade. Eu não parava de pensar nas coisas que podiam estar dando errado para papai e Colette, para depois escrever pequenos textos sobre elas. Isso era a única coisa que me consolava. Construía um mundo imaginário, porém muito vívido, no qual, entre outras coisas, Colette se recusava a continuar trabalhando, agora que morava com papai. Ao mesmo tempo, papai tinha problemas com os seus superiores e lentamente começava a cair na real.

Queria loucamente que mamãe e papai voltassem a ficar juntos. Era horrível ter um lar despedaçado, mesmo aos trinta e dois anos.

Em vez de vivenciar a fantasia do fazendeiro que também era diretor de cinema, eu passava minhas manhãs insones imaginando cenários tirados de vários romances, em que mamãe e papai acabavam sendo atirados nos braços um do outro. Eu adorava uma dessas histórias em especial, na qual, por um motivo qualquer — digamos, o aniversário de um velho amigo comum —, eles tinham que fazer uma longa viagem juntos, mas o carro enguiçava e acabavam em uma cabana no meio do nada; em seguida, acontecia uma tempestade, faltava luz, eles ouviam ruídos estranhos do lado de fora e eram obrigados a dormir na mesma cama, por questões de segurança.

A minha história favorita, porém, era aquela em que papai passava na casa de mamãe, aparentemente para pegar a correspondência. O cabelo dela estava lindo, muito bem-penteado, sua maquiagem era discreta, valorizando seu rosto, e vestia uma saída de praia sobre o maiô. Estava linda.

— Noel — dizia ela, de forma calorosa e desconcertante. — Como é bom revê-lo. Eu ia começar a almoçar. Você gostaria de me acompanhar?

— Ahn... Depende. Qual é o cardápio?

— Misto quente acompanhado por um chardonnay maravilhosamente seco.

— Colette não gosta que eu coma queijo.

— E Helmut pensa que eu sou vegetariana — dizia ela, com um tom frio.

— Viu só? Não podemos...

— Acha mesmo? — Um sorriso maldoso e lento se abriu no rosto de mamãe. — Vamos ser travessos. Prometo não contar nada a ninguém se você também não contar.

— Então eu topo.

— O dia está tão lindo! Vamos comer no pátio.

Os dois sentavam junto de uma pequena mesa e o sol sorria sobre ambos. As abelhas zumbiam alegremente, entrando e saindo das dedaleiras cor-de-rosa que balançavam ao vento. Mamãe usava óculos Chanel e seu batom não saía quando ela mordia o sanduíche. Papai observava o lindo e bem cuidado jardim que costumava enchê-lo de orgulho e alegria, antes de ele ser seduzido por calcinhas fio dental.

— Eu havia me esquecido de o quanto este pequeno terraço é gostoso.

— Pois eu, não. — Mamãe estendia uma das pernas bem-torneadas e bronzeadas. — Este é o melhor ponto de Kilmacud, meu caro. Então, conte-me como vão as coisas. Como é a sua vida com Claudette?

— Colette.

— Oh, *desculpe*. Colette. Está tudo bem?

— Ótimo — respondia papai, com ar incerto. — Como vai a sua vida com Helmut?

— Fantástica! Transamos tanto que eu mal consigo dar conta.

— Ahn... Sim, claro.

— Sexo — dizia mamãe nesse instante, com ar de desdém, lambendo um pouco de queijo das pontas dos dedos. — É só nisso que os jovens pensam. Até parece que foram eles que o inventaram. É patético.

— Sim, e isso acaba com a gente. — Subitamente, as palavras começavam a transbordar da boca de papai. — O que há de errado com um simples aconchego? Por que eles querem que a coisa vá sempre até o final? Por que eu não posso ir para a cama pelo menos uma vez na vida SÓ PARA DORMIR?

— Exato. Isso é terrivelmente cansativo.

Os dois ficaram em silêncio. (Um silêncio cúmplice, é claro.)

— E os dois filhos de Claudette? Como eles estão? As crianças têm muita energia nessa idade, não é?

— Se têm...! — concordou ele, com ar sombrio.

— São uns merdinhas, para falar a verdade — incentivou mamãe.

— Se são...! — Ele levantou os olhos, surpreso. Antes ela não tinha a língua tão afiada, tinha?

— E a coisa tende a piorar — avisou ela. — Espere só até aquela mocinha chegar à adolescência! Ela vai pisar nos seus calos!

Noel, que era mais calejado que dedão de bailarina, sentiu que a perspectiva de voltar para *Chez* Colette o deixava desesperado.

— É melhor eu ir andando. Preciso pegar Geri na aula de hip-hop.

De volta à sala, ele quase saiu sem levar a correspondência, mas mamãe lembrou a tempo.

— Você seria capaz de esquecer a própria cabeça, se ela não estivesse presa no pescoço — disse ela, de forma carinhosa. Sob a luz difusa do saguão, em meio aos tons indistintos azuis e verdes do seu maiô, ela se parecia muito com a jovem com quem ele se casara.

— Foi maravilhoso ver você — disse ela, beijando-o no rosto. — Dê lembranças minhas a Claudette. E lembre-se... — disse ela, com um sorriso brincalhão. — Com relação ao queijo, eu não conto a ninguém se você não contar. Esse será o nosso pequeno segredo.

JoJo

12

2:35, segunda-feira à tarde

Manoj enfiou a cara pela porta aberta.

— Jojo, Keith Stein está aqui.

— Quem é Keith Stein?

— Fotógrafo da *Book News*. É para o artigo que fala sobre você.

— Tudo bem. Dois minutos — disse Jojo, tirando os pés de cima da mesa e colocando de lado as palavras cruzadas que a estavam deixando louca. Tirou do cabelo a esferográfica que o mantinha preso em um coque improvisado. Ondas em um lindo tom de castanho tombaram-lhe sobre os ombros.

— Uau, srta. Harvey, a senhorita é linda! — exclamou Manoj. — Só que sua maquiagem está meio ressecada.

Ele lhe entregou a bolsa.

— Capriche no visual — aconselhou.

Jojo não precisava de incentivo para isso. Todos no mercado editorial costumavam ler a entrevista da *Book News*; era a primeira coisa que procuravam.

Ela abriu o estojo de maquiagem e passou uma nova camada da sua marca registrada: o batom vermelho *vamp*. Bem que ela gostaria que aquela não fosse a sua marca pessoal, pois adoraria usar brilho rosado nos lábios e sombra cinza discreta. Só que, na única vez em que ela apareceu para trabalhar com maquiagem em tons pastéis, as pessoas olharam para ela com ar de espanto. Mark Avery lhe disse que ela estava com cara de doente e Richie Gant a acusou de ir trabalhar de ressaca.

Acontecia a mesma coisa com o cabelo. Se estivesse comprido demais, ela ficava com cara de artesã descabelada, e se estivesse muito curto, bem... Aos vinte e poucos anos, logo depois de chegar a Londres, ela experimentara um corte joãozinho, mas, na primeira vez em que foi a um pub, o barman olhou para ela desconfiado e lhe perguntou: "Qual é a sua idade, filho?"

Essa foi a última vez que ela usou cabelo curto e cara limpa.

— Mais rímel — sugeriu Manoj.

— Você é gay demais — comentou Jojo, indulgente.

— E você é politicamente incorreta demais. Estou falando sério a respeito do rímel. Duas palavras: Richie Gant. Vamos deixá-lo com náuseas.

Jojo começou a aplicar o rímel com mais vigor ao ouvir isso.

Depois de uma rápida sessão de pintura por todo o rosto — com blush, pó compacto, sombra e brilho —, Jojo passou a escova nos cabelos com energia uma última vez e se achou pronta para ir.

— Muito sexy, chefinha. Muito *noir*.

— Mande-o entrar.

Carregado de equipamentos, Keith entrou no escritório, parou e deu uma gargalhada.

— Você parece a Jessica Rabbit! — disse, com ar de admiração. — Ou então aquela ruiva dos filmes dos anos cinquenta. Como era mesmo o seu nome? — Ele bateu com o pé no chão algumas vezes. — Katharine Hepburn? Não.

— Spencer Tracy?

— Esse não era o nome de um cara?

Jojo cedeu.

— Rita Hayworth.

— Essa! Alguém já tinha lhe dito isso antes?

— Não. — Ela sorriu. — Ninguém. — Ele tinha os olhos tão brilhantes de empolgação que era difícil ser cruel.

Keith desempacotou o equipamento e as câmeras, lançou o olhar em volta pela pequena sala com paredes cobertas de livros, analisou Jojo e então tornou a olhar em torno.

— Vamos fazer algo um pouquinho diferente — sugeriu. — Em vez da manjada foto da mesa com você solene, sentada atrás dela com ar de Winston Churchill, vamos apimentar um pouco o visual.

Jojo lançou um olhar duro para Manoj.

— O que você andou falando para ele? Pela última vez, leia meus lábios. Eu NÃO VOU tirar a parte de cima da minha roupa.

Os olhos de Keith se iluminaram.

— Mas estaria preparada para aceitar essa sugestão? Faríamos algo bem discreto. Dois polegares estrategicamente colocados e...

O olhar ameaçador de Jojo o fez calar a boca de súbito e, quando ele tornou a falar, parecia menos empolgado.

— Linda mesa essa sua, Jojo. Que tal se deitar sobre ela, de lado, dando uma piscadela?

— Sou uma agente literária! Demonstre um pouco de respeito!

— Além disso, ela era alta demais; iria sobrar corpo dos dois lados da mesa.

— Tive uma ideia! — anunciou Manoj. — Que tal copiarmos aquela famosa foto de Christine Keeler? Você a conhece?

— Aquela em que ela está sentada com o corpo apoiado no espaldar de uma cadeira de cozinha? — perguntou Keith. — Uma pose clássica, ótima ideia.

— Ela estava nua.

— Você não precisa estar.

— OK. — Jojo imaginou que aquilo seria melhor do que se esticar em cima da mesa com o cotovelo para fora apoiado no ar. Nossa, ela queria acabar logo com aquilo; tinha um monte de trabalho pela frente e já perdera meia hora fazendo as palavras cruzadas do jornal.

Manoj saiu correndo e voltou com uma cadeira de cozinha, sobre a qual Jojo se sentou com as pernas abertas, sentindo-se uma idiota.

— Fantástico! — Keith se ajoelhou antes de dar o primeiro clique. — Sorrisão, agora...! — Mas, antes de disparar, abaixou a câmera do rosto e tornou a levantar. — Você não me parece muito confortável — sentenciou. — É o seu terninho. Você não poderia tirar o paletó? *Só o paletó* — acrescentou ele, depressa.

Jojo não queria ficar sem paletó, pelo menos não no trabalho. Seu terno risca de giz a cobria como uma espécie de armadura e, sem ele, ela se achava muito peituda. Fora dos limites do paletó, o seu corpo se comportava como uma caneca de café prestes a transbordar — tanta coisa tentava pular para o lado de fora que era impossível acreditar que poucos minutos antes aquele busto exuberante estava totalmente contido nos limites determinados pela roupa. Por outro lado, seus peitos ficariam ocultos pelo espaldar da cadeira, então ela despiu o paletó e montou novamente sobre o assento, apertando o espaldar de encontro ao tórax.

— Mais uma coisinha... — pediu Keith. — Dá para arregaçar um pouco as mangas da sua blusa? E abra mais um botão perto do pescoço. Só um botão, é tudo o que eu lhe peço. E também... Sabe como é... Balance um pouco os cabelos de um lado para outro, para deixá-los mais leves e volumosos.

— Pense em algo sensual — provocou Manoj.

— E você pense na fila dos desempregados.

— Vamos em frente — interrompeu Keith. — Jojo, olhe para mim. — CLIC! — O pessoal com que trabalho comentou que você já foi policial em Nova York, antes de abraçar essa carreira. É verdade? CLIC!

— Qual o problema de *vocês*, homens...? — Todos eles adoravam a ideia de ela ter sido policial. Até mesmo Mark Avery admitia que visualizava cenas sexy de Jojo chutando portas em batidas policiais e colocando algemas em suspeitos ao mesmo tempo que murmurava "Você vem comigo!". — Puxa vida, vocês não têm mulheres policiais aqui neste país?

— Aqui não é como nos Estados Unidos. Elas usam sapatos baixos e têm cabelos caidaços, muito secos e mal-cortados. Afinal, você foi realmente uma policial?

— Sim, por dois anos.

CLIC!

— Que legal!

Não foi nada legal. Era um empreguinho de merda e Jojo culpava a tevê por fazer tudo parecer glamouroso.

— Já arrombou portas com o pé?

— Centenas.

CLIC!

— Já trabalhou disfarçada?

— Ah, sempre acontecia. Tinha de seduzir chefões da Máfia e dormia com eles para arrancar todos os segredos.

— SÉRIO?

CLIC!

— Não. — Ela riu.

— Mantenha esse olhar. Já levou algum tiro?

CLIC!

— Sempre.

— Jogue a cabeça meio de lado. Já deu tiros em alguém?

CLIC!

— Já.

— Sorrisão, agora... Já matou alguém?

CLIC! CLIC! CLIC!

13

Depois, na parte da tarde de segunda-feira
Keith foi embora, Jojo se apertou novamente dentro do paletó e já começava a trabalhar quando Manoj a chamou pelo intercomunicador.

— Eamonn Farrell está na linha.

— O que foi, dessa vez?

— Parece que Larson Koza conseguiu uma resenha muito elogiosa no *Independent* de hoje, e por que não conseguiria? Devo punhetá-lo para fora daqui?

— Você adora usar essa expressão, não é? Eu nunca deveria ter lhe ensinado algo assim. Não, coloque-o na linha.

Ouviu-se um estalo. A raiva de Eammon parecia se espalhar pela sala a partir do telefone:

— Jojo, estou de saco cheio desse bundão do Koza.

Enquanto ele desabafava, Jojo soltou eventuais "ahn-ahns" de incentivo e aproveitou para olhar os e-mails que haviam chegado. Um era de Mark; resolveu esperar para lê-lo depois de desligar.

— ... Puro plágio... Eu fui o primeiro a... — dizia Eamonn. — ... Ele me deve muito do seu talento... Mas pensa que tudo é uma questão de imagem, aquele sacana bonitão... — Jojo afastou o fone do rosto por um instante, só para ver se o aparelho espumava pelo bocal. Seu interlocutor continuava a falar: — Sabe do que o estão chamando, agora? "O Jovem Turco." *Eu é que sou* o único e legítimo *Jovem Turco* por aqui.

Pobrezinho, pensou Jojo. Ela já passara por aquilo com outros autores. Depois do primeiro momento de empolgação por ter um título publicado, a temerosa gratidão se dissipava e cedia lugar ao ciúme. Subitamente eles descobriam que não eram os únicos autores novos no planeta — havia outros! E eles recebiam boas resenhas e adiantamentos de valor elevado! Era difícil entrar naquele barco, especialmente para alguém como Eamonn, que fizera muito sucesso logo no início da carreira. Ele fora descrito como um "Jovem Turco" muito promissor. Agora era o porra-louca do Larson Koza que recebia as aclamações.

Eamonn parecia estar no fim de sua explosão de indignação:

— E agora, o que vai fazer a respeito disso tudo? Lembre-se que você está andando por aí com vinte e cinco mil libras do meu dinheiro no bolso, só de comissões.

Quem dera...

Jojo conseguira para Eamonn um adiantamento de um quarto de milhão de libras pelo seu livro. Aquele fora um dos seus maiores triunfos profissionais, muito impressionante por qualquer padrão que se analisasse — especialmente considerando o fato de que Jovens Turcos conseguiam grandes resenhas dos críticos literários, mas não vendiam muito em termos comerciais.

— Aqueles dez por cento que você levou de mim estão servindo para complementar o seu salário.

Aí é que você se engana, meu chapa. Jojo não recebia nada daquela grana. Era necessário ser sócio da empresa para poder embolsar a porcentagem conseguida por qualquer acordo; mesmo assim, nunca era mais de cinco por cento.

Mas ela se manteve calada. Ele estava zangado, sentia-se inseguro, e ela não levava nada daquilo para o lado pessoal. Por fim, depois de mais alguns insultos, ele parou de falar subitamente e disse:

— Ahn... Jojo, eu sinto muito, sinto de verdade. Sou um grosso estúpido, falando essas coisas para você. É que a competição é tão acirrada nesse trabalho, mais do que em qualquer outro, que isso me abala.

Ele devia tentar ser agente literário, pensou ela. *Aí, sim*, ele ia realmente descobrir o que era competição. Tudo o que ela disse, no entanto, foi:

— Eu sei, entendo você perfeitamente. Não se preocupe com isso.

— Você é uma joia rara, Jojo Harvey. A melhor. Promete esquecer as merdas todas que eu falei?

— Já está tudo esquecido.

PARA: Jojo.harvey@lipman_haigh.co
DE: Mark.avery@lipman_haigh.co
ASSUNTO: Saudade

Saudade (subst.) 1. Necessidade de. 2. Falta de. 3. Percepção com especial pesar da ausência de alguém ou algo. Ex.: Sinto saudade de você.
M xx

PARA: Mark.avery@lipman_haigh.co
DE: Jojo.harvey@lipman_haigh.co
ASSUNTO: Difícil

Difícil (adj.) 1. Duro, severo, desagradável. Ex.: Está difícil. Você não devia ter viajado por uma semana inteira para ir à feira do livro. Piada (subst.) 1. Frase ou história curta dita para provocar risos.)
JJ xx

P.S. — Eu também sinto o mesmo pesar especial pela sua ausência.

Dez minutos depois
Manoj tornou a chamar.

— Estou com a sua prima Becky na linha, aquela que se parece com você, só que é menos bonita, a julgar pela foto sobre a mesa. Acho que ela quer vê-la esta noite, e me disse algo a respeito de vocês irem ao Pizza Express. Se as caras damas necessitarem de companhia masculina, ficarei feliz em cancelar o pedido que fez à agência de acompanhantes masculinos e posso me oferecer como voluntário. Devo aceitar ou recusar essa chamada?

— Coloque-a logo na linha.

— Nada disso. Você deve dizer: "Sim, vou atendê-la."
Jojo suspirou.

— Sim, vou atendê-la.

14

A maioria dos funcionários já tinha ido para casa quando Jojo começou a preencher o questionário enviado pela *Book News*.

Nome
Jojo Harvey

Idade
32

Histórico da carreira?
Três anos no Departamento de Polícia de Nova York (dois e meio, na verdade). Alguns meses como atendente de bar, assim que cheguei a Londres. Seis meses como leitora crítica da Clarice Inc., antes de ser promovida a assistente e depois a agente literária júnior. Promovida a agente sênior quatro anos atrás, fui trabalhar na Agência Literária Lipman Haigh um ano e meio depois.

Qual é o seu perfume favorito?
Mark Avery

Jojo escreveu devagar, desejando sentir o cheirinho dele naquele exato momento.

Não, espere, ela *não* podia responder aquilo. Mais que depressa, rabiscou várias vezes sobre a resposta que escrevera, e fez isso com tanta força que a folha quase rasgou. O que será que os outros entrevistados haviam colocado nessa pergunta? Uma rápida folheada nas edições passadas mostrou que um sujeito de gravata-borboleta escrevera "o cheiro embolorado de uma primeira edição rara". Outro, que apareceu na foto com uma gravata-borboleta ainda maior e caída nos lados disse que era "o cheiro de tinta fresca do primeiro livro de um autor".

Richie Gant (sem gravata, porque não se usa gravata com camiseta) escrevera "o cheiro do dinheiro", e essa grosseria repercutiu em todo o mundo editorial. Embora, conforme Jojo avaliou com relutância, era admirável a honestidade do cara...

Próxima pergunta:

O que a deixa deprimida?
Richie Gant

Uma pausa, seguida de mais rabiscos violentos.

Qual é o seu lema?
Richie Gant devia morrer!

Não, ela também não poderia escrever isso.

Nossa! Ela queria muito ser convidada para responder ao questionário da *Book Review*, mas aquilo estava sendo mais difícil do que ela esperava.

Qual a pessoa viva que você mais admira?
Mark Avery

Qual a pessoa viva que você mais despreza?
A esposa de Mark Avery? Não, não, não. Eu devia responder "eu mesma". Próxima pergunta...

Que característica você mais detesta nos outros?
Mulheres que dão em cima de homens casados.

O que você mudaria em si mesma?
Tirando o fato de meu namorado ter mulher e dois filhos?

Que tal seu perfeccionismo?, avaliou. Sua tenacidade?... Não, nada disso. Para ser honesta, ela teria que responder que eram suas panturrilhas. Elas eram parrudas demais, e botas de couro até o joelho eram peças proibidas para Jojo. Até mesmo botinhas com meias esticadas eram um problema. Talvez aquela reclamação fosse comum, mas o fato é que, no caso de Jojo, o zíper nunca conseguia fechar acima dos tornozelos, mesmo em botas mais baixas. O pior é que ela achava que suas panturrilhas tinham a consistência irregular de carne enlatada. Por causa disso, ela quase sempre usava calças cortadas sob medida para ir trabalhar. Elas haviam se tornado a sua marca registrada. (Mais uma.)

O que você faz para relaxar?
Transo com Mark Avery. Se ele não estiver por perto, abro uma garrafa de merlot e assisto a algum programa sobre vida selvagem na tevê, especialmente se for sobre bebês foca.

O que faz você chorar?
Uma garrafa de merlot e programas sobre vida selvagem na tevê, especialmente os que falam de bebês foca.

Você acredita em monogamia?
Sim. Pois é, eu sei, mas como posso evitar? Sou hipócrita. Mas não planejei nada para que o meu caso com Mark acontecesse, não sou esse tipo de mulher.

Qual o livro do qual você gostaria de ter sido a agente?
Essa é fácil... Não que ela algum dia fosse confessar, nem sob tortura. O livro era *Carros Velozes*, o grande sucesso do momento. Um grande romance, exceto pelo fato de que Richie Gant havia sido o agente — não Jojo — e ele conseguira 1,1 milhão de libras de adiantamento pelo título, em um leilão. Jojo também tinha alguns sucessos na carreira, mas nada de valor tão elevado, e ela já estava com terríveis acessos de inveja antes de Richie Gant vir pelo corredor até sua sala só para balançar o contrato na sua frente e vociferar "Leia e chore, sua ianque".

Onde você se vê daqui a cinco anos?
Como sócia da Agência Literária Lipman Haigh. Aliás, espero que antes desse prazo. Na verdade, assim que alguém se aposentar.

Na Agência Literária Lipman Haigh havia sete sócios — cinco com base em Londres e dois em Edimburgo. Além desses, havia mais oito agentes que não eram sócios e, embora não houvesse como saber quem a diretoria iria escolher para colocar no lugar de quem se aposentasse, Jojo tinha muita esperança de ser ela. Apesar de haver três outros agentes que estavam na empresa havia mais tempo que ela, Jojo conseguira um bom dinheiro para a agência — nos dois anos anteriores ela dera mais lucro do que todos os outros agentes.

Qual é a sua frase favorita?
O que não mata não só não engorda como também nos deixa mais divertidos.

Quais as suas qualidades mais marcantes?
Consigo assobiar muito alto para chamar um táxi, sei xingar em italiano, sei fazer uma ótima imitação do Pato Donald. Além disso, sei consertar bicicletas.

Quais são as cinco coisas sem as quais você não consegue viver?
Cigarros, café, vodca-martínis, Os Simpsons... O que mais?... As batidas do coração?... Ahn... Mais cigarros.

Qual das suas façanhas a deixou mais orgulhosa?
Parar de fumar. Eu acho. Isso ainda não aconteceu...

Qual foi a lição mais importante que a vida lhe deu?
Coisas ruins acontecem com pessoas boas.

Ela parou. Essa resposta é um lixo, pensou, recolocando a caneta para prender os cabelos, pois ali ele era mais útil. Manoj teria que responder àquele troço. Estava na hora do encontro com Becky.

15

Do lado de fora, na Wardour Street, ainda havia muito movimento, apesar da noite congelante de final de janeiro. Jojo seguia pela rua tão depressa que um mendigo murmurou: "Onde é o incêndio, querida?"

Jojo apressou o passo. Não queria se atrasar para o encontro com Becky.

Jojo e Becky eram muito chegadas, tão íntimas que pareciam irmãs. Quando Jojo chegou em Londres, vindo de Nova York, e ganhava uma merreca, primeiro como atendente em um bar e depois fazendo leituras críticas para um agente literário, Jojo se instalara no quarto de Becky. Dividir um espaço tão apertado poderia ter se transformado em um banho de sangue. Em vez disso, as duas combinaram em milhões de coisas diferentes. Acabaram se empolgando e se encantando mutuamente devido às muitas afinidades, apesar de terem sido criadas a milhares de quilômetros uma da outra. Descobriram que suas mães (que eram irmãs) deixavam os plásticos que vinham cobrindo os estofados novos sem remover durante mais de um ano. E quando suas filhas saíam da linha, ambas as mães diziam "Não estou brava com você, estou apenas decepcionada", e davam tapinhas na têmpora das filhas com tanta força que denotavam mais raiva do que decepção.

Becky e Jojo até mesmo se pareciam. Só que Jojo, mais alta e mais curvilínea, era uma versão vinte e cinco por cento maior de Becky. (Embora ambas tivessem cabelos castanhos naturais, o de Becky era curto e com luzes nas pontas, e graças a isso quase nunca era acusada de se parecer com Jessica Rabbit.)

Depois de muitos meses morando quase amontoadas, elas finalmente se mudaram para outro apartamento, onde cada uma tinha um quarto próprio, e viveram em harmonia por vários anos, até Jojo comprar seu próprio apartamento e Becky conhecer Andy.

Embora Becky tivesse nascido oito meses antes, era Jojo quem parecia a irmã mais velha. Por algum motivo, ela atraía muito mais atenção do que Becky, que tinha bom coração e era carinhosa.

Na Pizza Express, Becky bebia vinho tinto e beliscava pão de alho. Acenou e chamou Jojo assim que a viu chegar.

As duas se abraçaram e então Becky arreganhou os dentes em uma careta silenciosa, perguntando:

— Meus dentes estão escuros?

— Não. — Jojo ficou alerta. — Por que pergunta? Os meus estão?

— Não, mas é que eu estou bebendo vinho tinto. Fique de olho em mim.

— Tudo bem, mas vou acompanhar você na bebida, então é melhor você ficar de olho em mim também.

Ambas analisaram o cardápio e Becky perguntou:

— Se eu pedir a Veneziana, você promete que me avisa se ficar algum pedacinho de espinafre entre os dentes? Dá para *acreditar* que Mick Jagger uma vez mandou incrustar uma esmeralda nos dentes? Onde será que ele estava com a cabeça? Já é terrível ter comida de verdade presa nos dentes, mas mandar prender algo falso é demais...

Depois de fazerem os pedidos, Jojo perguntou:

— Então, quais são as novidades?

Becky era administradora na área de planos de saúde privados, tinha sob sua responsabilidade contratos com grandes companhias e passava por um período infernal.

— Você *não vai acreditar*, mas ela me passou mais quatro clientes novos hoje. — "Ela" era Elise, a gerente de Becky e também seu tormento. — Quatro! Cada um deles tem dezenas de empregados e todos eles estão em busca de planos de saúde. Eu já tenho mais do que consigo dar conta. Já comecei a cometer erros idiotas e a coisa vai piorar, porque não tenho tempo de fiscalizar a minha equipe como deveria.

— Becky, você precisa dizer a ela que está sobrecarregada.

— Não dá para fazer isso. Vai parecer que eu não consigo dar conta.

— Mas não há outra escolha.

— *Não posso.*

— Bem, se ela está lhe dando um monte de clientes, é porque acha você boa no que faz.

— Que nada!... Ela está me sobrecarregando só para eu pirar e cair fora. Ela é uma megera. Eu a odeio!

Envolvida com o estresse de Becky, Jojo pegou um maço de cigarros da bolsa.

— De volta a eles.

— O que aconteceu com suas sessões de acupuntura?

— Toda vez que eu brincava com a agulha presa na orelha, sentia uma vontade incontrolável de comer purê de batata. Pode acreditar, era *muita* vontade. Já resolvi outra coisa. Vou ser hipnotizada na noite de sexta-feira. Um dos sócios da firma, Jim Sweetman, me deu o telefone. Ela fumava quarenta cigarros por dia e já vai para a terceira semana sem cigarros.

— Mas todos nós precisamos de um vício — disse Becky, com ar virtuoso.

— Eu sei, mas agora tudo é muito mais difícil para os fumantes. Quando eu quero fumar no horário de trabalho, tenho que ir para a rua, e às vezes os homens me confundem com uma prostituta.

Becky tomou um pouco de vinho e depois verificou o reflexo dos dentes na colher. Estavam de cabeça para baixo, mas continuavam claros. Ótimo.

— Já estou me sentindo melhor — informou ela. — Não dá para competir com uma chaminé. Agora é a sua vez, Jojo. Compartilhe comigo as suas alegrias.

— Pois é... Vamos lá: eu não vendo nada há algum tempo. Não tem caído nenhum livro bom em minhas mãos. Nada, *nadinha mesmo*; Richie Gant, o Rei das Piranhas, fechou dois supercontratos nos últimos dois meses e isso me deixa apavorada.

Becky balançou o dedo, com severidade.

— Ora, ora, Jojo, não me venha com essa. Você não fechou um contrato na semana passada? Não foi para comemorar isso que você comprou aquela carteira da Marc Jacobs?

— Qual?!... Ah, sim, mas aquilo foi por Eamonn Farrell. Não contabilizo os autores que eu já representava. Preciso aumentar a minha lista de clientes. Se as coisas não melhorarem depressa, não vou conseguir o bônus da empresa para esse ano.

— Sim. Como fará para se sustentar à base de carteiras Marc Jacobs? Bônus uma ova! Você deveria era conseguir uma porcentagem dos contratos que negocia. Devia se tornar sócia da empresa!

— Estou ralando para isso.

— E continua conversando com a carteira de dinheiro?

— Um pouco menos.

— E como vão as coisas com o seu novo assistente?

— Manoj? Ele é jovem, ligado, esperto pra caramba, mas... Bem, ele não é Louisa. Por que ela tinha de engravidar e me deixar na mão?

— Mas Louisa vai voltar daqui a quatro meses.

— Será?... Você não acha que ela vai se apaixonar pelo bebê a ponto de não conseguir mais largá-lo?

— Louisa? É pouco provável.

Louisa usava saltos muito altos, bebia litros de vodca-martíni e tinha a mente afiadíssima. Resolveu cortar as vodca-martínis assim que engravidou, mas mudou pouca coisa em relação ao resto.

— Eu realmente sinto falta dela — suspirou Jojo. — Não tenho com quem conversar agora. — Louisa era a única pessoa no trabalho que sabia sobre ela e Mark.

— Descreva Manoj para mim. Como ele é?

— Ah, não, Becky. Não, não, não. Tem trinta e quatro quilos, com roupa e molhado; parece que tem bicho-carpinteiro, de tão agitado. Gosta de me ver sempre linda e acha que faz parte da sua função de assistente me manter assim.

— Gay?

— Não.

— LG?

— Hein?!...

— Ligeiramente Gay.

— Exato! E, como eu disse, é muito esperto. Depois de duas semanas trabalhando lá, ele já sabe sobre mim e Richie Gant.

— Sabe também a respeito de Mark?

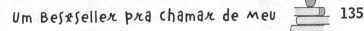

— Não! Você está louca?

— Por falar nisso, quando Mark volta da feira de livros, e onde foi o evento dessa vez?

— Volta na sexta-feira. Ele está em Jerusalém.

— E por que você simplesmente não foi com ele? — quis saber Becky.

— Para perder uma semana inteira de trabalho andando de um lado para outro dentro de um quarto de hotel, esperando ele chegar de intermináveis reuniões? — Jojo tentou fazer um ar de indignação, mas não conseguiu mantê-lo por muito tempo. — Puxa vida, *imagine* só! Cinco dias inteirinhos na cama. Serviço de quarto, filmes para assistir, lençóis limpos todo dia... Adoro lençóis de hotel... O problema é que havia outras pessoas da Lipman Haigh, todas hospedadas no mesmo hotel. Alguém ia acabar nos vendo juntos. — Jojo olhou para a pizza com ar tristonho.

Becky tentou ser solidária apertando-lhe a mão, mas não havia nada de novo a acrescentar. Desde que tudo começara, cerca de quatro meses antes, elas haviam analisado a situação tão minuciosamente que Becky, às vezes, com seu coração mole, sentia arrependimento por ter se envolvido na história.

A sabedoria popular reza que alguma coisa já devia estar errada no casamento de Mark para ele pular a cerca. Só que as coisas eram diferentes quando as pessoas realmente *tinham* um caso, avaliou Jojo. Não dava para evitar uma espécie de vergonha de si mesma. Bem, pelo menos, Jojo não conseguia.

A verdade é que ela não gostava tanto de um homem havia muito tempo. Seu último namorado (o "pobre Craig") se tornara carente demais, depois fez pirraças de criança quando Jojo terminou com ele. O relacionamento que viera antes desse até que começara bem, mas o rapaz ("Richard, o Gostosão") descobriu que Jojo ganhava mais do que ele e deu início a um festival de críticas, reclamava da velocidade com que ela caminhava, dos saltos altos que ela usava, apesar de já ter quase um metro e oitenta, do fato de ela nunca usar saia.

— Como vai ser o resto da sua semana? — quis saber Becky.

— Amanhã à noite é o lançamento do quarto romance de Miranda England.

— Ah, dá para você me conseguir um exemplar? Gosto muito dela. E qual é o programa para a noite de quarta?

— Ohhh... — Jojo colocou as mãos no rosto. — Um jantar. Lançamento de uma biografia de Churchill. Tenho de aturar um monte de velhos conversando sobre a Segunda Guerra Mundial e vou acabar desmaiando de tédio com a cara dentro da sopa.

— Por que vai lá, então? Esse não é um dos seus livros.

— Dan Swann me convidou para ir com ele.

— Mas ele nem ao menos é o seu chefe. Mande-o enfiar o lançamento ele sabe onde.

Jojo gargalhou diante da ideia de dizer ao velho e intelectual Dan que ele enfiasse alguma coisa em algum lugar.

— Ele é um dos sócios mais antigos, Becky, e sempre foi muito bom comigo. Foi uma honra eu ter sido convidada. Quinta, à noite, é dia de ioga. Talvez eu não vá. Na sexta à noite vou ser hipnotizada para parar de fumar e no sábado vou ver Mark.

— Então apareça lá em casa no domingo. Andy reclamou que não vê você há séculos.

— Faz menos de duas semanas, na verdade. Ei, Becky, será que eu não ando passando tempo demais segurando vela para você e Andy? É que vocês são da família, sabem tudo sobre Mark, e eu posso ficar falando disso pelo tempo que quiser que vocês não me mandam calar a boca. Isto é, quase nunca.

— Nada disso, nós adoramos você. Apareça lá! Podemos ficar só lendo os jornais, comendo sorvete e reclamando.

— Reclamando do quê?

— Do que você quiser — cedeu ela, com ar magnânimo. — Do tempo, do emprego, de como os "Kinder Ovos" diminuíram de tamanho. A escolha é sua.

Uma hora depois, quando as duas se despediram com beijos, Becky perguntou:

— Meus dentes estão escuros?

— Não. Os meus estão?

— Não.

— Isso é sinal de que não bebemos o bastante. Isso é mau. A gente se vê no domingo.

16

Terça-feira à tarde

PARA: Jojo.harvey@lipman_haigh.co
DE: Mark.avery@lipman_haigh co
ASSUNTO: Sentir saudade

Consumir-se, desejar, esperar, torcer, ficar com vontade de tirar todas as
suas roupas e dormir ao seu lado.
M xx

PARA: Mark.avery@lipman_haigh.co
DE: Jojo.harvey@lipman_haigh.co
ASSUNTO: Difícil

Sei que é duro, severo, restritivo, desagradável, mas isso deve ser visto
como resultado da grande idiotice de participar de uma feira de livros
durante uma semana inteira.
JJ xx

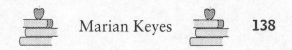

Quarta-feira à tarde

PARA: Mark.avery@lipman_haigh.co
DE: Jojo.harvey@lipman_haigh.co
ASSUNTO: Palavras Cruzadas

Estou bloqueada.
Preciso de uma confirmação interessante sobre você voltar na sexta, antes das dez. Com quatro letras.
JJ xx

PARA: Jojo.harvey@lipman_haigh.co
DE: Mark.avery@lipman_haigh.co
ASSUNTO: Sexy!

Dez em algarismos romanos é X. Confirmação só pode ser sim. "Sim" começa com "s". Se o significado é atraente, começando em "s" e com a letra "x", só pode ser "sexy". Por favor, confirme se eu acertei o mais rápido possível. Quando vou poder tornar a vê-la? Quando vamos curtir novos e preciosos momentos juntos?
M xx

PARA: Mark.avery@lipman_haigh.co
DE: Jojo.harvey@lipman_haigh.co
ASSUNTO: Quando vou tornar a vê-la?

Sábado, sábado, sááábado! sábado, sábado, sáaabado! sábado, sábado, sábado à noite está ótimo (se for de dia, também).
JJ xx

PARA: Jojo.harvey@lipman_haigh.co
DE: Mark.avery@lipman_haigh.co
ASSUNTO: Sábado

Ótimo. A cama fica grande demais sem você.
M xx

17

8:57, sexta-feira de manhã
Jojo ouviu o bochicho antes mesmo de vê-lo — eram os assistentes e leitores reunidos em torno da última edição da *Book News*, todos falando ao mesmo tempo como um bando de papagaios.

Pam foi a primeira a vê-la.

— Sua entrevista está aqui!

— Você saiu ótima na foto!

Uma das revistas foi exibida para ela, e Jojo quase deu um pulo. Aquela foto! Ela parecia uma daquelas sereias de filmes dos anos cinquenta — cabelos castanhos muito ondulados caídos sobre um olho, lábios escuros que faziam biquinho — e estava piscando um olho. Keith usara a foto em que ela piscara para a câmera! Aquilo tinha sido apenas uma brincadeira e ele prometeu que não aproveitaria a imagem.

— Suas respostas estão excelentes. Muito engraçadas!

— Obrigado — agradeceu Manoj. — Ahn... Claro que estou agradecendo em nome de Jojo.

Qual é o seu perfume favorito?
O cheiro do sucesso

Qual a pessoa viva que você mais admira?
Eu mesma

O que você mudaria em si mesma?
Minha falta de modéstia

Qual a pessoa viva que você mais despreza?
A mim mesma... Pela falta de modéstia

O que você faz para relaxar?
Fico na cama. No mínimo sete horas por noite

Que característica você mais detesta nos outros?
A mente poluída

O que faz você chorar?
Cortar cebolas

O que a deixa deprimida?
Minha falta de habilidades psíquicas

Onde você se vê daqui a cinco anos?
Veja a resposta anterior

Qual o livro do qual você gostaria de ter sido a agente?
A Bíblia

Você acredita em monogamia?
Que é isso? Algum novo jogo de tabuleiro?

Quais as suas qualidades mais marcantes?
Consigo assobiar muito alto para chamar um táxi, sei xingar em italiano, sei fazer uma ótima imitação do Pato Donald. Além disso, sei consertar bicicletas

Essa foi a única das respostas originais que Manoj mantivera. É claro que as coisas mais pessoais ela não compartilhara com ele.

Quais são as cinco coisas sem as quais você não consegue viver?
Ar puro, sono, comida, um sistema circulatório e... livros

Qual é a sua frase favorita?
Vocês aceitam Visa?

O que a faz feliz?
Uma resposta afirmativa à pergunta anterior

Qual foi a lição mais importante que a vida lhe deu?
Garotas boazinhas chegam em último lugar

Foi uma boa frase de efeito, para encerrar. Jojo lançou uma piscadela para Manoj e Pam observou com atenção para aprender como ela fazia. Uma vez ela tentara imitar a piscadela sexy de Jojo — depois de tomar algumas doses —, mas tudo o que conseguiu foi deslocar a lente de contato, o que fez suas pestanas se agitarem como uma borboleta aprisionada. Quando conseguiu acalmar os espasmos oculares, o homem que tentava atrair já oferecia uma dose de Slippery Nipple para outra mulher.

Mas nem todo mundo estava feliz com o sucesso de Jojo. Ao voltar para a sua sala, Jojo passou por Lobelia French e Aurora Hall, que eram as Garotas de Ouro Número Um e Número Dois... até a chegada de Jojo na empresa. Do mesmo modo que Tarquin Wentworth, uma agente literária sem muito talento que achava que o seu título de "honorável", herança de família, lhe garantiria acesso imediato ao status de sócia na agência... Até a chegada de Jojo.

Onze minutos depois
Jojo ainda nem começara a ler os e-mails do dia quando Jocelyn Forsyth, um dos sócios mais antigos da firma, bateu à sua porta e pediu "permissão para entrar".

Tão inglês quanto o gim Beefeater, ele trazia o exemplar da *Book News* enrolado em uma das mãos e dava batidinhas com ele na palma da outra, até que resolveu abrir a revista na página onde estava a foto de Jojo.

— Minha cara jovem, você é o equivalente literário do Viagra. Posso sentar? — perguntou, apontando uma cadeira.

Nossa, puxa vida!...

— Claro que pode.

Ele levantou um pouco as calças do seu terno à altura dos joelhos. Sua roupa era cortada sob medida. Então, se sentou.

— Você tem uma tremenda energia, não é?

Exatamente nesse instante, Manoj enfiou a cabeça pela porta entreaberta e cumprimentou Jocelyn.

— Como vai, Jock? Desculpe, Jojo, mas Eamonn Farrell está ao telefone, completamente descontrolado. Ele passou na Livraria Waterstones e notou que eles tinham doze exemplares do livro de Larson Koza na prateleira. E apenas três do livro dele. Está falando em trocar de editora. O que eu faço? Devo punhetá-lo para fora daqui e me livrar dele?

— Deve o quê? — perguntou Jocelyn.

— Punhetá-lo...

Jojo interrompeu:

— É uma expressão nova. Significa "alegrá-lo e fazer com que ele vá embora mais feliz do que chegou". Diga a ele que há doze exemplares do livro de Larson Koza porque ninguém comprou nenhum. Você sabe como fazer.

— Qual a origem dessa expressão tão forte? — quis saber Jocelyn. — Você aprendeu isso em seus dias de defensora da lei e da ordem?

— Ahn... Isso mesmo.

— Por favor, me explique como era.

Sentindo-se uma foca amestrada, Jojo concordou com a cabeça.

— Deixe-me ver... Bem, às vezes, as pessoas iam até a delegacia só para reclamar que não havia policiamento suficiente em sua rua. Tinham razão, é claro, nós não tínhamos gente suficiente para cobrir toda a cidade. Mas nós dizíamos: "Não se preocupe, temos um monte de gente à paisana ou trabalhando sob disfarce." Todos iam para casa mais felizes.

— Um uso interessante de psicologia.

— Exato!

— Dê outro exemplo, por favor.

Jojo estava louca para ler seus e-mails, mas ele era um sujeito legal, muito atencioso. E sócio da firma.

— Deixe-me pensar. Vamos lá... Uma vez, uma mulher chegou à delegacia e disse que a CIA a estava espionando pelas tomadas da casa.

— Ora, pois uma coisa muito parecida aconteceu com uma tia minha — murmurou Jocelyn. — Só que ela acusava o MI5, em vez da CIA, mas o resto da história era muito similar.

— Deve ser duro ter alguém assim na família.

— Pois sou obrigado a admitir, minha cara — embora não sinta orgulho disso —, que eu achava essa minha tia tremendamente divertida.

— Pois é. Bem, a pobre mulher era completamente zureta das ideias e devia estar internada. Quando a levamos para casa, notamos que ela morava em frente a uma loja de roupas que tinha diversos manequins na vitrine. Garantimos a ela que um dos manequins era, na verdade, uma agente policial disfarçada com roupas civis, e que ficaria ali na vitrine o tempo todo tomando conta dela.

— Ela acreditou nisso?

— Claro.

— Entendo. Punhetá-lo para se livrar dele — repetiu Jocelyn saboreando a frase lentamente. — Fantástico! Vou usar essa expressão uma hora dessas. Bem, agora tenho que ir, minha cara. Não gostaria, mas preciso. Talvez você me acompanhe em um almoço, só nós dois, qualquer dia desses.

— Claro.

— Acho que ele gosta de você — disse Manoj, baixinho, assim que Jocelyn saiu.

— Humm...

— É bom que um dos sócios mais velhos goste de você.

— Humm...

— Aposto que ele transa sem tirar a camiseta.

— Deixe de ser grosso.

Dois minutos mais tarde
— O marido de Louisa acabou de ligar — anunciou Manoj. — A bolsa d'água estourou.

— Já?!... Mas o neném só ia nascer...

— Está duas semanas adiantado — confirmou Manoj.

Ótimo, pensou Jojo. Quanto mais depressa Louise tivesse o bebê, mais rápido voltaria ao trabalho, certo?

— Não adianta, pois ela vai tirar a licença-maternidade integral — afirmou Manoj, lendo os pensamentos de Jojo. — Elas sempre fazem isso. Agora, deixe-me ver... Acho que nós devíamos enviar flores para ela.

— "Nós" quem, Cara Pálida?

— Você, é claro. Quer que eu providencie isso?

Hora do almoço

Manoj saiu para comprar uma garrafa térmica e o andar inteiro estava silencioso. Jojo comia uma maçã e lia o texto "difícil" do segundo romance de Eamonn Farrell.

Não ouviu ninguém entrar na sala, mas de algum modo sentiu que era observada e levantou os olhos do original.

Era Mark.

— Você voltou!

Ela se sentou reta na cadeira. Sinal de pura alegria, avaliou. Uma emoção positiva despertada pela visão de Mark Avery diante dela.

Aquilo era meio absurdo, porque, analisando friamente, Mark Avery não era nenhum gato irresistível. Não tinha a altura, nem a pele morena, nem as outras especificações de beleza masculina óbvia necessárias para desempenhar o papel de herói romântico. Sua altura era um metro e oitenta, mas parecia mais baixo, porque ele tinha uma compleição maciça e socada. Embora seus cabelos fossem escuros, não havia nenhum exótico tom azeitonado neles, e a cor dos olhos e da pele era a dos ingleses comuns. Mas nada disso importava...

Ele sorria de orelha a orelha.

— Li sua entrevista. Você tem muita classe, Jojo. — Baixando a voz quase em um sussurro, continuou: — Sete horas de cama, é...? Bem, vamos ver o quanto eu aguento.

Antes, porém, de Jojo ter a chance de responder, ouviu-se o som de gente conversando — alguns funcionários que voltavam do almoço — e Mark sumiu. Eles eram tão paranoicos a respeito de serem vistos juntos que muitas vezes Jojo se via falando com o borrão indistinto que ficava no ar quando ele desaparecia da frente dela, e as palavras morriam na sua boca antes mesmo de saírem.

18

Quatro segundos mais tarde

Jojo sentiu um sobressalto, uma vontade de sair correndo atrás dele e esbarrou com a coxa na quina da mesa, de tanta pressa. Puxa, ela não o via há quase uma semana, mas não podia fazer isso.

Tentou voltar ao trabalho, mas o texto complicado do segundo romance de Eamonn Farrell não tinha charme algum. Não que o outro tivesse, para início de conversa.

Pronto! *Agora*, como é que eu vou conseguir trabalhar?

Mas o socorro estava, inesperadamente, ao alcance da mão.

Treze minutos e meio mais tarde

Pam irrompeu na sala, fechou a porta e se encostou nela como se estivesse sendo perseguida por uma matilha de cães furiosos. Agarrava um original com força contra o peito. Cutucou-o com o dedo e disse, com voz rouca:

— Temos um sucesso aqui!

Pam era a leitora crítica de Jojo. Cada agente tinha uma — foi assim que a própria Jojo começara sua carreira no mundo editorial. Os leitores viviam atolados em meio à pilha de originais que chegavam à Agência Literária Lipman Haigh todos os dias. De vez em quando, eles encontravam um texto promissor, mas na maior parte das vezes eram obrigados a descartar o material e escrever para o autor, aconselhando-os a não largar o emprego.

Isso fez Jojo se lembrar de um documentário que assistira sobre o Rio de Janeiro, ou Caracas — ela não lembrava o lugar, mas era uma cidade da América Latina —, onde multidões de pessoas pobres conseguiam sobreviver na cidade grande com o que encontravam no lixo. Passavam o dia remexendo pilhas de resíduos fedorentos em busca de qualquer coisa de valor que pudessem consumir, trocar ou vender.

— Aqui estão os três primeiros capítulos de um livro chamado *O Amor e o Véu* — informou Pam. — O texto é excelente!

— Quem é o autor?

— Nathan Frey.

— Nunca ouvi falar dele. Deixe-me ver.

Duas páginas depois, Jojo já fora fisgada. Todas as suas luzes de alerta piscavam e seu transe era tão profundo que, em alguns momentos, ela esquecia de respirar. Que sorte ter sido Pam a pescar aquele texto, e não outro dos leitores da agência!

Ao acabar os três primeiros capítulos, ela se levantou.

— Manoj, entre em contato com esse cara. Diga-lhe que precisamos ver o resto. Mande um motoboy buscar.

Não adiantava nada se oferecer para agenciar Nathan Frey até acabar de ler o livro todo. Não seria a primeira vez que três primeiros capítulos promissores como aqueles se transformavam em lagartos de quatro metros de altura que dominavam o mundo a partir dos capítulos quatro e cinco.

PARA: Jojo.harvey@lipman_haigh.co
DE: Mark.avery@lipman_haigh.co
ASSUNTO: Você

O que Jojo me faz sentir: — dezenove, tamanho grande, cinco letras. Mxx

Jojo tentou decifrar o enigma. Existe gente que, quando tem um caso com alguém, pensou ela, vai fazer cursos de sexo tântrico. Outras, como era o seu caso, aprendem tudo sobre palavras cruzadas.

Enquanto esperava pelo livro completo de Nathan Frey, ela começou a rabiscar em um bloquinho.

— Dezenove, tamanho grande, com cinco letras. Dezenove poderia ser a letra inicial. Contando o K entre as letras do alfabeto, a décima nona letra é o "esse". "S" em tamanho grande com cinco letras. Pulando o K, a décima nona letra é o "tê". "T" em tamanho grande. Depois de algum tempo, ela percebeu e deu uma gargalhada. *Tesão.*

Uma hora e cinquenta e cinco minutos depois (um recorde)
Manoj colocou os originais nas mãos de Jojo com muito cuidado, como se eles fossem um bebê.

— Ótimo. *Excelente!* Obrigada.

— Quer que eu segure todas as ligações?

— Sim, você leu meus pensamentos.

Jojo colocou os pés sobre a mesa e desapareceu por trás do livro. Era uma história de amor maravilhosamente bem-escrita sobre uma mulher afegã e um espião britânico. Uma mistura de *Bravo Two Zero* com *Capitão Corelli.* Um daqueles livros raros que ofereciam suspense, empatia com o leitor, humanidade e muito sexo.

Muito tempo depois
Manoj colocou a cabeça pela porta entreaberta.

— Algum lagarto?

— Ainda não. Estou achando muito bom.

— Nós vamos ao pub.

— Seus fedelhos preguiçosos.

— É sexta-feira à noite. Venha conosco! Eu já trabalho aqui há quase três semanas e você até hoje não me pagou um drinque. Todos dizem que você vivia saindo com Louisa.

— Até parece! Ela está grávida de nove meses. Tenho que terminar de ler isso, estou muito adiante na história para conseguir parar.

— Especialmente porque ela tinha a impressão de que haveria um fim trágico. Isso provavelmente garantiria boas resenhas para o livro, e quem sabe até um prêmio literário.

Mas Manoj tinha razão. Ela costumava sair mais com os colegas de trabalho. Foram muitas sextas-feiras barulhentas regadas a vodca-martíni e que geralmente acabavam de forma igual: as mulheres disponíveis saíam de boate em boate à procura de um homem. Jojo, porém, já encontrara um homem pra chamar de seu...

Ela mal recomeçara a ler quando outra pessoa perguntou:

— Você não vem tomar um drinque?

Jim Sweetman, chefe do setor de divulgação e mídia, e também o sócio mais novo da firma.

— Não.

— Você nunca mais saiu conosco.

— Foi Manoj quem mandou você vir até aqui?

Jim franziu o cenho.

— Eu a ofendi? Será que tentei agarrar você em alguma noite de bebedeira?

— Não. E sabe como dá para ter certeza disso? Você continua com todos os dentes. — Ela riu. Estou acabando de ler um livro fantástico e mais tarde, às nove, tenho uma consulta marcada com a sua hipnotizadora. Para parar de fumar, lembra?

— Ah, é!... Boa sorte.

— Bom fim de semana pra você. Tchau.

Ela continuou a ler por mais vinte, talvez vinte e cinco minutos, até aparecer outra pessoa perguntando:

— O que está fazendo?

Quem seria dessa vez?!... Mas era Mark. Inundada por uma sensação de bem-estar, ela exibiu seu sorriso mais maravilhoso.

— Estou lendo.

— E quando aprendeu a fazer isso?

Ela se ajeitou na cadeira, mantendo um dos pés sobre a mesa, e girou o corpo de leve. Era ótimo poder olhar para ele pelo tempo que ela quisesse. Na maior parte das vezes, no trabalho, ela só se permitia olhar rapidamente para Mark, e sempre de lado. Provavelmente Jojo olhava menos para Mark do que para qualquer dos outros colegas. Mesmo assim, ela tinha medo de alguém perceber. "Arrá! Agora eu peguei! Você estava olhando fixamente para Mark Avery. O que anda rolando entre você e o sócio administrativo da firma?"

— Pensei que você já tivesse ido para casa — disse ela.

— Tinha umas coisas para resolver.

— Como foi a feira?

— Você devia ter ido comigo.

— Ah, devia...?

Um sorriso se espalhou lentamente pelo rosto dele até alcançar os olhos.

— Eu não ganho um beijo de boas-vindas?

— Não sei. — Ela usou o pé para balançar um pouco mais a cadeira. — Você merece?

Ele foi para trás da mesa e ela se levantou. Enlaçando o pescoço dele com os braços, ela pousou o rosto junto do dele e ficou ali por um momento, absorvendo o puro alívio da sua presença; o calor dele, a textura sólida da parte de trás dos seus braços, o cheiro dele — nada de loção pós-barba ou colônia, mas algo indescritível e muito másculo. Os nós de tensão em sua barriga se desfizeram e pareceram flutuar, livres.

Então ela moveu a cabeça, sentindo a aspereza da sua barba por fazer arranhar-lhe o rosto de leve, até encontrar a sua boca.

— Jojo — sussurrou Mark, com o rosto grudado no pescoço dela. Eles se beijaram mais uma vez, enquanto ele tentava enfiar a mão por baixo do seu terninho. Junto à orelha de Jojo, a respiração dele era quente, ofegante, alta, e ela sentiu a quina da mesa apertando-lhe o quadril. A essa altura, ele já abrira os botões do paletó dela, sua mão já estava na maciez do seu seio e ela sentiu as pernas moles de desejo.

A ereção dele a pressionava e suas mãos apertavam o corpo dela com força, segurando-a pelos ombros e tentando persuadi-la a ir para o chão. Ele era forte e determinado, mas Jojo resistiu.

— Todo mundo já foi embora — disse ele, com os dedos alcançando um dos mamilos dela. — Está tudo bem.

— Não! — Ela se desvencilhou dele. — Vejo você amanhã.

Não importava o quanto o desejava, ela não ia transar no chão do escritório. Quem ele achava que ela era?

19

Ainda mais tarde, na sexta-feira à noite

Jojo, fale-me do seu pai.
.... (Pausa) .... Ahn? .... (Pausa)
Você está brincando comigo, certo?........................... (Longa pausa)

Fale-me do seu pai.
.... (Pausa) .... O que é isso? Estamos em
um filme do Woody Allen........................ (Pausa).....................
Desculpe, mas você está me ouvindo direitinho?.....................
(Pausa) ....

Estou ouvindo perfeitamente.
Então, por que não está conversando comigo?

Estamos aqui para você conversar comigo, e não o contrário.
Ei, espere um instante! Que história é essa? Eu vim aqui para ser hipnotizada e deixar de fumar.

Preciso conhecer você antes de ajudá-la.
Não, nada disso. Já vi hipnotizadores na tevê; eles fazem uma pessoa
da plateia achar que é uma galinha e que acabou de perder a cauda.
Eles nunca haviam encontrado a vítima antes e não sabiam nada a
respeito dela.

Sou uma hipnoterapeuta, não hipnotizadora.
Tem diferença?

Muita. Os hipnotizadores são artistas, provavelmente charlatães. Eu sou uma profissional.
.... (Pausa) ....
.... Ai .... meu .... Deus! Você é uma psicóloga!

Há algum problema nisso?
Não. Isto é, sim! Eu queria vir aqui para olhar no fundo dos seus olhos, cair em sono profundo e em seguida acordar para ir embora e nunca mais fumar.

Fumar é um vício profundamente arraigado. Não existem soluções mágicas para eliminá-lo. ....
.... (Pausa) ....
.... Ah!... Pois bem, eu queria uma solução mágica..............
(Pausa) .... Quer dizer que quando eu for embora, daqui a pouco, vou continuar sendo uma fumante?

Correto.
E vou ter que voltar aqui na semana que vem?

Correto.
E vou ter que contar a você tudo sobre o meu pai?

Correto.
Por favor, pare de falar "correto". Durante quantas semanas eu vou ter que vir aqui?

Qual é o comprimento de um pedaço de corda?
Bem mais curto que a minha paciência. Quantas semanas?

Entre seis e nove, em média.
Obrigada.

Você me parece ter problema em confiar nos outros.
Não tenho problema em confiar nos outros. Tenho problema de tempo.

Você pode ir embora agora mesmo, se desejar.
Bem que eu gostaria, mas, já que perdi o episódio de *Friends*, é melhor ficar. Vamos em frente, por favor! Quanto mais cedo começarmos, mais depressa eu vou ser uma ex-fumante. Você quer saber a respeito de papai. Pois bem... Ahn, eu posso fumar aqui? Não?.......
.... (Pausa) .... Bem, pelo menos valeu a tentativa. Muito bem. O nome dele é Charlie e ele é meio irlandês, um quarto italiano e um quarto judeu. Tem um metro e noventa de altura e uns cem quilos, talvez cento e cinco. Primeiro ele foi policial e depois bombeiro. O que mais eu devo contar?

Que tipo de pessoa ele era quando você estava crescendo?
Ahn .... (Pausa) .... Sabe como é, ele era apenas .... (Pausa) .... papai.

Você foi a caçula dos filhos e a única filha dele. Por acaso ele a tratava de forma diferente em relação aos seus irmãos?
Não, nem um pouco. Eu sempre fui igual aos meninos, uma espécie de quarto filho. Só descobri que era uma garota quando fiz quinze anos, mais ou menos!

Por que acha isso engraçado?
O que quer dizer?

Por que está rindo? Sentir-se confusa a respeito da própria identidade sexual é motivo de humor?
Ei, espere um minuto! Esqueça o que eu disse, estava só brincando. O que eu quis mostrar é que não era uma daquelas meninas lindas e frescas que usavam vestidos de festa cheios de babados e nunca sujavam as mãozinhas. Posso mascar um chiclete? Não? *Não?!...*

Que roupa você usava?
Puxa, os cigarros dá para entender, mas *chiclete*?... Não se trata de chiclete comum, é Nicorette. Um remédio! E não vou grudá-lo na parte de baixo da cadeira na hora de sair. O que me diz disso?

Que roupa você usava?
Devo aceitar isso como um "não", certo? *Droga*. Deixe-me ver... Que roupa eu usava? Roupas comuns: jeans, tênis... Óculos de esqui, penas de pavão, boás compridos e emplumados...........................
(Pausa) .... Desculpe, brincadeirinha... Ahn, usava jeans e tênis.

Essas roupas eram suas?
Algumas vezes.

De quem mais eram as suas roupas?
Dos meus irmãos. Sabe o que acontece?... Não havia muita grana e tanto eu quanto mamãe não nos importávamos muito com o que eu vestia.

O que os seus irmãos fazem hoje em dia?
São policiais.

Todos três?
Ahn... Sim!

Seu ambiente familiar me parece muito masculino.
Desculpe, mas acho que minha mãe não ia gostar nem um pouco de ouvir isso! Ela é uma dama! Quando nós dizíamos "merda" na hora da raiva, ela nos dava tapões na orelha.

Ela dava tapas na sua orelha?
.... (Pausa) .... Ahhh! ....
(Pausa) .... Saquei o que você está pensando ....
(Pausa) .... Ela não gostava de ouvir os filhos falando palavrão. Sempre tentava nos passar bons exemplos.

Fale mais sobre a sua mãe.
Ela é inglesa e seu nome é Diane; é enfermeira. Conheceu papai no hospital, no dia em que ele chegou com uma vítima de bala para ser atendida.

Ter uma mãe enfermeira deve ter sido muito bom quando você ficava doente.
Está brincando?!... Ela sempre dizia que já cuidava de gente doente o dia inteiro e não queria continuar fazendo isso nas horas de folga. Por exemplo, quando eu caía e cortava o joelho, ela me contava que havia uma garotinha na enfermaria dela com queimaduras de terceiro grau em setenta por cento do corpo. Ou então, quando papai tinha alguma dor de cabeça, ela dizia que, se ele queria saber de verdade o que era sentir dor de cabeça, devia ter o crânio rachado por um taco de beisebol — em seguida ela mesma se oferecia para fazer isso.

Então o casamento dos seus pais não era feliz?
Nada disso! Eles eram loucos um pelo outro. Quando ela falava aquilo sobre o taco de beisebol, era só brincadeira.

O que aconteceu quando você completou quinze anos e descobriu que era uma garota?
Escute, eu *sempre soube* que era uma garota, só que... Sabe como é, eu me sentia igual aos rapazes .... (Pausa) .... Só que, quando fiz quinze anos, derrotei um garoto em uma partida de sinuca .... (Pausa) .... Quer que eu explique melhor? .... (Pausa) .... Tudo bem! Nós tínhamos uma mesa de sinuca no porão de casa; eu costumava jogar com papai e meus irmãos, mas eles sempre *arrasavam comigo* no jogo. Só que de tanto praticar eu acabei ficando boa naquilo. Certo dia eu conheci um garoto e gostei dele.

Gostou dele como?
Gostei dele tipo *gostei dele*. Fiquei a fim dele.

Essa foi a sua primeira paixonite?
Nãããão, eu já tinha *quinze* anos e vinha tendo paixonites desde os oito — mas não era por caras de verdade, geralmente era por artistas de cinema. Por exemplo, eu adorava o Tom Cruise e tinha uma quedinha por Tom Selleck... Talvez acontecesse com os artistas que tinham o nome de Tom. Aliás, por falar nisso, eu também gostei muito de Tom Hanks no filme *Quero ser Grande*.

E como se chamava a sua paixonite dos quinze anos?
Melvin. Não era Tom. Acho que isso era sinal de que a coisa não ia dar certo.

O que aconteceu?
Ele foi o primeiro cara com quem eu saí. Foi me pegar em casa e papai avisou que, se Melvin encostasse um dedo em mim, ele o mataria. Então, depois de ter colocado um monte de medos no pobrezinho, papai nos disse "Divirtam-se, crianças!", como no seriado *Happy Days*. Então eu e Melvin saímos, na volta fomos jogar sinuca e o derrotei. Ele não gostou nem um pouco de ter perdido e depois desse dia nunca mais quis saber de mim.

Como você se sentiu a respeito?
Achei que ele era um perfeito idiota. Não queria namorar um cara que desejava ser melhor do que eu.

Agora, sim, estamos chegando a algum lugar.
Estamos?!...

Só que o nosso tempo acabou. Vejo você na semana que vem.

20

9:07, sábado de manhã
O telefone tocou: era Mark.

Más notícias. De certo modo, ela já esperava por aquilo. Afinal, Mark estivera fora por uma semana e, se ela fosse a esposa dele, ia querer que ele ficasse em casa no primeiro dia após a volta — havia lixo para levar para fora, crianças que precisavam ouvir uns gritos, esse tipo de coisa.

— Jojo? — sussurrou ele ao telefone. — Sinto muito, mas não vou poder vê-la hoje.

Ela não disse nada. Sentia-se desapontada demais para tornar as coisas mais fáceis para ele.

— Sam se meteu em uma enrascada. — Sam era o filho de Mark. — Recebemos um telefonema ontem à noite. Ele saiu para beber com alguns amigos. Ele nos avisou que ia assistir a alguns vídeos na casa de alguém, mas foi beber e passou tão mal que acabou indo parar no hospital.

— Ele está bem agora?

— Agora está, mas nós levamos um susto enorme e é melhor eu ficar por perto.

O que ela poderia dizer? Sam era um menino de treze anos. Aquilo era coisa séria.

— Onde você está, Mark?

— No quintal, dentro do galpão de ferramentas.

Galpão de ferramentas. Cercado por pesticidas, repelentes de lesmas e muitas teias de aranha. Ela quase caiu na risada ao pensar no glamour que era ter um caso amoroso.

— Então... Cuide-se bem. Cuide dele e... ahn... Dos outros também. *Sua mulher e sua filha.*

— Sinto muito, Jojo. Você sabe o quanto eu sinto. Há uma chance de nos vermos amanhã. Quem sabe eu dou um jeito de...

— Já tenho planos para amanhã. Espero que Sam fique bem. Segunda-feira a gente se vê.

Ela desligou e puxou o edredom para cima, mais perto do queixo, sentindo solidão por um momento. Não ia reclamar. Desde o princípio, ela sabia no que estava se metendo e fizera um acordo consigo mesma.

O problema é que ela estava muito empolgada, louca para vê-lo. Fazia mais de uma semana desde que passara algum tempo a sós com ele...

Olhou para a mesinha de cabeceira, onde ela deixava a sua carteira nova todas as noites, a fim de que fosse a primeira coisa que avistasse ao acordar, e disse para o objeto: "Ah, *que se dane!*"

Agora ela estava arrependida de não ter feito sexo com ele no escritório, na noite anterior. Quando você sai com um homem casado, tem de aproveitar as chances quando elas aparecem.

Como foi que aquilo aconteceu? Uma situação em que transar em cima de um carpete de fibra sintética parecia um prêmio? Como foi que ela e Mark Avery haviam acabado daquele jeito?

Ela sempre *gostara* muito dele, desde o início; respeitava o jeito pé no chão com que ele motivava a sua equipe, sem assustá-los demais. E obviamente ele gostava dela. De modo teatral, costumava se encostar contra a parede quando ela passava pelos corredores da Lipman Haigh e gritava: "Cuidado! Ela vem vindo a toda velocidade!"

Ele a chamava de "Rubra", por causa do batom, e ela o chamava de "Chefe". Muitas vezes eles articulavam as palavras pelo canto da boca com a fisionomia impassível, como se estivessem em um filme *noir*.

Ele era um bom chefe, do tipo que os funcionários procuram em busca de conselhos. Ela tentava não incomodá-lo; gostava de resolver as coisas por si própria — a não ser que estivesse enrolada em algo que nenhum tipo de malabarismo conseguisse solucionar. Como no problema com Miranda England, uma situação complicada e sem solução que quase a deixou louca.

Ela deu uma passada na sala de Mark, sentou-se diante da sua mesa e avisou:

— Você vai *adorar* este pepino, chefe.

— Era um dia sem novidades — disse ele com voz impassível, como se estivesse narrando a cena. — ... Em uma semana sem novidades, em uma vida sem novidades. Até *ela* aparecer. O que foi, Rubra?

Jojo explicou tudo. Miranda England era uma grande autora, mas sua carreira vinha sendo pessimamente administrada. Ela queria demitir o seu agente, Len McFadden, e se tornar cliente de Jojo. Queria também mudar de editora. Porém, Len tinha em seu poder um contrato para mais dois livros na editora antiga. A própria Miranda assinara aquele contrato; se ele o devolvesse, ela ficaria livre para ir para uma nova editora, mas se o repassasse aos editores antigos, a autora ficaria presa por mais dois livros. Ao saber que Miranda pretendia demiti-lo e ver que não poderia impedi-la, Len McFadden ameaçou fazer exatamente isso.

— E você pretende aceitá-la como cliente sem cobrar, pelo menos até o próximo contrato estar pronto para negociação?

— Isso mesmo, se a carreira de Miranda não tiver implodido de vez, a essa altura.

Mark olhou para o teto e, depois de algum tempo, baixou o olhar para fitá-la.

— A primeira pergunta é: a autora compensa todo esse trabalho?

— Sim, *certamente*. Miranda England é ótima, realmente ótima. Vai fazer uma longa carreira escrevendo livros fabulosos, mas precisa achar o editor certo. A Pelham não reservou nenhum dinheiro para fazer o marketing dela, mas a Editora Dalkin Emery faria isso. Sua carreira iria voltar aos trilhos na mesma hora com a Dalkin Emery; poderíamos até tentar comprar de volta os direitos dos seus dois primeiros livros e reeditá-los com um tratamento especial, como se fossem lançamentos. Se fizéssemos a coisa certa dessa vez, seria o *máximo*...

— Muito bem. Então o problema é Len McFadden. Quanto ele afirma que vai perder?

— Seus dez por cento no contrato para o novo livro.

— E você não pode negociar um contrato melhor com a Dalkin Emery? O bastante para cobrir os dez por cento de McFadden sem deixar Miranda sem grana?

Jojo pensou a respeito. Até que ponto a Dalkin Emery realmente queria Miranda?

— Sabe de uma coisa...? Acho que eu poderia tentar.

— Então o problema está resolvido.

— Nossa, você é bom.

Jojo entrara naquela sala aprisionada em uma situação do tipo "se correr o bicho pega, se ficar o bicho come", em que não importa o que escolhesse, haveria uma perda. Acabou saindo dali com a comodidade de não perder de um jeito nem de outro.

— Você é o máximo... A cerejinha do glacê do bolo — disse-lhe ela.

— O creme chantilly do café expresso?

— Isso também. Obrigada.

Isso acontecera dezoito meses antes e ela ficou fã dele de forma tão inquestionável que uma luzinha de alerta acendeu em sua cabeça. De repente a relação entre eles se tornou muito mais calorosa. Quando ela fazia sugestões nas reuniões das manhãs de sexta-feira, ele demonstrava um jeito especial de ouvir o que ela dizia com toda a atenção enquanto desviava o olhar, para em seguida sorrir de um jeito que a perturbava positivamente; ele admirava a forma de Jojo trabalhar e ela gostava disso.

Porém, nem uma vez sequer ela pensou nele como um namorado em potencial. Afinal, ele era casado, e isso automaticamente o colocava fora do páreo. Além do mais, se Jojo analisasse a situação conscientemente, acabaria por decidir que, com quarenta e seis anos, ele era velho demais para ela.

Entretanto, as coisas mudaram na manhã em que ele apareceu na sala dela, à procura de alguém que representasse a agência em um jantar naquela noite. Ele se programara para ir, mas sua mulher teve uma crise de enxaqueca e ele precisava comparecer a uma reunião de pais e professores, no lugar dela.

— Sei que está em cima da hora — disse ele —, mas você está livre esta noite?

Jojo olhou para ele com os olhos semicerrados, fingiu-se de sexy e respondeu:

— Não sei. Quanto foi mesmo que eu cobrei de você na noite passada?

Ela esperava que ele caísse na gargalhada, mas o olhar que ele lhe lançou mostrou que a piada não surtira efeito. Ele não riu; em vez disso, pareceu meio paralisado. O astral dela despencou na mesma hora — e nesse momento foi *ela* quem ficou surpresa. Até então, ele sempre fora um sujeito brincalhão, mas talvez ela tivesse exagerado. Por mais que eles se tratassem de forma amigável, ele continuava sendo chefe dela.

— Desculpe — pediu ela, muito séria. — É claro que estou livre esta noite.

Depois disso, ela achou que as coisas haviam voltado ao normal; porém, alguns dias depois, ficou claro que isso não era verdade.

Houve uma cerimônia para entrega de prêmios literários em um evento longo e barulhento no Park Lane Hilton. No fim da noite, Jojo estava do lado de fora do hotel, na fila do táxi, com as sandálias de salto alto balançando na mão, quando Mark apareceu. Ela não o vira durante toda a noite.

— Oi, Rubra — ele disse, esbarrando nela. — Estava procurando você.

— Aqui estou.

Alguém atrás deles berrou:

— Mark Avery, o que acha que está fazendo?

— Furando a fila!

— Pelo menos ele é honesto — Jojo ouviu a pessoa comentar.

— Como foram as coisas hoje à noite? — perguntou ela.

— Bla-bla-blá... Livros. — Mark riu, parecendo meio alto. — Bla-bla-blá... Vendas. — Nesse instante ele reparou nas sandálias penduradas na mão de Jojo e, com ar surpreso, olhou para os pés dela, descalços na calçada fria.

Ela encolheu os ombros e explicou:

— Elas estavam me matando.

Ele balançou a cabeça com um ar que poderia ser descrito como de admiração e passou o resto do tempo na fila cantarolando baixinho um velho sucesso de Frank Sinatra: "... ela odeia a Califórnia, diz que lá é frio e úmido... mas adora o vento gelado nos cabelos e gosta da noite fria... dizem que essa dama é uma vadia."

— É "ar fresco" e não "noite fria" — corrigiu Jojo. — Chegou o meu táxi. Boa-noite. Amanhã a gente se vê.

A porta do carro já estava aberta e Jojo já entrava quando Mark a segurou pelos cabelos. Ela se voltou sem compreender e ele perguntou:

— Posso ir para casa com você?

— Como assim...? Você quer que eu lhe dê uma carona até o seu apartamento?

— Não. Quero ir para casa com você.

Ela imaginou estar ouvindo coisas.

— Não — respondeu, muito surpresa.

— Por que não?

— Porque você é casado. Porque você é meu chefe. Porque você está bêbado. Quer que eu dê mais motivos?

— De manhã eu vou estar sóbrio.

— Mas vai continuar sendo meu chefe. E vai continuar casado.

— Por favor...?

— *Não!* — Ela riu, desvencilhou-se dele e entrou no táxi. Antes de fechar a porta, avisou: — Pode deixar que eu vou esquecer que isto aconteceu.

— Pois eu não.

No dia seguinte ela esperava um pedido de desculpas meio esfarrapado, feito por um sujeito sem graça que diria, girando os olhos: "Nossa, eu estava em um estado lamentável ontem à noite." A isso se seguiria uma oferta de paz regada a Alka Seltzer. Só que não aconteceu nenhum pedido de desculpas, nem Alka Seltzer, nem nada.

Ela nem mesmo o viu durante todo o expediente, até de tardinha, e isso mesmo por acaso, quando eles passaram um pelo outro no corredor.

Assim que ele a avistou, seus olhos se mostraram visivelmente alterados. Ela já ouvira falar de pupilas dilatadas — tinha lido romances açucarados em quantidade suficiente para conhecer a imagem —, mas nunca vira aquilo acontecer na vida real. Agora, como se para atender a um pedido especial que ela tivesse feito, as pupilas de Mark se dilataram até as suas íris virarem quase pontos pretos. Ele não disse uma única palavra para ela e, depois disso, tudo mudou.

21

11:12, sábado de manhã

Jojo tinha acabado de pegar novamente no sono quando a campainha tocou. Flores. Desde que o seu relacionamento com Mark começara, ela nunca recebera tantas flores e já não curtia mais quando elas chegavam; elas representavam encontros cancelados, sessões inúteis de depilação, cestas de morangos que Jojo era obrigada a consumir sozinha com tanta frequência que já estava com urticária.

Usando a camiseta comprida, ela ficou na porta, esperando o entregador das flores subir as escadas. O apartamento de Jojo ficava no quinto andar de um prédio em Maida Vale, em um edifício com revestimento de tijolinhos na região onde, em tempos idos, os homens casados costumavam montar apartamento para suas amantes. É claro que quando ela se mudou para lá não imaginava que ia acabar virando amante de alguém. Provavelmente teria gargalhado não só pela ideia como pela palavra em si.

Um apanhado imenso de lírios maravilhosos subia as escadas. Ao chegar ao último degrau, eles pareceram se curvar e arfar, como se tentassem recuperar o fôlego, e então um rapaz apareceu por trás deles.

— Você, de novo! — ele acusou Jojo e, entre estalos de celofane, passou o pacote para os braços dela. — Ah, espere um instantinho... Tem um cartão! — Ele apalpou o bolso e achou um pequeno envelope. — Ele diz que sente muito e vai tentar compensar a mancada.

— Não existe mais privacidade?

— Tive que escrever pessoalmente o recado, não havia como eu não saber. Dessa vez a coisa deve ter sido feia, porque ele lhe enviou metade da loja.

— Certo. Obrigada. — Jojo entrou em casa.

— Não dá para vocês pararem de brigar? Essas escadas estão me matando!

Jojo fechou a porta, colocou as flores dentro da pia da cozinha e telefonou para Becky.

— E aí... Qual é a boa para hoje?

— Pensei que você fosse passar o dia todo com Mark. — Becky parecia preocupada.

— Mudança de planos. E então, qual é a boa? — Seu tom de voz era alegre, pois Jojo não queria que ninguém sentisse pena dela.

— Vou passar no dentista — informou Becky. Uma das minhas obturações caiu ontem à noite. Mais tarde vamos fazer compras, eu e Shayna. Quer vir também?

Jojo hesitou. Tinha busto, cintura e quadris, o tipo de corpo que entrou na moda pela última vez em 1959. Fazer compras com Shayna era meio incômodo, porque ela frequentava lojas que só ofereciam roupas para jovens anoréxicas de treze anos.

— Entendo você — afirmou Becky, percebendo a hesitação. — Ela vai nos obrigar a ir à Morgan. Mas venha conosco, mesmo assim. Vamos dar boas risadas.

— Querida, eu não pretendo comprar nada, mas vou sim; vejo vocês daqui a pouco.

12:10, sábado à tarde
— Shayna... — disse Jojo. — Sabe aquele jantar que você vai oferecer hoje à noite? Sei que eu esnobei o convite, mas posso mudar de ideia? Desculpe atrapalhar a distribuição dos lugares à mesa, e não me importo se tiver de comer nuggets de frango com as crianças na mesa da cozinha.

— De novo...? — reagiu Shayna.

— É. De novo...

Um dos efeitos colaterais de sair com um homem casado era ter de impor sua presença sobre outras pessoas no último instante, mesmo sem se sentir à vontade com isso.

— Você não devia aceitar esses desaforos dele — aconselhou Shayna, que não aceitava desaforos de ninguém.

— Você me ouviu reclamando?

Shayna fez um bico com os lábios.

— Sei!... De qualquer modo, hoje não teremos crianças em casa, então você vai sentar à mesa dos adultos.

— Oba!

Shayna era amiga de infância de Becky e, quando Jojo foi morar na Inglaterra, ela também se tornou sua amiga. Era uma mulher fabulosa. Foi a primeira negra — mulher, ainda por cima — a conseguir sociedade na firma de consultoria empresarial em que trabalhava, e seu salário era maior que o de Brandon, seu marido advogado, que fazia *tudo* o que ela mandava. Mesmo depois de dois filhos, sua barriga era lisa e dura, e sua bunda não mostrava sinais de estar prestes a se soltar das costas e despencar no chão. Sua casa em Stoke Newington era imensa, tinha três andares e fora comprada por sete libras e meia, ou um preço irrisório desse tipo. Eles haviam substituído as partes podres, trocaram todo o encanamento, acabaram com as infiltrações e transformaram uma casa caindo aos pedaços em uma residência maravilhosa — e bem a tempo de aproveitar a valorização dos imóveis naquela área.

Shayna costumava oferecer jantares elegantes. Pelo menos, eram elegantes no início, mas ela enchia os convidados de tanta bebida que no fim da noite eles estavam sempre descabelados, desarrumados e com a cara muito mais perto da mesa do que antes.

2:10, sábado à tarde, Kensington High Street
Jojo gostava de fazer compras sozinha — isso garantia que ela mudasse de ideia à hora que bem quisesse sem ter ninguém para pentelhar. Seu plano para aquela tarde era comprar coisas de casa, como roupas de cama em linho de boa qualidade e óleos exóticos para banho, coisa que ela fizera *muitas vezes* logo que comprou o apartamento, um ano e meio antes — e ela não economizara dinheiro nem amor nessa atividade; trocara as revistas normais de informação pelas de decoração de interiores; de um dia para outro viu-se mais interessada em cores de tintas para paredes do que em cores de esmaltes para unhas; gastava mais em molduras para quadros do que em sapatos; havia comprado um imenso, confortável e aconchegante sofá, móveis em estilo indiano e andava namorando uma

poltrona reclinável Lazy Boy com cinzeiro embutido e cooler para cerveja, até Becky aconselhá-la a não fazer aquilo. Resumindo, fora contagiada pela Loucura da Casa Nova.

Quando o frenesi passou, ela voltou a comprar a *Harpers & Queen* novamente — até começar a sair com Mark. Como eles nunca saíam para jantar fora nem nada desse tipo, seu apartamento se tornou um ninho de amor, e comprar velas aromáticas e lençóis de algodão egípcio fazia com que ela se sentisse no controle da situação.

Naquela tarde, porém, ela subitamente percebeu que não havia motivo para comprar um novo jogo de lençóis — a esposa e os filhos dele não iam desaparecer — e ela já possuía roupas íntimas sexy em quantidade suficiente para abrir uma loja. Por isso, exercitou a velha prerrogativa do comprador solitário e "mudou de ideia". Comprar lençóis de linho era *out*, comprar roupas era *in*. Em menos de dez minutos na Barkers, Jojo encontrou um par de calças tão caras que ela deu um grito ao ver o preço.

— Algo errado, senhora? — perguntou uma atendente, materializando-se do nada.

Jojo riu, meio sem graça.

— Não é de estranhar que vocês digam que os americanos são escandalosos. Isso aqui é o preço, não é? Eu pensei que fosse o número de série.

— Mas essas calças vestem maravilhosamente bem. Por que não as experimenta?

Jojo olhou para o crachá com o nome da vendedora.

— Pois é, Wendy... Experimentar roupas é um perigo! É exatamente o que elas esperam que a gente faça.

Ela deveria ter fugido dali correndo para pegar a escada rolante mais próxima e descer rumo à segurança da rua. Em vez disso, acompanhou Wendy até um provador e, como por um passe de mágica, viu-se mais alta, sem barriga, com pernas longas e quadris curvilíneos.

— Elas ficaram perfeitas em você — observou Wendy.

Jojo suspirou, fez uma rápida avaliação das finanças, sabendo que não poderia fazer aquela extravagância, e disse, por fim:

— Ah, que se dane! A gente deve aproveitar as oportunidades quando elas aparecem.

Despiu as calças, tornou a vestir as próprias roupas e entregou as que experimentara à vendedora.

— Você tem esse modelo em outras cores? Não? Tudo bem, agora eu vou assustar você de verdade: será que aqui tem mais desse modelo na mesma cor e no mesmo tamanho?

— Talvez, mas você não gostaria de experimentar algo diferente?

Jojo balançou a cabeça, explicando:

— Eu faço muito isso. Todo mundo ri de mim, mas a verdade é que, quando alguém tem as minhas formas e encontra algo que veste bem, deve agarrar na mesma hora, certo? Uma vez eu comprei cinco sutiãs iguais. Foram cinco cores diferentes, mas, como disse a minha amiga Shayna, continuavam sendo o mesmo sutiã.

Falando sem parar, Jojo seguiu a vendedora até o caixa.

— Minha prima Becky faz a mesma coisa, deve ser de família. O problema é que às vezes ela fica tão sem graça que engana a vendedora, dizendo que as peças extras são para suas irmãs. E ela não tem irmãs.

Wendy estudou a tela, verificando no estoque se havia outro par.

— Pode ser que eu esteja me sentindo meio sem graça também — admitiu Jojo. — É a única explicação para eu estar lhe contando tudo isso.

Wendy continuou a consulta sem dizer nada. Era vendedora, não psicóloga. Ganhava muito pouco para virar analista das clientes.

8:15, sábado à noite

Quando Jojo chegou, Shayna flanava pelo salão em uma roupa branca muito justa que deixava de fora dez centímetros da barriga lisinha com tom de mogno enquanto servia um drinque especial à base de rum.

— A receita é minha — explicava ela. — Eu o chamo de CTI, porque ele mantém a pessoa viva e ligada.

Os convidados eram uma mistura de sabe-tudos cheios de atitude vindos do trabalho de Brandon, descolados do trabalho de Shayna e alguns vizinhos antenados. Havia também velhos amigos, como Becky e Andy.

Jojo aceitou o drinque, cumprimentou todos e percebeu, com leve choque, que já se sentia ligeiramente entediada.

A sala de jantar estava iluminada por inúmeras velas grossas que lançavam sombras sobre as paredes brancas em pátina. Sobre os móveis resplandecentes, havia arranjos sofisticados feitos com galhos secos e tufos de musgo. Nada de pétalas nem nada banal ou *gauche* desse tipo.

— Quando eu crescer — disse Becky —, quero ser igual a Shayna.

— Hummm — reagiu Jojo. *Não estou exatamente entediada, mas preferia estar com Mark.*

Seu mundo encolhera. Não importa com quem ela estivesse, preferia estar com Mark. É isso que acontece quando a pessoa se apaixona: ela só quer estar *com a outra pessoa*.

E levara menos de cinco segundos para sacar que ali só havia casaizinhos: Shayna tinha o obediente Brandon ao seu lado, Becky tinha Andy etc. Aquilo parecia a Arca de Noé. E, como Mark era casado, Jojo acabava se sentindo em uma região crepuscular onde não se via nem solteira nem acompanhada.

Eu, hein! Esse não é um jeito nada bom de se sentir.

De repente, Becky estava quase colada em Jojo, de frente para ela. Inclinando-se ainda mais para perto, exalou um grande "Ahh!" bem no seu rosto.

— Meu hálito está legal?

Mais cedo, naquela tarde, seu dentista lhe informara que suas gengivas estavam recuando de leve, mas uma escova de dentes elétrica daria conta do problema. Becky, porém, que era ansiosa a respeito dos dentes em qualquer ocasião, temia estar às portas de uma terrível crise de gengivite.

— O cheiro está bom. Qual a opinião de Andy?

— Ele está tão acostumado comigo que não ia perceber a diferença nem se eu engolisse um gambá.

Mais uma fisgada na barriga. Será que um dia Mark e ela teriam a chance de ficar tão acostumados um com o outro a ponto de ele não notar se ela engolisse um gambá?

Nesse instante, ela reparou na mesa comprida em madeira escura: pratos de porcelana antiga ornada com imagens de salgueiros chorões, baixelas em prata entalhada à mão, doze taças de cristal murano — e uma tigela de plástico dos Teletubbies, um copo enfeitado com uma imagem do bonequinho Bob Construtor e um conjunto de talheres do personagem Peter Rabbit: Era o lugar de Jojo. Shayna brincava com ela.

Depois de todos sentarem, Shayna trocou a tigela de Teletubbies por um prato de porcelana cheio de frango desfiado e arroz com ervilhas; havia um bolinho de milho ao lado. Jojo respirou fundo e, por fim, atacou a comida.

— Meu bom Deus! — disse o homem que se sentara ao seu lado. Seu nome era Ambrose, um colega de Brandon. — Você não precisa comer isso!

— Mas é comida — replicou Jojo. — O que é que eu vou fazer com esses fiapinhos de frango? Artesanato?

O sujeito observou mais uma garfada de comida desaparecer na boca de Jojo e exclamou "Caraca!" alto o bastante para todos ouvirem.

Jojo se encolheu toda na direção do prato. Que sujeito simpático! Alguns homens adoravam implicar com ela. Fosse por causa do seu apetite ou pelo seu peso, era sempre o que acontecia. O fato de saber que eram todos idiotas não a fazia se ressentir menos.

— Jojo nunca faz dieta — informou Shayna, cheia de orgulho.

Bem que ela tentara uma vez, aos dezessete anos, mas não conseguiu nem por um único dia.

— Isso é óbvio — declarou o sujeito.

— Ambrose, peça desculpas, pelo amor de Deus! — exclamou uma jovem do outro lado da mesa. Magra demais, ela parecia quase transparente e Jojo deduziu que devia ser a namorada de Ambrose.

— Pedir desculpas pelo quê? Eu simplesmente declarei um fato.

— Advogados são foda! — exclamou Shayna, fechando os olhos.

Sem se abalar, Ambrose acenou com a cabeça para o Esqueleto e disse a Jojo:

— Olhe só para Cecily. Ela não come nada e está com o corpo ótimo.

Tem gosto pra tudo, pensou Jojo, especulando consigo mesma quando teria sido a última vez em que Esqueleto tivera um ciclo menstrual completo.

— Sinto muitíssimo — desculpou-se Cecily, do outro lado da mesa. — Normalmente ele não é assim tão grosso.

— Ora, não é necessário que *você* peça desculpas — replicou Jojo, sorrindo apesar da revolta. Aquele boçal não merecia uma cena.

— Ele é um perfeito idiota. Por favor, ignore-o. — Cecily estava muito impressionada com Jojo. Observava-a desde que chegara. Jojo era um mulherão — muito maior do que Cecily podia se imaginar, mesmo em seus terríveis pesadelos assombrados por balas e bombons. Mesmo assim, ela era linda. Sedutora e atraente dentro daquelas calças pretas fantásticas e do top escuro, em tom de vinho, exibindo um decote luminoso e ombros brilhantes, lisos como seda (na verdade, graças à loção corporal com elementos perolados, conforme Jojo teria alegremente lhe contado, se ela perguntasse).

No entanto, foi o fato de Jojo parecer tão à vontade com sua aparência que mais fascinou Cecily. A tal ponto que ela decidiu, por um instante, abandonar a academia. Nossa, ela chegou até mesmo a pensar em — droga! — comer o que lhe desse na telha. Se aquilo funcionava para Jojo, por que não poderia funcionar para ela?

Era comum aquilo acontecer com as mulheres à volta de Jojo. Ao seu lado, elas reconheciam as mentiras da indústria publicitária, e acreditavam que o tamanho do corpo não contava e atributos intangíveis como *joie de vivre* e confiança eram os que mais importavam. Ao voltarem para casa, porém, todas descobriam, com grande desapontamento, que elas não eram Jojo Harvey, e não conseguiam compreender por que haviam sentido aquelas coisas loucas em sua presença.

11:45, sábado à tarde
No momento em que as barulhentas e bêbadas discussões sobre política começaram, Jojo pensou: *É agora! Chega!* Subitamente ela não aguentava mais ficar com pessoas que não eram Mark e só queria dar o fora dali. Ultimamente, ela era sempre a primeira a ir embora dos lugares.

Shayna e Brandon tentaram fazer com que Jojo esperasse até eles chamarem um táxi, lembrando-lhe que aquela região ainda não se tornara tão elegante e civilizada que fosse seguro ficar circulando sozinha em uma noite de sábado, mas ela queria sair logo. Uma sensação abafada de pânico foi crescendo em seu peito até que, em meio a uma agitação de abraços e beijos, eles finalmente permitiram que ela partisse. Na rua calma e deserta, ela curtiu as golfadas do adorável e gelado ar da noite, e então viu a luzinha amarela de um carro que se aproximava.

— Táxi!

Meia hora depois, já em seu apartamento silencioso, ela se serviu de um cálice de merlot, ligou a tevê que ficava aos pés da sua cama e se enfiou debaixo do edredom para assistir a um documentário sobre os suricatos do deserto de Kalahari. Olga Fisher lhe emprestara o DVD. Olga Fisher era sócia da Lipman Haigh — dos sete, era a única mulher — e tanto ela quanto Jojo curtiam muito programas sobre vida selvagem. Todo mundo zoava das duas por causa disso, e elas trocavam seus vídeos de David Attenborough de forma tão furtiva que parecia até material pornográfico.

Olga tinha quarenta e poucos anos, era solteira, usava colares de pérolas e echarpes elegantemente drapeadas; como negociava boas cláusulas para os autores que representava, era conhecida no mercado como "osso duro de roer". Jojo costumava dizer, com desdém, que se Olga fosse homem todos se referiram a ela como "grande agente". Naquele instante, Jojo perguntou a si mesma se os colegas a chamariam, pelas costas, de "osso duro de roer". Provavelmente, sim. Babacas.

Ela se aninhou na cama e riu muito quando um suricato de tocaia no alto de uma árvore, com as patas nos quadris e olhos a meia distância, perdeu o equilíbrio e despencou no chão. Mais que depressa, ele se levantou e sacudiu a poeira do corpo, parecendo terrivelmente embaraçado pelo mico involuntário. Olhou para a câmera com a mesma expressão de desprezo que Robbie Williams lança aos paparazzi.

Subitamente, Jojo parou de rir e pensou: *Sou uma mulher no vigor da juventude. Não devia passar uma noite de sábado sozinha em uma cama assistindo a suricatos africanos despencando de árvores.*

Virou-se para a carteira que deixara ao lado do travesseiro e reclamou com ela: "Isso não está direito."

Mas disso ela já sabia.

22

Eu jamais deveria ter embarcado nesse caso amoroso com Mark, pensou Jojo. Poderia estar apaixonada por outro homem neste exato momento; alguém que não fosse casado. Era um saco aquilo de ficar pensando no que deveria, ou iria, ou poderia...

Se pelo menos a coisa fosse apenas sexo, pensou, pesarosa. Se tudo se resumisse apenas a trepadas excitantes e perigosas... Gurus de relacionamentos sempre diziam que uma atração baseada em amizade e respeito mútuo tinha muito mais chances de durar, e o pior é que eles tinham razão.

Antes mesmo de começar a trabalhar na Lipman Haigh, Jojo já respeitava Mark, ele era conhecido no mercado editorial como um visionário. Cinco anos antes, quando ele conseguira se tornar sócio administrativo, a Lipman Haigh era uma agência pequena e apagada, e alguns dos sócios eram tão velhos que faziam Jocelyn Forsyth parecer um adolescente malcriado. A primeira providência de Mark foi caçar vários agentes literários arrojados e transformar três deles em sócios; em seguida, conseguiu convencer os dirigentes mais velhos e caquéticos a se aposentar. Depois criara um departamento para negociação de direitos para outros países e um vibrante setor de divulgação. Em um ano e meio, a Lipman Haigh deixou de ser um patinho feio e esquecido com o qual ninguém se importava e se transformou na agência mais quente de Londres.

Mark era durão — tinha de ser —, mas o fazia com graça. Nas negociações com os editores, ele conseguia ser tão irredutível quanto celulite, mas fazia isso de forma decente e suave. *Não é nada pessoal*, era o que o seu ar transmitia, *mas assim não vai dar certo. Eu não vou ceder, então ceda você.* Não fazia cara feia nem bajulava ninguém, simplesmente usava objetividade.

E tinha muito senso de humor. Não do tipo "uma piada por minuto", como o seu sócio predileto, Jim Sweetman, que certamente sabia como fazer amigos e influenciar pessoas. Mas havia um humor sutil em Mark, por baixo da superfície.

Mas o que Jojo admirava mais em Mark Avery era a sua incrível habilidade de resolver problemas. Seus instintos eram apurados, nada o deixava nervoso e ele sempre tinha todas as respostas. Era o próprio Don Corleone, só que sem a voz rouca, o cortejo de puxa-sacos e a barriguinha saliente.

Na época, Jojo já o apreciava, mas não estava *a fim* dele. Então veio aquela noite na calçada do Hilton, seguida pelo episódio das pupilas dilatadas no corredor da firma, e tudo ficou meio esquisito. Quando Jojo fez a sua apresentação usual na reunião das manhãs de sexta-feira, Mark a ouviu com atenção e seguiu a sua rotina de olhar para um ponto indeterminado a distância enquanto sorria — só que daquela vez não sorriu. Ele já não colava o corpo à parede quando Jojo passava por ele a toda velocidade, pelos corredores da Lipman Haigh. Ele passou a chamá-la apenas de "Jojo" e não pintou mais nenhuma brincadeira envolvendo cerejinhas de bolo nem creme chantilly.

Jojo não gostava da situação, mas resolveu aguentar firme. Ela era boa nessa história de esperar, graças à prática de lidar com editores, e conseguiu abafar as vozes de medo e dúvida que zumbiam em sua cabeça.

Mark, porém, não chegara a sócio administrativo de uma agência literária sem ter nervos de aço e o impasse continuou.

Consigo superar qualquer um no quesito espera, pensou Jojo. Com toda aquela tensão rolando, porém, como evitar que os pensamentos corressem para ele? Quando ela focou sua cabeça nele como homem, em vez de chefe, sua imaginação alçou voo e sua determinação começou a ceder. O olhar significativo no corredor deu início a uma reação em cadeia que provocou uma violenta atração física por ele, e isso a deixou indignada. Um dia, por fim, ela contou tudo a Becky.

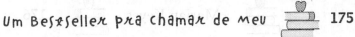

— Fico imaginando o tempo todo como é dormir com Mark Avery.

— Deve ser uma merda. Tem de ser. Um cara velho como ele?

— Ele tem quarenta e seis, não oitenta e seis.

Becky ficou preocupada. Dali não podia sair nada de bom.

— Você está assim porque não transa há nove meses, desde o pobre do Craig. Acho que devia dormir com alguém para resolver o problema.

— Quem?

— Se quer mesmo saber, pode ser qualquer um.

— Mas não quero sair por aí atrás de alguém só para transar. Não sou assim. Quero dormir com Mark, não com qualquer um.

— Jojo, caia fora dessa furada. *Por favor.*

— O pior é que, considerando que eu já o admiro e respeito, estou perdida — completou Jojo, desconsolada.

Analisando de forma mais prosaica, havia uma carreira para ela levar em consideração. Jojo planejava se tornar sócia da empresa em algum momento do futuro próximo, mas como isso poderia acontecer se o seu chefe resolvera, de repente, se comportar como se ela não existisse?

Depois de cinco semanas, ela desmoronou e marcou uma hora para conversar com ele. Foi até a sua sala, fechou a porta com firmeza atrás de si e se sentou diante dele.

— Oi, Jojo.

— Mark, eu... Não sei como lhe dizer isso, mas as coisas andam meio... *tensas* entre nós. É o meu trabalho? Você não está satisfeito com ele?

Ela sabia que não era esse o caso, mas queria deixar tudo em pratos limpos.

— Não, não há nada de errado com o seu trabalho.

— Muito bem. Então nós podemos deixar de lado o clima estranho? Podemos voltar a ser como éramos?

Ele considerou a proposta e respondeu:

— Não.

— Por que não?

— Porque... Porque... Como eu poderia lhe explicar isso? — Ele hesitou. — Não podemos porque (por favor, não ria de mim), eu estou apaixonado por você.

— Ah, qual é? Como pode estar?

— Trabalhei com você durante dois anos. Se eu não a conheci bem até agora...

Depois de alguns instantes calada, Jojo levantou os olhos que deixara grudados no colo e disse:

— Você é casado. Eu nunca me envolveria com um homem casado.

— Eu sei. Essa é uma das razões de eu sentir o que sinto por você.

— Puxa... — suspirou ela. — Isso foi realmente uma porretada na minha cabeça.

23

Era para ser transa de uma noite só, a fim de tirar aquilo da cabeça de ambos e deixá-los voltar à camaradagem de sempre um com o outro. Isso era uma grande enganação, é claro; Jojo sabia disso e Mark também. Nenhum dos dois estava interessado em tirar aquilo da cabeça, mas transformar o problema em algo com boas intenções tornava tudo menos constrangedor.

Depois de Mark fazer esse dramático anúncio de que estava apaixonado por Jojo, ela ligou correndo para Becky e lhe contou a história toda, entre sussurros.

— Não se preocupe — tranquilizou-a Becky. — Isso é só uma armação para levar você pra cama.

— Você acha mesmo? — quis saber Jojo, aliviada e desapontada.

— Tenho certeza.

PARA: Jojo.harvey@lipman_haigh.co
DE: Mark.avery@lipman_haigh.co
ASSUNTO: Eu fui sincero

O que eu disse não foi só uma armação para levar você pra cama.
M xx

— Ele usou exatamente essas palavras? — perguntou Becky. — Minha nossa, o cara é esperto.

— Sim, eu vivo dizendo isso para você.

Becky pareceu surpresa diante da evidente irritação de Jojo.

— Vá com calma, amiga.

Pelos nove dias que se seguiram, Jojo e Mark pareciam pisar em ovos sempre que se encontravam, enrubescendo e deixando cair coisas sempre que se esbarravam. Jojo relatava cada detalhe para Becky, que continuava preocupada, mas, ao mesmo tempo, fascinada. Ela nunca fora para a cama com um sócio administrativo. Gerente de vendas fora o seu limite.

No décimo dia, Mark convidou Jojo para jantar. Queria "ter uma conversa" com ela.

— Essa conversa tem a ver com arriar suas calcinhas — suspirou Becky.

Tomara, pensou Jojo.

— O lance é o seguinte — disse Mark, entre a salada e a refeição principal —: não vou lhe dizer que a minha mulher não me compreende. Não vou lhe garantir que nunca transamos, porque, embora muito raramente, isso ainda acontece. Só que eu amo meus filhos e não quero fazer nada que vá atingi-los.

— Como abandoná-los, por exemplo?

— Sim. Portanto, a decisão é sua. Sei que você merece muito mais do que estou oferecendo, Jojo, mas a única coisa que posso garantir é que eu jamais senti por nenhuma outra mulher o que sinto por você.

— E você não tem o hábito de fazer esse tipo de coisa?

— Claro que não! — Ele pareceu chocado.

Assim que chegou em casa, Jojo ligou para Becky e relatou toda a conversa.

— Ele está atacando depressa — observou Becky. — Bem... Você não quer que ele abandone os filhos. Quer apenas dormir com ele.

— Quero...? Então, acho que está tudo bem.

No dia seguinte, logo cedo, um e-mail a esperava:

PARA: Jojo.harvey@lipman_haigh.co
DE: Mark.avery@lipman_haigh.co
ASSUNTO: Por favor

Por favor. Significado da expressão: pedir, suplicar, rogar, implorar, mendigar, solicitar ou insistir.
M xx

Para sua surpresa, os olhos de Jojo se encheram d'água, subitamente. Aquilo tudo era demais. Pensou na esposa dele, nos filhos e na comovente humildade que ele demonstrava. *Precisamos fazer alguma coisa.*

Foi Becky que veio com aquela ideia de "resolver logo o assunto para tirar aquilo da cabeça".

— Quem sabe ele é péssimo de cama? — sugeriu ela, esperançosa. — Pode ser que ele seja de revirar o estômago.

Jojo duvidava que aquilo fosse acontecer, mas repassou a ideia a Mark, entre risinhos sem graça.

— Quem sabe, se tivermos sorte, você vai enjoar de mim — afirmou ela.

O olhar que ele lançou para ela lhe indicou que aquilo era pouco provável.

— Se é isso o que você quer... — disse ele.

Ela concordou com a cabeça.

— Então, aonde nós vamos...? Isto é, você poderia...

— Venha ao meu apartamento. Eu preparo o jantar. Não... — emendou ela, na mesma hora. — Nada disso. Dizem que, se eu cozinhar para você, nunca mais me livro da sua presença.

Ele fez sexo com ela do mesmo modo como fazia tudo o mais: com determinação, confiança, atenção aos detalhes, além de tirar as roupas dela aos poucos, como se desembrulhasse um presente.

Depois que acabaram, ela perguntou:

— Como foi para você?

— Um desastre! — Ele olhou para o teto. — Ainda não consegui tirar você da cabeça. Nem um pouco. E quanto a você?

— Comigo aconteceu o mesmo. Foi pior do que eu esperava.

— E então...? Ele foi fabuloso? — quis saber Becky, no dia seguinte.

— Ou foi meio ruinzinho? Às vezes esses caras velhos são péssimos de cama. — Becky dormira uma vez com um sujeito de trinta e sete anos que estava bêbado e se julgava uma autoridade no assunto.

— Isso não tem nada a ver! — reagiu Jojo, irritada. — O lance é muito mais do que apenas sexo. Mark é a pessoa que eu mais curto na vida.

— Puxa, lamento muito — disse Becky, chocada.

— Não, eu é que lamento. — Jojo também se sentia chocada.

— Então, qual é o próximo passo? Agora que vocês já tiraram todo aquele tesão dos seus organismos?

— Ora, só uma tola poderia dar início a uma relação com um homem casado.

— E você, Jojo, não é nem um pouco tola.

— Não.

— Sendo assim, quando pretende tornar a vê-lo?

— Hoje à noite.

No encontro daquela mesma noite, Mark perguntou a Jojo quem tinha sido o seu primeiro namorado e ela riu muito, respondendo:

— Não posso contar, pois os ciúmes acabariam por corroer você.

— Consigo lidar com isso.

— Então eu conto. Ele era estagiário no quartel de bombeiros onde papai trabalhava.

— Estagiário?

— Sim, um cara em período de experiência. Um novato.

— Quer dizer que ele era bombeiro? Droga, já me arrependi de ter perguntado. Mas continue contando, agora eu preciso saber. Ele era um cara imenso, certo?

— Gigantesco. Um metro e noventa e cinco, braços que pareciam troncos de árvores, pois ele malhava com pesos. Tinha um peito deste tamanho contra o qual costumava me esmagar, e eu não conseguia escapar do seu abraço até ele decidir que sim.

— Aaaargh!

Jojo riu.

— Foi você quem perguntou. Mas quer saber o que eu acho? Qualquer um pode agir como um gorila quando tem peito grande. Para manter o meu interesse, é necessário ter muito mais do que isso.

O mais engraçado foi que depois de se apaixonar por Mark, Jojo descobriu que todas as outras mulheres estavam a fim dele — Louisa, Pam etc.

Jojo sentiu-se surpresa por nunca ter percebido.

— Eu pensei que Jim fosse o cara que você acha o máximo — disse a Louisa. — Não é?

— Não me entenda mal... Jim é lindo, mas Mark... Mark transpira puro sexo. Eu seria capaz de... Deixe-me pensar... Ah, já sei! Veja só o quanto a coisa é grave: eu aceitaria nunca mais comprar sapatos novamente se tivesse a chance de passar uma hora na cama com Mark Avery. — Ela trepidou de forma dramática. — Aposto que ele é um TREMENDO *animal*.

Domingo de manhã

Jojo acordou e pegou um livro de P.G. Wodehouse na pilha de livros leves que tinha ao lado da cama. Ela adorava esse autor, bem como Agatha Christie e todos os outros escritores que costumava ler na adolescência, em Nova York, época em que fantasiava a respeito da parte britânica da sua ascendência. Mesmo depois de adulta, apesar de saber muito bem que tais livros não tinham nada a ver com o mundo real, ela continuava sentindo um grande prazer ao lê-los.

Dali a mais um pouco, ela se levantou e foi passar algumas roupas, enquanto esperava que ficasse um pouco mais tarde, a fim de ligar para os pais no Queens sem acordá-los. Ela telefonava para eles todos os domingos e a conversa era mais ou menos igual todas as vezes.

— Oi, papai!

— Quando você volta aqui em casa?

— O senhor acabou de me ver! Lembra que eu estive aí no Natal? No mês passado?

— Não, quero saber quando é que você volta aqui para casa de vez. Sua mãe se preocupa muito com você. E é claro que a delegacia aceitaria você de volta num piscar de olhos. — Surgiram alguns ruídos. — Espere mais um instantinho, porque estamos conversando. Ela é minha filha também. Ah, está bem! Olhe aqui, filha, sua mãe quer falar com você.

Ouviu-se um ruído de estática quando Charlie abriu mão da posse do aparelho.

— Olá, minha garotinha querida! Como você está?

— Estou bem, mamãe. Estou ótima! Todo mundo está bem aí em casa?

— Todos ótimos. Não dê atenção ao tolo do seu pai. É que ele se preocupa muito com você. Será que existe alguma possibilidade...

— Vou tentar passar alguns dias em casa durante o verão, está bem?

Ao desligar, cerca de dez minutos mais tarde, ela se sentiu levemente culpada, mas explicou à sua carteira:

— Eu moro aqui agora, entende? Aqui é o meu lar. — Jojo adorava a sua carteira. Era uma ótima companhia, e muito mais conveniente do que ter um cão.

Em seguida, pegou o ônibus para ir ao aconchegante apartamento de Becky e Andy em West Hampstead. Ir de metrô seria muito mais rápido, mas ela preferia ir de ônibus porque dava para ver os lugares pelo caminho; apesar de estar morando lá há dez anos, ela continuava adorando Londres, embora a cidade ainda tivesse muita coisa para aprender com Nova York, especialmente quanto aos serviços de manicure.

— Ah, que bom você ter aparecido! — Alegrou-se Andy ao abrir a porta e vê-la. — Eu e Becky estamos de saída para o supermercado. Você pode ir conosco para ajudar a trazer as sacolas.

Depois das principais compras da semana, ela circulou com o casal pela seção de flores.

— Vocês se incomodam por eu ficar sempre por perto, segurando vela?

— Não! — garantiu Andy. — Você anima um pouco as coisas. Pelo menos fornece assunto para Becky e eu conversarmos.

Andy e Becky já estavam juntos havia um ano e meio e pareciam sempre querer demonstrar que nunca transavam e estavam de saco cheio da vida em comum. Aquilo era um sinal indiscutível, conforme Jojo bem sabia, de que eles eram loucos um pelo outro. Ninguém fazia esse tipo de brincadeira sem estar muito seguro sobre o relacionamento. Como resultado desse sucesso, Becky queria que todos à sua volta arrumassem alguém com quem fossem felizes, especialmente Jojo.

— As irmãs Wyatt vão oferecer uma festa — anunciou Becky quando eles já estavam de volta em casa, guardando as compras no armário da cozinha.

As irmãs Wyatt, Magda, Marina e Mazie eram amigas de Becky desde a época em que haviam morado juntas em uma casa por seis meses, antes de Becky ir morar com Andy. As três eram louras, muito elegantes, lindas, ricas e incrivelmente simpáticas e calorosas. Costumavam circular por ambientes muito mais sofisticados que os de Becky, mas eram tão adoráveis que haviam mantido contato com a antiga amiga, e sempre convidavam Becky e Jojo para as festas que ofereciam.

Becky adorava de paixão todas três, e essas, por sua vez, eram loucas por Jojo, mas ela sentia uma paixão especial por Magda, a mais velha, que era dotada de maravilhosa capacidade de organização.

— Mas essa paixão NÃO é do tipo sexual — Jojo vivia informando a Andy.

— De qualquer modo, eu só sei que morro de medo delas — afirmou Andy. — Elas são tão... fabulosas!

— É o aniversário de trinta anos de Mazie. Ela vai armar uma balada superanimada na mansão dos pais em Hampstead. A festa é só em junho, mas elas querem ter certeza de que você vai poder ir.

— Em junho? — exclamou Jojo.

— Será que isso é algum hábito elegante? — perguntou Andy. — Avisar com vários meses de antecedência?

— Sei lá! Tem só uma coisinha, Jojo. É uma festa à fantasia. Você tem que ir toda produzida.

— À fantasia? — Jojo gemeu baixinho. — Por que é que tem de ser uma festa assim?

Jojo odiava festas desse tipo. Escolher roupas comuns já era muito difícil e, nos casos de festa à fantasia, ela acabava sempre arrumando uma roupa de diaba vermelha, enfiando-se dos pés à cabeça em um collant preto com chifres vermelhos no cabelo. Depois era só espetar um rabinho também vermelho no traseiro.

— Vai ser um grande agito, e quem sabe você conhece alguém mais... — Becky fez uma pausa, sem graça, antes de completar: — ... Disponível.

— Nem todas têm a sua sorte — disse Jojo.

— É verdade. Sou o último da espécie na praça — garantiu Andy.

— Mas quem mais além de mim iria querer você? — retrucou Becky.

— Pois é... — concordou Jojo, embora ela achasse Andy muito bonito, e com a vantagem de ser fiel.

— Amanhã é dia de trabalho — comentou Becky, com olhar triste, levantando a cabeça do mar de jornais espalhados. — Ontem eu sonhei que havia informado os valores errados para a British Airways e a empresa acabou devolvendo dinheiro a mais para centenas de pessoas, e olhem que essa companhia aérea nem é minha cliente. Embora eu vá pegar a conta deles muito em breve, do jeito que as coisas vão — acrescentou, com ar sombrio. — Todas as companhias do mundo vão acabar na minha carteira de clientes. Pelo menos foi assim no pesadelo que eu tive e acordei tremendo.

— Isso está se tornando uma obsessão — avisou Andy. — Você tem que conversar seriamente com Elise.

— Mas como...?

— Com muita calma. Explique a ela tudo o que você explica para mim.

— E se a coisa ficar feia para o meu lado?

— Feia? São só negócios, pare de ficar tão nervosa com isso. Seja como Jojo. Se alguém a sobrecarrega no trabalho, ela reclama na mesma hora. — Andy fez uma pausa. — Se bem que, considerando que dorme com o chefe, isso pode acabar mal para ela... *Muito* mal.

— Já está péssimo — comentou Jojo.

— Como *anda* o seu relacionamento adúltero? — perguntou Andy. — O que vai acontecer agora?

Jojo encolheu os ombros.

— Pergunte a Becky. Ela é diretora dos meus assuntos emocionais.

— Conte, Becky. Agora eu quero saber.

Becky pensou por alguns instantes.

— Existem vários desfechos possíveis. Vou fazer uma lista. — Ela rabiscou por alguns instantes sobre a seção de "Estilo" do *Sunday Times* e, por fim, anunciou: — Muito bem, aqui estão as possibilidades:

a) *Mark abandona a mulher*

b) *Sua esposa também está tendo um caso com, digamos, um dos professores do filho, e ela abandona Mark*

c) *Jojo e Mark vão se descurtindo aos poucos e acabam sendo apenas amigos*

d) *A esposa morre tragicamente de... Do que as pessoas morrem?... Escarlatina! Jojo entra na casa de Mark como governanta, para cuidar das crianças. Depois de um período de tempo respeitável, ele torna público o fato de ter se apaixonado por ela.*

— Qual dessas você gosta mais?

— Nenhuma. Não quero que ele e a esposa se separem.

— E quer continuar sendo estepe do carro dele pelo resto da vida? — perguntou Andy.

— Não, mas... — Jojo não queria destruir o casamento de ninguém. O código moral sob o qual ela fora criada determinava que manter a família estava acima de tudo. Quando um dos bombeiros do quartel do seu pai tinha um caso fora do casamento, todos os seus colegas de serviço se envolviam na história. Eles recriminavam o marido renegado e o aconselhavam a voltar para a esposa: geralmente ele o fazia. E nas raras ocasiões em que isso não acontecia, todos se uniam para apoiar a esposa e o traidor se via sozinho e sem aliados.

— Além do mais, como vai ser com os filhos? Eles vão me odiar — garantiu Jojo.

— Mas as crianças vão morar com a mãe.

— Sim, mas na sexta-feira virão à nossa casa para arruinar nosso fim de semana. Desculpe — continuou ela, meio na defensiva. — Estou apenas sendo honesta.

— Mas você é tão boa para lidar com crianças! — disse Becky. — Os dois filhos de Shayna adoram você.

— E eu pretendo ter filhos, mas quero que eles sejam bebês, antes. Não quero um adolescente que já mostra sinais de delinquência e uma garota tão bobalhona que cai de pôneis. Eu ia passar o tempo todo em salas de espera como as do seriado *Plantão Médico*.

— Mas o George Clooney não é um cara superpintoso? — Essa observação veio de Andy.

— Eu prefiro Mark.

— Que saco! Então, o que você *quer*, afinal de contas?

— Queria que ele nunca tivesse se casado e também que não houvesse nenhum filho.

Becky consultou a lista.

— Desculpe. Essa opção não consta aqui.

— Que pena — suspirou Jojo.

— O quanto esse caso é realmente sério? — quis saber Becky. — O quanto os seus sentimentos por ele são realmente fortes? Em uma escala de um a Dominic?

— Quem é Dominic? — perguntou Andy.

— Um cara que Jojo namorou antes de eu conhecer você — explicou Becky. — O Grandão.

— É que logo que eu cheguei em Londres, há dez anos, não percebia que alguns dos caras com quem eu saía eram perfeitos idiotas

— explicou Jojo. — Achava que aquilo era o jeito de ser dos britânicos. E mesmo quando eu sabia que eles eram idiotas, eram idiotas britânicos, então a coisa não me parecia tão má. Levei um bom tempo antes de me tornar seletiva com relação aos homens.

— Você precisava ver os imbecis com quem ela saía...

— Então eu conheci Dominic.

— E ele não era idiota. Era um homão de um metro e noventa e dois, jornalista. Ele merecia Jojo. Ela quase se casou com ele, chegaram a ficar noivos, com aliança e tudo. Mas na hora H ele amarelou. Bem, não exatamente amarelou, mas ele achou que *poderia* amarelar e...

— Decidiu que "não tinha certeza" — completou Jojo. — Isso aconteceu na semana em que íamos passar a morar juntos. Ele me disse que eu podia ficar com a aliança, mas não estávamos mais noivos. Não descartou a possibilidade de nos casarmos, mas não em uma data definida. Depois ele chegou à conclusão de que era melhor darmos um tempo...

— ... Mas continuava aparecendo, louco para brincar de esconder a salsicha.

— ... O salame.

— Ah, é... Esqueci que ele era grandão em mais de um aspecto.

— Ele me deixou arrasada — disse Jojo, baixinho. — A sorte é que eu sou uma das mulheres mais fortes do mundo e nunca iria aceitar uma sacanagem dessas dele. Aliás, de homem nenhum.

— Ah, mas você aceitou, por algum tempo — disse Becky. — Lembra da vez em que você mentiu para mim e jurou que ele estava em sua casa só porque precisava de uma cama para passar a noite? Eu acabei pegando vocês transando e...

— Tudo bem, tudo bem, talvez eu tenha sucumbido à tentação umas duas ou...

— ... Vinte vezes.

— Mas eu terminei com ele. E superei tudo.

— Se fosse eu, ainda estaria até hoje com algumas esperanças, torcendo para que ele finalmente tomasse uma decisão — afirmou Becky. — Ficaria um desastre de tão abatida. Trinta e cinco quilos, com unhas roídas até o sabugo. Meu hobby seria chupar a ponta dos cabelos. Eu me entupiria de Prozac e Valium e acabaria dormindo no chão ao lado do telefone. Eu me alimentaria unicamente de papinhas de bebê comidas direto do potinho e...

— Há quanto tempo isso aconteceu? — interrompeu Andy.

Jojo parou para calcular.

— Uns seis anos? — consultou Becky, que parecia ter acabado de sair de um transe. — Seis anos e meio?

— Por onde esse cara anda? — perguntou Andy. — Ele se envolveu com mais alguém?

— Não faço a mínima ideia. Aliás, estou pouco me lixando.

— E você ainda tem a aliança de noivado?

— Não. Eu a vendi e fui para a Tailândia com Becky, por duas semanas.

— Você ama Mark tanto quanto amava Dominic? — perguntou Becky.

Jojo refletiu sobre o assunto por algum tempo e concluiu:

— Eu amo Mark muito mais, provavelmente. Só que ele é casado.

O problema, porém, é que ultimamente Mark começara a dar indiretas sobre a possibilidade de largar Cassie. O pior é que eram sempre ditas de forma espontânea, sem precisar de incentivos. Jojo jamais instigaria algo desse tipo. Quem sabe, com o tempo, a clandestinidade de tudo aquilo acabasse por se tornar insuportável, em vez de meramente irritante, e talvez então ela o pressionasse e exigisse mais. Naquele momento, porém, as especulações sobre o futuro feliz do relacionamento deles — pelo menos no pé em que as coisas estavam — vinham todas da parte de Mark.

24

8:30, segunda-feira de manhã
A caminho da Lipman Haigh, Jojo passou por um sujeito que estava parado na calçada, na porta do prédio. Penteava o cabelo olhando-se no espelho retrovisor externo do carro de alguém e seu rosto tinha um tom de lima-da-pérsia. Jojo teve quase certeza de que era Nathan Frey, parecendo nervoso, com uma aparência horrível e muito adiantado para o encontro das nove horas.

9:00 e dez segundos, segunda-feira de manhã
Manoj avisou que Nathan chegara; era realmente o mesmo homem, com o tom de lima-da-pérsia e tudo o mais.

Seu estado era lamentável. Ele passara três anos escrevendo o livro; precisou hipotecar a casa, deixou a mulher e os filhos durante seis meses e foi morar no Afeganistão, disfarçado de mulher. Nathan já fora dispensado por dois agentes literários. "Uns tolos", comentou Jojo, e agora que estava diante de uma agente literária de verdade, alguém que tinha o poder de realizar seu sonho de ser publicado, ele se sentiu desconcertado.

Quando Jojo lhe deu os parabéns pelo livro maravilhoso e explicou que sua história poderia ser vendida no mundo inteiro, o tom de lima-da-pérsia da pele de Nathan cedeu um pouco e foi adquirindo aos poucos uma cor mais saudável, deixando-o com um tom de amarelo cheesecake.

— Você enviou o original para mais alguém? Algum outro agente literário? — quis saber Jojo. Aquela não seria a primeira vez que um autor enviava dezenas de cópias para um monte de gente e acabava com vários agentes afirmando que o autor era seu contratado.

— Não. Estou mandando para um de cada vez.

Ótimo. Pelo menos ela não teria de disputar o contrato a tapa com outros agentes.

— Eu nem acreditei quando recebi seu telefonema. Você não imagina o quanto eu precisava de uma agente de verdade...

— Pois bem, aqui estou eu — disse Jojo. Na mesma hora dois pontos brilhantes cor de framboesa despontaram nas bochechas dele.

— Uau! — exclamou ele baixinho e torceu as mãos. Nossa! — Ele enxugou a testa com as costas da mão. — Nem consigo acreditar nisso. — Seu rosto inteiro assumiu o tom rosado de uma linda musse de morango. — O que acontece agora?

— Eu lhe consigo um contrato.

— Sério? — Ele pareceu espantado. — É tão simples assim?

— É um grande livro. Muitos editores vão querer publicá-lo.

— Eu detesto perguntar... Sei que parece meio esquisito, mas...

— Sim, você vai ganhar muito dinheiro. E vou lhe conseguir o melhor adiantamento possível.

— Não quero muito — apressou-se ele em dizer. — Só ver meu livro ser editado já é uma recompensa e tanto. O problema é que não está entrando grana nenhuma e estamos com dificuldades, eu, minha mulher e meus filhos...

— Não se preocupe. Tenho o palpite de que muita gente vai querer este livro e estará disposta a pagar por ele. Eu lhe peço dez dias para agitar as coisas. Assim que eu tiver novidades, entro novamente em contato.

Nathan saiu repetindo sem parar:

— Obrigado, obrigado, muito obrigado.

Manoj o acompanhou até a saída e quando os "obrigados" que ainda se ouviam pelo corredor foram desaparecendo a distância, comentou:

— Essa é a fase da lua de mel. Quanto tempo vai levar antes que os abusos comecem e ele ligue para você até para resolver a perda de um bilhete do metrô?

Jojo sorriu.

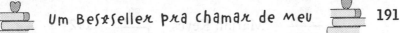

— E então...? Ele é seu? — quis saber Manoj.

— Ele é nosso.

— Fale-me dele. O livro é interessante?

— Muito! — Jojo relatou a história afegã. — Ele é o que chamamos, no mercado, de autor "altamente comercial". — Ela entregou o original para Manoj. — Vá xerocar isso. Preciso de seis cópias perfeitas e quero-as para a meia hora que já passou.

— Você vai colocar o texto em leilão?

Jojo fez que sim com a cabeça. *O Amor e o Véu* era tão maravilhoso que ela tinha certeza de que vários editores iriam voar em cima do prato oferecido e se engalfinhar em uma guerra de lances.

Enquanto Manoj respirava toner de copiadora, reclamando por ser péssimo em inglês e ser obrigado a aceitar um trabalho que qualquer macaco ensinado conseguiria realizar, Jojo fez mentalmente uma lista de possíveis editores para a obra.

Antes de mais nada, porém, precisava verificar com Mark como fora resolvido o caso de Sam, o filho dele. Fingir que se importava com as crises domésticas de um namorado casado era difícil, mas, como aquilo era muito importante para Mark, ela tentava — embora no final soubesse que, toda vez que havia um drama, Jojo perdia Mark para a família dele. Aliás, aquele era um grupinho com tendências altíssimas para sofrer acidentes. A esposa, Cassie, professora de uma escola de ensino fundamental, sofria de debilitantes crises de enxaqueca quando comia queijo, mas esse fato não a impedia nem por um momento sequer de cair de boca e comer um balde de queijo sempre que sentia vontade. Sophie, a filhinha de dez anos, era um perigo para si mesma: desde que Jojo começara a sair com Mark, ela já caíra de um pônei e conseguira enfiar a ponta de um compasso no braço.

Agora tinha sido o pileque de Sam, sua primeira ocorrência relacionada com bebidas. Antes disso, ele já fora pego roubando um tubo de Mentos sabor frutas de uma banca de jornais, evento que tornou necessária uma visita ao psicólogo da escola. Até mesmo Hector, o cão da família Avery, conspirava para mantê-los afastados. Na noite em que Jojo preparou um jantar completo, só com comida indiana, sem ajuda de ninguém, Hector foi atingido por um veículo e sofreu uma séria pancada; Mark foi obrigado a ir para casa antes mesmo de provar o primeiro *papadum*. Uma semana depois, Hector engoliu uma das meias de squash de Mark e Sam tentou aplicar a Manobra de Heimlich no animal, o que só serviu para lhe quebrar uma das costelas. Mais uma vez, Mark precisou ir voando para casa.

PARA: Jojo.harvey@lipman_haigh.co
DE: Mark.avery@lipman_haigh.co
ASSUNTO: Sam

Ele está bem agora. Sinto muito. Que tal terça à noite?
M xx

PARA: Mark.avery@lipman_haigh.co
DE: Jojo.harvey@lipman_haigh.co
ASSUNTO: Terça

Terça está legal.
JJ xx

PARA: Jojo.harvey@lipman_haigh.co
DE: Mark.avery@lipman_haigh.co
ASSUNTO: Você

Eavomoceu

Eavomoceu? Jojo se perguntou que palavra seria aquela? Que diabos aquilo queria dizer? Eavomoceu? Devia ser um anagrama de algum tipo. Jojo o analisou por alguns instantes, intrigada, e então a ficha caiu. EU AMO VOCÊ. Ela riu e, depois de brincar um pouco com as letras, enviou a resposta:

PARA: Mark.avery@lipman_haigh.co
DE: Jojo.harvey@lipman_haigh.co
ASSUNTO: Eavomoceu?

Pois saiba que muvaeoceo ainda mais!
JJ xx

Em seguida, Jojo ligou para seis dos melhores editores de Londres, disse a cada um que ele havia sido escolhido a dedo e prometeu que ia mandar uma joia rara pelo motoboy em menos de uma hora. A data para o leilão já fora marcada: uma semana, a contar daquele dia — prazo suficiente para os editores solicitarem aos chefões o lance gordo que ela esperava.

O dia poderia ficar ainda melhor? Poderia, sim. Quando Jojo conversou com Tania Teal, da Dalkin Emery, a respeito de O Amor e o Véu, Tania disse: — Você me ligou na hora certa, Jojo, porque eu ia lhe telefonar para falar de Lily Wright.

Lily Wright era uma das autoras representadas por Jojo. Era uma mulher inteligente, simpática e intuitiva, e Jojo sentiu na hora que a conheceu que ela era uma daquelas pessoas "boas" que encontramos pela vida. No primeiro encontro que Jojo teve com Lily, ela veio acompanhada por um rapaz, Anton; os dois se sentaram diante de Jojo muito nervosos, completando as frases um do outro e sendo, no geral, adoráveis. Lily escrevera As Poções de Mimi, um livro lindo e mágico a respeito de uma bruxa branca. Jojo havia adorado o texto, sentiu que havia algo realmente muito especial na narrativa. Porém, como a história era muito esotérica, não conseguira convencer nenhum editor a apostar muito alto nela.

Tania o comprara com um pequeno adiantamento de quatro mil libras. Na época, ela comentara: "Eu, pessoalmente, adorei o livro. É melhor que Prozac para levantar o astral. Sou obrigada a admitir, do fundo do coração, que não dá para ele fazer um sucesso estrondoso, mas mesmo assim vou experimentar lançá-lo."

Só que, embora Tania tentasse ao máximo convencer seus colegas de que aquele livro poderia fazer um sucesso inesperado e surpreender a todos, ninguém comprou sua ideia. O resultado é que a

Editora Dalkin Emery rodara uma primeira edição pequena, quase não fez publicidade e — não era surpresa — até agora *As Poções de Mimi* ainda não decolara para conquistar o mundo.

— O que há com Lily Wright, Tania? — perguntou Jojo.

— Ótimas notícias! — Jojo sentiu empolgação em sua voz. — Saiu uma resenha muito entusiasmada sobre *As Poções de Mimi* na revista *Flash!* desta semana. Vamos rodar uma nova edição. Os relatórios dos livreiros também estão ótimos. Dá para acreditar que a primeira edição já está quase esgotada?

— Sério mesmo?! Fantástico! E isso praticamente *sem* publicidade.

— Bem, agora que vamos rodar a segunda edição, consegui convencer o pessoal do marketing a publicar alguns anúncios.

— Ótimo! E quantos exemplares você vai mandar rodar para a segunda edição? Mais cinco mil?

— Não, vão ser dez mil.

Dez mil? O dobro da edição inicial? Os relatórios dos livreiros deviam estar espetaculares.

— Dê uma olhada no que os leitores estão dizendo sobre o livro no site da Amazon — sugeriu Tania. — Acho que o livro está tocando as pessoas de algum modo especial. Pelo jeito, a nossa intuição funcionou para esse título, Jojo!

Jojo concordou, agradeceu o retorno e desligou, muito empolgada. Sempre era uma boa notícia quando um livro começava a decolar, ainda mais de forma inesperada. Naquele caso em especial, pelo fato de a autora ser um amorzinho de pessoa, Jojo estava ainda mais feliz. Entrou no site da Amazon e procurou a página de *As Poções de Mimi*. Tania tinha razão. Havia dezessete opiniões de leitores e todos haviam adorado o livro. "Um encanto de história... muito confortador... Mágico... Eu já o li duas vezes..."

Na mesma hora, Jojo ligou para Lily, que se mostrou atônita e muito grata. Em seguida, ela se recostou na cadeira e se sentiu meio perdida, apesar de feliz. O que ela iria fazer agora?... Almoçar, droga! Jojo já conseguira muita coisa para uma manhã de trabalho.

Pegando o telefone mais uma vez, teclou o número de uma extensão interna.

— Dan? Você está livre para almoçar?

— Almoçar?

— Sim, aquele evento em que ingerimos comida junto com um monte de gente, todos no mesmo ambiente.

— Ah, sim... Só aceito o convite porque é um almoço com você.

— Nos encontramos em três minutos.

Dan Swann era exatamente do jeito que Jojo imaginava os homens ingleses, antes de ir morar na Inglaterra. Era magro, louro e, embora estivesse com quase sessenta anos, continuava parecendo um menino. O melhor de tudo é que ele usava um paletó de *tweed* com uma estranha cor de mingau de aveia e placas de couro costuradas nos cotovelos. A peça devia ser herança de família e exalava um fedor esquisito quando pegava chuva — cheiro de cachorro ou folhas podres. Jojo achava que esse detalhe deixava Dan ainda mais charmoso.

Foi ele que convencera Jojo a ir para a Lipman Haigh. Os dois haviam se conhecido na festa de lançamento de um jovem Escritor Turco (sim, outro desses). Dan se apertara um pouco para entrar no salão onde acontecia o evento e parecia apressado por causa da chuva que pegara. Vestindo seu paletó fedorento, parou diante da agitação que viu no local.

— Minha nossa! — comentou, com ar cansado. — Que circo é esse?

Jojo, que estava junto à porta de entrada esperando a roupa secar um pouco antes de se lançar no tumulto, notou os reforços de couro nos cotovelos do paletó, a atitude e o cheiro do recém-chegado. *Que legal*, pensou. *Um típico inglês daqueles bem excêntricos.*

Com ar consternado, Dan analisou o salão e sentenciou:

— Há mais jovens turcos desgraçados do que estrelas no firmamento.

— É mesmo! — concordou Jojo. — O salão está infestado deles.

— Infestado — repetiu Dan. — Você usou a palavra exata. — Ele estendeu a mão para Jojo. — Muito prazer... Meu nome é Dan Swann.

— Jojo Harvey.

— Srta. Harvey, a senhorita me faz lembrar a minha quarta esposa.

Só que não havia quarta sra. Swann nenhuma, nem mesmo a primeira. O coração de Dan batia em outra direção. Era esse o motivo de ele servir de agente para biografias de guerra, conforme ele mesmo admitiu, mais tarde, para Jojo. Dan não resistia a um homem de uniforme, mesmo que ele tivesse oitenta anos e fosse gagá.

A caminho de se encontrar com Dan, Jojo fez uma parada na sala de Jim Sweetman.

— Oi, Jim! — disse ela, parando na porta e falando bem alto para atrair a sua atenção. — Você me enrolou. A terapeuta antifumo não é uma hipnotizadora, ela é uma PSICÓLOGA.

Jim riu, exibindo dentes espantosamente brancos. Jojo semicerrou os olhos, reclamando:

— Pare com isso, estou ofuscada. Você tem sempre que mostrar esse sorrisão?

Jim riu ainda mais.

— Olhe só para o meu cartaz. — Na parede atrás dele havia um papel A4 comum, onde estava escrito, em pincel atômico:

Estou completando hoje

25

dias sem fumar

— Quem se importa com o método — continuou ele —, contanto que funcione?

— Humpf — Aquele era o problema com Jim Sweetman. Ele era um sujeito tão obviamente charmoso que era difícil manter a indignação ao tratar com ele. — Não quero ir a uma analista.

— Por que não? Jojo Harvey não me parece o tipo de mulher que esconde segredos profundos e inconfessáveis. Não há com o que se apavorar.

Ele lançou o mesmo sorriso novamente; era a própria imagem da inocência, mas Jojo não tinha tanta certeza disso. Ele e Mark eram muito amigos, e às vezes Jojo imaginava o quanto Jim sabia de tudo.

Ela se virou para sair e, "Bam!", esbarrou com Richie Gant. Magrinho, cabelos pretos cheios de brilhantina, ele parecia um tubarão jovem e cruel, daqueles que seriam capazes de atacar tubarões menores só para roubar o celular deles. Recompondo-se, ele desviou de Jojo e saiu o mais rápido que conseguiu.

Eeecaa, eu toquei nele.

De volta à sala de Dan, ele se mostrou atônito ao ver Jojo, embora tivesse conversado com ela havia menos de dois minutos, por telefone.

— Ah, sim! — reagiu ele, com um olhar vago. — Vamos comer! De qualquer modo, nós somos obrigados a fazer isso.

Em seguida, ele recolheu do porta-casacos um antiquíssimo chapéu de feltro verde, meio mole, que parecia quase vivo, como se fosse feito de musgo. Ele o encaixou com todo o cuidado na cabeça, que ficou parecendo uma colmeia verde. Então, estendendo o cotovelo para Jojo, convidou-a:

— Gostaria de me acompanhar, senhorita?

10:15, terça-feira de manhã
O primeiro telefonema do dia.

— Aqui é o seu macaco ensinado — informou Manoj. — Estou com Patricia Evans na linha. Você atende ou dispensa?

— Atendo, atendo! — Aquela era a primeira a tomar a dianteira, depois da largada!

Ouviu-se um clique e, em seguida:

— Oi, Jojo, acabei de ler *O Amor e o Véu*.

O coração de Jojo deu um salto com a súbita descarga de adrenalina.

— Todos aqui adoraram o livro e eu quero fazer uma oferta pelos direitos dele.

— Mas tem de ser uma oferta muito tentadora para eu entregar o livro para vocês logo assim, de cara.

— Pois eu acho que você vai gostar. Oferecemos um milhão de libras.

De repente, as mãos de Jojo ficaram mais quentes e mais adrenalina foi descarregada em seu corpo, invadindo-lhe o organismo como um exército. Jojo começou a pensar rápidorápidorápido. Um milhão de libras era uma oferta fabulosa, especialmente para um romance de estreia. Mas se a Pelham estava disposta a oferecer tanta grana, será que as outras editoras também não iriam começar desse nível? Talvez em um leilão ela conseguisse aumentar ainda mais os lances. Quem sabe conseguiria passar do 1,1 milhão de libras que Richie Gant conseguira por *Carros Velozes*?...

Por outro lado... E se ela fizesse uma avaliação equivocada e a Pelham fosse a única editora a se empolgar com *O Amor e o Véu*? E se mais ninguém oferecesse lances naquele nível, ou chegassem com valores muito menores? Não havia jeito de saber, mas Jojo lembrou, na mesma hora, que dois agentes literários já haviam dispensado Nathan. Obviamente não tinham visto grande potencial no texto...

Pense com calmacalmacalma. Pareça calmacalmacalma. Nada de ficar ofegante ao telefone.

— Ora, essa oferta é muito generosa — disse Jojo, com a voz calmacalmacalma. — Vou conversar com Nathan e depois lhe dou retorno.

— Esse valor vale somente ao longo das próximas vinte e quatro horas — reagiu Patricia, de forma não tão calmacalmacalma. Aliás, mais parecia revoltadarevoltadarevoltada por Jojo não dar pulos de alegria e responder "SIM!" de imediato. — Depois desse prazo, nós retiraremos a oferta.

— Eu entendi. Obrigada, Patsy. A gente se fala.

Desligou.

Quando a adrenalina a invadia daquele jeito, os pensamentos de Jojo eram sempre claros como água. Ela dispunha de vinte e quatro horas para aceitar a oferta da Pelham. Se rejeitasse, a Pelham ainda poderia participar do leilão, oferecendo lances. *Porém*, ela sabia, por experiência própria, que se eles decidissem participar seria apenas para dar um lance muito baixo, ridiculamente baixo, só por despeito. E sempre havia a possibilidade de eles não oferecerem lance nenhum. Naquele instante eles estavam curtindo um amor à primeira vista com o livro, mas a essa mesma hora, na semana seguinte, toda a empolgação e o desespero iniciais para comprar os direitos poderiam ter diminuído, ou eles poderiam achar que o livro não era tão bom quanto eles haviam considerado inicialmente, ou menos comercial, ou lá o que fosse. Nesse ínterim, todas as outras editoras poderiam esnobar o texto e Jojo ficaria sem contrato algum para oferecer a Nathan Frey. Situações exatamente iguais àquela já haviam ocorrido, não com Jojo, mas com outros agentes. Uma situação desastrosa, todo mundo com cara de bunda e sem grana na mão.

Sua função era aconselhar, mas a decisão final deveria ser de Nathan. Ela pegou o telefone.

— Nathan? Aqui fala Jojo. Acabamos de receber uma oferta da Pelham. Uma oferta alta.

— De quanto?

— Um milhão.

Jojo ouviu um barulho surdo. O fone devia ter caído da mão dele. Em seguida, vieram ruídos de alguém tentando vomitar. Com toda a paciência, ela esperou até ele voltar e perguntar, com a voz fraca:

— Posso telefonar para você daqui a pouco?

Meia hora depois, Nathan ligou.

— Desculpe pelo que aconteceu. Eu fiquei meio tonto. Estive pensando.

Aposto que sim.

— Se eles ofereceram tanto assim logo de cara, alguma outra editora também pode oferecer.

— Não há nenhuma garantia disso, mas estamos no mesmo pé.

— Qual é a sua opinião? Qual é o perfil da Pelham?

— Eles editam livros muito comerciais, são agressivos na divulgação e já lançaram muitos bestsellers.

— Argh. Isso me parece horrível.

— Eles são muito bons naquilo que fazem — Isso se resumia a rodar livros em grande quantidade para vendê-los barato.

— Sabe o que é...? Eu não tenho a mínima ideia sobre o que fazer, Jojo. Não me obrigue a dar uma resposta, *você* é quem deve decidir. — Ele pareceu à beira das lágrimas.

— Nathan, quero que você me ouça com atenção. Trata-se de um jogo. Se dispensarmos essa primeira oferta, talvez não consigamos nada tão alto no leilão.

Ainda com a voz embargada, ele perguntou:

— Você sabe o quanto eu ganhei em todo o ano passado? Nove mil. *Nove mil libras*, apenas. Qualquer coisa que você me conseguir além disso vai ser mais do que imaginei em sonhos.

Será que ele seria capaz de abrir mão de um milhão de libras? Que cara esquisito! Se bem que ele *havia se disfarçado de mulher* e morara no Afeganistão por seis meses. Dava para entender.

— Não decida nada agora, Nathan. Espere até amanhã.

— Já decidi o que fazer. Não entendo nada dessas coisas. Você é a minha agente, a especialista no assunto. Confio em você.

— Nathan, um leilão de direitos autorais não é ciência exata. Sempre existe a possibilidade de as coisas não se encaixarem e você acabar sem nada.

— Confio em você — ele repetiu.

Jojo estava por conta própria. A decisão seria dela.

11:50, terça-feira de manhã
Ela continuara trabalhando — aliás, conseguira duas horas muito produtivas; fizera uma revisão na apresentação da contracapa do novo romance de Kathleen Perry e devolveu o texto, por achá-lo muito piegas; depois, ligou para a editora de Eamonn Farrell, a fim de avisá-la que eles deveriam trocar a data do lançamento do novo livro de Eamonn, para ele não bater de frente com o de Larson Koza; depois disso, lera uma resenha horrorosa sobre o novo romance de Iggy Gibson e telefonou para consolá-lo.

O tempo todo, no entanto, por baixo do ar tranquilo e dos pensamentos velozes, ela se lembrava dos dois cenários opostos que tinha à sua frente, com relação a *O Amor e o Véu*: aceito ou rejeito? Aceito ou rejeito?

A Pelham não era a casa de sua escolha para aquele lançamento. O perfil da editora era tão flagrantemente popular que Jojo tinha dúvidas sobre isso ser o certo para um livro como aquele. Só que um milhão de libras era um milhão de libras. Aceito ou rejeito? Aceito ou rejeito?

Aceito, decidiu. Nesse instante, Manoj a chamou pelo comunicador.

— Aqui é o macaco ensinado. Tem alguma banana que você deseja que eu coma? Quer que eu apresente alguma dança tosca?

— O que quer de mim, Manoj?

— Estou com Alice Bagshawe na linha. — Aquela era outra das seis editoras escolhidas. — Você quer que eu aceite a ligação ou...

— Aceite! — Ouviu-se um *clique*. — Oi, Alice!

— Jojo! *O Amor e o Véu!* — exclamou Alice, quase sem fôlego.

— Eu não lhe disse que o livro era o máximo?

— E é mesmo! Totalmente. Tanto que nós, aqui da Knoxton House, queremos fazer uma oferta avulsa pelos direitos, antes do leilão.

Jojo não conseguiu segurar o sorriso.

— Queremos oferecer um valor sensacional... — Alice pareceu sugar as palavras, para dar mais dramaticidade. O valor é de...

Dois, pensou Jojo. *Dois milhões. Graças a Deus, ela não havia aceitado a oferta da Pelham, de um milhão a menos.*

— ... Duzentas e vinte mil libras. — Alice terminou a frase.

Levou um segundo para a ficha cair.

— *Duzentas e vinte mil?* — perguntou Jojo.

— Isso mesmo — confirmou Alice, confundindo a expressão de choque e pensando que Jojo exprimia uma alegre incredulidade.

— Ahn... Escute, Alice, eu sinto muito, muitíssimo mesmo, mas estou com uma oferta maior do que essa na mão.

— Maior? Maior quanto...?

— Muito, muito maior.

— Jojo, aqui nós chegamos ao limite. Não podemos subir mais.

Então a Knoxton House já era. Bem, pelo menos ainda havia cinco editoras no páreo.

— Para ser sincera, Jojo, não acho que o livro valha muito mais do que nós oferecemos. Você devia pegar a oferta que tem na mão agora mesmo.

— Sim. Obrigada, Alice.

Jojo ficou balançando sobre a cadeira reclinável, envolta em pensamentos. A ligação de Alice abalara muito as suas esperanças.

E quanto às quatro outras editoras que ainda não tinham dado retorno, para que lado elas iriam pular?

Olive Liddy, da Southern Cross, vinha de dois fracassos consecutivos e andava desesperada por um sucesso. Será que ela entraria no jogo com uma gorda soma de dinheiro na mão? Talvez tivesse perdido a ousadia.

Franz Wilder, da B&B Calder, estava por cima da carne-seca: fora eleito Editor do Ano e lançara um dos cinco indicados a Melhor

Livro. Estava preparado para outro bestseller, mas talvez o seu imenso sucesso o tivesse ofuscado e ele não estivesse ávido o bastante.

Tony O'Hare, da Thor, era um grande editor, mas a Thor passara por grandes tormentas recentemente — gente se demitindo e outros recebendo bilhete azul — e a casa estava desarrumada. Precisavam desesperadamente de um sucesso de vendas, mas sua cadeia de comando estava tão confusa, no momento, que talvez eles não conseguissem se organizar a tempo de liberar o cofre para Tony.

E quanto a Tania Teal, da Dalkin Emery? Era uma profissional muito esperta, editora de Miranda England. Não havia motivo algum para ela não alcançar valores elevados.

Só que não havia jeito de Jojo saber com certeza, pelo menos até que eles ligassem para ela. Telefonar para eles era algo absolutamente fora de questão, só serviria para demonstrar uma tremenda falta de confiança.

Preciso me segurar, pensou ela. Tenho que me manter firme.

Não era a primeira vez que ela se via em uma situação como aquela (embora nunca por valores tão altos), e não havia precedentes ruins em sua carreira. Mas o simples fato de tudo ter dado certo nas outras ocasiões não era garantia de que a negociação não poderia dar terrivelmente errado daquela vez.

Os danos seriam incalculáveis, não só para o pobre Nathan Frey, que continuaria sem um tostão, mas para ela também. Orquestrar um fracasso antes mesmo de os direitos de publicação serem vendidos...

As más notícias sempre se espalhavam depressa e a fé que todos colocavam em seu trabalho ficaria abalada. A teia finíssima de relacionamentos que ela construíra entre os editores ao longo dos anos levaria muito tempo para ser reparada.

26

Terça-feira à noite, na cama de Jojo (momento pós-transa)
— Então, o que você vai resolver? — perguntou Mark.
 — O que você faria?
 — Aceitaria a oferta de um milhão de libras.
 — Humm...
 — É um valor estonteante, especialmente para um romance de estreia.
 — Humm...
 — Então é assim?
 — O quê?
 — Você está pensando em recusar, é isso?
 — Sim. Não. Não sei.
 — Você quer alcançar mais do que os 1,1 milhão de libras que Richie Gant conseguiu por *Carros Velozes*, não é? — Mark enroscou as pontas dos dedos entre os cabelos dela. — Esse não é um bom modo de tomar decisões. Se você ficar tentando superar Richie, isso a fará perder objetividade na hora de avaliar.
 — Não pedi seus conselhos — disse ela, com ar arrogante.
 — Pediu, sim. — Ele riu enquanto beijava-lhe os nós dos dedos, um por um. — Esse é o problema de pedir conselhos, Rubra: às vezes você não ouve o que gostaria.
 Jojo levantou a cabeça, afastando-se da mão dele, que estava no emaranhado de seus cabelos, voltou a largar a cabeça novamente sobre o travesseiro e soltou um longo suspiro.
 — Você preferia estar de volta à delegacia onde trabalhava? — provocou Mark. Ele tinha um interesse de menino na antiga rotina de Jojo como policial e sempre tentava convencê-la a falar disso.

— Minha vida não era nem um pouco parecida com o seriado *As Panteras*, sabia? — Ela pareceu ligeiramente irritada. — O que você acharia de ir verificar um corpo em estado de decomposição tão avançado que dava para sentir o cheiro quatro andares abaixo, e ainda ter de vigiá-lo até o vagão aparecer?

— Vagão?

— Ambulância do necrotério. O regulamento dizia que nós deveríamos esperar por ela dentro do apartamento, mas às vezes o cheiro era tão terrível que não conseguíamos. Tínhamos de esperar no corredor do prédio, tentando não vomitar. — Virando-se para olhar para ele, Jojo caiu na gargalhada. — Puxa, Mark, você devia ver a cara de nojo que fez. Viu só no que dá ficar perguntando sobre detalhes sanguinolentos? — perguntou, com o rosto sem expressão. — Às vezes você não ouve o que gostaria.

Ele a beliscou em um lugar muito interessante.

— Não brinque com fogo, a não ser que queira se queimar — avisou ela.

— Eu *quero* me queimar, só que...

— Só que...?

— ... Só que os músculos precisam se recuperar, primeiro.

— Lindamente colocado.

— Enquanto esperamos, descreva para mim esse cheiro tão horrível.

— É o pior que pode existir. Depois de senti-lo, a pessoa nunca mais esquece.

— Dá para deixar enjoado?

— Superenjoado! A primeira cafungada já te deixa engasgado, e você continua enjoado o tempo todo. O cheiro parece penetrar pelos poros, gruda nas roupas e nos cabelos com tanta força que as pessoas sentem o fedor em você depois. Então são *elas* que ficam nauseadas. Por outro lado — explicou ela, com descontração —, às vezes você dá sorte e consegue um defunto fresco, daqueles que morreram há poucas horas. Muitas vezes o morto morava em um apartamento confortável, então dá para assistir tevê durante uma ou duas horas, enquanto espera o rabecão. Quem sabe até tomar algumas cervejas, para acompanhar o presunto. Esse, sim, é um bom dia de trabalho.

— Esse lance das cervejas é brincadeira, não é?

— Não.

Depois de alguns instantes de silêncio, Mark quis saber:

— Isso tudo afetou você, alguma vez?

— As cervejas ou os presuntos?

— Os presuntos.

— Claro.

— Quando, por exemplo?

Depois de alguns instantes refletindo em silêncio, Jojo respondeu:

— Uma menininha de quatro anos, vítima de um desastre de carro, morreu nos meus braços. Eu nem consegui jantar naquela noite.

— Naquela noite? Só naquela noite?

— Tudo bem... Fiquei mal por alguns dias. Ei, não me olhe com essa cara!

— Que cara?

— Como se eu fosse um monstro. Eu *tinha* de ser durona, é assim que a gente consegue segurar a onda. Não podemos ficar ali, morrendo de pena, senão desistimos do emprego em menos de uma semana. Dá pra mudar de assunto, por favor?

— Certo. O que está achando do desempenho de Manoj?

— Ele é legal. Vai dar para quebrar o galho, até Louisa voltar da licença.

— Se ela voltar...

— Não comece!

— E mesmo que ela volte — continuou ele, com ar brincalhão —, tudo vai mudar. Ela vai chegar atrasada quase todo dia e se mostrar muito distraída; ainda por cima, vai feder a vômito de bebê. Vai ficar batendo cabeça de sono durante o expediente, além de ter de sair mais cedo para levar o bebê ao médico. Aposto que ela vai perder o faro para negócios e o instinto assassino.

Jojo o beliscou em um lugar interessante.

— Não brinque com fogo se não quiser se queimar.

— Ora, mas eu quero.

* * *

Depois disso, os dois cochilaram, até que Jojo despertou com um pulo ao ver que já era uma e quinze da manhã.

— Mark, levante-se! Hora de ir para casa.

Ele se sentou na cama, fazendo o cheirinho da sua pele flutuar docemente até ela, envolto em uma onda de calor. Parecia sonolento, mas obviamente já andara pensando a respeito daquilo.

— Por que eu não posso ficar?

— Como assim, ficar...? Simplesmente não ir para casa?

— Sim.

— Quer que sua mulher descubra?

— Isso seria tão ruim assim?

— Claro! Não importa o que vá acontecer, essa não é a melhor maneira de chegarmos lá. — Ela jogou uma meia nele. — Anda logo, vista a roupa e vá para casa.

27

10:00, *quarta-feira de manhã*

O relógio tiquetaqueava sem parar, rumo ao prazo que a Editora Pelham lhe dera para aceitar a oferta. Jojo estava longe de uma decisão.

Devia pegar aquele milhão de libras e perder a chance de conseguir mais? Ou dispensava o milhão e corria o risco de conseguir muito menos?

Não havia jeito de saber com certeza: era uma questão de palpite. Embora o nome certo fosse "jogo de apostas".

Não era nem um pouco diferente das rodadas de pôquer que ela costumava jogar com o pai e os irmãos. Seu pai costumava cantar:

> *Você deve saber o momento de pegá-los,*
> *deve saber quando enrolá-los,*
> *quando sair de fininho...*

— Jojo, Patricia Evans está na linha. Aceito a ligação ou dispenso?

> *... E também o momento de correr.*

— Dispense. Diga que eu ligo para ela em dez minutos.

Jojo passou zunindo pela mesa de Manoj e avisou:

— Vou bater um papo com Dan.

— Seu consultor — disse Manoj. — *Monstrultor* — corrigiu ele, depois que Jojo saiu. Manoj morria de medo de Dan Swann e de seu chapéu de feltro verde engraçado e esquisito.

* * *

Dan estava em sua sala limpando uma das lembrancinhas de guerra com um pano macio. Ainda estava com o chapéu verde na cabeça. Devia ter esquecido de tirá-lo ao chegar da rua. Por baixo dele, o seu rosto era pequeno, fazendo-o parecer um duende travesso.

— Puxa, Jojo, você me pegou em pleno flagra! Estou dando um polimento no capacete.

Jojo nunca sabia ao certo quantas das frases de duplo sentido de Dan eram propositais. Todas elas, provavelmente, mas aquela não era hora para brincadeiras...

— Você me parece estar em meio a algum sufoco, minha jovem.

— Estou mesmo, e preciso desabafar em voz alta: recebi uma oferta prévia de um milhão de libras de Patricia Evans. Devo aceitá-la e perder a chance de ganhar um pouco mais ou devo dispensá-la e me arriscar a sair da briga com as mãos abanando? Você, que é um agente veterano e experiente, o que faz nessa horas?

Dan enfiou a mão no bolso e em seguida a tirou de volta, exibindo uma moeda.

— Cara ou coroa?

— Ah, Dan, estou falando sério!

— Às vezes vou até a sala de Olga Fisher e...

— Por que Olga? Acha que eu devia ir vê-la?

— ... Decidimos no joquempô, aquele joguinho do "pedra, papel ou tesoura".

Jojo fez cara de irritada e Dan continuou a falar, sem expressão:

— Não tenho respostas certas para isso, minha cara. Trata-se de um jogo de puro acaso, e acho que o que você devia fazer é usar a tática daqueles rapazes rudes que dizem: "Qual é o pior que poderia acontecer?"

Jojo considerou a pergunta.

— O pior que poderia acontecer, Dan? Perder um milhão de libras...? Destruir a carreira de um autor...?

— Exato!

— Sim — disse Jojo, pensativa. — Muito obrigada, Dan. Você me ajudou à beça!...

— Resolveu aceitar a oferta?

Jojo pareceu surpresa e respondeu:

— Não.

— Desculpe-me, querida, mas creio que você acabou de dizer que poderia perder um milhão e destruir a carreira de um autor. Foi isso mesmo que eu ouvi, não foi? Caso contrário, talvez eu esteja indo pelo mesmo caminho da tia de Jocelyn Forsyth, aquela que late para a lua.

— Eu disse apenas que isso é o pior que poderia acontecer. Não se trata de uma questão de vida ou morte. Independente do resultado, ninguém vai se ferir. Então é isso, Dan: resolvi pagar para ver. Obrigada.

Girando o corpo cento e oitenta graus, cheia de elegância em seus saltos altos, ela se foi. Dan ficou falando para o ar:

— Essa mulher seria capaz de devorar a própria cria — observou ele, com calorosa admiração.

Mais tarde

Foi um telefonema difícil de ser dado. Patricia não gostou. Nem um pouco. Subitamente, ela recolheu o ar caloroso que sempre reservava para Jojo.

— Você ainda pode participar do leilão na segunda-feira — lembrou Jojo, com gentileza.

— Já ofereci o único lance que pretendia.

— Desculpe. Sinto muito, de verdade. Se você mudar de ideia... Vou estar por aqui, e você tem o meu telefone.

Depois de desligar, Manoj perguntou:

— Como ela aceitou a recusa?

— Ela me odeia.

— Ora, claro que não.

— Odeia, sim. Mas tudo bem, nunca fomos grandes amigas mesmo. Além do mais, da próxima vez que eu estiver com um bom livro nas mãos, ela vai querer saber. Quanto a hoje à noite — continuou ela, mudando completamente de assunto — ... Que aula de ioga eu deveria fazer? Devia pegar a avançada e ficar em pé apoiada em uma perna só como uma garça e suando como uma leitoa ou é preferível escolher aquela outra, em que eu fico deitada no chão, respirando profundamente e bem devagar? Qual devo escolher? O que acha, Manoj?

— Fique deitada, respirando fundo e devagar.

— Resposta certa. Você é um bom garoto.

— Sou um homem, Jojo, um homem! Quando você vai enxergar isso?

Muito depois

Jojo decidiu dispensar a ioga. Ficou tarde e ela poderia deitar no chão e respirar fundo com mais conforto em sua casa, diante da tevê.

Recolheu suas coisas e viu, ao sair do escritório, que as luzes da sala de Jim Sweetman ainda estavam acesas. Por instinto, resolveu dar uma passada lá, para um papo rápido, mas, quando bateu de leve à porta e em seguida a abriu, viu que Richie Gant estava lá dentro, com Jim. Os dois olharam para ela sem expressão e em seguida voltaram a atenção para um alto-falante, de onde vinha uma voz incorpórea e muito profunda que afirmava "Além do mais, sempre existem os direitos residuais".

— Desculpem — sussurrou Jojo, fechando a porta e se afastando dali.

Eram sete e meia da noite. Jim Sweetman e Richie Gant participavam de uma teleconferência. Que diabos estariam aprontando? Com quem poderiam estar falando de negócios àquela hora da noite? Ninguém naquele fuso horário, certamente. O que significava que eles conversavam com alguém que estava *muito longe* dali.

28

11:10, sexta-feira de manhã, reunião semanal com todos os agentes
— Jojo? — perguntou Mark. — Você tem algo novo a relatar?

— Tenho, sim. Miranda England, minha autora, entrou no sétimo lugar da lista dos mais vendidos do *Sunday Times*.

Murmúrios de "Muito bem!" e "Grande notícia!" vieram de
todos à volta da mesa. Apenas Richie Gant ficou calado. Jojo percebeu isso porque ficou com os olhos fixos nele, tentando fazer com
que ele levantasse a cabeça, a fim de receber o seu olhar de júbilo.

Mark foi em frente:

— E você, Richie?

Ao mesmo tempo, Jim Sweetman e Richie se mexeram nas cadeiras, colocando o corpo ereto. Trocaram um olhar de cumplicidade e
Jim concordou com a cabeça na direção de Richie. *Conte a eles.*

Ai, droga!, pensou Jojo. *Ele me deixou para trás mais uma vez.*

— O competentíssimo sr. Sweetman — Richie parecia um vendedor de carros usados enrolando um cliente ingênuo — e o seu setor
de divulgação e vendas para outros meios conseguiram vender os
direitos de *Carros Velozes* para um grande estúdio de Hollywood,
por um milhão e meio de dólares. Estivemos conversando com o pessoal da Costa Oeste a semana toda...

Conversando com o pessoal da Costa Oeste. Richie *adorava* usar
aquela frase. Então foi esse o papo que rolou na noite de quarta-
feira.

— Fechamos o contrato ontem, depois do expediente.

Só nesse momento Richie olhou para Jojo. Lançou-lhe um sorriso falso, de orelha a orelha, que atravessou a mesa e atingiu-a em
cheio.

3:15, sexta-feira à tarde
Manoj interfonou:

— Tony O'Hare, da Thor, está na linha. Aceito ou...

— Aceite!

A adrenalina de Jojo subitamente estava a toda. Aquilo podia ser bom. Mais uma oferta avulsa antes do leilão, talvez. Era um momento estranho para alguém fazer isso, uma tarde de sexta-feira, mas quem sabe...?

— Jojo? É o Tony. Liguei para falar sobre *O Amor e o Véu*.

— Sim? — Prendendo a respiração.

— Sinto muito, mas vou ter de dispensar a sua oferta.

Merda.

— Pessoalmente, eu achei o livro fabuloso, mas estamos apertando os cintos por aqui. Não foi um bom ano, estamos com pouca grana disponível para direitos caros. É uma situação temporária, é claro, mas é nesse pé que as coisas estão. Tenho certeza que você compreende a situação.

— Claro. — Ela precisou pigarrear, para limpar a garganta. — Tudo bem — repetiu, com uma voz mais normal. — Não se preocupe, Tony. Obrigada por me avisar.

— Nada disso, eu é que agradeço por *você* nos enviar o título. Sinto muito, Jojo, de verdade, mas esse é um grande livro e tenho certeza de que você não vai ter dificuldade para vender os direitos dele.

Jojo já não tinha certeza de mais nada.

— E então? — quis saber Manoj, entrando na sala.

— Ele não está interessado.

— Por que não?

— Disse que está de caixa baixa. Abra a janela para mim, por favor?

— Por quê? Você vai pular?

— Preciso de um pouco de ar.

— As janelas são vedadas. Você não acreditou nele?

— É difícil saber, porque eles nunca dizem abertamente que não gostaram de um livro, por medo de ele virar um grande sucesso e todo mundo descobrir que comeram mosca. Vou lá fora fumar um cigarro.

Jojo ficou na rua, inspirando e expirando devagar enquanto fumava, pensativa. Ainda havia três editoras no páreo. O jogo continuava em andamento.

Só que ia adiantar pouca coisa ir à sessão de hipnose daquela noite. Jojo precisava fumar para aguentar aquele fim de semana.

29

3:05, domingo à tarde
Jojo levantou os olhos do jornal de domingo e perguntou a Mark, em um súbito ataque de curiosidade:

— Cassie nunca fica encucada, especulando onde você possa estar?

Mark tinha aparecido pouco depois das dez da manhã. Eles foram para a cama, tomaram um café da manhã completo, voltaram para a cama e agora estavam explorando uma pilha de revistas e jornais. Ele não parecia estar com a mínima pressa de voltar para casa.

Mark baixou a *Harpers* que folheava.

— Eu nunca sumo de casa de repente. Sempre aviso a ela onde estou.

— O que você diz?

— Que estou trabalhando, jogando golfe ou...

— E ela acredita nisso?

— Se não acredita, não me diz nada.

— Talvez ela também esteja aprontando alguma...

— Você acha que ela seria capaz...?

— Isso incomodaria você?

Depois de uma longa pausa, Mark confessou:

— Seria um alívio.

Na verdade, Jojo não conseguia imaginar Cassie tendo um ardente caso extraconjugal. Se bem que os casos extraconjugais não precisam necessariamente ser ardentes, pelo menos não o tempo todo. Cassie talvez curtisse longos passeios ao longo do rio, ou fazer palavras cruzadas ao lado do amante.

Jojo vira Cassie uma única vez, mas isso foi muito tempo antes de ela se interessar por Mark e por isso não prestara muita atenção. Lembrava apenas que ela se parecia exatamente com a professora primária que era: um sorriso simpático e carinhoso, o cabelo curto em um penteado tradicional. Tinha quarenta e poucos anos, mas Jojo só sabia disso porque Mark lhe contara.

Ela e Mark estavam casados havia quinze anos. Jojo conhecia toda a história. Mark era amigo do irmão de Cassie — ainda era — e conheceu Cassie na época em que os três haviam dividido o aluguel de um apartamento.

Jojo muitas vezes se perguntava se Mark ainda a amava; poderia lhe perguntar isso diretamente, mas morria de medo que ele respondesse que sim. Ao mesmo tempo, ficava apavorada com a possibilidade de ele dizer que não.

— Puxa!... — disse Jojo. — Desculpe ter mencionado Cassie. Não tem nada a ver... Agora estou me sentindo culpada.

— Mas...

— Vamos mudar de assunto. Fale algo para me distrair.

Mark suspirou longamente e, por fim, entrou no jogo:

— Tudo bem... Olhe só para ela. — Ele apontou para a foto de uma famosa jogadora de tênis na revista. — Ganha dez milhões por ano em patrocínio; pense só nas comissões. Estamos no negócio errado, Rubra.

— Nós poderíamos *tentar* conseguir a Coca-Cola para patrocinar os nossos autores. Pensando bem, não ia dar certo, pois livros não são exatamente uma mercadoria sexy. — Ela riu ao ver a cara de arrasado que ele fez. — Ahn... Deixe ver, então... Que tal merchandising?

— O quê?

— Ora, você sabe como funciona. Escolha a dedo alguns autores famosos, associe-os a um determinado produto e peça para eles escreverem sobre o tal produto sob uma ótica glamourosa em seu próximo livro.

— Já estou até vendo os protestos da indústria.

— Bem, *no início* essa ideia vai provocar um bocado de barulho, mas a grana sempre fala mais alto.

— Então me dê um exemplo concreto desse merchandising.

Jojo colocou as mãos atrás da nuca e olhou para o teto com ar pensativo.

— Pegue, digamos... Deixe-me ver... Pegue Miranda England, por exemplo. Ela deve vender uns duzentos e cinquenta mil exemplares do seu último livro, contando apenas as edições de bolso. Seu público-alvo, basicamente, são mulheres entre vinte e quarenta anos.

— Que produto seria bom para merchandising, nesse caso?

— Ahn... — Jojo mordeu o lábio inferior, enquanto pensava. — Bem, cosméticos seria a escolha mais óbvia. A protagonista poderia usar uma marca específica. Clinique, por exemplo. — Jojo adorava os produtos da Clinique desde que entrara em uma filial da Macy's, aos dezesseis anos, e fora convidada a experimentar a marca. — Não é preciso esfregar o produto na cara dos leitores, basta um pouco de habilidade para alcançar o objetivo. Isso é mais sutil do que propaganda, e também muito mais direcionado ao cliente final.

— Puxa, você é boa nisso, sabia? — Mark balançou a cabeça para os lados, admirado.

— Estou só brincando — disse Jojo, subitamente ansiosa.

— Eu sei, mas estou curtindo. Vá em frente.

— OK. — Ela começou a se animar. — Homens e carros. Pegue um daqueles livros para homens e coloque o herói dirigindo uma Ferrari. Não, esqueça a Ferrari, é cara demais, as pessoas normais não podem comprá-la. Talvez um Mercedes ou um BMW.

A partir daí, sua imaginação realmente decolou:

— Não, não! — continuou ela. — Já sei! Algo como um Mazda. Um carro de preço médio que esteja precisando criar, talvez, uma imagem mais sexy. Além de colocar o carro dentro do livro, o autor teria que dirigir esse carro por, digamos, um ano. O vilão da história poderia dirigir o carro de uma fábrica rival, que acabaria enguiçando em um ponto vital da história, esse tipo de coisa. As possibilidades são infinitas... Ah, e tem mais uma coisa!... Poderíamos ter marcas oferecendo livros. Não apenas os títulos novos, mas também as reedições de histórias de sucesso poderiam ser patrocinadas. O livro *O Encantador de Cavalos* poderia virar "Coca-Cola traz até você

O Encantador de Cavalos". Ou então "*O Diário de Bridget Jones —* apresentado por Clinique". Eles fazem isso com esportes, por que não funcionaria com livros?

Mark fazia aquela cara de quem sorri sem olhar diretamente para ela.

— Como conseguiríamos convencer nossos autores de sucesso a concordar com isso? Eles são um grupo muito afetado, como você sabe.

— Se a grana for alta... — garantiu Jojo, com ar astuto.

— Você é brilhante! — elogiou Mark e em seguida brincou: — Então, a primeira coisa para a agenda de amanhã será marcar reuniões com fabricantes de carros e distribuidoras de bebidas.

— Ei, a ideia foi minha!

— Que dureza! O mundo dos negócios é mesmo um território selvagem.

Jojo se pôs a pensar no assunto e desabafou:

— Não seria uma coisa horrível?

— Revoltante!

30

Segunda-feira de manhã
Grande dia. Grande dia mesmo. Estava marcada a primeira rodada oficial de lances para *O Amor e o Véu*. Se a rodada fosse boa, como Jojo esperava, ela poderia se estender pela semana toda, com propostas e contrapropostas, telefonemas dela para os editores assistentes, ainda mais telefonemas dos editores assistentes para ela, pausas de tirar o fôlego enquanto eles corriam para os editores gerais, a fim de conseguir mais dinheiro e aumentar os lances, um platô de espera em que pareceria que o frenesi havia acabado, até alguém surgir no último instante com um lance maior, injetando mais adrenalina em todo o processo, e o dinheiro espiralando loucamente até as nuvens...

10:45 da manhã
Tania Teal, da Dalkin Emery, foi a primeira a entrar em campo. Jojo prendeu a respiração e, no silêncio que se seguiu, Tania fez um voleio e lançou a bola:
— Quatrocentas e cinquenta mil libras.
Jojo expirou com força. Nada mal, para começar. Se todos três começassem naquele nível, havia uma chance de começarem a dar lances para cobrir uns aos outros até passarem de um milhão.
— Obrigada, Tania. Ligo de volta assim que receber as propos tas dos outros interessados.
Jojo desligou. Sentia-se ótima!

11:05 da manhã
Olive Liddy, da Editora Southern Cross, foi a seguinte.

— Pode atirar! — disse Jojo.

— Cinquenta mil.

Jojo congelou e, assim que conseguiu descongelar, a primeira coisa que fez foi soltar uma gargalhada, embora o assunto não tivesse graça alguma.

— Entrei na rua errada? — perguntou Olive, com uma voz miúda.

— Querida, você não entrou nem mesmo no bairro certo.

— Vou ver o que posso fazer.

— Hummm. — Jojo sabia que não ia mais ouvir a voz dela para falar sobre aquilo. Sua avaliação inicial de Olive fora correta: a recente cadeia de fracassos acabara com o seu sangue-frio.

11:15 da manhã
Eis que chega Franz Wilder, Editor do Ano.

— Queria oferecer três ponto cinco.

— Trezentas e cinquenta mil? — *E não três libras e meia? Era melhor confirmar logo de cara, considerando o rumo das coisas.*

— Isso mesmo. Trezentas e cinquenta mil libras.

Graças a Deus. Ainda havia dois jogadores em campo.

— Uma oferta considerável, Franz. Não foi a maior que eu recebi hoje, mas chegou perto. Se você preferir ligar mais tarde com um lance mais alto, eu...

— Não.

— Não o quê?

— Essa é a minha última oferta.

— Mas...

— Eu poderia transformar esse livro em um grande sucesso, como você sabe... — Franz disse isso bem devagar, para fazer ressoar a mensagem.

O astral de Jojo despencou, despencou, continuou despencando, desceu pelo seu corpo, atravessou as solas dos sapatos e foi parar na sala dos designers gráficos, no andar de baixo. Isso é que dava lidar com editores com cara de intelectual que vestiam blusões pretos de gola rulê e coçavam o queixo com ar pensativo ao falar. Assim que conseguiam alguns prêmios, começavam a se achar os reis da cocada preta.

— A verdade, Franz — reagiu Jojo, forçando-se a falar um pouco mais alto —, é que Nathan é um autor quente, muito promissor e todo mundo quer fazer parte desse sucesso.

— E o livro é excelente. Eu conseguiria extrair todo o potencial dele.

— Ah, tenho certeza que sim, Franz — concordou Jojo, de forma calorosa —, mas é que...

— É a minha oferta final, Jojo.

— Sim, mas... — Se ao menos ela conseguisse levantar o lance dele ao nível do de Tania, dava para forçar a barra e elevá-lo ainda mais.

— Não, Jojo. É só isso.

— Então está bem. Obrigada. — O que mais ela poderia argumentar diante daquilo? — Vamos considerar suas palavras e sua posição. Se Nathan resolver que prefere ganhar menos dinheiro em troca da sua tarimba, Franz, você certamente será informado.

Pode esperar sentado, pensou ela, desligando e sentindo a força vital se esvair dela. A ficha caiu e a verdade terrível apareceu; subitamente ela se sentia sem controle, caindo em um vácuo. Sobrara só uma editora no jogo: Tania Teal. *Como é que eu posso promover uma guerra de lances com um só licitante?*

Como as coisas haviam chegado àquele ponto?

Tirando a possibilidade de mentir para Tania e dizer-lhe que havia outras pessoas na jogada arrancando os cabelos e oferecendo mais, não havia como alavancar novos lances. O problema é que mentir era terrivelmente antiético, além de existir uma grande possibilidade de o tiro sair pela culatra: Tania poderia já estar perto do seu limite e decidir não subir mais — e Jojo acabaria com as mãos abanando.

Então, a coisa acabava ali? Dou-lhe uma, dou-lhe duas, dou-lhe três! Vendido para Tania Teal por quatrocentas e cinquenta mil libras? Apenas quinhentas e cinquenta mil libras a menos do que a oferta inicial de Patricia Evans. Puxa, menos da metade. *Por Deus!*

Jojo não podia ligar para Tania, pelo menos não tão depressa. Eram só onze e meia de segunda-feira de manhã — a coisa *não podia* estar encerrada, assim tão depressa. Algum deles *tinha* de ser recuperado. Devia haver alguma coisa que ela pudesse fazer.

Ela engoliu em seco para evitar a sensação de náusea que lhe subia pela garganta. Estraguei tudo, admitiu a si mesma. Minha percepção foi totalmente equivocada. Eu deveria ter aceitado a oferta de Patricia Evans logo de cara.

Patricia Evans!, lembrou ela, como se uma lâmpada tivesse acabado de se acender sobre a sua cabeça. Eu poderia tentar uma nova oferta dela. Talvez ela não oferecesse tanto quanto antes, ou até mesmo não oferecesse nada, mas *qualquer coisa* serviria para colocar aquilo de volta nos trilhos.

Subitamente ela se sentiu loucamente esperançosa, mas foram necessárias três tentativas desajeitadas antes de conseguir abrir seu caderninho de telefones. Enquanto ouvia o telefone tocar, Jojo ensaiou mentalmente o tom da voz; queria parecer bem casual e amigável. "Oi, Patsy", diria ela. "Liguei só para lembrar a você que hoje é o último dia do leilão para O *Amor e o Véu*." Não havia necessidade de mencionar a oferta prévia de um milhão de libras nem a raiva de Patricia ao se sentir rejeitada. Ao longo dos anos, Jojo aprendera que, quando você agia como se as coisas estivessem correndo do seu jeito, às vezes as pessoas engoliam a sua versão.

Mas Patricia não estava em sua sala. Ela poderia estar em um monte de lugares aceitáveis — em uma reunião, no dentista, no toalete, mas Jojo se sentia tão paranoica que teve a certeza de que Patricia estava ao lado da sua assistente, fazendo mímica das palavras "Diga a ela que eu morri!".

Jojo desligou e tentou analisar as coisas em sua devida proporção. Quatrocentas e cinquenta mil libras era uma fantástica soma em dinheiro; ela mudaria a vida de Nathan Frey para sempre.

Mas ela poderia ter conseguido muito mais para ele, e quanto maior o adiantamento, maiores seriam também o marketing e as verbas publicitárias, pois os editores sempre queriam garantir o retorno do dinheiro gasto.

Sua terrível sensação de perda não tinha relação apenas com o dinheiro, mas com o fato de ela ter estragado tudo. Ela estava certa do sucesso daquele livro, de que ele bateria recordes de venda e seria a chance de fortalecer sua carreira. Que pensamento horrível — talvez a chance tivesse passado. Sem ela notar, talvez tivesse perdido a maior chance que já lhe aparecera e estragara tudo. Um milhão de libras era muita grana e ela rejeitara a oferta. *Onde estava com a cabeça?*

E se aquilo arruinasse suas chances de virar sócia da firma? E se Richie Gant conseguisse isso antes dela? Ele ingressara na empresa havia apenas oito meses, enquanto Jojo já tinha dois anos e meio de casa, mas ele ia muito bem, ao passo que Jojo não...

O pânico fechava o cerco em volta dela, ameaçando asfixiá-la, e Jojo se obrigou a ter pensamentos razoáveis. Ninguém havia morrido, ninguém estava ferido. Todos vão estar mortos um dia e tudo perderá a importância. E havia ainda a frase clássica dos perdedores: "Ganha-se uma, perde-se outra."

Só que não era nem um pouco agradável perder alguma coisa, ainda mais quando todo mundo ia ficar sabendo. Ela precisava manter aquilo em segredo. Se Richie Gant descobrisse, ela nunca ia parar de ouvir sua gargalhada de desdém.

Manoj entrou na sala e reparou na expressão de seu rosto.

— Ah, não!

— Ah, sim!...

— Conte-me tudo.

— Agora não. Vou sair para comprar alguma coisa.

— Comprar o quê?

— Qualquer coisa.

31

Jojo quase comprou uma cestinha de lixo para o banheiro; era em plástico azul e exibia pequenos golfinhos em relevo, mas, depois de pegá-la e entrar na fila do caixa, ela percebeu que se sentia completamente abatida.

Voltou quase cambaleando para o escritório, comeu um croissant de queijo com presunto e ficou olhando sem esperança para os flocos da massa folhada que caíam e ficavam grudados na mesa.

Quando Manoj interfonou avisando sobre uma ligação, o seu coração quase pulou do peito... Será que era Patricia Evans?

— Olive Liddy na linha um.

— Eu só tenho uma linha.

— E daí? Isso não significa que ela não esteja na linha um.

Jojo suspirou, com ar cansado.

— Eu atendo... Olive? O que posso fazer por você? *Quer acrescentar umas quinhentas mil libras ao seu lance?*

— *O Amor e o Véu?* Espero que não seja tarde demais. Queria fazer uma oferta.

— Ué... Você bateu com a cabeça em algum lugar, Olive? Você já deu o seu lance. Eu até ri do valor, lembra?

— Quero aumentá-lo.

— Para quanto?

— Seiscentas mil.

— Como?!... Ei, o que houve com você, Olive? — *Como conseguiu aprovação para mais quinhentas e cinquenta mil libras em três horas?*

— Eu avaliei mal as qualidades do livro. Calculei errado.

Nesse instante Jojo compreendeu. Olive tinha esperança de que ninguém mais estivesse interessado na obra e ela conseguisse pegá-la por uma pechincha. Que cara de pau! Mas tudo bem... A bola estava novamente em campo.

— Eu lhe dou retorno mais tarde.

Segunda-feira, 3:07 da tarde

— Tania? Conseguimos alguns lances maiores do que o seu.

— Maiores quanto...?

— Você sabe que eu não posso lhe contar, nesse momento.

— Jojo!

— Seiscentos.

— Tudo bem. Eu ofereço setecentos.

— Obrigada. Já lhe dou retorno.

3:09 da tarde

— Olive? Consegui outro lance. Maior que o seu.

— Maior em quanto, exatamente?

— Você sabe que eu não posso lhe contar, nesse momento.

— Quanto, Jojo?!...

— Setecentos.

— Dou oitocentos, então.

3:11 da tarde

— Tania? Conseguimos outro lance que cobriu o seu.

— Preciso de um tempo. Não tenho bala na agulha para subir mais.

— E quando você me dá essa resposta?

— Logo.

Terça-feira, 10:11 da manhã

— Jojo, é Olive. O livro é meu?

— Estou à espera de um retorno final da outra parte interessada.

— Preciso saber logo.

— Já ligo de volta.

10:15 da manhã

— Tania, vou ter que apressar você.

— Desculpe, Jojo. Estamos tentando entrar em contato com o editor-chefe. Só posso liberar mais grana com a autorização dele, mas ele está velejando pelo Caribe.

— E em quanto tempo você me dá retorno?

— Eu lhe dou uma resposta ainda hoje, antes do fim do expediente.

4:59 da tarde

— Olive, é Jojo. Dá para você segurar sua oferta até amanhã de manhã?

— Bem, não sei...

— Por favor, Olive. Somos velhas amigas.

— Tudo bem.

Quarta-feira, 10:14 da manhã

— Tania?

— Jojo? Escute, ahn... Desculpe eu não ter ligado ontem mesmo, conforme prometi. É que até agora eu não consegui falar com o nosso editor.

— Sinto muito, Tania, mas a outra parte está me pressionando para ter uma resposta definitiva.

— Me dê mais algumas horas, até depois do almoço. Por favor, Jojo, a gente já se conhece há um tempão.

2:45 da tarde

— Jojo?

— Tania?

— Novecentas.

2:47 da tarde

— Olive?

— Jojo?

— Novecentas mil é o lance que está na ponta.

— Porra! Eu achei que o livro já era meu. Bem, vou ter que consultar o pessoal acima de mim, na cadeia alimentar, para conseguir mais grana.

— E quando você me dá retorno?

— Logo.

2:55 da tarde
— Jojo, é a Becky. Tirei um cochilo na hora do almoço e sonhei que todos os meus dentes haviam caído. O que significa isso? Medo do quê? Compromisso sério? Morte?

— Medo de que todos os seus dentes caiam. Estou atolada, preciso desligar, Becky.

Quinta-feira, 10:08 da manhã
— Jojo, é Tania.

— Continuo à espera de respostas dos outros licitantes.

— É que eu preciso saber, entende? Novecentas mil é muita grana e eu sei que Olive Liddy é a outra parte interessada.

— O que a faz pensar assim?

— As notícias correm e eu sei que ela não vai conseguir mais nada do pessoal acima dela. Eles andam desesperados por lá. (Tania fora dispensada pela Southern Cross depois de um fracasso inesperado e sua mágoa ainda era grande.)

— Por favor, Tania, você pode me dar pelo menos até depois do almoço?

— Duas e meia, então. Depois disso, eu tiro o meu time de campo.

10:10 da manhã
— Olive, é Jojo.

— Sim, eu sei. Desculpe, mas vamos ter uma reunião de emergência hoje à tarde com o diretor de vendas e com o pessoal do marketing e da publicidade. Ligo de volta para você assim que resolvermos.

— Não dá para vocês fazerem essa reunião um pouco mais cedo? Está todo mundo no meu pé por aqui e...

— Não dá. Nosso gerente de marketing está neste exato momento removendo uma unha encravada. Ele estava com essa consulta marcada há vários meses, e só sai da cirurgia lá pelo meio-dia e meia. Ele disse que vem direto para cá. Por favor, Jojo, é como você mesma disse ontem: somos velhas amigas.

— Sim, eu sei, mas preciso de uma decisão rápida, senão vou ser obrigada a entregar os direitos para a outra parte.

— É aquela vaca da Tania Teal, não é? Não lhe dê ouvidos, porque ela não tem peito para cair fora numa hora dessas.

— Escute...

— Três e meia. Juro que ligo de volta nessa hora. É o melhor que eu posso prometer.

2:29 da tarde
— Aqui é Manoj. Tania Teal está na linha.

— Mas ainda não são duas e meia!

— O que eu falo para ela?

— Alguma coisa. Qualquer coisa. Consiga-me uma hora.

— Perna quebrada?

— Nada que pareça tão sério assim.

— *Suspeita* de fratura?

— Isso! Mande essa.

3:24 da tarde
— Jojo, você não vai acreditar no que aconteceu.

— Oi, Becky! Escute, eu...

— Eu estava em uma reunião hoje de manhã e adivinhe o que aconteceu? Um dos meus dentes caiu. Ia abrir a boca para falar alguma coisa quando senti um dente rolando solto na boca, como se fosse uma bolinha de gude. Foi igualzinho ao sonho!

— Mas como é que um dente simplesmente despenca assim...?!

— Não foi exatamente um dente, foi uma coroa. Mas não importa, isso talvez prove que eu tenho poderes paranormais.

— Essa coroa andava meio mole ultimamente?

— Não. Quer dizer, só um pouquinho, mas...

— Becky, sinto muito... Um beijinho, mas eu preciso desligar.

3:31 da tarde
— Jojo, é Olive. Tudo bem... — Uma pausa e o som de inspiração profunda. — Um milhão.

3:33 da tarde
— Tania, eles fizeram um lance de um milhão.

— Um milhão? Como é que eles podem ter autorizado toda essa grana para uma palerma como aquela? Ela mal consegue descobrir como é que se tira uma bala de dentro do saquinho.

— Você está dentro ou fora?

— Dentro, mas vou ter que mexer mais alguns pauzinhos. Por falar nisso, como vai a sua perna?

Agora que Jojo conseguira colocar os lances novamente no patamar de um milhão de libras, que era a oferta inicial, seu astral se elevara como uma pipa com vento a favor.

— E agora, o que acontece? — quis saber Manoj.

— Por hoje é só, mas os adversários voltarão ao campo amanhã. As duas editoras amaram o livro *e*, para melhorar as coisas, está rolando uma guerrinha de egos, o que só pode ser bom para nós.

— Como pretende celebrar isso hoje à noite? Ioga?

— Ioga, uma ova. Sexo selvagem com o meu namorado. *Merda, ela não devia ter dito aquilo. O alto-astral fez com que ela perdesse a cautela.*

— Quem é ele? — gemeu Manoj.

— Deixa pra lá.

— É Richie Gant, não é?

— Não. Ele é o *seu* namorado.

— Mas era seu namorado antes; deu um chute na sua bunda, você ficou arrasada e ligava dez vezes por dia para ele, implorando para ele voltar.

Jojo o ignorou e passou a escova nos cabelos.

— Como eu estou?

— Incline o corpo, jogue os cabelos para a frente e depois volte.

Jojo olhou para ele com frieza.

— Manoj, você deve me achar uma idiota completa.

—Não! Ajuda a dar mais volume nos cabelos. Eu não sugeri isso só para poder ver o seu decote não... OK — admitiu ele, depois de um segundo. — Não foi *apenas* para olhar o seu decote.

7:15, quinta-feira à noite, ainda no prédio em que Jojo trabalha
Ela descobriu que não ia ver Mark aquela noite assim que esbarrou com o rapaz de entrega de flores no saguão.

— Por onde você andou? — perguntou ele. — Eu já estava de saída da loja. Só trabalho até às sete, você sabia?

— Esse arranjo é para mim? — Ela olhou para as flores. — Ai, que merda!

— Obrigado pela gentileza!

Enfiando as flores debaixo do braço, junto com a garrafa de champanhe que, pelo visto, ela ia ter de beber sozinha, Jojo ligou o celular. Havia três mensagens de Mark; o pônei da pequena Sophie pisara no pé da menina e quebrara dois dos seus dedinhos. Mark garantiu que sentia terrivelmente (primeira mensagem). Ele estava realmente arrasado por não aparecer (segunda mensagem). Jojo estava dando gelo nele? (terceira mensagem).

Ela ligou na mesma hora.

— Cassie podia ter levado Sophie ao médico — explicou Mark —, mas estava tão preocupada que me pediu para ir com ela.

Dava para reconhecer a agonia em seu tom de voz: sua menininha estava com muitas dores e queria o papai junto dela. Jojo deu um suspiro; como ela poderia ficar chateada?

— Sábado? Domingo? — perguntou Mark.

— Você não pode aparecer amanhã à noite? É o dia da minha sessão de hipnose para parar de fumar, mas eu quero uma desculpa para não ir.

— Desculpe, Jojo, mas marquei de levar aqueles editores italianos para jantar. Se não quer ser hipnotizada, simplesmente não vá. Você não precisa de desculpas.

— Tem razão. Tudo bem, que tal sábado, então? Diga a Sophie para se manter longe daquele cavalo idiota, e se não aparecer nenhum outro membro quebrado, eu espero você.

Sem ter mais nada programado para a noite, Jojo ligou para Becky, mas tanto o número de casa quanto o do celular estavam na caixa postal, então ela ligou para Shayna.

— Vamos sair — topou Shayna.

— E você consegue uma babysitter assim, em cima da hora?

— Babysitter? Eu não preciso arrumar uma babysitter, tenho Brandon. Escute, Brandon! Vou sair com Jojo para tomar uns drinques.

— Quer que eu vá para o seu bairro? — perguntou Jojo.

— Não! Você não deve vir a um dos pubs aqui perto da minha casa, a não ser que pretenda levar um tiro. Que tal o King's Head, em Islington, daqui a uma hora?

— Certo, a gente se encontra lá.

Elas conversaram a respeito do leilão, sobre o quanto Jojo odiava Richie Gant, Shayna contou da impotência de Brandon e então, alguns drinques mais tarde, Jojo deu com a língua nos dentes e contou a Shayna sobre o encontro com Mark, que não acontecera.

— Isso não é nada bom, garota. — Shayna balançou a cabeça, com ar de desprezo.

Shayna estava com pena dela, pelo que Jojo percebeu. Rindo de leve, reclamou com a amiga:

— Ei, Shayna, não me *olhe* com essa cara!

— Estou apenas lhe dizendo o que eu penso. Se não gosta dessa situação, vire o jogo. Sabe o que eu acho que você devia fazer? — Shayna se animou e, sem dar chance de Jojo retrucar, decretou: — Você devia trazê-lo para nos conhecer... Eu e Brandon, Becky e Andy. É isso que os casais fazem: conhecem os casais amigos um do outro.

— Mas ele é *casado*.

— Eu sei, mas, se gosta tanto de você como parece, vai aceitar nos conhecer.

— *Você* é quem está querendo conhecê-lo. Nada disso, Shayna...

— Mas você precisa começar a levar uma vida normal. Podemos todos sair para comer fora no domingo, que tal? Peço à minha mãe para preparar o almoço e ficar lá em casa cuidando dos pestinhas. Vamos encher a cara e nos enturmar. Uma e meia está legal para você?

Minha nossa!

— Não, Shayna. Meu tempo com Mark é precioso demais. Não quero dividi-lo com mais ninguém.

— Uma e meia. — Shayna empinou o queixo.

— Não. — Jojo olhou com firmeza para Shayna.

— Uma e meia.

— Não.

— Uma e meia.

— Não.

— Uma e meia.

— Não.

— Uma e meia.

— Não.

— Ai, pelo amor de Deus!

— Que foi?

— É uma das irmãs Wyatt.

Jojo virou a cabeça para olhar a multidão que saía do teatro e entrava no bar e viu uma loura alta.

— É Magda! — A favorita de Jojo. De Shayna também.

Magda as avistou.

— Jojo! Como vai, sua garota de arrasar? — Elas se abraçaram. — E Shayna! Que legal tornar a encontrar você!

Ela não foi tão simpática com Shayna quanto foi comigo, pensou Jojo.

— Becky também está por aqui?

— Não, só nós duas — murmurou Shayna, parecendo pedir desculpas.

— Vamos fazer uma ceia em algum lugar. — Magda fez um gesto indefinido para a nuvem de pessoas lindas que a rodeavam. Eram sete ou oito homens e mulheres perfeitos. — Juntem-se a nós — convidou ela, colocando a mão sobre o braço de Jojo e lançando-lhe um ar de súplica.

O convite parecia sincero, mas Jojo não achava correto entrar de penetra no grupo de ninguém e deu uma desculpa esfarrapada sobre acordar muito cedo no dia seguinte.

— Se tem certeza, tudo bem, mas quero que prometa que você vai me telefonar para marcar de sairmos. Vamos lá! Prometa!

Logo em seguida, Magda saiu e o salão pareceu muito menos exuberante.

— Ela foi mais simpática com você do que comigo — disse Shayna, baixinho.

— Sim, eu sei, ela foi mesmo. E me chamou de "garota de arrasar".

Houve um momento de silêncio e então as duas quase caíram uma em cima da outra, desequilibradas de tanto rir.

— Sabe o que nós duas somos? — Concluiu Shayna: — Patéticas!

32

Sexta-feira de manhã

Tania tornou a ligar com mais cinquenta mil, o que era menos do que Jojo esperava. Então Olive contrapropôs mais vinte mil.

— Por que você ficou tão jururu? — perguntou Manoj. Mas ele sabia. — Você acha que não vai conseguir ultrapassar os 1,1 milhão de libras que Richie Gant conseguiu por *Carros Velozes*?

— O leilão ainda não acabou.

Mas o lance seguinte foi de apenas dez mil libras a mais, e Olive contrapropôs outras dez. As duas editoras estavam quase no limite e os lances pararam em 1,09 milhão.

— Você precisa de mais dez mil — calculou Manoj.

— Vinte. Quero ultrapassá-lo, não apenas empatar com ele.

Mais cinco de Tania se seguiu, depois cinco de Olive — e então Jojo conseguiu extrair mais três mil libras de Tania! Ultrapassou a marca histórica de Richie. Por muito pouco, mas não importava.

Pouco a pouco, Jojo conseguira arrancar lances sucessivamente maiores até que as duas empacaram na casa do 1,12 milhão de libras.

— Vinte mil a mais que ele — observou Manoj. — Agora você já pode parar.

Mas Jojo teria de parar, de qualquer jeito. Não havia mais dinheiro e, como os lances estavam empatados, ia acontecer uma espécie de concurso de beleza, no qual Nathan iria analisar as duas editoras, que armariam um circo para seduzi-lo, até ele decidir de qual gostava mais.

Foi Manoj quem fez as ligações.

— Na quinta-feira que vem — informou —, vocês vão à Dalkin Emery às dez da manhã e depois à Southern Cross às onze e meia.

* * *

Sexta-feira à meia-noite, no apartamento de Jojo
A campainha tocou. Era Mark. Ele despachara o grupo de italianos barulhentos para a noite londrina e apareceu na casa de Jojo sem avisar.

— Queria ver você. Já me livrei dos italianos — gritou ele meio bêbado, falando no interfone. — Vim de táxi.

— O que quer de mim? Uma medalha?

Jojo estava feliz por vê-lo, feliz *de verdade*, mas não queria que Mark pegasse o hábito de passar na casa dela para uma rapidinha sempre que desse vontade, antes de ir para casa dormir com sua esposa.

Ela ficou parada na porta vendo-o subir o último lance de escadas.

— Foi sorte sua eu não estar com o meu outro namorado aqui em casa, sabia?

Ele chegou ao último degrau e a puxou com força para junto de si, com o ardor típico das pessoas que estão de porre.

— É melhor mesmo que não haja ninguém com você.

— Rá! O cara casado está me dizendo que é melhor eu não ter mais ninguém!

— Tem razão. — Com alguma dificuldade, ele pegou o celular no bolso. — Isso já foi longe demais. Vou dizer a Cassie agora mesmo que eu amo você e...

Jojo agarrou o telefone.

— É melhor me dar isso aqui, seu bobão bêbado. Já que está aqui, tenho planos para você.

Vinte minutos depois
Jojo rolou para o lado, saindo de cima dele. Os dois estavam grudentos de suor e muito ofegantes.

— Essa foi... Essa foi... — O peito dele arfava.

— Pavorosa?

— Isso mesmo. E para você?

— A pior da minha vida.

— Você ficou toda acesa por causa desse leilão, não foi?

— Foi — concordou ela. — Toda aquela testosterona...

— Você se arriscou muito.

— Mas deu certo.

— Quer dizer então que você planejou tudo para derrotar Richie Gant?

— *É claro* que sim.

Ela encostou a ponta da língua no ombro dele. Sal sobre a pele lisa. Depois, enterrou o rosto na lateral do seu pescoço e inspirou fundo para sentir-lhe o cheirinho. Nossa, ele era delicioso!

5:45 da manhã seguinte

Os dois acordaram assustados, ao mesmo tempo, olharam para o relógio e em seguida um para o outro, com os olhos arregalados e os cabelos emaranhados e arrepiados de medo.

— Merda! — disse Jojo. — Mark, depressa, levante-se. Vá para casa!

— Caraca! — Pálido e obviamente de ressaca, Mark disparou porta afora, vestindo-se pelo caminho. — Ligo pra você mais tarde.

— Tudo bem. Boa sorte.

Poucos segundos depois, Jojo ouviu a porta da rua bater; ele devia ter descido os cinco lances de escada fazendo bodysurf pelos degraus. Seu estômago parecia uma pedra de tanto medo; era a hora da verdade. Cassie ia sacar, Mark acabaria contando tudo, depois falariam com os filhos. Seria horrível! Ele sairia de Putney e se mudaria para o apartamento de Jojo, eles virariam um casal comum e Jojo não tinha certeza de já estar preparada para tudo aquilo.

Levou uma eternidade para aquele dia passar, enquanto Jojo aguardava notícias dele. Foi para a aula de ioga, imaginando que os exercícios seriam tão puxados que tirariam seu pensamento daquela espera. O que funcionou de forma admirável, mas só por uma hora. Ao voltar para casa, ela meio que esperava encontrar Mark parado na porta, à sua espera, ao lado de uma mala. Isso não aconteceu. Nenhum recado. Aquilo não era bom. Falta de notícias era mau sinal. Mark e Cassie provavelmente estavam presos em um horrível carrossel de lágrimas e recriminações mútuas. As entranhas de Jojo se apertaram só de pensar na cena.

Ela obrigou Becky a sair com ela para fazer compras. Passaram a tarde toda no Whiteleys, com Jojo conferindo o celular a cada quinze minutos, à espera de alguma mensagem. Nada. Para piorar, ela odiava a sensação de impotência por não poder ligar para ele.

Finalmente, Mark deu sinal de vida e ligou na noite de sábado, quando Jojo estava na casa de Becky e Andy.

— É ele? — perguntou Becky, fazendo mímica das palavras com os lábios e arregalando os olhos de expectativa.

Jojo fez que sim com a cabeça, de forma brusca.

— É ele! — cochichou Becky para Andy e os dois ficaram sentados juntos, de mãos dadas, como se esperassem o resultado de um exame de câncer.

Jojo se levantou e foi para o corredor para poder falar.

— E então? O que houve? Fomos descobertos?

— Não.

Ela expirou com força. Era a primeira vez que ela conseguia soltar a respiração por inteiro, o dia todo. Mas a sensação de alívio foi uma espécie de desapontamento. Em sua cabeça ele já estava morando com ela, e Jojo aceitara a ideia. Para falar a verdade, ficara muito feliz com aquilo.

— Conte-me tudo.

Parece que Cassie dormira direto a noite toda e só percebeu que Mark não estava em casa no instante em que ele chegou esbaforido às cinco para as sete da manhã com uma desculpa toda ensaiada na cabeça: "Trabalhei até tarde, depois fui me encontrar com os italianos barulhentos no hotel, acabei cochilando no sofá macio da suíte deles e aqui está o telefone dos caras, se você não acreditar em mim."

Mas Cassie acreditou nele. Jojo chegou à conclusão de que a mulher de Mark era mais burra do que ela imaginava. Jojo e Mark passaram a maior parte do domingo dominados por uma sensação de *post-mortem*.

— Essa passou perto demais — concordaram os dois ao avaliar tudo. — Precisamos tomar cuidado para isso nunca mais tornar a acontecer.

Mas aconteceu novamente, quatro noites depois. Apesar da terrível ansiedade provocada pelo episódio anterior, não foi o fim do mundo; eles haviam escapado do sufoco numa boa. E conseguiram escapar novamente na vez seguinte.

33

Quinta-feira de manhã, na Dalkin Emery

Jojo saiu do elevador e comandou Nathan para que ele a seguisse.

— Certo. — Ele engoliu em seco e colocou o pé para fora do elevador de modo inseguro, pisando pela primeira vez no solo sagrado da Dalkin Emery. Sentiu vontade de beijá-lo.

— Não fique nervoso. — Jojo massageou-lhe os ombros com os dedos, de leve. — Eles são apenas editores que querem lhe oferecer toneladas de dinheiro para publicar o seu romance. A maioria dos escritores seria capaz de cometer assassinato para estar no seu lugar.

Jojo seguiu fazendo "click-clicks" com a ponta do salto alto pelo corredor afora e lançou um olhar sorridente e descontraído para a recepcionista.

— Bom-dia, Shirley.

— Bom-dia, Jojo.

— Este é Nathan Frey.

Shirley lançou um sorriso educado para o sujeito muito pálido e com ar estupefato, o qual, por sinal, era o motivo de ela ter sido obrigada a chegar ao trabalho às sete e meia da manhã naquele dia, só para espalhar areia por todo o salão da sala de reuniões.

— Eles já estão na sala de reuniões. Vou avisá-los da sua chegada.

— Eu sei o caminho, Shirley.

— Sim, deixe eu só...

Mas Jojo já saíra do balcão, com Nathan trotando mansamente atrás dela.

* * *

Reunidos na sala de reuniões, estavam todos os executivos da Dalkin Emery, o diretor de vendas, o diretor de divulgação e seus auxiliares, bem como a editora assistente, Tania Teal, e o editor geral. *O Amor e o Véu* era o lançamento mais importante daquele ano.

— Droga, a Jojo sempre se atrasa! — reclamou Tania, enfiando a cabeça para fora da porta e trazendo-a de volta rapidinho para avisar: — Nossa, ela está vindo pelo corredor!

Houve um rápido tumulto enquanto todos se preparavam; segundos depois, Jojo apareceu na porta conduzindo Nathan, que tentava sorrir, apesar das gotas de suor sobre o lábio superior.

Dick Barton-King, chefe de vendas, empinou o corpo e olhou através da redinha de sua burca. Conseguiu ver muito pouco, o que foi uma pena: ele adorava Jojo.

Por baixo dos quilômetros de pano escuro embolorado, ele nadou com os braços, tentando achar a bainha da roupa, colocar a mão para fora e fazer os cumprimentos. Detestava ter de usar aquele troço, uma ideia do departamento de marketing — *só podia* ser! Por que um daqueles idiotas não estava usando aquele manto estranho? Como é que haviam conseguido ficar com a roupa mais interessante, as toalhas de mesa brancas enroladas em torno da cabeça?

Ele nem ao menos ganhara uma das metralhadoras de brinquedo que Tania Teal saíra pessoalmente para procurar e comprar. Não era justo.

Os lançamentos de livros "grandes" se tornavam um evento mais elaborado a cada dia, pensou Jojo. Vamos esquecer o chão cheio de areia e os enfeites afegãos pendurados em toda parte; vamos ver a quantidade de grana reservada para o marketing do romance.

Todos se sentaram e a equipe de divulgação entrou em ação, falando de anúncios na televisão, um tour publicitário de três semanas, uma primeira edição de cem mil exemplares e garantia de resenhas nos jornais bem conceituados.

— Será que o *Observer* vai querer me entrevistar? — Nathan parecia estar adorando tudo.

— Sim — garantiu Juno, chefe da equipe publicitária. — Tenho certeza de que podemos arranjar isso. — Bem, talvez eles conseguissem. *Provavelmente.*

Algumas ideias sobre a capa foram apresentadas, em meio a gestos empolgados, e também pôsteres imensos e projeções de vendas astronômicas. Até mesmo Jojo, muito acostumada ao circo para lançamento de livros, teve de reconhecer que aquela era uma apresentação impressionante.

Quanto a Nathan, estava tão estupefato que houve um momento em que Jojo pensou que ele fosse desmaiar.

Quando acabou a apresentação, toda a equipe da Dalkin Emery os observou indo embora.

— Acho que deu tudo certo — comentou Tania Teal, baixinho, enquanto abria o zíper da bota e fazia uma pequena pirâmide de areia no chão.

— É... — concordou Fran Smith, sua assistente, suspirando ao olhar em volta e ver toda a areia que teria de limpar.

Jojo pegou um táxi com Nathan e o levou à Southern Cross, onde Olive Liddy e sua equipe fizeram uma apresentação completamente diferente. Nada de areia, nem de burcas ou metralhadoras. O papo era "prêmios literários".

Embora oferecessem o mesmo adiantamento da Dalkin Emery pelos direitos autorais de Nathan, eles haviam determinado um orçamento muito mais baixo para publicidade. Fizeram isso parecer algo positivo.

— A superexposição pode arruinar um livro — argumentou Olive, com ar sério. — Bons livros não precisam de anúncios em shoppings e estações de metrô. Eles falam por si mesmos.

Ao ser pressionado por Olive, Nathan confessou que não, ele não desejava se juntar a nomes como John Grisham e Tom Clancy, com exibição maciça em aeroportos, livrarias e listas de bestsellers. Concordou que construir uma boa reputação baseada em resenhas elogiosas e recomendações boca a boca tinha muito mais a ver com *ele*.

No fim da reunião, Jojo levou Nathan até o pub mais próximo e fez um balanço da manhã:

— Mesmo livros maravilhosos como o seu podem se beneficiar da propaganda — opinou ela.

— O livro é meu — rebateu Nathan, ligeiramente contrariado e com a cabeça transtornada pela ideia de ganhar prêmios literários. — Quero assinar com a Southern Cross.

Opa, lá vamos nós, pensou Jojo. Já começara a sessão vaidade.

34

Sexta-feira de manhã
— Saiu! — disse Manoj, balançando na mão um exemplar do *Book News* e atirando-o sobre a mesa de Jojo. — Está na página 5.

Book News, 2 de março

RECORDE ABSOLUTO

Os direitos de publicação de *O Amor e o Véu*, romance de estreia que se passa no Afeganistão, foram vendidos a Olive Liddy, da Editora Southern Cross, por 1,12 milhão de libras, a maior soma já paga na Grã-Bretanha para o primeiro livro de um escritor. Descrito pela sra. Liddy como "o livro da década", seu autor, Nathan Frey, é um ex-professor que viveu como mulher no Afeganistão durante seis meses, a fim de fazer pesquisas para o livro. A venda foi intermediada pela agente literária Jojo Harvey, da Lipman Haigh, que dá continuidade à sua recente série de sucessos. Ela também representa Miranda England, que está em primeiro lugar na lista dos livros de bolso mais vendidos da semana com o seu quarto romance. Dizem que Tania Teal, a editora da Dalkin Emery que perdeu o leilão dos direitos, está "arrasada".

Arrasada era uma boa palavra para descrever o seu estado, pensou Jojo. Tania Teal chegou a soluçar quando Jojo ligou, na véspera, para lhe dar a má notícia. Aquela era uma das piores coisas do seu trabalho: ser obrigada a decepcionar as pessoas. A verdade, porém, é que só podia haver um vencedor.

— Manoj, dá para você ir até a esquina para comprar um bolo?

— Vamos celebrar?

— Não, é que Louisa vem nos visitar hoje à tarde trazendo a sua filhinha, Stella.

Manoj ficou abalado.

— Louisa? — Apesar do susto, não perdeu o rebolado. — Então quem sabe ela consiga me dizer onde foi que enfiou o contrato de Miranda England. E você me disse que ela era eficiente!...

9:45, sexta-feira de manhã
Jocelyn Forsyth bateu à porta de Jojo.

— Meus parabéns, minha cara.

— Obrigada.

Já está tudo acertado? Incluindo as letras miúdas do contrato etc. etc.?

— Quase. Estamos só cobrindo com rede.

— Cobrindo com rede...?

Ah, não...

— Esse é um daqueles maravilhosos termos jurídicos que você gosta de usar? — quis saber ele.

— Não. É uma expressão usada pelos bombeiros — explicou Jojo.

O rosto dele se encheu de interesse e curiosidade, então Jojo completou:

— Quando o incêndio finalmente é debelado, os bombeiros precisam manter o prédio seguro, então eles instalam uma rede de plástico para impedir que as janelas despenquem.

— Cobrir com rede... *Fantástico!*

O próximo a chegar foi Jim Sweetman, que fez o seu glorioso sorriso desfilar por todo o escritório.

— Meus parabéns! Seria interessante você vender os direitos para o cinema.

— Isso significa uma viagem a Los Angeles? — quis saber Jojo.

— Depende de como anda o seu jogo de golfe.

— Meu jogo de... *golfe*?

— Isso mesmo! Você tem de jogar golfe para se enturmar com os caras de Hollywood.

10:56, sexta-feira de manhã

— Soube que fez um belo gol, Senhorita Sortuda.

Jojo levantou a cabeça. Richie Gant estava em pé na porta da sala e ela pousou a caneta sobre a mesa.

— Que gol? Está falando do meu contrato de 1,12 milhão para Nathan Frey?

— Não foi um golpe de sorte?

— Foi sim. — Jojo sorriu. — Sabe o que acontece...? Quanto mais eu trabalho, mais a sorte aparece.

A boca dele pareceu se mover como se estivesse prestes a emitir algum som, mas não conseguiu articular as palavras. Estava visivelmente abalado.

— Ahm... — Jojo deixou a cabeça tombar meio de lado. — Você precisa de um abraço de consolo? — Ela olhou para o relógio. — Está na hora da nossa reunião semanal. Quer que eu o ajude a chegar lá? — Ela tentou colocar a mão sobre o ombro dele, mas Richie se esquivou e saiu.

Durante a reunião, houve muita agitação por conta do contrato de Jojo, o "livro da década". Os sócios, em especial, estavam muito animados, pois receberiam uma porcentagem da comissão, mas até mesmo os agentes comuns pareciam empolgados, com exceção de Richie Gant.

— Com esse já são quantos os "livros da década"? — perguntou ele. — Devem ser uns seis.

Essa observação provocou mal-estar. Todo mundo tinha ciúme, mas a maioria das pessoas era esperta o bastante para guardar o sentimento apenas para si.

— Você não tem espírito esportivo? — protestou Dan Swann.

— O que vocês esperavam? — protestou Jocelyn Forsyth, com a voz esquisita e meio esganiçada. — O cara é um novato. Devíamos esporrar esse sujeito para fora daqui.

— Punhetar — sussurrou Jojo, ao sentir o silêncio constrangedor que baixou sobre a sala. — Punhetar, não esporrar.

Sexta-feira à tarde
A partir das duas e meia, as funcionárias da Lipman Haigh se amontoaram na sala de Jojo. Até mesmo Lobelia French e Aurora Hall deixaram o ódio por Jojo de lado. Todas traziam meias de lã minúsculas, agasalhos cor-de-rosa, macacõezinhos jeans e camisetinhas com estampas cintilantes de diversas princesas.

— Ai, você não tem vontade de vestir uma roupinha dessas? — suspirou Pam.

— O tempo todo.

De repente, Louisa apareceu na porta e sorriu.

— Oooiiii!!...

— Seu cabelo — gritou Jojo. Os cabelos sempre curtos de Louise haviam crescido e emolduravam o seu rosto, fazendo-a parecer mais jovem e doce do que Jojo lembrava.

— Olhem só!... — Louisa indicou a trouxinha que trazia no colo. — Deixem meu cabelo pra lá. Que tal isto?

— Mostre pra gente! — guinchou Pam.

— Formem fila — ordenou Jojo. — *Atrás* de mim. Eu comprei o bolo, tenho o direito de ser a primeira. — Oi, lindinha! — Ela se inclinou para beijar Louisa. — Meus parabéns! Agora, me deixe pegar o bebê.

— Diga "oi" para a titia Jojo — ensinou Louisa, entregando Stella.

— Uau! — Jojo olhou para o rosto minúsculo, as pestanas muito pretas e os olhos azuis que pareciam fora de foco.

— Ela não é linda? — perguntou Louisa.

— Linda! E o cheirinho dela é fantástico! — Era um aroma de talco e leite. Aliás, Louisa também cheirava a talco e leite; logo ela, que costumava trabalhar em meio a uma nuvem de Dior.

— Posso pegá-la agora? — implorou Pam.

— Depois sou eu! — insistiu Olga Fisher.

Enquanto todo mundo arrulhava em cima de Stella, Manoj distribuía bolo e lançava olhares de esguelha para Louisa.

— Louisa — disse ele de repente, em voz alta. — Já que você está aqui, saiba que não conseguimos encontrar o contrato de Miranda England. Você faz alguma ideia de onde ele possa estar?

— Hein?!... — Louisa sorriu vagamente. — Miranda quem?!...

— Miranda England. Sabe o último contrato que ela assinou? Você lembra onde ele foi arquivado?

— Não, não faço ideia. — Outro sorriso indefinido.

E está pouco ligando, percebeu Jojo.

Nesse instante, Mark entrou e o aglomerado de mulheres se abriu à sua passagem.

— Parabéns! — Ele beijou Louisa e olhou para baixo. — Estou vendo que ela é a cara da mãe.

— Quer segurá-la no colo?

Mark, com todo o cuidado, pegou Stella e a acalentou por alguns instantes em seus braços. Em seguida, sorriu e disse baixinho:

— Olá, princesa!

Minha nossa. O pedaço de bolo que estava a caminho da boca de Jojo ficou parado em pleno ar e depois caiu de volta sobre o prato de papelão.

— Que gracinha! — exclamou Mark, com carinho, acariciando o rosto de Stella com a ponta do dedo, até que Louisa riu e disse:

— Detesto ter que estragar esse momento, mas é melhor eu ir andando.

— Como assim? Você já vai?!... — todos perguntaram, alarmados.

— Vim de ônibus para poder amamentá-la no peito, mas se não sair agora eu vou acabar presa no engarrafamento da hora do rush e levarei horas para chegar em casa.

— Fique mais um pouquinho — pediu Olga Fisher.

— Não posso mesmo, gente.

— Tudo bem. — Relutantes, todos se despediram e voltaram para suas respectivas salas.

Jojo recolheu os presentes, acompanhou Louisa até o elevador e perguntou, só para ter a chance de receber a pergunta de volta:

— Você está bem?

Louisa exibiu outro daqueles sorrisos de bem-aventurança e disse:

— Jojo, nunca estive mais feliz em toda a minha vida. Estou totalmente nas nuvens.

— Eu continuo saindo com Mark.

— Ele é um homem adorável. Reparou como foi maravilhoso com Stella?

Ah. Tudo bem. A reação que Jojo esperava de Louisa não ia acontecer, nem naquele dia nem nunca. Louisa não era a mesma, era outra pessoa, alguém encantada e cativada por uma trouxinha. Cá entre nós: todo o tempo em que esteve na sala de Jojo, a única pessoa que Louisa realmente havia fitado olho no olho tinha sido Stella, apesar de o bebê mal conseguir enxergar o que havia à sua volta.

Ela beijou Louisa e aconselhou:

— Mantenha contato até voltamos a nos ver em... Quando é mesmo que você volta?... Junho?

— Humm... Acho que é junho. Até lá, então.

— Puxa! — disse Manoj, atropelando as palavras, ao ver Jojo de volta. — Você viu só o que aconteceu?

— Não. O que foi?

— Quando Mark Avery segurou o bebê, todas as mulheres fizeram "Ahhhh!...". Elas todas seguram recém-nascidos o tempo todo e ninguém fica dizendo "Ahhhh!...". Que diabo foi aquilo?

Jojo o avaliou.

— Diga-me você! — Ela queria saber o porquê de a visão de Mark quase babando em cima de Stella acabara com o seu apetite.

— É óbvio!

— Porque ele pareceu másculo, mas ao mesmo tempo gentil?

Ele olhou para cima, com ar de impaciência.

— Nada disso! É porque Mark é o chefe. Todas fizeram aquilo para puxar o saco dele.

Quatro semanas depois

— Talvez seja melhor você dar uma olhada nisto aqui. — Pam entregou uma pilha de papéis a Jojo. — Acho que são os originais de um livro.

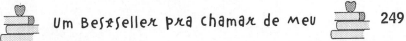

— Você *acha*?

— É... Parece um monte de e-mails e rascunhos.

— Não ficção?

— Não exatamente. O interessante é que a pessoa que escreveu o material não é a mesma que nos enviou. A autora se chama Gemma Hogan, mas foi Susan, uma amiga dela, quem nos mandou tudo para avaliação.

— Esse tipo de material não tem nada a ver conosco.

Pam encolheu os ombros e avisou:

— É melhor você dar uma olhada. Não tenho certeza, mas acho que isso pode resultar num grande livro.

Lily

Embora eu mesma tenha feito a escolha, nunca vou me perdoar. Sei que isso parece terrivelmente melodramático, mas é apenas uma declaração sincera. Muitas vezes (isso acontece até hoje) eu preferia nunca tê-lo conhecido. Aquela foi a coisa mais terrível que eu fiz em toda a minha vida, e mesmo agora, sabendo que estamos juntos e temos Ema, eu muitas vezes me pego no meio de uma tarefa comum, preparando a mamadeira de Ema, lavando o meu cabelo ou fazendo qualquer outra coisa, e percebo que continuo à espera de uma catástrofe iminente. Construir a própria felicidade em cima do sofrimento de outra pessoa não me parece uma boa base para um relacionamento estável e de longo prazo. Anton diz que isso é resquício de culpa católica. Só que eu não fui criada no catolicismo. Pelo visto, não precisaria ser para sentir isso.

35

Jornalistas. Em minha curta carreira como entrevistada, conheci dois tipos de jornalistas. Uns exibiam as suas credenciais de profissionais "sérios" andando pela rua vestidos como mendigos (um visual ao qual eu inadvertidamente aderi, desde que me tornara mãe). Os outros eram o oposto: pareciam passar a vida toda frequentando recepções em embaixadas estrangeiras. A mulher que naquele instante entrava pela minha porta — Martha Hope Jones, do *Daily Echo* — pertencia à segunda categoria, a dos convidados de embaixadas. Usava um terninho vermelho com botões dourados e dragonas franjadas nos ombros, além de sapatos altíssimos no mesmo tom da roupa. Eu me perguntei como será que ela conseguia aquilo. Talvez tivesse procurado uma daquelas empresas que organizam casamentos e tingem os sapatos das damas de honra *exatamente* com a mesma cor dos vestidos. Não que eu conhecesse muito sobre esse assunto.

— Seja bem-vinda à minha humilde morada — disse e quase mordi a língua, na mesma hora. Não queria destacar o quanto a minha casa era humilde: um quarto e sala de conjunto residencial onde morávamos Anton, Ema e eu.

Quando Otalie, a minha consultora publicitária na Dalkin Emery, marcou aquela entrevista, eu implorei para me encontrar com Martha num hotel, num bar, num ponto de ônibus — qualquer lugar, menos ali. O problema é que se tratava de uma entrevista do tipo "fulano em sua casa" e eu não tive escolha.

— Que delícia de lugar! — declarou Martha, enfiando o nariz na porta da cozinha e reparando nos dois varais carregados de roupas que se recusavam terminantemente a secar.

— Puxa, não era para você entrar aí! — Fiquei vermelha de vergonha. — Finja que não viu.

Mas Martha já pegara a bolsa (do mesmo tom exato de vermelho dos sapatos), puxara um bloquinho lá de dentro e escrevera alguma coisa nele. Tentei ler de cabeça para baixo e me pareceu que uma das palavras era "chiqueiro".

Eu a conduzi à sala de estar, que Anton — graças a Deus — havia arrumado. Bem, na verdade, ele empilhara quarenta ou cinquenta dos bichinhos de pelúcia de Ema em um canto e em seguida usara uma lata inteira de aromatizador de ambientes com cheiro de pêssego em toda a casa, para disfarçar o fedor de roupa mofada.

Martha se atirou no sofá e um centésimo de segundo depois gritou "Ai, meu Cristo!", pondo-se novamente em pé rapidinho, como se pelo efeito de uma mola. Nós duas rimos ao ver a pecinha de Lego que fora a causadora do doloroso amassado na lataria traseira de Martha.

— Desculpe, é da minha garotinha...

Martha escreveu mais alguma coisa no bloquinho.

— Você não usa um gravador? — perguntei.

— Não. Acho que com o bloquinho a coisa fica mais íntima. — Ela brandiu a caneta com um sorriso. Claro que sim, sem falar na sua liberdade para distorcer minhas palavras o quanto quisesse.

— Onde está a sua filhinha? — Ela olhou em volta da sala.

— Foi para o playground com o pai. — Onde, aliás, eles iam brincar nos balancinhos até eu ligar e avisar que o caminho estava livre. Eu não poderia envolvê-los naquilo.

Martha aceitou o chá, recusou os biscoitos e então a entrevista começou:

— Ora, ora!... Você melhorou muito de vida, não é mesmo? Hein?... — Seus olhos pareciam pequenas bolas de gude, só que muito mais brilhantes e ávidos. — Você e o seu *As Poções de Mimi*?

Do jeito que ela falou, parecia que eu havia aplicado um golpe em milhares de leitores crédulos. O pior é que eu não fazia a menor ideia de como responder àquilo. "Sim, eu me dei muito bem, obrigada"? Será que eu não iria parecer arrogante? Do mesmo modo, se eu encolhesse os ombros e dissesse "Meu livro não é nada de especial, eu não descobri a cura do câncer", será que ela fecharia o bloquinho e iria embora na mesma hora?

— Eu li parte da sua biografia, mas tenho certeza de que você já sabe que os perfis dos entrevistados que Martha Hope Jones cria passam longe do trabalho dos repórteres comuns e sensacionalistas. Prefiro começar do nada e ir obtendo uma visão clara, até conhecer quem Lily realmente é e descobrir sua *verdadeira* personalidade.

Ela fez um gesto de escavar com a mão e eu concordei com tudo, meio desconfiada. É claro que eu não queria que ela descobrisse a verdadeira Lily.

— Você não foi sempre uma escritora, certo, Lily?

— Não. Até dois anos atrás eu trabalhava na área de relações públicas.

— É *mesmo*?! A cara de surpresa que ela fez foi um insulto, embora eu soubesse que não parecia nem um pouco com a típica imagem de quem trabalha com RP.

Gente dinâmica, que pensa rápido, constrói imagens positivas e defende pessoas ou instituições com unhas e dentes. Pessoas que devem *transmitir a sensação* de dinamismo, pensamento rápido e positividade; sempre de terno, cabelo de quem acabou de sair do salão e maquiagem feita por um profissional. O problema era que, mesmo no auge do meu modesto sucesso, a bainha das minhas saias sempre se descosturava sozinha de modo misterioso e meus cabelos compridos e louros sempre se soltavam do coque e caíam dentro do café no meio de reuniões importantes. (Aliás, esse foi o motivo de meu gerente parar de me convidar para reuniões com novos clientes. Ele mentia para eles, dizendo sempre que eu estava na fisioterapia.)

— Em que área de construção de imagens você atuava? — quis saber Martha, intrigada. — Cantores de um sucesso só? Atores de novela decadentes?

— Não, nada assim tão importante. — Juro que eu não tentei ser engraçada.

Construção de imagem é, na verdade, uma tentativa de fazer com que cantores/atores/modelos sem talento, desajeitados e malvestidos alcancem as páginas de jornais ou revistas. Se fosse só isso...! Trabalhar com relações públicas também significa vender leite em pó para africanos pobres, insistindo que aquilo é melhor para os bebês que leite materno. É a pessoa encarregada das relações públicas de um fabricante de cigarros que informa aos governos fracos que uma população de fumantes é uma boa estratégia econômica, pois todo mundo morre antes de alcançar a terceira idade e precisar de aposentadorias e cuidados geriátricos. É um comunicado à imprensa escrito por um relações-públicas talentoso que consegue convencer uma comunidade que não importa se o seu abastecimento de água está sendo envenenado pelos dejetos químicos de uma fábrica, porque ela está trazendo novos empregos para a região.

Propaganda e propinas para políticos só vão até um determinado ponto. Na hora de a onça beber água e o indefensável precisar de defesa era sempre eu que aparecia para resgatá-los com meus comunicados à imprensa.

Minha solidariedade para com pessoas prestes a abrigar imensos depósitos de lixo tóxico nos arredores da cidade ou uma rodovia movimentada passando atrás do quintal de casa era sincera. Como resultado disso, meus comunicados transmitiam convicção; para minha vergonha, eu era muito boa no meu trabalho e inúmeras vezes eu *sonhava* com um ou outro artista que simplesmente precisasse de uma levantada na carreira.

— Então você trabalhava na área de relações públicas. — A caneta de Martha fazia hora extra rabiscando loucamente no bloquinho sem ao menos levantar do papel. — Onde você morava?

— Dublin, no início, mas depois me mudei para Londres.

— O que foi fazer na Irlanda?

— Minha mãe foi morar lá quando fiz vinte anos e eu fui com ela.

— E agora resolveu voltar para a Inglaterra? O que houve?

— Cortes nas despesas. Eu fui demitida.

A culpa disso foi minha. Fiz um trabalho tão espetacular em duas campanhas gigantescas que as duas empresas envolvidas conseguiram o que queriam e minha firma perdeu seus dois clientes mais lucrativos. Isso coincidiu com uma diminuição de empregos na área de relações públicas na Irlanda, e eu não consegui trabalho. Para ser franca, eu me senti incrivelmente aliviada. Trabalhar naquela área me deixava muito deprimida.

— Minha mãe voltou a morar na Inglaterra, então eu vim também. Comecei a trabalhar como freelance e... — parei de falar.

— ... E então foi assaltada — incentivou Martha.

— É... E então fui assaltada.

— Você conseguiria me falar um pouco a respeito disso? — perguntou Martha, apertando a minha mão com a dela, sua voz assumindo um repentino e novelesco tom de "eu me importo com você".

Fiz que sim com a cabeça. Não que eu tivesse dúvidas. Se eu evitasse falar sobre a única parte realmente dramática da minha história, não haveria entrevista, muito menos uma reportagem de duas páginas em cores no quarto jornal mais vendido da Grã-Bretanha. Descrevi tudo em poucas palavras, deixando de fora o máximo que consegui e correndo para o final, a parte em que o cara me empurrou no chão e fugiu com minha bolsa.

— Ele foi embora achando que você estava morta? — Martha rabiscava furiosamente no bloquinho.

— Ahn... Não. Eu desmaiei, mas acordei logo, levantei e fui para casa.

— Sim, mas você *poderia* estar morta — insistiu Martha. — Como é que ele podia saber ao certo?

— Talvez. — Eu encolhi os ombros, relutando em concordar.

— E, embora as feridas físicas fossem curando aos poucos, as cicatrizes psicológicas permaneceram, certo?

Engoli em seco.

— Eu me senti abalada.

— Abalada? Você deve ter ficado arrasada. Terrivelmente traumatizada! Não ficou?

Concordei de forma obediente e com ar cansado.

— O estresse pós-traumático tomou conta de tudo. — Martha escrevia cada vez mais rápido. — Você não conseguiu mais sair para trabalhar, não foi?

— Bem, eu trabalhava como freelance na época...

— Mas mal conseguia colocar a cara na rua...

— Bem, eu conseguia...

— E deixou de tomar banho? Deixou de se alimentar?

— Mas eu...

— Simplesmente não conseguia ver sentido em mais nada em sua vida.

Parei para pensar. Soltei o ar e tentei mais uma vez:

— Às vezes eu me sentia assim, mas nem sempre eu...

— E foi nesse lugar sombrio e solitário que você divisou um tênue ponto luminoso. Foi como uma visão que a levou a se sentar e escrever *As Poções de Mimi*.

Outra pausa e eu acabei desistindo.

— É, foi mais ou menos isso. — Ela não precisava de mim para escrever aquela parte.

— Então uma agente a aceitou, lhe conseguiu uma editora e pronto! Você virou um sucesso da noite para o dia!

— Não exatamente. Eu já vinha escrevendo havia cinco anos, em meu tempo livre, e já conseguira até terminar meu primeiro romance, mas ninguém o queria...

— Quantos exemplares de *As Poções de Mimi* foram vendidos até agora?

— Os últimos números estão na casa dos 150.000. Pelo menos esse é o total que saiu da gráfica.

— Ora, ora... — Martha se maravilhou. — Quase um quarto de milhão.

— Não, são só...

— Aproximadamente, é claro. — Seu sorriso de tubarão não admitia argumentos. — E você escreveu o livro em um mês.

— Dois meses.

— Dois? — Ela pareceu desapontada.

— Isso é muito rápido para um livro. Levei mais de cinco anos para escrever meu primeiro romance, que ainda não foi publicado.

— E você tem seguidores devotados, segundo me contaram. É verdade que alguns dos seus fãs formaram grupos de leitura em sua homenagem e se autodenominam "bruxos"?

Bem, eu ouvira que um grupo de zuretas em Wiltshire, cansados de bancar os druidas, havia realmente feito isso. Provavelmente os mantos brancos de druidas eram mais difíceis de manter limpos do que as roupas escuras de bruxos. De qualquer modo, concordei. Sim, eles se diziam bruxos.

Subitamente, a Dama de Vermelho mudou de tática:

— Apesar disso, os críticos nem sempre foram muito gentis com você, certo, Lily?

Ela estava fazendo a mesma cara de falsa solidariedade. Eu preferia ser esmagada por um rolo compressor.

— Quem se importa com a opinião dos críticos? — afirmei, com ar resoluto. Na verdade, *eu* me importava. E muito. Sabia de cor parágrafos inteiros das resenhas brutais que haviam saído depois que os exemplares de *As Poções de Mimi* começaram a vender mais que banana em fim de feira, levados pela divulgação boca a boca. Quando o livro foi lançado e ninguém levava fé que ele fosse vender mais de dois mil exemplares, uma resenha elogiosa em estilo "prêmio de consolação" apareceu no *Irish Times* e me amaldiçoou com um monte de falsos elogios. O sucesso comercial, porém, motivou uma súbita liberação de veneno por parte das colunas literárias. O *Independent* o chamou de...

— Algodão-doce para o cérebro — disse Martha.

— Sim — concordei, com humildade. Eu sabia de cor o texto inteiro. *Esse romance de estreia é um ridículo subproduto da atual onda de textos que tentam apelar para a sensibilidade. Uma "fábula" que fala de uma bruxa do bem, a Mimi do título, que chega inesperadamente a uma vila pitoresca e monta uma loja para fornecer poções mágicas para os habitantes e suas várias neuroses.*

— E o *Observer* disse que...

— "É tão doce que pode provocar cáries nos leitores" — eu terminei por ela. Eu tinha lido. Na verdade, poderia recitar a resenha toda, de ponta a ponta. — Por favor — pedi. — Eu escrevi o livro só para me animar. Como poderia imaginar que alguém iria querer publicar? Se não fosse por Anton, eu nunca o teria mandado para Jojo.

A caneta de Martha adquiriu mais velocidade.

— Como você conheceu Anton, o seu marido?

— Ainda não nos casamos. — Jornalistas distorciam tudo de qualquer jeito, mas eu precisava, ao menos, tentar mostrar tudo às claras. Odiava ler entrevistas cheias de fatos imprecisos a meu respeito porque me preocupava com as pessoas poderem achar que eu estava mentindo (em estilo "Já fumei maconha, mas nunca traguei", "Lutei no Vietnã" etc.).

— Como você conheceu o seu *fiancé*, Anton?

— Trabalhávamos juntos — expliquei, torcendo para ela não me pedir para exibir um anel de noivado.

Martha me olhou fixamente.

— Mas vocês vão se casar?

Fiz alguns ruídos vagamente positivos, mas a verdade é que fazia pouca diferença, para mim, se íamos nos casar ou não. Em contrapartida, meus pais são grandes partidários da instituição do casamento. Gostam tanto da ideia que fazem isso o tempo todo; mamãe já se casou duas vezes e papai, três. Tenho tantas meias-irmãs e meios-irmãos que uma reunião de família iria parecer um dos últimos episódios de *Dallas*.

— Onde você conheceu Anton? — Martha tornou a perguntar.

Qual seria a melhor resposta para isso?

— Eu o conheci por meio de uma amiga em comum.

— E essa amiga em comum gostaria de ter o nome publicado? — Os olhos dela brilharam.

— Ahn, não. — Acho que ela não iria querer não.

— Oh. Tem certeza?

— Tenho. Obrigada, mesmo assim.

Martha se mostrou alerta, pois sabia que por trás disso havia alguma coisa e eu tive uma sensação estranha, como se tivesse engolido gelo. Eu odiava, odiava, *odiava* dar entrevistas. Ficava aterrorizada de descobrirem coisas do meu passado e, se aquele nível de invasão em minha vida continuasse, era exatamente o que iria acontecer.

Mas ela deixou o assunto morrer. Ao menos por ora.

— Em que Anton trabalha?

Outra pergunta perigosa.

— Ele e o seu sócio, Mikey, dirigem uma produtora chamada Eye-Kon. Foram eles que fizeram *O Último a Tombar* para a Sky Digital. É um reality show, já ouviu falar? — perguntei, esperançosa.

Só que ela nunca ouvira falar. Ela e outros sessenta milhões.

— No momento eles estão planejando um especial de uma hora e meia para a BBC e o Channel Five. ("Especial de uma hora e meia" significava um filme feito diretamente para a tevê, só que "especial de uma hora e meia" soava muito melhor.)

Só que Martha não estava interessada nos altos e baixos da carreira de Anton. Bem, pelo menos eu tentara com vontade.

— Tudo bem, acho que já temos muito material para o artigo. — Ela fechou o bloquinho e correu para o banheiro. Enquanto ela estava fora da sala, eu dei uma repassada em tudo o que contara e o que não contara e tentei lembrar se havia toalhas limpas no banheiro.

Eu a acompanhei até o portão da rua no primeiro andar e passamos pela porta de Paddy Porra-Louca, que morava no térreo. Torci para ele não aparecer no corredor, mas é claro que foi exatamente o que aconteceu, pois ele não perdia nada do que rolava no prédio e adorava se divertir. Pelo menos ele não era agressivo e dei graças a Deus por isso. Para ser franca, ele pareceu muito alegre, pois elogiou Martha e suas roupas chamativas em carmesim e declarou:

— Uau! Está vindo inspiração para uma canção.

— "A Dama de Vermelho." — Martha balançou a cabeça, com ar bem-humorado. — Isso acontece muito comigo.

Mas, em vez de concordar, Paddy Porra-Louca começou a cantar:

— Botei meu SAPATINHO... Na janela do QUINTAL...

Tarde demais eu reconheci a melodia e minha cabeça acompanhou a letra, cantando mentalmente. "Papai Noel deixou meu presente de NATAL."

— Ignore-o. — Eu sorri para ela toda alegrinha e apertei sua mão. — Obrigada por vir à minha casa.

— ... Como é que Papai Noel...

— A equipe de imagens vai mandar alguém para tirar fotos suas.

— ... Não se esquece de ninguém...

— Foi um prazer conhecer você. — Ela me lançou um sorriso sombrio.

— ... Seja rico ou seja pobre...

— Obrigada, até logo.

— ... O VELHINHO SEMPRE VEM.

Assim que ela saiu, voltei para casa, respirei fundo algumas vezes e liguei para o celular de Anton.

— A barra está limpa, pode voltar para casa.

— Estou indo, amorzinho.

Dez minutos depois, ele entrou meio torto pela porta, em meio a joelhos e cotovelos. A pequena Ema dormia a sono solto, pendurada no colo do pai. Entre sussurros, ele a colocou em seu berço e fechou a porta do quarto devagarzinho.

Ao chegar à cozinha, Anton tirou o casaco. Por baixo, ele usava um suéter de cashmere cor-de-rosa que papai mandara, para o caso de eu ser convidada para o programa de entrevistas do *Graham Norton*. (Papai não vive exatamente em um mundo de fantasia, mas é um visitante assíduo.) O suéter era muito curto e apertado para Anton, e revelava uns quinze centímetros de barriguinha sarada e uma linha de pelos pretos que desciam a partir do seu umbigo. Cody certa vez descrevera Anton como o homem mais malvestido que já conhecera, mas eu não concordava tanto assim com isso. Rosa era definitivamente a cor em que ele ficava melhor.

— Essa roupa aqui é *sua*. — Ele puxou a ponta do suéter com ar de surpresa. — Desculpe, amorzinho, mas eu me vesti correndo e pensei que essa aqui fosse uma daquelas minhas roupas que encolheram. E, então, como foram as coisas com a sua visita?

— Não sei dizer ao certo. Talvez não muito mal, pelo menos até ela se encontrar com Paddy Porra-Louca.

— Ca-ra-ca! De novo? O que houve dessa vez? Ele a convidou para sair?

— Não, ele cantou "O Bom Velhinho" para ela.

— Mas ainda estamos em abril.

— É que ela veio toda vestida de vermelho.

— Mas estava de barba branca?

— Não.

— Precisamos nos mudar daqui. Sobrou algum biscoito?

— Sobraram todos.

— Eu não entendo isso...

— Nem eu. — A primeira entrevista importante que eu dei me deixou morrendo de vergonha, pois todo mundo ficou sabendo que eu oferecera apenas chá ou café e nada de biscoitos. Desde então, em uma tentativa tardia de me recobrar, comprávamos os biscoitos mais caros que encontrávamos cada vez que um jornalista aparecia, mas nenhum deles comia nada.

36

Falando de Anton... A coisa mais importante, e isso deve ficar bem claro, é que eu não sou uma mulher sedutora. Para ser franca, sou a menos *fatale* das *femmes*. Se houvesse uma competição disso, eu acabaria em último lugar, ou então uma nova categoria teria de ser inventada especialmente para mim.

Vou lhes contar a história sucinta de como tudo aconteceu. Eu fui criada em Londres e, depois de vários anos de tormento, meus pais acabaram se separando. Eu tinha quatorze anos. No ano em que eu completei vinte, a minha mãe se casou com um irlandês do tipo "boçal, mas gente fina" e resolveu ir morar com ele em Dublin. Embora eu já tivesse idade suficiente para morar sozinha, também fui para Dublin e acabei fazendo várias amizades, sendo que uma das minhas melhores amigas era Gemma. Depois de viver à custa de mamãe e seu namorado, Peter, por um ano e pouco, eu me organizei, consegui um diploma em comunicação social e arranjei um emprego fazendo comunicados de imprensa para a Mulligan Taney, a maior empresa de relações públicas da Irlanda. Só que, depois de trabalhar para eles por cinco anos, perdi o emprego e não consegui outro. Isso foi mais ou menos na época em que mamãe e Peter se separaram. Mamãe voltou para Londres e eu — como uma sombra maligna — a segui. Embora eu não curtisse muito, consegui algum trabalho como freelancer, escrevendo comunicados para a mídia, mas vivia dura e não dava para bancar viagens semanais a Dublin, a fim de rever meus amigos. Logo depois de eu voltar para Londres, Gemma conheceu Anton; embora ela me visitasse de vez em quando, Anton vivia sem grana e nunca viajava com ela.

Portanto, eu nunca o conheci pessoalmente, até ele abandonar Gemma com o coração partido, em Dublin, e vir para Londres, a fim de montar uma produtora de filmes independente. (Ele e Mikey estavam de saco cheio de fazer anúncios pouco criativos na segurança de seu estúdio e queriam passar a trabalhar para a tevê; essa seria uma meta muito mais fácil de alcançar em Londres do que em Dublin, ou pelo menos foi o que eles imaginaram.)

A versão da história que Anton me contou era a de que o seu relacionamento de um ano com Gemma acabara; ela, por sua vez, me dissera que eles estavam só dando um tempo e que Anton simplesmente ainda não se dera conta disso. Chorando baixinho ao telefone, ela me contou que "ia esperar dois meses, pois nesse período de tempo ele perceberia que ainda a amava e voltaria para ela".

Entretanto, ela sentiu medo de ele poder se distrair com alguma garota de Londres e, como eu estava *in situ*, era a pessoa ideal para funcionar como sua "espiã de campo". Minha missão era fazer amizade com Anton, colar nele e, se o visse paquerar alguém do sexo feminino, devia "enfiar um compasso no seu olho" ou "jogar ácido no rosto da garota".

Aceitei e prometi agir assim, mas, para minha eterna desgraça, não fiz nenhuma das duas coisas. Eu gostava muito de Gemma, ela confiara Anton, a coisa mais preciosa da sua vida, a mim, e eu lhe retribuí tudo isso traindo-a.

Foi quase como se Gemma tivesse um pressentimento, porque em um dos seus telefonemas ela me disse, em um tom de quem pede desculpas:

— Sei que eu sou neurótica, ciumenta e preciso de alguém na cola de Anton, mas, por favor, não fique muito amiga dele. Você é muito bonita, entende?

— Só se ele gosta de garotas que estão ficando carecas... (Meu cabelo é tão ralo que o rosado da pele da cabeça às vezes aparece. Muitas mulheres afirmam que se ganhassem na loteria iriam colocar silicone nos seios e dar uma levantada no bumbum. Eu faria um transplante de cabelo, mesmo correndo o risco de ter uma infecção, como aconteceu, segundo os boatos, com Burt Reynolds.)

— Nunca se sabe, talvez ele curta uma daquelas mulheres de cabeça raspada. Eu já até imagino a cena: vocês dois passeando por todo lado, andando de patins, tirando fotos em Trafalgar Square, no Big Ben, no Palácio de Buckingham, em... — Gemma hesitou.

— Carnaby Street — ajudei. — Iremos até lá em um ônibus vermelho de dois andares.

— Sim, isso mesmo, obrigada. Então é isso... Vão entrar numa de curtir uma diversão platônica. Até que um dia vai cair um cisco no seu olho, que ele vai ajudá-la a tirar, e então... Opa! Vocês ficarão em pé, um de frente para o outro, perto o bastante para curtir um amasso, e perceberão que a atração vinha esquentando em fogo lento e vocês já estavam apaixonados um pelo outro havia um tempão sem perceberem.

Prometi a Gemma que ela não precisava se preocupar e, de certa forma, cumpri minha palavra. Não houve fogo brando nem lance de tirar cisco do olho. Em compensação, eu me apaixonei por Anton na primeira vez em que o vi. Se bem que eu me lembro de Gemma descrever a primeira vez em que o viu e descobrir que Anton era "o homem da vida dela". Ele já deve até ter se habituado a ouvir isso.

Só que tudo o que eu estou contando ainda estava muito à frente e eu não fazia a menor ideia de que tal coisa pudesse acontecer quando, dois dias depois, Anton chegou em Londres. Eu peguei o telefone para ligar para seu apartamento em Vauxhall, a fim de saber se ele já se instalara, esse tipo de coisa. Tinha uma missão a cumprir, mas qual era a melhor forma de ficar de olho nele? Eu poderia me instalar dentro do carro, de tocaia, na porta do seu prédio, só que não queria fazer isso. Um encontro preliminar de boas-vindas, batendo papo e bebendo alguma coisa seria o melhor, decidi. Dependendo de como fossem as coisas, eu poderia apresentá-lo a outras pessoas que dividiriam comigo a missão de monitorá-lo.

Combinamos de nos encontrar às sete horas da noite de uma quinta-feira na entrada da estação do metrô em Haverstock Hill. Eu morava em um conjugado alugado ali perto, em Gospel Oak, e dava para ir a pé.

Conforme eu subia a rua rumo à estação, o ar me pareceu cintilante, muito claro e com cheiro de grama; era o friozinho gostoso do outono chegando. Os dias gloriosos e cintilantes de agosto haviam cedido lugar àquela luz azul-claro, meio acinzentada; o fedor das caçambas de lixo aquecidas fora substituído pelo aroma almiscarado das folhas douradas e uma recente pancada de chuva havia limpado o resto da poeira do verão. Eu me sentia mais tranquila agora que era outono. Conseguia respirar novamente. Até que percebi que, com minha típica falta de organização, eu não sabia como Anton era. Tudo que eu tinha para me orientar eram as palavras de Gemma, que sempre o descrevia como "lindo, um pedaço de mau caminho, o gato dos gatos". Só que às vezes o "gato" de uma mulher pode ser o famoso "nem que ele fosse o último homem da face da Terra" para outra. Sua burra, eu me xinguei, estreitando os olhos na direção da estação ainda distante e torcendo para não haver muitos homens bonitos no pedaço. (Só esse pensamento já prova que eu não estava em meu normal e seguia célere rumo a algum tipo de loucura.)

Mas, enquanto meus olhos procuravam, percebi que alguém junto à entrada da estação me observava. Na mesma hora eu soube. Tive certeza de que era *ele*.

Não tropecei nos próprios pés, fisicamente falando, mas senti como se isso tivesse acontecido. Em estado de choque, todos os meus pensamentos deram pulos no cérebro e se rearrumaram; em um segundo, tudo mudara em minha vida. Sei que parece absurdo, mas juro que é verdade.

Poderia ter parado. Na mesma hora, percebi que deveria dar meia-volta e apagar o futuro, mas continuei em frente, colocando um pé à frente do outro, de forma mecânica, como se um fio invisível me carregasse até ele. Senti uma clareza, uma espécie de medo e um senso do inevitável que eu não conseguia ignorar.

Cada vez que eu respirava, o ar ecoava, parecia aumentar e diminuir, como se eu estivesse usando equipamento de mergulho, e conforme fui chegando mais perto eu me obriguei a desviar os olhos dele. Foquei a calçada — os bilhetes de metrô usados, as pontas de cigarros esmagadas, as latas de Coca amassadas — até me ver diante dele.

Suas primeiras palavras foram:

— Reconheci você a quilômetros de distância. Percebi de cara que só podia ser você. — Pegou uma das pontas do meu cabelo.

— Eu também sabia que era você.

Enquanto multidões passavam agitadas por nós, entrando e saindo da estação como em um filme acelerado, Anton e eu permanecemos imóveis como estátuas, seus olhos nos meus e suas mãos em meus braços, completando o círculo mágico.

Fomos a um dos pubs ali perto, onde ele me acomodou em um banco e perguntou:

— Quer beber alguma coisa?

Seu sotaque suave e melodioso me fez lembrar a brisa agitada da beira do mar, com atmosfera enevoada e cheirinho de mato. Ele era de Donegal, a noroeste da Irlanda; mais tarde, eu descobri que todo mundo da região fala assim.

— Quero Aqua Libra — respondi, temerosa de pedir alguma coisa com álcool porque o que eu sentia por dentro já era suficientemente incendiário. Ele se inclinou sobre o balcão, puxando assunto com o atendente, e eu, terrivelmente confusa, cataloguei tudo o que via. Ele era alto, esbelto, com o corpo anguloso nos lugares certos e parecia tão magro que a parte de trás da calça não se agarrava ao traseiro; sua camisa era uma declaração colorida e brilhante, não exatamente em estilo havaiano, mas perigosamente próximo. Um *geek*. Foi assim que Cody o descrevera uma vez... Seus cabelos pretos eram muito lisos, sedosos, e ele era dono de um sorriso maravilhoso, mas, na verdade, o que rolava ali tinha pouco a ver com aparência.

Ele voltou com as bebidas e se inclinou na minha direção, com os olhos brilhando de prazer. Ia dizer algo simpático. Eu pressenti isso, fui mais rápida e falei a primeira coisa neutra que me veio à cabeça:

— O seu apartamento em Vauxhall tem microondas?

— Tem, sim — disse ele, com um tom gentil. — Tem também uma geladeira dúplex, um fogão, uma chaleira, uma torradeira e uma coifa. Isso tudo só na cozinha.

Eu perguntei várias outras coisas, hesitante, cada uma mais sem noção que a outra. Ele estava gostando de Londres? Seu apartamento ficava perto do metrô? Com ar solene, ele me respondeu a todas elas.

As verdadeiras perguntas, porém, estavam sendo feitas mentalmente a mim mesma. Eu analisava o rosto de Anton e me perguntava: O que está rolando aqui? O que é que ele tem que me faz sentir desse jeito?

Talvez fosse o fato de ele me parecer a pessoa mais vigorosamente viva que eu já conhecera. Seus olhos cintilavam e, a cada sorriso, gargalhada ou franzir de olhos, todo o conteúdo da sua mente aparecia cintilando no rosto muito expressivo.

Cada novo detalhe que eu descobria me afetava — o comprimento dos seus dedos com nós largos, tão diferentes dos meus... As protuberâncias dos ossos do pulso dele me encheram com uma admiração quase insuportável. Eu queria embalar toda a fragilidade daquele homem, absolutamente incompatível com um corpo tão alto e vigoroso, e chorar de emoção.

Mas havia um assunto no qual ainda não havíamos tocado e, quanto mais o papo seguia, mais a omissão se tornava quase física. No fim, fui eu quem fez o saque, mandando uma bola alta que aterrissou no outro lado da quadra com a força de uma granada.

— Como está Gemma?

Eu não podia deixar de perguntar aquilo. Ela fora a catalisadora do nosso encontro e não havia como fingir que não era bem assim.

Anton olhou para o chão e então levantou a cabeça.

— Ela está levando a vida... — Seus olhos pareciam pedir desculpas. — Eu não a mereço e vivo dizendo isso a ela.

Concordei com a cabeça, tomei mais um gole da minha bebida, mas senti a cabeça esvaziar e uma náusea insuportável me subiu por dentro. Com as pernas completamente bambas, consegui ir até o toalete feminino, tranquei depressa a porta do reservado e vomitei, vomitei sem parar, até não ficar mais nada no estômago, a não ser bile.

Saí meio zonza, deixei escorrer água bem gelada em meus pulsos e olhei o meu reflexo. *Que diabos estava acontecendo?*

Escrito de forma direta, o fato de me apaixonar por Anton me deixara enjoada. Só conseguia pensar em Gemma. Eu adorava Gemma; Gemma adorava Anton.

Voltei para o salão, fui até onde ele estava e avisei:

— Preciso ir embora, *agora*.

— Eu sei. — Ele compreendeu.

Levou-me até a porta e disse:

— Eu telefono para você amanhã. — Então tocou as pontas dos meus dedos com as dele.

— Até mais... — Subi correndo as escadas que levavam ao san- tuário do meu apartamento, porém, mesmo depois de entrar, não me senti melhor. Andei de um lado para outro a esmo, com uma profun- da tristeza e o poder de concentração completamente destruído. Tudo que passava na tevê me deixava irritada, o livro que eu estava lendo não me atraía, eu precisava conversar com alguém... Mas quem? Quase todas as minhas amigas também eram amigas de Gemma. Jessie, minha irmã, estava viajando por todo o mundo em companhia do namorado, Julian; o último cartão-postal que eu rece- bera deles viera do Chile.

Quem sabe a minha mãe...? Não, ela continuava evitando as minhas ligações pelo identificador de chamadas. Eu desconfiava que ela preferia não falar comigo, para o caso de eu pedir para ir morar novamente com ela. Quanto a papai, ele acreditava que nem o pró- prio Deus seria bom o bastante para mim, o que dirá um namorado de segunda mão vindo de Gemma. Dele eu não conseguiria solidarie- dade alguma. Estava tão desesperada que pensei até mesmo em tele- fonar para o CVV.

Amor à primeira vista não era para ser daquele jeito — aliás, só mesmo pessoas absurdamente românticas poderiam acreditar que aquilo existisse. Certamente todo mundo entendia o *tesão* instantâ- neo. Mas assim, à primeira vista, uma mulher não poderia saber nada a respeito da capacidade de um homem de olhar para outras mulhe- res em um restaurante e depois negar tudo de pés juntos. Ou se recu- sar a entrar em um carro que você estivesse dirigindo. Ou prometer apanhá-la às sete e meia e aparecer só às vinte para as dez, fedendo a Jack Daniels e perfume Jo Malone (usado por outra pessoa).

Porém, apesar de tudo, eu sempre achei que existia amor à primeira vista, embora soubesse que isso é tão esquisito quanto acreditar em políticos honestos. Eu curtia histórias de amor à primeira vista como se elas fossem joias preciosas. Quando trabalhava para a Mulligan Taney, conheci um sujeito — um importante empresário que tinha o poder de contratar e demitir quem bem quisesse — e ele me contou que já estava quase noivo de uma jovem quando encontrou "o amor da sua vida".

— Assim que eu a vi do outro lado da sala, eu soube. — Essas foram exatamente as suas palavras.

(Para ser franca, não faço a menor ideia de como nós dois fomos falar de um assunto desses. Naquela época, fazíamos reuniões para descobrir qual a melhor maneira de convencer uma pequena comunidade de que eles não precisavam ter medo das toxinas cancerígenas que a fábrica do tal empresário pretendia despejar no reservatório de água que servia à população.)

Por tudo isso, foi uma surpresa desagradável descobrir que, ao contrário das expectativas alardeadas, uma paixão à primeira vista não era uma curtição. Em vez de a minha vida simplesmente se encaixar inteirinha no lugar e se completar em jubilosa totalidade, foi como se ela levasse uma cacetada que a tirou do prumo.

Mesmo sem Gemma, a situação já seria confusa. Com Gemma, então...

Fiquei deitada no sofá, como se estivesse em terapia, e tentei lembrar tudo o que ela dissera a respeito de Anton: que ele era bom de cama e tinha um pinto grande, mas isso já era de imaginar. Ela nunca mencionou que ele era o tipo de homem pelo qual toda mulher se apaixona. Um Warren Beatty irlandês que seduzia sem esforço todas em seu caminho. Eu sempre detestei homens assim e detestava ainda mais o jeito como as mulheres se lançavam aos pés deles, implorando por atenção. Recusava-me a ser mais uma mulher desorientada caindo de quatro por Anton como um dominó descerebrado; simplesmente esse não era o meu estilo. (Pelo menos, eu esperava que não.)

Então, lenta e deliberadamente, eu me preparei para lacrar o coração e resistir. Não tornaria a encontrá-lo. Aquele era o melhor caminho e eu me senti melhor assim que tomei a decisão. Desolada, mas melhor.

Acabara de conseguir me acalmar o bastante para me concentrar no filme da tevê quando o telefone tocou. Eu olhei para o aparelho com medo, como se ele fosse uma bomba-relógio. Será que era ele? Provavelmente sim. A secretária eletrônica atendeu e eu quase vomitei pela segunda vez naquela noite quando ouvi a voz de Gemma:

— Estou ligando só para saber como anda a missão.

Ignore-a, ignore-a.

— Por favor, Lily, por favorzinho, me ligue no instante em que colocar os pés em casa, não importa a hora. Estou *enlouquecendo* aqui.

Eu atendi. Como poderia evitar?

— Oi, sou eu.

— Nossa, você voltou cedo para casa. Conheceu Anton? Ele falou de mim? O que foi que ele disse?

— Que você é boa demais para ele.

— Rá! Isso ele pode esquecer, pois quem julga sou eu. Quando vocês vão tornar a se encontrar?

— Não sei. Gemma, isso não é maluquice, eu ficar espionando a vida dele? E se...

— Não, não é. Você *precisa* se encontrar com ele! Preciso saber o que ele anda aprontando. Você promete que faz isso?

Silêncio.

— Promete?

— Tudo bem, eu prometo — garanti, com ar alegre.

Senti desprezo por mim mesma.

Mantendo a palavra, Anton me ligou e a primeira coisa que disse foi:

— Quando vou ver você novamente?

Minhas mãos ficaram pegajosas e o autodesprezo aumentou.

— Ligo para você daqui a pouco — falei, com a voz rouca. Corri para o banheiro e vomitei todo o café da manhã.

Quando acabei, endireitei o corpo devagarzinho e me sentei no tampo da privada, com a testa suada apoiada na louça gelada da pia. Meio letárgica, fiquei me perguntando qual seria o certo a fazer. Minha promessa a Gemma era só um pretexto. Eu queria vê-lo, mas fiquei apavorada com a possibilidade de ficar a sós com ele. O melhor seria dissolver sua presença em meio a outras pessoas.

Nicky, uma amiga antiga, dos tempos de escola, tinha me convidado para jantar com ela e Simon, seu marido, na casa deles. Talvez Anton quisesse ir também. Com um pouco de sorte, quem sabe ele também faria amizade com eles; se Anton tivesse contato com outras pessoas, eu não me sentiria na obrigação de encontrá-lo com tanta frequência.

Anton não demonstrou sinais de desapontamento quando soube que outras pessoas estariam presentes no nosso próximo encontro. Na verdade, ele se comportou como um convidado perfeito, elogiando a casa, a comida e batendo papo muito à vontade sobre assuntos não controversos. Eu, por outro lado, estava desastrada, tensa e morrendo de ciúme. Mal consegui comer enquanto observava Nicky analisando Anton. *Está acontecendo novamente*, pensei. *Ele a está seduzindo sem o mínimo esforço. Dá para ver que ela está despencando para o lado dele como um prédio condenado.*

Na manhã seguinte, o mais cedo que consegui sem parecer mal-educada, telefonei para Nicky com a desculpa de agradecer pelo jantar.

Ela disse:

— Aquele Anton, hein? Puxa!

— Pois é.

— Pois é, mesmo!

Estiquei o assunto com mais alguns "pois é" e já estava me preparando para ouvir que ela estava apaixonada por Anton e disposta a abandonar Simon quando continuou:

— Um perfeito idiota. O que foi que Gemma viu nele?

— Você o achou idiota?

— Ahn... Achei, sim... Superidiota! Ele é exageradamente... — fez uma pausa a fim de dar mais destaque ao desdém que sentia.

— ... Empolgado com tudo. E aquele sotaque é ruim de aturar, hein? O cara é cheio de "uais" e "uaus", muito fingido e artificial.

— Mas você não o achou bonito?

— Pra mulheres que gostam de boçais de dois metros e quarenta de altura, pode ser.

Seria injusto, nesse ponto, mencionar que Simon tinha um metro e sessenta e três e quase sempre usava botas de caubói com salto de oito centímetros de altura? (Com a ponta de trás dos jeans cobrindo os saltos, em uma tentativa de escondê-los.)

— Acho que ele tem um tom de pele interessante — disse Nicky, e me pareceu ouvir um leve rufar de tambores. — Ele é muito moreno para um irlandês. Eu achava que eles eram todos branquelos e sardentos.

— É que a mãe dele é iugoslava.

— Ah, isso explica as maçãs do rosto.

— Elas não são lindas?

— Pega leve, mulher! — Ela pareceu se ligar em alguma coisa.

— Eu queria aquelas maçãs do rosto. — Era verdade, mas não do jeito que Nicky me entendeu. Sua rápida suspeita desapareceu; nem por um momento sequer, ela achou que eu poderia dar em cima de um cara que pertencia a outra mulher. Era simples assim. Jamais alguém esperaria isso de mim. Muito menos eu.

Tentei ficar longe dele. Deus sabe o quanto. Só que conhecer Anton me desviara do centro de gravidade e qualquer possibilidade de escolha foi removida da equação. Até então, a minha vida parecia seguir leve como uma pluma. Subitamente, ela adquirira velocidade, como se eu estivesse sendo sugada para baixo por um túnel de vento enquanto tentava desesperadamente me segurar.

Aguentamos quase seis semanas, quarenta dias de agonia, nos despedindo um do outro e escolhendo a solidão e a honra em vez da culpa por estarmos juntos. Eu desejava sinceramente me afastar dele cada vez que dizíamos "até amanhã", só que o tempo foi passando de forma inexorável e o desejo constante me forçou a pegar o telefone e pedir baixinho que ele aparecesse lá em casa.

Eu parecia passar as noites sempre em claro durante todo aquele período terrível. Conversamos até tarde durante muitas noites, pesando os prós e os contras, analisando tudo de trás para a frente. Anton era muito mais pragmático do que eu.

— Não amo Gemma — ele argumentava.

— Mas eu amo — eu respondia.

Eu tinha tido vários namorados; a partir dos dezessete anos, eu era um exemplo de monogamia. Foram quatro homens e meio em treze anos. (O meio foi Aiden "Macker" McMahon, que me colocou chifres durante todo o nosso namoro de nove meses.) Eu amara de verdade os outros quatro e fiz todas as coisas normais de quando um relacionamento termina — chorava em público, bebia demais, perdia peso e jurava que nunca mais iria sair com homem nenhum —, mas Anton era diferente.

A primeira vez que eu dormi com ele foi quase impossível de descrever. Dava para sentir a emoção fluindo de mim para ele e dele para mim, acalmando minha respiração ofegante, como se estivéssemos dentro d'água, tornando-nos parte um do outro. Foi muito mais do que sexo, foi quase uma experiência mística.

Em três ocasiões, resolvemos enfrentar a realidade e ir até Dublin contar a Gemma, e em duas dessas vezes eu amarelei.

Era impossível. Eu estava disposta a viver sem Anton, caso a opção fosse destruir o coração de Gemma.

— Não importa o que você faça — dizia Anton, com tristeza. — Eu nunca vou amar Gemma.

— Eu não me importo! Vá embora!

Mas depois de algumas horas longe de Anton a minha determinação se desmontava e chegou o dia em que finalmente nós pegamos o avião para Dublin.

Não consigo nem pensar no que aconteceu, mesmo agora. Só sei que nunca vou esquecer a última coisa que Gemma me disse:

"Tudo o que vai volta; lembre-se bem de como você o conheceu, porque é assim que vai perdê-lo."

37

De volta ao tempo presente, o telefone tocou. Era um sujeito da equipe de imagens do *Daily Echo* me procurando por causa da entrevista com Martha Hope Jones. Ele queria mandar um motoboy para pegar as fotos dos meus ferimentos, no dia em que eu fiquei desmaiada na calçada e fui "considerada morta".

— Mas eu não fui considerada morta.

— Morta, ferida, tanto faz. Que tal me mandar as fotos?

— Não, sinto muito.

Logo depois, o telefone tornou a tocar. Dessa vez, era Martha.

— Lily, eu preciso dessas fotos.

— Mas eu não tenho fotos dos ferimentos.

— Por que não?

— Simplesmente eu não tenho.

— Isso nos deixa num dilema. — Sua voz estava alterada, com tom de acusação, e ela desligou na minha cara.

Muito abalada, fiquei olhando com cara de idiota para o telefone, e, por fim, reclamei com Anton:

— Que tipo de sádico tira fotos de si mesmo depois de ser assaltado?

Apesar de a região em que eu morava ser meio barra-pesada, eu nunca imaginei que pudesse ser assaltada. Como era uma liberal de bom coração, tinha simpatia pelos assaltantes e insistia que eles eram levados ao crime por puro desespero. Tinha certeza de que percebiam que eu estava do lado deles.

Entretanto, se eu analisasse bem as coisas, veria que eu era a presa perfeita para um assalto. Para afastar os ladrões, uma pessoa deve andar de cabeça erguida, exibindo confiança e um ar de quem sabe lutar tae-kwon-do. As bolsas devem ficar presas, com a musculatura contraída em imobilidade do tipo *rigor mortis*, entre o cotovelo e as costelas, e o ritmo dos passos deve ser rápido, com disposição para enfrentar qualquer obstáculo.

Eu era exatamente o contrário disso tudo e andava como quem olha para o ontem. Uma vez ouvi meu chefe em Dublin me descrevendo como uma pessoa muito "Olá, árvores! Olá, flores". Isso foi dito com o objetivo de me insultar e surtiu efeito; eu me senti insultada. Não andava saudando as árvores e as flores, mas também não encarava a vida como uma esteira conectada a um rolo compressor, sobre o qual era vital manter o passo célere, a fim de evitar ser sugada para trás e sair do jogo.

Na noite do assalto, eu estava indo para casa, depois de descer do ônibus. Acabara de sair de uma reunião em uma cadeia de supermercados que estava planejando promover a venda de espinafre e o meu trabalho era redigir o texto do folheto da campanha. Vocês devem sacar esse tipo de coisa: uma descrição das vitaminas e propriedades do espinafre. ("Você sabia que o espinafre tem mais ferro do que meio quilo de fígado cru?") Em seguida, uma lista de famosos adoradores de espinafre. (Popeye, é claro, e... ahn...) Finalmente, novas e exóticas maneiras de prepará-lo. (Alguém está a fim de sorvete de espinafre?)

Alguém tinha de escrever esses folhetos e, embora aquele não fosse um trabalho do qual eu me orgulhasse, era menos vergonhoso do que a minha situação em Dublin.

Estava frio, escuro e eu vinha louca para chegar em casa. Não só para ver Anton, que se mudara para o meu "apartamento" seis meses antes, no mesmo dia em que voltamos da terrível visita a Gemma, mas também porque eu estava grávida de três meses e doida para ir ao banheiro. Como tudo o mais que acontecera entre mim e Anton, a gravidez não fora planejada. Nós éramos terrivelmente pobres e, apesar de eu ainda ter algum trabalho, Anton continuava sem ganhar nada e não tínhamos ideia de como fazer para sustentar um bebê. Mas nada daquilo importava. Eu nunca me sentira tão feliz. Nem tão envergonhada.

Minha vontade de ir ao banheiro aumentou à medida que apertei o passo, e então, para minha surpresa, meu ombro foi puxado para trás; alguém agarrara a alça da minha bolsa e dera um puxão violento nela. Agindo como uma idiota, eu me virei já com um sorriso preparado, pois achei que só podia ser alguém conhecido que estava apenas sendo um pouco mais brusco do que pretendia.

Mas não reconheci o rapaz atrás de mim. Ele era gordo, baixinho e com o rosto gosmento de suor.

Registrei duas coisas ao mesmo tempo: a) eu estava sendo assaltada; b) por um homem que parecia ter tido o corpo e o rosto esculpidos em massa crua de pão.

Aquilo não estava certo. Ele não parecia magro nem desesperado, como os assaltantes deviam parecer. (Acho que sou meio bitolada.) E ele não tinha uma faca nem uma seringa.

Em vez disso, tinha um cão. Um pitbull de pernas arqueadas e ar ameaçador. A corrente estava presa em torno da mão gorducha do garoto-massa-de-pão, mas o cão começou a avançar na minha direção rosnando baixinho. Se a corrente se soltasse uma ou duas voltas, eu seria atacada.

Meus olhos se fixaram nos olhos injetados do garoto-massa-de-pão, e então, sem trocar uma única palavra com ele, entreguei minha bolsa.

Ele a agarrou, enfiou-a dentro do imenso bolso da jaqueta e então — com ar de *grand finale* — me empurrou no chão.

Pensei que aquilo fosse tudo, mas o pior ainda estava por vir. Enquanto eu estava caída ali, na calçada úmida, o cão passou por cima de mim, pisando bem na minha barriga de três meses de gravidez. Suas patas pesadas e massudas pareceram se enterrar fundo na minha barriga e o hálito de carne da boca do bicho esquentou meu rosto.

Tudo acabou em dois ou três segundos, mas mesmo agora, ao lembrar de tudo, eu estremeço de revolta.

O homem e o cão foram embora na maior calma, andando como dois pinguins, e eu, sentindo-me tonta e idiota, tentei me colocar em

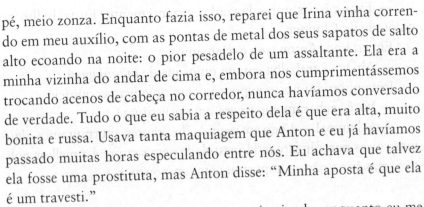

pé, meio zonza. Enquanto fazia isso, reparei que Irina vinha correndo em meu auxílio, com as pontas de metal dos seus sapatos de salto alto ecoando na noite: o pior pesadelo de um assaltante. Ela era a minha vizinha do andar de cima e, embora nos cumprimentássemos trocando acenos de cabeça no corredor, nunca havíamos conversado de verdade. Tudo o que eu sabia a respeito dela é que era alta, muito bonita e russa. Usava tanta maquiagem que Anton e eu já havíamos passado muitas horas especulando entre nós. Eu achava que talvez ela fosse uma prostituta, mas Anton disse: "Minha aposta é que ela é um travesti."

Ela parou e olhou para mim com ar intrigado, enquanto eu me levantava, cambaleando.

— Acabei de ser assaltada.

— Azaltada?

— Por um homem com um cão.

— Homem gom um gão?

— Ele foi naquela direção. — Mas o cara-de-massa-de-pão já desaparecera.

— Vozê dinha dinheirro?

— Um pouco. Duas ou três libras.

— Dão pouco? Grazas a Deus.

Ela não era exatamente a Miss Simpatia, mas me levou em segurança até Anton. Entretanto, nada do que disse ou fez conseguiu me servir de conforto. Eu sabia o que estava para acontecer: eu ia perder o bebê. Aquilo era um castigo divino. O pagamento pela minha perversidade em roubar Anton de Gemma.

Anton insistiu em chamar o médico, que fez o possível para tentar me convencer de que as chances de eu abortar eram muito pequenas.

— Mas eu sou uma pessoa má.

— A coisa não funciona desse jeito.

— Eu mereço perder esse bebê.

— Mas isso é pouquíssimo provável.

Quando o médico ia sair, alguém bateu à porta: era Irina, com um punhado de amostras de maquiagem para substituir o meu estojo roubado.

— Ezas zão as gores lanzadas rezentemente. Eu trabalho no quiôsgue da Clinique.

Em estéreo, Anton e eu exclamamos:

— Ah, você trabalha em um quiosque de *maquiagem*.

Irina observou nossa expressão com objetiva perspicácia.

— Vozês acharam gue eu era uma prostituta?

— Achamos! — Logo em seguida, hesitantes, murmuramos algumas coisas para disfarçar. Honestidade nem sempre é a melhor política, mas Irina não se importou nem um pouco.

Na manhã seguinte, Anton me levou até a delegacia local (até então nos referíamos a ela como "pocilga") para fazer abrir um boletim de ocorrência.

Ficamos sentados na sala de espera, observando os policiais entrando e saindo. A qualquer momento, um deles ia chamar o outro de "Guv".

— "Temos vinte e quatro horas para resolver este caso..." — murmurou Anton.

— "... O promotor já está pegando no nosso pé..."

— "... Vamos ter que dirigir a toda velocidade por uma rua cheia de caixas de papelão vazias..."

Em seguida, começamos a cantarolar, baixinho, a música da abertura de *Starsky e Hutch — Justiça em Dobro*, olhando um para o outro, até que o meu nome foi chamado. O assalto que eu sofrera não era muito importante e me encaminharam para um policial muito jovem que bravamente se pôs em ação. Ofereci uma descrição do Massa-de-Pão e uma lista de todas as coisas que havia na minha bolsa e que eu conseguia lembrar. Além da carteira, das chaves de casa e do celular, minha bolsa continha os detritos usuais. Lenços (usados), canetas (vazando), blush (esfarelado), laquê (para dar volume aos meus cabelos ralos e escurecer minha cabeça rosada) e quatro, talvez cinco, Starbursts.

— Starbursts? — O policial se mostrou ávido e tenho certeza que ele achou que eram... DROGAS!

— É a nova marca dos caramelos com sabor do tipo Opal Fruits, que saiu no mercado — explicou Anton.

— Ah. — Desapontado, ele baixou a caneta. — Por que será que eles vivem fazendo isso?

— Fazendo o quê?

— Trocando o nome dos produtos. O que havia de errado com o chocolate Marathon? Porque trocaram o nome para Snickers? E por que o limpador Jif se tornou Cif?

— Globalização — disse Anton, de forma educada.

— É isso que significa a tal da "globalização"? — Ele suspirou e tornou a pegar a caneta. — Não é à toa que o povo anda revoltado. Tudo bem, a senhora vai ter de ligar para o seu banco e cancelar o cartão de crédito.

Anton e eu não dissemos nada (afinal, tínhamos o direito de permanecer calados). Nessa época, andávamos tão duros que não havia necessidade de cancelar o cartão. O banco que o emitira já fizera isso, junto com meu cartão de saque.

Alguns dias depois, Irina teve um dia de folga e me convidou para subir até a casa dela. Minutos depois ela já fumava como uma locomotiva a vapor e me contava, toda empolgada, o quanto tinha sido "inveliz" em Moscou.

— Eu dive um homem, mas não o amava. Viquei inveliz. Gonhezi outro homem, ele não me amava, e eu viquei inveliz. Homens!

Agora ela arrumara um namorado inglês, que também a "vazia inveliz". Pelo que entendi, ele era muito "ziumento".

— Por que continua com ele, se está tão infeliz?

— Porgue ele é bom para vazer zexo. — Em seguida, encolheu os ombros, sentenciando: — O amor é zempre inveliz.

Nas entrelinhas dava para perceber que o verdadeiro amor da sua vida eram os cosméticos que ela vendia. Demonstrava verdadeira paixão por eles e seu rosto era o seu cartão de visitas. Era muito boa no que fazia (segundo ela mesma me contou) e ganhava mais dinheiro de comissão que todas as outras garotas.

— Vou lhe mostrar, porgue tenho gonfianza em vozê.

Ela foi lá dentro e voltou com uma lata de biscoitos com tampa em xadrez escocês, que ela abriu para revelar um monte de dinheiro vivo. Notas de cinquenta, vinte e dez — a maioria de cinquenta.

— Comizão por vendas — explicou ela. — Eu gonto esse dinheiro toda noite. Não gonzigo dormir zem contar tudo antes.

Fiquei apavorada. Era perigoso guardar toda aquela grana em casa.

— Você devia colocar isso no banco.

— Bangos! — Ela não confiava neles. — Veja izzo! — Pegou um livro em uma estante e o abriu, exibindo notas de vinte colocadas entre as páginas. — Gogol. Dostoiévski. — Mais dinheiro. — Tolstói. — Mais ainda.

— Você já leu todos esses livros? — Parei de me sentir enjoada diante de tanto dinheiro e em vez disso me senti intimidada pelo calibre da literatura. — ... Ou eles são apenas cofres?

— Já li todoz! Vozê aprezia literatura ruzza? — perguntou, com ar astuto.

— Ahn... Aprecio. — Conhecia muito pouco, mas quis parecer educada.

Ela sorriu.

— Vozês, ingleses, azistem ao vilme *Lolita* e ajam que zabem tudo de literatura ruzza. Agora vozê precisa ir embora. Eztá na hora de *EastEnders*.

— Você gosta de novela?

— Adoro. Todoz zão tão invelizes, pareze a vida real. Venha me visitar quando quiser, a hora gue for. Ze eu não estiver a fim de rezeber vozê, eu aviso.

Por um instante ela me pareceu estar sendo gentil.

O médico tinha razão e eu não perdi o bebê, mas alguns dias depois do assalto fui deslizando lentamente para um lugar terrível. Pouco a pouco, a minha visão de mundo começou a ficar sombria, até que eu enxerguei a crueldade dos seres humanos e suas lamentáveis imperfeições. Arruinamos tudo em que tocamos.

Por que eu me apaixonei por Anton? Por que Gemma se apaixonou por ele? Por que não conseguimos amar as pessoas certas? O que há de tão errado conosco que nos colocamos em situações para as quais somos claramente inadequados? Situações que trarão sofrimentos para nós mesmos e para os outros? Por que sentimos emoções que não podemos controlar e nos movem na direção contrária à que realmente gostaríamos de ir? Somos conflitos ambulantes, batalhas internas sobre duas pernas. Se os seres humanos fossem automóveis, iríamos devolvê-los por defeito de fábrica.

Por que temos uma capacidade finita de ter prazer, mas temos uma outra, infinita, para a dor?

Somos uma piada cósmica, decidi. Uma experiência que deu errado.

Odiava estar viva. A perspectiva da morte era a única coisa que fazia valer a pena viver. Mas eu carregava uma criança no ventre e tinha de ir em frente.

Foi o trauma de ser assaltada que serviu de gatilho para tanta desesperança, explicou Anton; eu devia ir novamente ao médico. Eu discordei. Foi simplesmente a minha perversidade que me reduziu àquele estado lastimável. Anton não queria saber dessa possibilidade e vivia repetindo:

— Eu não amo Gemma, amo você.

Essa era a questão. Por que ele não havia conseguido amar Gemma? Por que as coisas tinham de ser tão complicadas?

Anton não concordava comigo: se o fizesse, estaria assinando a nossa sentença de morte.

Consegui completar o trabalho sobre o folheto do espinafre, mas, quando a agência me agendou outros trabalhos, eu não aceitei.

Não tinha praticamente ninguém com quem conversar. Desde que Anton e eu voltáramos daquela horrenda viagem a Dublin para contar a Gemma sobre nós dois, todas as garotas irlandesas que eu conhecia em Londres — as amigas de Gemma, as minhas também e as Mick Chicks — cortaram relações comigo abruptamente. A única amiga que eu tinha e que era anterior a Gemma era Nicky, a minha antiga colega de escola. Mas Nicky tinha seus próprios problemas, estava tentando engravidar de Simon, mas ele, além de ser um baixinho metido, pelo visto andava negando fogo.

Anton ficava na rua o dia todo, com Mikey. Levavam executivos da tevê para almoçar, tentando descolar alguma grana; levavam agentes literários para almoçar, tentando descolar roteiros baratos; levavam agentes de teatro para almoçar, tentando descolar atores para trabalhar nos roteiros baratos que eles ainda não haviam conseguido e nem arrumado grana para adquirir. Eu tinha dores de estômago sempre que pensava na confusão representada por tudo aquilo — eles juravam de pés juntos para o roteirista que a atriz tal aceitara o papel, ao mesmo tempo que prometiam à atriz que o financiamento já estava acertado, mentindo em seguida para a tevê, confirmando que o roteiro e o diretor já estavam garantidos. — Anton, porém, dizia que tudo aquilo era necessário.

— Ninguém quer ser o primeiro a se comprometer. Se alguém já está no barco, todo mundo acha que vai ser uma boa.

Apesar de Anton e Mikey correrem atrás, estava demorando muito para *pelo menos um* daqueles projetos decolar e entrar em produção.

— Tudo vai se encaixar — prometia Anton ao voltar para casa cada noite. — Vamos conseguir o roteiro certo, a estrela certa e o financiamento para o projeto vai cair no nosso colo. Depois disso, todo mundo vai fazer fila para trabalhar com a Eye-Kon.

Enquanto isso não acontecia, eu passava horas a fio em casa, sozinha; um dia, quando a solidão se tornou insuportável, subi até o apartamento de Irina. Ela abriu a porta e por sobre os ombros dela vi uma pilha de notas sobre a mesa. Ela estava contando o seu dinheiro.

— Hoje voi dia de pagamento — informou ela. — Venha ver.

— Obrigada. — Entrei.

Depois de admirar por alguns instantes as suas notas novinhas, abri meu coração e contei do inferno que povoava a minha mente.

Irina ouviu tudo com interesse e, quando eu tentei chegar a alguma conclusão, murmurou:

— Vozê eztá muito inveliz — e olhou para mim com mais respeito.

* * *

Só quando me senti exausta de outras perturbações foi que eu liguei o computador, buscando consolo no meu livro. Há quase cinco anos eu andava trabalhando em um romance no qual relatava minhas experiências como relações-públicas na área de ecologia, na Irlanda. Provisoriamente intitulado *Claro como Cristal*, a história era assim: companhia química estava envenenando o ar de uma pequena comunidade; garota que trabalha como relações-públicas (uma versão de mim mesma, só que mais bonita, mais determinada e com cabelos mais grossos e volumosos, é claro) bota a boca no trombone e conta a verdade aos habitantes do vilarejo, para em seguida fazer todas as coisas corajosas que eu realmente gostaria de ter feito na vida real.

Nos quatro anos anteriores, incentivada por amigos entusiasmados, eu enviara o original para vários agentes literários, e três deles leram o livro e sugeriram algumas mudanças. Só que mesmo depois de eu refazer certas partes e reestrutuar outras, conforme os pedidos deles, todos continuavam dizendo "não serve para nós, nesse momento".

Apesar disso, eu tinha uma leve esperança de que *Claro como Cristal* não fosse um monte de lixo e continuava a mexer no texto de vez em quando. Naquele dia em particular, porém, eu simplesmente não estava conseguindo escrever sobre bebês nascendo sem dedos ou homens jovens, chefes de família, sucumbindo ao câncer de pulmão. Mesmo assim, eu não desliguei o computador de imediato. Dei um tempo, desesperada para achar alguma coisa para me distrair. Digitei "Lily Wright", depois "Anton Carolan", "Bebê Carolan" e por fim a frase "... E viveram felizes para sempre."

Essas palavras me encheram com uma sensação inesperada de bem-estar e eu tornei a digitá-las. Depois de fazer isso pela quinta vez, eu me endireitei na cadeira, me sentei diante do monitor com os ombros retos e dancei com os dedos sobre o teclado, como uma pianista virtuosa tocando "O Voo do Besouro" na melhor apresentação de toda a sua vida.

Resolvi escrever uma história em que todo mundo fosse feliz para sempre, em um mundo ficcional em que coisas boas aconteciam e as pessoas eram gentis. Aquele raio de esperança não era apenas por mim, mas também pelo meu bebê, em primeiro lugar. Eu não poderia colocar aquele pequeno ser humano no mundo sob o peso da minha desolação. Aquela vida nova necessitava de esperança.

Foi assim que eu comecei. Batucava no teclado escrevendo exatamente o que queria, pouco ligando se era açucarado ou sentimental. Não pensava em nenhuma outra pessoa que fosse ler aquilo; a história era para mim e para o meu bebê. Quando criei a protagonista, Mimi, aí mesmo é que fui generosa. Ela era inteligente, simpática, de carne e osso, mas também mágica — uma mistura de várias pessoas. Havia nela a sabedoria da minha mãe, a generosidade do meu pai. Era calorosa como Viv, a segunda mulher de papai, e tinha os cabelos da Heather Graham.

Naquela noite, quando Anton chegou de mais um dia sem fazer filmes, ficou tão aliviado por me encontrar entusiasmada e com os olhos brilhando que, alegremente, se sentou e ouviu tudo o que eu escrevera. E toda noite a partir de então eu lia para ele o que havia escrito durante o dia. Levei quase oito semanas do início ao fim e, no último dia, quando Mimi havia resolvido todos os infortúnios do vilarejo e estava pronta para ir embora, Anton enxugou uma lágrima. Em seguida, pulou de alegria.

— É fantástico! Adorei. Vai ser um bestseller.

— Você gosta de tudo o que tem a ver comigo, não é o que se pode chamar de imparcial.

— Eu sei, mas, juro por Deus, achei soberbo!

Encolhi os ombros. Já estava triste por ter terminado de escrever.

— Peça a Irina para ler a história — sugeriu ele. — Ela conhece livros.

— Ela vai achá-lo muito tosco.

— Pode ser que não.

Então, por ainda não estar preparada para declarar a experiência encerrada, subi as escadas, bati à porta de Irina e disse:

— Escrevi um livro. Será que você poderia lê-lo e me dar a sua opinião?

Ela não começou a dar pulinhos nem gritinhos, como a maioria das pessoas faz. *Você escreveu um livro. Uau, isso é surpreendente!* Nada disso. Ela simplesmente esticou o braço para pegar a pilha de folhas e disse:

— Bode deijar que eu leio.

— Só uma coisinha... Por favor, seja honesta comigo. Não seja simpática só para me poupar de uma decepção.

Ela olhou para mim atônita e eu virei as costas, perguntando a mim mesma que tipo de humilhação estava arrumando para mim mesma. E quanto tempo teria de esperar para recebê-la.

Na manhã seguinte, porém, para minha surpresa, ela apareceu, com um cigarro na mão. Entregou-me a pilha de folhas e disse:

— Já li.

— E então...? — Meu coração disparou e minha boca ficou seca.

— Gostei — anunciou ela. — Um conto de vadas no qual o mundo é bom. Não é real — pensativa, exalou uma comprida espiral de fumaça pela boca —, mas eu gostei.

— Bem, se Irina gostou — reagiu Anton, muito alegre —, acho que temos algo de valor nas mãos.

38

Eu precisava de um agente, avisou-me Anton. Pelo visto, eu não poderia enviar *As Poções de Mimi* diretamente para as editoras porque eles não recebiam material não solicitado. Ele procurou um dos seus contatos. ("Tudo na vida depende de contatos, amorzinho.") Era uma agente de quem ele andava tentando comprar roteiros a preços irrisórios. Com o seu entusiasmo típico, Anton interrogou a pobre criatura como se ela fosse a testemunha principal da defesa e ele, o promotor. O conselho que ela deu foi procurar um agente literário.

— Ela não serve — disse Anton —, porque só trabalha com roteiros. É uma pena. Teria sido um bom exemplo de sinergia. ("Nesse negócio, tudo funciona à base de sinergia.")

Foi assim que escrevi para os três agentes que haviam lido *Claro como Cristal*; mais uma vez, eles disseram: "*As Poções de Mimi* não serve para nós, nesse momento", mas me incentivavam a entrar em contato com eles quando escrevesse o meu próximo livro, exatamente como da outra vez.

Depois da terceira carta de rejeição, resolvi rufar os tambores e anunciei que não queria mais saber daquela história de procurar um agente. Era muito desgastante. A reação de Anton com relação a isso foi me comprar uma caixa de seis *donuts* de diversos sabores e a *National Enquirer*. Esperou até eu me acalmar. Então, ele me colocou novamente nos trilhos fazendo surgir um exemplar do *Livro do Ano para Escritores e Artistas*.

— Todos os agentes literários da Grã-Bretanha estão listados aqui — informou ele, balançando o pesado livro vermelho com

muita empolgação. — Vamos analisar um por um até conseguirmos
o agente certo para você.

— Não.

— Sim.

— Não!

— Sim. — Ele parecia surpreso com a minha veemência.

— Não vou fazer isso. Faça você, se quiser.

— Então tá... Vou fazer mesmo — disse ele, meio zangado.

— Não quero saber de nada a respeito.

— Tudo bem!

Nos três meses que se seguiram, ele evitou me contar a respeito
das rejeições, mas, cada vez que o original voltava e aterrissava com
um estrondo no chão da portaria, eu sabia. Era como a história da
princesa e da ervilha. Eu conseguia ouvir lá de cima do meu apartamento o barulho do pacote rejeitado caindo no chão da entrada. Acho
que conseguiria ouvir mesmo que estivesse no outro quarteirão.

— Meu livro chegou — eu sempre dizia.

— Onde ele está?

— La embaixo, na portaria.

— Mas eu não ouvi nada.

Quase invariavelmente, eu estava certa. A exceção foi a vez em
que era a entrega do novo catálogo da Argos. A outra vez foi quando entregaram o catálogo telefônico novo. E teve outro dia em que
era o catálogo de roupas da Next, mas era para o Paddy Porra-
Louca. (O qual, por sinal, admitiu a Anton, em um papo de corredor
em estilo "de homem para homem", que ele só pedia o catálogo para
olhar as mulheres com roupa íntima.)

Nas outras ocasiões, toda vez que se ouvia o estrondo de algum
pacote jogado sobre o capacho da entrada (ou, melhor dizendo,
sobre o local onde o capacho da entrada deveria estar, se tivéssemos
um), era sinal de uma nova rejeição para o meu livro. Eu lançava
para Anton um olhar magoado, passivo-agressivo, como quem diz
"eu bem que avisei", e meu coração sangrava um pouco mais.
Anton, entretanto, era audaz e atirava na lata de lixo, com jeito descontraído, cada uma das cartas de recusa. Claro que assim que ele

saía da cozinha eu corria para pescar a carta e me torturava com cada palavra cruel que acompanhava a rejeição, até que ele descobriu. Depois desse dia, passou a levar as cartas consigo, a fim de jogá-las na lata de lixo do estúdio.

Ao contrário de mim, ele não perdia tempo se martirizando com os fracassos de *As Poções de Mimi*. Encarava tudo de frente e simplesmente consultava o guia em busca do próximo agente. Desejava boa sorte para o original e seguia rumo à agência de correios, onde já travara amizade com toda a equipe.

Em algum momento parei de ter esperanças e quase consegui me dissociar do assunto o bastante para encarar toda aquela atividade envolvendo sacos pardos com revestimento de plástico-bolha cobertos por um monte de selos como simplesmente mais um dos estranhos hobbies de Anton.

Até o dia em que ele irrompeu na cozinha com uma carta na mão, dizendo:

— Não diga que eu nunca faço nada por você.

— Hein?

— Uma agente. Você conseguiu uma agente. — Ele me entregou a carta.

Eu dei uma olhada. Todas as letras pareciam pular das linhas e dançar por toda a folha, e eu não conseguia fazer com que elas fizessem sentido, até alcançar o trecho em que estava escrito "Ficarei feliz em representar seus interesses".

— Veja só! — minha voz balbuciou. — Veja só, ela disse que ficará feliz em representar meus interesses. Feliz! — Comecei a chorar em cima da carta, até que a tinta da assinatura escorreu, borrando o nome de Jojo.

Anton e eu fomos vê-la em seu escritório no Soho. Isso aconteceu menos de duas semanas antes do parto de Ema e, por isso, chegar lá foi um grande empreendimento, semelhante ao de encaixotar e transportar um elefante. Mas fiquei feliz por ter ido. A agência literária Lipman Haigh era uma firma grande e movimentada que inspirava empolgação, mas o melhor de lá era Jojo Harvey. Ela foi realmente fabulosa. Cheia de energia e com impressionante jovialidade, Jojo nos recebeu como velhos amigos que não via há muito tempo. Na mesma hora, Anton e eu nos apaixonamos pelo jeito dela.

Jojo nos disse o quanto tinha adorado *As Poções de Mimi*, afirmou que todo mundo na agência gostara muito da história e que o livro era um encanto... Eu fiquei radiante — até ela parar e dizer:

— O lance é o seguinte: vou ser honesta com vocês.

Meu coração despencou e foi parar no pé. Eu detestava quando as pessoas diziam que iam ser honestas comigo. Sempre era coisa má.

— Vai ser complicado vender esse texto porque ele parece um livro infantil, embora trate de assuntos adultos. É difícil colocá-lo em uma categoria específica e os editores não gostam disso. Eles são meio covardes e morrem de medo de abrir novas frentes no mercado.

Reparando em nossas expressões de abatimento, ela sorriu.

— Ei, animem-se! O texto tem muito apelo e eu vou manter contato com vocês.

Eis que então veio o dia 4 de outubro e tudo mudou para sempre. As prioridades foram imediatamente reorganizadas; tudo passou para segundo plano na lista de prioridades, porque um novo *hit* entrou de sola em nossa vida: Ema.

Nunca amei ninguém do jeito que a amei e nunca ninguém me amou como ela, nem mesmo minha mãe. O som da minha voz fazia com que ela parasse de chorar e começasse a procurar pelo meu rosto na mesma hora, antes mesmo de conseguir focar as imagens.

Todo mundo acha que seus bebês são a coisa mais fofa que já apareceu no mundo, mas Ema era realmente linda. Herdara a pele morena de Anton e saiu do meu útero com um cabelo muito preto e sedoso. Não havia nem sinal da minha pele clara nem dos meus olhos azuis.

— Tem certeza de que ela é sua filha? — perguntou Anton, com ar solene.

A pessoa com quem ela se parecia mais era a mãe de Anton, Zaga. Como reconhecimento a isso, embora quiséssemos chamá-la de Emma, resolvemos fazê-lo com a grafia iugoslava, usando um único "m".

Ela era muito risonha, às vezes gargalhava durante o sono e era uma criaturinha que dava vontade de apertar o tempo todo. As dobrinhas das suas coxas eram irresistíveis. Ela tinha um cheirinho adorável, uma pele adorável, um rostinho adorável e os ruídos que fazia eram adoráveis.

Esses eram os pontos positivos.

Do lado negativo... Eu não consegui me recobrar do choque de me tornar mãe. Nada havia me preparado para aquilo e eu não me importava, mas o caso é que (algo incomum para mim) eu fizera um curso pré-natal e assistira a aulas sobre cuidados com o bebê, tentando me preparar bem. Não precisava ter tido todo aquele trabalho, porque o impacto em minha vida foi tremendo do mesmo jeito.

Ser totalmente responsável por aquele poderoso foco de vida embrulhado em paninhos me deixava apavorada e eu nunca tinha trabalhado tanto na vida sem descansar. O que achei mais difícil foi perceber que não havia nem um minutinho de folga. Nunca. Anton, pelo menos, tinha um emprego no mundo exterior e era obrigado a sair de casa todo dia; para mim, porém, ser mãe era uma atividade de tempo integral, de domingo a domingo.

Quanto a amamentar no peito, eu sempre achara uma cena encantadoramente serena. (A não ser quando as mulheres tentam fazer isso em público sem deixar que ninguém veja seu seio.) Ninguém me advertira que aquilo doía muito, a ponto de ser uma agonia. E isso foi *antes* de eu ter mastite, primeiro em um seio e depois no outro.

Havia momentos em que Ema nos deixava desnorteados. Nós a alimentávamos, trocávamos suas fraldas, a colocávamos para arrotar, lhe dávamos palmadinhas consoladoras, a ninávamos e mesmo assim ela não parava de chorar. Outras vezes nos apavorávamos sem a ajuda dela: geralmente torcíamos para ela pegar logo no sono, mas, quando dormia demais, vinha a paranoia de que ela pudesse estar com meningite e então a acordávamos.

Nosso apartamento, que nunca fora um primor de limpeza nem mesmo nos tempos calmos, se tornou o pior pesadelo de Martha Stewart. Pacotes imensos de Pampers ficavam espalhados pelo chão do quarto, havia fileiras de roupinhas de pagão e macacõezinhos pendurados para secar por toda a casa, pilhas de bichinhos molinhos de tocaia no carpete, esperando furtivamente para me fazer tropeçar neles, além da permanente marca roxa na minha canela, pois cada vez que eu passava pelo corredor, batia com a perna na haste do freio do carrinho de bebê.

Em meio ao borrão dos dias de vinte e quatro horas no ar, noites em claro, mamilos rachados e Ema chorando com cólicas, uma boa notícia conseguiu penetrar: Jojo vendera os direitos de *As Poções de Mimi* para uma grande editora chamada Dalkin Emery! Era um contrato para dois livros e eles haviam oferecido um adiantamento de quatro mil libras para cada um. Dei pulos de alegria por conseguir uma editora, assim que reuni energias para fazê-lo. Quatro mil libras era uma enorme soma em dinheiro, mas também não era a fortuna fabulosa que esperávamos. Pelo visto, o nosso destino era continuarmos pobres, especialmente porque o reality show da Eye-Kon, *O Último a Tombar*, quase não deu lucro e certamente não provocou a corrida de executivos de tevê dispostos a cobrir Anton e Mikey de dinheiro para novos projetos.

Em seguida, fomos à Dalkin Emery, a fim de conhecer a minha editora, Tania Teal. Ela tinha trinta e poucos anos e era muito agitada, mas simpática. Informou-nos que *As Poções de Mimi* seria lançado em janeiro do ano seguinte.

— Só em janeiro? — Faltava quase um ano, mas eu não me senti em condições de protestar porque não só eu não entendia nada sobre lançamento de livros, como meus seios estavam vazando e eu tive medo de Tania reparar. Não conseguira tempo nem para uma ducha antes do encontro e tinha tomado um "banho de gato" improvisado, com um monte de lencinhos umedecidos; estava me sentindo em desvantagem, imunda e com aparência medonha.

— Janeiro é um bom mês para romances de estreia — explicou ela. — Não tem muita coisa sendo publicada e o seu lindo livro terá uma chance melhor de ser notado.

— Entendo.

* * * *

Por muito e muito tempo, nada aconteceu. Pelo menos por seis meses e então, do nada, recebi a ligação de um sujeito chamado Lee, perguntando quando eu poderia marcar para ele vir tirar fotos para a capa do meu livro. Entrei em pânico.

— Eu ligo para você de volta — disse a ele, desligando e me perguntando: *Quem sou eu? Quem eu quero que as pessoas pensem que eu sou?*

— Quem telefonou? — quis saber Anton.

— Um cara vem tirar a minha foto para a contracapa do livro. Preciso fazer alguma coisa com o meu cabelo! Estou falando sério, Anton. Preciso de um implante em estilo Burt Reynolds. Deveria ter providenciado isso há meses! E roupas novas! Preciso de roupas novas! E unhas, Anton, veja só o estado das minhas unhas!

Saí e gastei metade de um dia e dinheiro demais com um corte de cabelo, uma sessão de tingimento (embora tenha desistido de um implante, Anton me convenceu); além disso, eu comprei três tops, uma calça jeans, botas novas e um pote de creme que se propunha a dar um pouco de brilho à minha pele, mas me deixou com a cara assustadoramente brilhante e oleosa depois de aplicado. Quando esfreguei o troço do rosto, arrastei um pouco de batom do canto da boca e deixei um rastro vermelho-sangue até o meio da bochecha, o que me deixou com aspecto de vítima em pronto-socorro.

— Isso está um desastre — gemi para Anton. — Eu não devia ter comprado as botas, porque elas nem mesmo vão aparecer na foto.

— Não importa, você vai saber que elas estão lá, isso lhe dará confiança. Segure a onda, amorzinho, vou pedir ajuda a Irina.

Ele voltou alguns instantes depois, rebocando Irina.

— Você é uma superfera nos cosméticos — elogiou Anton. — Poderia maquiar Lily para a sessão de fotos e deixá-la maravilhosa? Você nos ajuda?

— Não dá bara vazer milagres, mas vou tentar.

— Obrigada, Irina — sussurrei.

Na manhã da sessão de fotos, ela passou em nossa casa antes de ir para o trabalho, esfoliou meu rosto como quem passa sapóleo no chão da cozinha, arrancou quase todos os pelos das minhas sobrancelhas e por fim me cobriu com uma assustadora quantidade de gosma brilhante e espessa, tão estranha que Ema olhou espantada.

— Está tudo bem, querida, sou eu... Mamãe! — Tentei convencê-la.

Mas isso só serviu para fazê-la chorar a plenos pulmões. Quem era aquela bruxa com cara de palhaça e voz de mamãe?

Irina, Anton e Ema saíram. Anton resolveu levar Ema com ele para o trabalho, porque a sessão de fotos ia levar horas e não tínhamos ninguém com quem deixá-la.

Então Lee chegou. Ele era jovem e devia dormir com um monte de garotas saradas — dava para perceber só de olhar para ele. Veio armado com uma tonelada de equipamentos que Paddy Porra-Louca o ajudou a carregar escadas acima. Preferia que ele não tivesse feito isso; meu receio era que ele fosse pedir alguma grana a Lee, mas consegui dispensá-lo sem muito trabalho.

Lee descarregou um monte de caixas pretas no chão e olhou em torno.

— Somos só nós dois? Cadê o maquiador?

— Ahn... Uma amiga me maquiou; eu não sabia que...

— Não sabia? Todo mundo contrata um cabeleireiro e um maquiador profissional. As fotos da pessoa que escreveu o livro são muito importantes para as vendas.

— Mas... O que conta mesmo é o livro ser bom, não é?

Aquilo o fez dar uma gargalhada.

— Você ainda é novata nesse campo, não é? Raciocine comigo... Só os escritores bonitos aparecem na tevê, já reparou? Quando uma escritora é um dragão, os produtores de tevê não apresentam matérias com ela. Às vezes os editores tentam deixá-la longe dos refletores dizendo à mídia que ela prefere se isolar do mundo.

Aquilo não podia ser verdade. Podia?...

— Pode crer — ele insistiu. — Até que você não é feia, Lily, mas precisa de uma ajudinha. Por isso eu perguntei sobre o maquiador. Mas pode deixar que eu trabalho a foto no computador, para você ficar bem. Vou fazer o melhor possível.

— Ahn... Obrigada.

Ele analisou a sala, que eu tentara deixar impecável, sugou o ar por entre os dentes e deu uma risada melancólica.

— Esse lugar não é exatamente o sonho de um fotógrafo. Não tenho muito com o que trabalhar, certo?

— Ahn...

— Certo — suspirou ele. — De qualquer modo, eles não iriam liberar a grana para o aluguel de um estúdio para você. Vamos fazer o seguinte: tiramos algumas fotos para garantir, depois vamos lá fora tentar algo diferente. Estamos pertinho do parque Hampstead Heath, não estamos?

— Estamos. — Grande erro. Como dizia a grande Julia Roberts na célebre cena de *Uma Linda Mulher*, eu cometi um grande erro, um erro *enorme*.

Ele levou quase uma hora para preparar o equipamento — *guarda-chuvas* prateados, refletores e tripés — enquanto eu ficava sentada imóvel, na pontinha do sofá, tentando usar o poder da concentração para fazer minha maquiagem parar de evaporar. Finalmente, estávamos prontos para começar.

— Faça uma cara sensual — comandou ele.

— Ahn...

— Pense em sexo.

Sexo? Acho que foi o que ouvi. Tenho quase certeza.

— Vamos lá, quero uma cara de sexo.

Eu sorri, tentando atender ao pedido, mas estava terrivelmente intimidada por ele ser tão jovem, pela sua falta de frescuras e, o pior de tudo, por sua avaliação fria da minha aparência.

— Levante o queixo. — Por trás da câmera, ele riu sozinho e murmurou: — Levante o segundo, o terceiro e o quarto queixo também. — Em seguida gritou: Relaxe! Até parece que você está diante de um pelotão de fuzilamento!

Ele ficou trocando lentes, verificando fotômetros e as tais "fotos para garantir" levaram tanto tempo quanto a montagem do equipamento. Depois, eu ainda tive de aturar uma caminhada de vinte minutos até o parque, carregando um tripé e tentando puxar assunto com ele. Eu quase não dormira naquela noite e conversar nunca foi o meu forte.

— Você já tirou fotos de muitos escritores?

— Ah, sim, um monte deles. Christopher Bloind... Miranda England. *Ela* é realmente fabulosa. O sonho de qualquer fotógrafo. Não dá para tirar uma foto ruim dela. Eles me mandaram até Monte Carlo para fotografá-la. Fui de primeira classe até Nice, e então eles mandaram me buscar de helicóptero. — É claro que ele tinha de me contar isso exatamente no instante em que nos arrastávamos através de uma ponte ferroviária coberta de pichações, e demos boas gargalhadas ao comparar os dois cenários. — De um extremo ao outro, não é, Lily?

Ao chegarmos no Hampstead Heath, ele olhou em volta, estreitando os olhos, e então seu rosto se acendeu.

— Já sei! Vamos fazer você subir em uma árvore.

Eu esperei pela risada que se seguiria. Porque aquilo era uma piada, certo?

Na verdade, não era.

Ele fez uma "cadeirinha" com as mãos entrelaçadas, pediu para eu pisar nela e me ergueu. Então, tive de ficar em pé sobre um galho a uns dois metros acima do chão, passar os braços em volta do tronco... E sorrir.

— Agora, olhe para mim, aqui embaixo... Isso mesmo, vento nos cabelos... Isso mesmo! Passe a língua sobre os lábios.

Se em uma foto tirada ao nível dos olhos e sentadinha quieta na ponta do sofá eu parecia ter queixo duplo, com o que eu pareceria sendo clicada de baixo para cima? Uma perua atropelada? Uma sapa? *Jabba, the Hutt*?

— Pense em sexo, finja que é uma mulher sensual. PAREÇA SEXY!

— Fale mais alto — murmurei. — Acho que não deu para eles ouvirem você no Cazaquistão.

— Pareça sexy! — ele berrou, clicando sem parar. — Pareça sexy, Lily!

Um bando de alunos de uma escola próxima parou para nos zoar.

— Vamos mudar um pouco as coisas, Lily. Desça daí e vamos fazer uma com você se balançando pendurada em um galho.

Eu me arrastei devagarzinho para descer e reparei que minhas botas novas ficaram arranhadas por causa do tronco. Fiquei com os olhos rasos d'água, mas não podia chorar, porque Lee já fazia outra "cadeirinha" com as mãos para eu poder alcançar um galho mais alto e me pendurar como uma macaca.

— Olhe para mim e dê uma gargalhada — gritou Lee para mim, com voz de cacarejo, mais parecendo um maluco. — Vamos lá, uma gargalhada escandalosa. Como esta: Rararararaaahhh!! Você está pendurada em um galho de árvore, divertindo-se como nunca, jogue a cabeça para trás, ria, RIA muito. Rararararaaahhh!

As juntas dos meus ombros doíam, minhas mãos estavam ardendo, escorregadias, meu rosto estava de matar, minhas botas novas estavam arranhadas e eu, de forma obediente, ria, ria, ria muito.

— Rararararaaahhh! — ensinava ele.

— Rararararaaahhh! — tentava eu.

— Rararararaaahhh! — ecoavam os meninos da escola.

No instante em que eu achava que as coisas não poderiam piorar ainda mais, começou a garoar. Por um rápido instante, achei que aquilo era bom, pois certamente seríamos obrigados a parar. Vã esperança...!

— Chuva?! — reagiu Lee, analisando o céu. — Isso pode ser bom. Selvagem e romântico. Vejamos agora... O que poderíamos tentar?

Avistei um dos meninos escrevendo um bilhete. Um instinto terrível me deu a dica de que ele ia convocar reforços.

— Vamos até o alto daquela colina — sugeriu Lee. — Quero ver o que há lá.

Encharcada, pau da vida e carregada de equipamentos, eu o segui colina acima e então olhei para trás, na esperança de que os fedelhos da escola tivessem desistido de nos seguir, mas lá vinham eles. Mantinham uma distância respeitosa, mas continuavam firmes, fortes e... Seria a minha imaginação ou agora a quantidade havia aumentado?

Lee parou ao lado de um banco.

— Vamos fazer algumas aqui.

Ofegante e suada, despenquei sobre o banco. Graças a Deus chegara a hora de alguns cliques comigo sentada.

— Lily, preciso que você fique em pé.

— Em cima do banco?

— Não exatamente.

— Não exatamente?

Ele parou para pensar. Algo muito terrível vinha vindo.

— Quero você nas costas do banco, Lily. Como se estivesse sobre uma corda bamba. Isso vai dar uma foto fantástica.

Sem fala, devido ao desespero, simplesmente fiquei ali em pé, olhando para ele.

— Seus editores me pediram para fazer fotos amalucadas — explicou Lee.

Desmoronei, resignada. Eu precisava fazer aquilo. Não queria que me rotulassem de "difícil".

— Acho que não vou conseguir manter o equilíbrio.

— Pelo menos, tente.

Lá fui eu, subindo meio torta, observada pelos garotos. Dava para ouvi-los trocarem ideias sobre se deviam ou não me zoar.

Coloquei um dos pés firmemente sobre o encosto do banco; essa parte até que foi fácil. Em seguida, para minha surpresa, consegui colocar o outro e de repente eu estava ali, me equilibrando em cima de um pedaço de madeira ridiculamente estreito.

— Você está indo muito bem, Lily! — gritou Lee, clicando sem parar. — Olhe na minha direção e pense em sexo.

Percebi uma agitação entre os meninos. Desconfio que estavam abrindo uma banca de apostas para tentar acertar o tempo que eu ia levar antes de me estabacar no chão.

— Lily, levante uma das pernas! — gritou Lee. — Equilibre-se em uma perna só, com os braços estendidos, como se estivesse voando!

Por mais ou menos um segundo, eu consegui fazer isso. Por centésimos de segundo eu me senti no ar, como se flutuasse, até reparar que havia tantos garotos na colina que aquilo começou a parecer um concerto de rock. Foi aí que eu balancei e caí pesadamente no chão como uma jaca. Torci o pulso e, o que é pior, sujei meu jeans novo de lama.

A chuva apertou e o meu nariz estava a poucos centímetros do chão imundo. De repente, eu pensei: *Sou uma escritora. O que estou fazendo aqui de quatro, na lama?*

Lee chegou com a mão estendida para me ajudar.

— Mais algumas fotos só... — anunciou ele, com a voz alegre. — Estamos quase acabando.

— Não! — reagi, com a voz aguda e trêmula. — Acho que já tiramos fotos suficientes!

Durante todo o caminho de volta, eu me senti prestes a chorar de humilhação, desespero e exaustão, e, quando cheguei em casa, fui direto para a cama.

39

Depois desse episódio, tudo ficou novamente calmo. Em um determinado momento, recebi uma amostra da capa e em seguida a primeira prova da gráfica, para verificar se havia erros (encontrei uma preocupante quantidade deles). Durante esse tempo, eu já deveria estar trabalhando no segundo livro. Já fizera alguns esboços iniciais, mas o problema é que eu vivia cansada. Anton tentava me incentivar, mas estava quase tão exausto quanto eu e acabou perdendo o pique.

Veio o dia em que me enviaram alguns exemplares prontos. Eu me comovi tanto que cheguei às lágrimas. Considerando que uma vez eu ficara toda empolgada ao me achar no catálogo telefônico, ver e tocar um livro com o *meu* nome na capa era uma emoção arrebatadora. Todas aquelas palavras, palavras que eu escrevera *sozinha*, reunidas e impressas por alguém de fora. Aquilo me encheu de orgulho e assombro. Obviamente não foi uma emoção tão intensa quanto dar à luz, mas certamente vinha em segundo lugar.

A foto da autora, na contracapa, era a primeira que Lee tirara — aquela em que eu estava sentada no sofá olhando direto para a câmera. Eu exibia uma sombra meio púrpura sob os olhos e um queixo duplo que eu jurava não ter na vida real. Parecia ligeiramente ansiosa. Não era uma grande foto, mas certamente ficara muito melhor do que a outra em que eu aparecia pendurada em um galho fazendo Rararararaaahhh!!

Naquela noite, ao ir para a cama, encontrei o livro sob as cobertas, só com o título de fora; Anton o colocara ali e eu adormeci embalando o meu novo filho.

O lançamento era no dia 5 de janeiro e, quando acordei nesse dia (pela quarta vez, desde que deitara na véspera), eu me senti uma criança no dia do aniversário. Talvez até um pouco mais ansiosa, equilibrando-me sobre o estreito espaço que fica junto do altíssimo astral, mas pode se tornar um desapontamento enraivecido em menos de um segundo.

Anton me recebeu na cozinha com uma xícara de café e cumprimentou:

— Bom-dia, escritora.

Eu me vesti e ele apareceu com outra brincadeira:

— Por favor, Lily Wright... Qual é a sua profissão?

— Escritora!

— Desculpe, madame, mas estamos fazendo uma pesquisa. Poderia me dizer qual é a sua profissão?

— Sou escritora. Já publiquei um livro.

— Oh, a senhora é a *famosa* Lily Wright?

— Lily Wright, a escritora. Sim, sou eu.

Rimos muito e nos atiramos na cama, com a cabeça leve.

Ema percebeu a atmosfera animada e fez um discurso comprido e sem sentido, para em seguida dar um tapa nos joelhos rechonchudos e guinchar de alegria.

— Ema trouxe notícias do *front*, Lily — disse Anton. — Vamos colocá-la no carrinho para irmos visitar o seu outro bebê.

Eu montei o carrinho para a caminhada solene até a livraria mais próxima, que ficava em Hampstead.

— Vamos visitar o livro da mamãe — Anton explicou a Ema.

Ela se mostrou toda dengosa por ver o pai em casa em um dia de semana e gritou:

— Lalalala-jingjing-urk!

— Isso mesmo!

Estávamos com o astral no nível máximo. Era uma manhã fria e ensolarada e caminhávamos pela rua com uma determinação incomum. Eu ia ver o meu primeiro romance à venda em uma loja! Que experiência fantástica!

Entrei na livraria com o pescoço tão esticado que parecia um ganso minha cara tinha um sorriso feliz grudado nela. Onde estaria o meu livro?

Não havia nenhum exemplar na vitrine da frente e eu engoli em seco, sentindo uma fisgada de pânico. Tania me explicara, com muito jeitinho, que, embora ela desejasse que as coisas fossem diferentes, o meu livro era "pequeno" em termos de mercado e eu não teria cartazes nem pôsteres nas vitrines. Mesmo assim, eu tinha uma leve esperança...

Só que não havia nenhum exemplar de *As Poções de Mimi* na seção de lançamentos, nem na mesa dos recentemente publicados. Acelerando o passo, deixei Anton e o carrinho de Ema para trás e percorri a loja, olhando e procurando. Andava cada vez mais depressa, com a cabeça girando como um periscópio, a ansiedade crescendo e o meu livro sem aparecer. Embora houvesse milhares de livros expostos, eu sabia que reconheceria o meu na mesma hora, em meio a todos os outros... Se ele estivesse ali.

Ao me ver na seção de livros de psicologia, parei de repente e corri para junto de Anton. Encontrei-o no balcão de informações.

— Você o achou? — perguntou ele, nervoso.

Balancei a cabeça.

— Eu também não, mas não se preocupe, vou perguntar ao atendente. — Anton acenou com a cabeça para um jovem com olhar triste que olhava para um monitor e se esforçava ao máximo para nos ignorar. Depois de um instante, Anton pigarreou e disse:

— Desculpe interrompê-lo, mas estamos procurando por um livro.

— Então vieram ao lugar certo — disse o rapaz, sem muita empolgação, indicando o mar de livros em toda a loja.

— Sim, mas o que procuramos se chama *As Poções de Mimi*.

Depois de apertar algumas teclas com alguma disposição, o rapaz disse:

— Não.

— Não o quê?

— Não temos esse título no estoque, nem vamos encomendá-lo.

— Por que não?

— Política de vendas da loja.

— Mas esse livro é fabuloso! — explicou Anton. — Foi ela quem o escreveu — informou, apontando para mim.

Eu balancei a cabeça afirmativamente. Sim, realmente fui eu a escritora.

Porém, longe de se impressionar com aquilo, o rapaz repetiu:

— Não temos esse título no estoque. — Olhou por cima do ombro de Anton para a pessoa que estava atrás de nós. O significado era claro: *Caiam fora!*

Ficamos rodeando o balcão, abrindo e fechando a boca como peixinhos de aquário, atônitos demais para irmos embora. Não era assim que as coisas deviam acontecer. É claro que eu não esperava desfilar em carro aberto através de ruas apinhadas de gente, mas não achei absurdo pensar que conseguiria achar meu livro à venda em uma livraria. Afinal, sem ser ali, onde mais eu poderia esperar encontrá-lo? Em uma loja de ferragens? Na tinturaria?

— Ahn... Desculpe — disse Anton, depois de o outro cliente ser despachado. — O rapaz pareceu surpreso por nos ver ainda ali. — Posso falar com o gerente?

— Está olhando para ele.

— Oh... Bem, o que devemos dizer para fazê-lo mudar de ideia a respeito de *As Poções de Mimi?*

— Nada.

— Mas é um grande livro! — insistiu Anton.

— Converse com o seu editor.

— Humm... OK.

Por uma questão de orgulho, esperei até me ver fora da loja para começar a chorar.

— Babaca! — disse Anton, com o rosto vermelho de humilhação, enquanto caminhávamos de volta para casa, cheios de raiva. — *Babaca* insignificante e arrogante. — Chutou uma lata de lixo e machucou o pé. Eu recomecei a chorar.

— Babaca! — disse.

— Babaca! — gritou Ema, do carrinho.

Anton e eu olhamos um para o outro, com o rosto cheio de alegria. Era a primeira palavra dela!

— Isso mesmo! — confirmei, me agachando ao lado do carrinho. Ele é um *ba-ba-ca*.

— Um babaquíssimo babaca — disse Anton, novamente furioso. Vamos ligar para a editora assim que colocarmos os pés em casa.

— Babaca — repetiu Ema.

— É isso aí, garota!

Levamos uns vinte minutos para chegar em casa e eu ainda tremia quando liguei para a linha particular de Tania.

— Posso falar com Tania?

— Quem deseja...?

— Lily Wright.

— E o assunto se refere a...?

Fiz cara de surpresa.

— Se refere ao meu livro.

— Cujo nome é...?

— *As Poções de Mimi*.

— Como é mesmo o seu nome? Leela Ryan?

— Lily Wright.

— Lily White. Espere na linha, por favor.

Dois segundos depois, Tania atendeu:

— Desculpe a minha assistente. Ela é estagiária e meio sem noção. Como vai, querida?

Um pouco hesitante e sem querer parecer crítica, relatei a ela tudo o que havia acontecido na livraria.

Tania falou baixinho, tentando me tranquilizar:

— Sinto muito, Lily, sinto de verdade. Eu adoro *As Poções de Mimi*. O problema é que cem mil novos livros são publicados a cada ano. Nem todos podem se tornar bestsellers.

— Mas eu não esperava que ele se tornasse um bestseller. — Bem, obviamente *esperava*, sim...

— Só para você ter uma ideia da dimensão do mercado, o seu livro teve uma tiragem de cinco mil exemplares. Um escritor como John Grisham tem uma edição inicial de quinhentos mil. Confie em mim, Lily, o seu lindo livro está nas ruas, embora talvez você não o encontre em todas as lojas.

Eu contei a Anton o que ela dissera.

— Isso não é bom o bastante para você! — reagiu ele. — E quanto à publicidade? E quanto às entrevistas e às noites de autógrafos?

— Não vai haver nada disso, amor — disse eu, sem expressão. — Esqueça o assunto, Anton, nada disso vai acontecer. Vamos em frente com a nossa vida.

Mas eu não contava com a energia de Anton.

Mais ou menos uma semana depois, ele chegou do trabalho muito empolgado.

— Você vai ter uma noite de autógrafos.

— O quê?

— Conhece Miranda England? Uma das autoras mais famosas da Dalkin Emery? Bem, o seu novo livro vai ser lançado. Na quinta-feira, às sete da noite, ela vai fazer uma sessão de autógrafos no West End, e eu convenci Tania a transformar esse evento em uma dupla noite de autógrafos... Com você! Miranda é superfamosa, uma multidão certamente aparecerá lá para prestigiá-la e, assim que conseguirem o seu autógrafo, nós os pegamos. Vamos ter uma plateia cativa.

— Minha nossa! — Fiquei olhando para ele. — Você é uma surpresa ambulante. — Fiquei me perguntando como as outras escritoras faziam... Aquelas que não tinham um Anton em sua vida. — Só por isso, meu bom rapaz, hoje nós vamos transar na posição que você escolher.

Puxa, como foi divertido!

40

Na noite de autógrafos, Anton e eu chegamos à livraria tão cedo que chegou a ser embaraçoso. Na vitrine havia uma foto de Miranda England quase tão grande quanto a do camarada Mao Tsé-Tung na Praça da Paz Celestial, além de algumas pilhas com centenas de seus livros. Havia também uma foto minha. Menor... Muito menor! Praticamente do tamanho de uma foto de passaporte.

Na loja havia muitas outras fotos da camarada Miranda e, embora ainda faltassem vinte minutos para as sete, uma fila já se formara. Quase todas as pessoas eram mulheres, e todas pareciam muito agitadas e empolgadas.

Um minuto antes das sete, um Mercedes prateado parou e Miranda surgiu, acompanhada de um pequeno séquito. Ela acabara de aparecer no jornal da BBC e vinha com o marido, Jeremy. Atrás deles vinha Otalie, responsável pela divulgação da Dalkin Emery, e Tania, nossa editora, que me deu um beijo e apertou minha mão com ar solidário. Ao chegar à porta, Miranda olhou para a fila, que já aumentava. Havia umas setenta pessoas — alguns grupos eram tão grandes que as pessoas deviam ter ido para lá de van.

— Merda! — reagiu ela. — Vamos ficar aqui a noite toda! — Virando-se para Otalie, murmurou: — Tira bom, tira mau, certo?

O que queriam dizer com aquilo?

Assim que elas entraram no salão, um rapaz veio andando pela loja em alta velocidade. Freou quase em cima de Miranda e se apresentou como Ernest, gerente de eventos.

— É uma grande honra recebê-la. — Ele se curvou e tocou a palma da mão de Miranda com a testa. — Todas essas pessoas estão aqui pela senhora — continuou ele, apontando para os fãs. — O que podemos fazer para recebê-la à altura? Soubemos que aprecia biscoitos de chocolate australianos e mandamos buscar uma caixa em Sidney, para lhe oferecer.

Otalie me empurrou na direção dele, dizendo:

— Esta é nossa outra escritora da noite, Lily Wright, que também vai autografar seu novo livro, *As Poções de Mimi*.

— Ah... Sim. Já mandei buscar alguns exemplares. — O tom de sua voz parecia insinuar: *Eles estavam enterrados em nosso cofre selado, que fica a cinquenta metros de profundidade, entre as caixas de lixo nuclear.*

Quando Miranda foi encaminhada através da multidão na direção da mesa na qual ela começaria a autografar, o nível de ruído aumentou e algumas pessoas soltaram gritinhos. Excluídos daquele círculo mágico, Anton e eu nos olhamos e encolhemos os ombros.

— Estou vendo a sua mesa — disse ele. — Vá lá e sente em seu lugar.

Ele me encaminhou até uma mesinha lateral onde havia um pequeno cartaz com o meu nome e o título do livro. Uns poucos exemplares surgiram de algum lugar.

Enquanto eu esperava alguém — qualquer pessoa — se aproximar de mim, fiquei observando Miranda e tentei não demonstrar o ar de inveja que estava louco para se exibir em meu rosto. À volta dela, um verdadeiro exército de funcionários da livraria trazia caixas e mais caixas dos seus livros, empilhando-os em uma espécie de configuração preestabelecida que se assemelhava à construção das pirâmides.

Otalie cuidava da turba, organizando-a em uma fila ordenada e distribuindo senhas.

— Tragam os livros abertos na primeira página e escrevam o seu nome na senha, com a grafia correta! — ordenou ela, em voz alta. — Nada de livros antigos! — ameaçou. — Miranda NÃO VAI autografar nenhum dos livros anteriores ao que está sendo lançado hoje. A senhora aí, com o saco cheio de livros — ela se dirigiu a uma mulher que carregava uma bolsa plástica quase estourando. — Se há algum título antigo nessa bolsa, por favor, deixe-os de fora. Não há tempo para Miranda autografá-los.

— Mas esses são os livros favoritos da minha filha. Ela os leu quando se recuperava de um esgotamento nervoso e...

— Ela vai apreciar um exemplar autografado desse novo lançamento do mesmo jeito. — Otalie pegou o livro novo e o colocou por cima da pilha que a mulher carregava. Achei Otalie uma pessoa horrível e cruel. Embora a pobre mulher fizesse cara de assustada, agiu exatamente como lhe foi ordenado, avançando pela fila conforme ela andava.

— Nada de dedicatórias! — Otalie berrava, ao longo da fila. — Nada de "feliz aniversário" nem textos especiais. NÃO PEÇAM nada a Miranda, com exceção do seu nome.

Apesar do reinado do terror, a atmosfera de festa prevaleceu e de vez em quando alguns dos comentários das pessoas vinham até onde eu estava.

"... Mal posso acreditar que estou aqui, diante de você..."

"... É como se você fosse a minha melhor amiga..."

"... Sabe aquele pedaço do livro, *Pretinho Básico*, quando a protagonista descobre que o namorado está usando as calcinhas dela? Isso também aconteceu comigo, e eram as minhas favoritas..."

— Sinto muito pela menina da divulgação — eu ouvia Miranda dizer o tempo todo. — Eu adoraria ficar aqui conversando com cada uma de vocês a noite toda, mas ela é uma megera.

Ah... Tira bom, tira mau. Agora é que eu estava entendendo.

Ao sair de junto de Miranda, algumas pessoas tinham lágrimas nos olhos e, quando as pessoas da fila perguntavam "Como ela é...?", todas respondiam: "É adorável, tanto quanto os livros que escreve."

Nenhuma delas seguia em frente para me ver.

— Dê um passo para o lado — eu disse para Anton, baixinho. — Você está bloqueando a visão das pessoas e me escondendo.

Rapidamente ele saiu de perto da mesa e se postou um pouco mais longe.

Então... Um homem se aproximou de mim! Veio na minha direção com ar decidido. Eu sorri, toda alegrinha. Meu primeiro fã!

— Olá!

— Oi. — Ele franziu o cenho. — Estou procurando a seção de livros policiais sobre crimes baseados em fatos reais.

Eu fiquei paralisada, com o primeiro exemplar de *As Poções de Mimi* na mão, recém-retirado do montinho.

Acho que ele pensa que eu sou funcionária da loja.

— Onde encontro crimes na vida real? — repetiu ele, impaciente. — Onde eles estão?

— É só sair da loja e colocar o pé na rua — ouvi Anton murmurar.

— Hummm. — Eu girei o pescoço, olhando em volta da loja. — Não sei ao certo, senhor. Por que não pergunta no balcão de informações?

Resmungando alguma coisa sobre idiotas que não sabem orientar os clientes, ele saiu pisando duro.

Do outro lado, na fila de Miranda, o termômetro da atmosfera festiva se elevara em vários graus e alguém abriu uma garrafa de champanhe. Copos se materializaram do nada e barulhos de *tim-tim* encheram o ar. Na outra metade da tela, no meu cantinho desolado da loja, um vento frio soprava, uma bola de capim seco rolava de forma dolente e então um sino deu uma única badalada, emitindo um som funéreo. Bem, pelo menos tudo isso era o que me parecia.

Flashes espocavam e enchiam de luz prateada o espaço aéreo sobre Miranda. As pessoas de uma das excursões de ônibus se preparavam para uma foto em grupo, e duas fileiras de garotas frívolas e agitadas que não paravam de dar risinhos se ajeitavam, as da frente se agachando como para uma foto de time de futebol.

Então alguém reparou na minha presença! Três das garotas, depois da foto, se aglomeraram diante da minha mesa, com as cabeças quase unidas, observando-me como se eu fosse um animal no zoológico.

— Quem é ela?

Uma delas leu meu cartaz.

— Seu nome é Lily-não-sei-o-quê. Acho que ela também escreveu um livro.

Lancei na direção delas o que esperava ser um sorriso convidativo, mas, assim que elas perceberam que eu estava viva, recuaram.

Anton aproveitou a deixa:

— Esta é a nova escritora Lily Wright, garotas, e este é o seu novo e fabuloso livro. — Distribuiu *As Poções de Mimi* para elas darem uma olhada.

— *An*-ton. — Eu morri de vergonha.

— O que vocês acham? — perguntaram as garotas, umas às outras, como se eu não estivesse ali ou fosse surda.

— Não... — decidiram. — Não queremos não. — Saíram dali direto para a porta da rua, aos gritinhos, comentando: — Não acredito que acabei de conhecer Miranda England!

Anton e eu trocamos sorrisos amarelos. Lá pros lados de Miranda, estavam dançando a conga.

Nesse momento uma senhora muito idosa se aproximou da mesa. Depois do vexame anterior, eu não demonstrei tanta pressa em colocar um exemplar de *As Poções de Mimi* em sua mão. Fiz muito bem...

— Será que você poderia me informar onde estão os livros de artesanato, meu bem? — Havia algo engraçado com os seus dentes. Eles pareciam estar meio soltos, subindo e descendo dentro de sua boca enquanto ela falava. *Dentadura*. Que possivelmente pertencia a outra pessoa!

— Sinto muito, mas eu não trabalho aqui.

— Mas o que faz sentada aí, então? É só para confundir as pessoas?

Era difícil me concentrar no que ela dizia, porque seus dentes pareciam ter vida própria; era como assistir a um filme mal dublado.

Expliquei quem eu era.

— Ora, mas então você é uma escritora? — *Gottle, a boneca de ventríloquo.* — Que maravilha!

— Será? — perguntei. Começava a duvidar daquilo.

— Claro, querida! Minha neta também escreve umas coisinhas e adoraria vê-las publicadas. Por favor, me dê o seu endereço que eu vou lhe mandar algumas das histórias de Hannah. Você pode dar uma ajeitadinha no texto e entregá-las ao seu editor, para publicação.

— Sim, mas pode ser que elas não...

Parei de falar. Como em um filme em câmera lenta, ela pegou um dos exemplares de *As Poções de Mimi* e arrancou um pedaço da sobrecapa traseira. Eu me virei para Anton, que parecia tão chocado quanto eu. Então Gottle, a boneca de ventríloquo, me entregou o pedaço rasgado com uma caneta.

— Não esqueça de colocar o CEP, por favor.

Anton entrou em ação:

— Quem sabe a senhora não gostaria de comprar o livro de Lily...?

Gottle se empertigou toda diante dessa impertinência.

— Eu vivo de aposentadoria, meu jovem. Agora, me entregue esse endereço e me ajude a encontrar livros sobre tapeçaria.

Anton ficou olhando de cara feia enquanto a velha saía.

— Vaca maluca! Olhe, coloque o livro com a capa rasgada por baixo da pilha, senão ainda vamos ter que pagar por ele. Depois dessa, nós vamos para casa.

— Não. — Eu teria ficado ali por toda a eternidade, mesmo que estivesse coberta de mel dos pés à cabeça em uma sala infestada por um enxame de abelhas assassinas. Anton conseguira aquela noite de autógrafos para mim e eu jamais seria ingrata com ele.

— Amorzinho, você não tem que ficar aqui e aturar tudo isso só para me agradar — disse ele. — Vou avisar Otalie que estamos de saída.

Se até mesmo Anton parecia pessimista, é porque as coisas deviam estar piores do que eu pensava.

Otalie veio até a minha mesa.

— Autografe ao menos esses exemplares de As Poções de Mimi e depois pode ir embora — ordenou ela. — Depois de autografados, a loja não pode mais mandá-los de volta para nós.

Comecei a trabalhar na modesta pilha, mas Ernest, que se arrastava pelo chão, farejando e lambendo os sapatos de Miranda, me viu de longe, levantou-se na mesma hora e veio correndo.

— Chega! Não autografe mais nenhum! Nunca conseguiremos devolver esses livros! — lamentou.

Ao sairmos, notamos que todos continuavam a beber champanhe e Miranda autografava sem parar as dezenas de livros que iam se empilhando à sua volta em direção ao céu, como torres bíblicas.

41

Quando janeiro chegou ao fim, tudo havia terminado (esse "tudo" era uma absoluta falta de eventos). Basicamente nada aconteceu e, depois do mês mais tenso de toda a minha vida, percebi que as coisas não iam mudar. Eu era oficialmente uma escritora, com um livro publicado, mas isso não significava nada. Com exceção de uma resenha no *Irish Times* daquelas do tipo "não pisque ao virar as páginas do jornal, senão você perde", minha vida continuava exatamente do jeito que era antes e eu precisava me acostumar com aquilo.

Tentei me animar pensando *Eu perdi os braços e as pernas em um bizarro acidente com uma máquina de moer carne; minha irmã e o namorado foram sequestrados por terroristas na Chechênia (embora estivessem na Argentina); a cabeça de minha filhinha vinha crescendo de forma anormal e desproporcional.*

Essa é uma técnica que eu emprego quando estou infeliz: finjo, por alguns instantes, que uma terrível catástrofe aconteceu e falo para mim mesma, arrasada: "Antes desse desastre acontecer eu era tremendamente feliz e não sabia; daria tudo para poder voltar no tempo." A ideia era a de que o que antes me parecia normal e tedioso agora assumia ares de utopia. O passo seguinte era lembrar que as catástrofes *não haviam acontecido de verdade*, que eu nem chegara perto de uma máquina de moer carne e minha vida era realmente uma utopia abençoada e sem desastres. Isso geralmente fazia com que eu me sentisse grata pelo que tinha.

* * *

Permaneci ali, absolutamente esmagada pelo anticlímax, e, quando meu pai telefonou, alguns dias depois, achei difícil me mostrar animada. Não que isso fizesse diferença, porque ele sozinho já esbanjava a animação de dez pessoas.

— Lily, minha filhinha querida! — exclamou. — Trago uma boa novidade. Shirley, uma amiga de Debs (você deve conhecê-la, é aquela alta e magra que parece uma cegonha) leu *As Poções de Mimi* e achou genial. Veio aqui em casa e não falou de outra coisa. Sua voz baixou um pouco de tom e ele continuou, em tom de confidência: — *A princípio ela nem sabia que você é minha filha,* não se ligou no nome. Pois bem, o clube de leitura dela escolheu o seu como o livro do mês e, assim que ela descobriu que você é minha filha, ficou louca e agitada, entende? Quer exemplares autografados.

— Bem, ahn... Puxa, que legal, papai. Obrigada. — Apesar de ser um incidente isolado, aquilo me animou um pouco.

Não perguntei o porquê de ser ele o portador da boa notícia, em vez de Debs: ela ficaria mortificada se fosse obrigada a ser gentil comigo. Não era à toa que a chamávamos de "Debs, a desagradável".

— Estou com seis livros aqui para você autografar. Quando eu posso passar em sua casa?

— Quando quiser, papai, eu não tenho aonde ir mesmo.

Ele percebeu o tom da minha voz.

— Ei, se anime, garota! — disse ele, com ar de júbilo. — Isso é apenas o começo.

Uma vez eu li um artigo no jornal que descrevia o ator Bob Hoskins como "testículos com pernas" e isso me acendeu uma luzinha no cérebro: papai era exatamente igual. Era baixinho, tinha um corpo de barril e era cheio de si por ser um menino pobre que trabalhara e se dera bem na vida, para depois se dar mal e por fim se dar bem novamente.

Minha mãe — uma "beldade" — bem que merecia alguém mais bonito. Essas eram exatamente as palavras dela (apesar de falar brincando). Ela havia namorado papai porque ele lhe disse: "Fique comigo, boneca, porque nós vamos longe!" Essas foram exatamente as palavras *dele,* e papai cumpriu a promessa. Eles foram de uma casinha pobre em Hounslow West para o descolado esplendor de Guildford, indo em seguida para um apartamento de dois quartos em Kentish Town, sobre uma lanchonete de churrasco grego.

Ter um pai com espírito empreendedor parece uma coisa boa, certo? Homens desse tipo acumulam fortunas muito depressa e mudam com a mulher e as duas filhas para uma casa de cinco quartos com janelas de vitral em Surrey. Mas o que poucos comentam é que muitas vezes esses sujeitos que gostam de correr riscos vão longe demais e arriscam tudo, inclusive a casa onde moram, na expectativa de ter mais um golpe de sorte e aumentar exponencialmente sua já imensa fortuna.

As colunas financeiras sempre exibem grande admiração por esses homens (quase sempre são homens) que "ganham um milhão, perdem tudo, vão em frente e ganham outro milhão". Mas se esse homem for um pai de família?

Às vezes eu ia para a escola em um Bentley zero quilômetro; depois, ia de ônibus e, quando a coisa piorava, nem ia mais à escola. Às vezes frequentávamos o Clube dos Pôneis, de repente não havia pônei algum e então me era oferecida a chance de ter outro pônei e eu recusava. Como poderia ter certeza de que ele não me seria novamente arrancado de uma hora para outra?

Mas eu adorava o meu pai. Ele era basicamente otimista e nada o deixava de farol baixo por muito tempo.

No dia em que tivemos de deixar a casa de Guildford para trás, ele chorou como uma criança, esfregando os dedinhos roliços sobre o rosto cheio de lágrimas.

— Minha linda casa de cinco quartos e três banheiros... — lamentou.

Eu e minha irmã mais nova, Jessie, tentamos consolá-lo:

— Não era assim tão maravilhosa — disse eu.

— E os vizinhos nos odiavam — cantarolou Jessie.

— É... — fungou papai, aceitando um lenço de papel que Jessie ofereceu. — São um bando de vagabundos esses corretores da bolsa.

No momento em que entramos no ônibus, cinco minutos depois, ele já se convencera de que era melhor cair fora daquele lugar.

Acho que foi essa constante insegurança financeira que levou mamãe a se divorciar dele, depois de aturar muito, mas eu sei que um dia os dois se amaram bastante. Eles se referiam a si mesmos de forma carinhosa, na terceira pessoa, chamando-se de "Davey & Carol". Mamãe dizia que papai era o seu "diamante bruto", e ele a chamava de "meu pássaro de plumagem exótica".

Eu nunca aceitei por completo o divórcio dos meus pais. No fundo, existe dentro de mim um foco de resistência a essa realidade e ainda acalento esperanças de uma reaproximação. Mamãe expulsou papai de casa duas vezes, mas, em ambas as ocasiões, chamou-o de volta no mesmo dia. Apesar de eles terem se separado há dezoito anos, isso sempre me pareceu uma situação temporária.

Quando papai conheceu Viv, no entanto, as chances de meus pais tornarem a ficar juntos praticamente desapareceram.

Viv e mamãe eram muito diferentes. Minha mãe não era genuinamente elegante e seu pai era médico. Comparada a Viv, porém, mamãe parecia pertencer à aristocracia.

Papai conheceu Viv em uma corrida de cães e se encontrou com ela em segredo durante meses, até que decidiu se casar. Nesse dia ele chamou a mim e a Jessie para conversar e nos deu a notícia.

— Ela tem um coração de ouro — explicou ele.

— O que o senhor quer dizer com isso?

— Que ela é igual a mim.

— Igual como...? Uma pessoa comum? — perguntou Jessie.

— Isso mesmo.

— Ah, que ótimo!

Papai morria de medo que Jessie e eu pudéssemos odiar Viv, e isso é compreensível. Afinal, além de Viv ser a madrasta malvada, eu tinha dezesseis anos e Jessie, quatorze, ambas na plena fase adolescente de emoções transbordantes. Odiávamos até mesmo as pessoas que amávamos, então que chances uma intrusa como Viv poderia ter?

Mas Viv era uma flor em forma de gente: calorosa e acolhedora, uma pessoa daquelas que a gente tem vontade de abraçar.

Na primeira vez que papai levou Jessie e a mim à casa de Viv, muito apertada e eternamente imersa em uma nuvem de fumaça de cigarro, vimos um motor de carro colocado sobre a mesa da cozinha, pingando óleo. Um de seus filhos — Baz, ou Jez — limpava as unhas com uma faca de cozinha comprida e serrilhada.

— Oohhh, estamos morrendo de medo de você! — zombou Jessie.

Baz (ou Jez) lançou-lhe um olhar sombrio e mal-humorado. Jessie fingiu tropeçar de susto e puxou o braço dele, fazendo-o enfiar a faca no dedo sem querer.

— Aai! — berrou Baz (ou Jez), balançando a mão dolorida. — Caraca, sua vaca idiota!

Divertindo-se com a reação dele, Jessie espiou por trás das franjas compridas demais e lançou um sorriso de sarcasmo. Houve um instante tenso e eu pensei que ele fosse matá-la, mas então ele caiu na gargalhada e os dois viraram amigos. Nós éramos as irmãs louras e elegantes deles, e ambos cuidavam de nós, orgulhosos e protetores. Nós, do nosso lado, torcíamos para que Baz e Jez fossem marginais. Porém, para nosso profundo desapontamento, descobrimos aos poucos que era tudo exibição.

— Quer dizer então que vocês nunca estiveram presos? — perguntou Jessie, aflita. Baz balançou a cabeça para os lados.

— Nunca estiveram nem mesmo em uma casa de recuperação para delinquentes?

Jez pareceu que ia responder que sim, por um breve instante, mas depois mudou de ideia e admitiu a verdade. Não, também não estivera em nenhuma casa de recuperação.

— Puxa vida! — lamentei.

— Mas já nos metemos em várias badernas e brigas de rua — garantiu-nos Jez, um pouco ansioso. — Temos até cicatrizes. — Já estava arregaçando as mangas, para exibi-las.

— Temos tatuagens também — completou Baz.

Mas Jessie e eu balançamos nossas cabeças louras e elegantes. Aquilo não era bom o bastante.

Jessie e eu morávamos com mamãe no apartamento de Kentish Town, mas passávamos quase todos os fins de semana na casa de Viv. Ser filha de pais divorciados não era a melhor coisa do mundo, mas certamente parecia muito melhor do que eu tinha imaginado. Pensando bem, depois de todos esses anos, aquilo se devia muito ao calor de Viv e ao carinho de meus irmãos postiços.

Jessie aceitou o divórcio muito melhor do que eu. Vivia enumerando, toda alegrinha, as muitas vantagens de vir de um "lar destroçado".

— Podemos aprontar o que quisermos e todo mundo vai compreender e ser gentil conosco. E pense nos presentes! Se soubermos fazer as coisas direitinho, essa história de divórcio pode ser muito... Como é mesmo a palavra?

— Lucrativa.

— Isso significa ganharmos montes de coisas?

— Sim.

— Lucrativa, então.

Mamãe tentou ser adulta e imparcial com relação à nova esposa de papai, mas quase todo domingo à noite, quando voltávamos para casa, ela não se aguentava e perguntava:

— Como vão o Rei e a Rainha das Pérolas?

— Estão ótimos. Mandaram um beijão para a senhora.

— Vocês já jantaram?

— Já.

— Comeram o quê? Miojo com purê de ontem?

— Iscas de peixe com batatas fritas.

Três anos depois de se casarem, papai e Viv tiveram um filho, Bobby, o Príncipe Perolado. Ele foi batizado com esse nome em homenagem a Bobby Moore, o herói do West Ham United.

Os ciúmes me devoraram. Papai não me daria mais atenção, agora que tinha um filho.

Resolvi não visitar o bebê e aguentei firme por dezesseis dias. Só cedi quando mamãe conversou comigo a respeito:

— Cresça, querida. Todos a adoram, mas estão muito chateados por você não ter ido ver seu irmãozinho. Quer você goste ou não, ele faz parte da sua família e, que diabos, se *até eu* consegui ir visitá-lo, tenho certeza de que você também vai conseguir.

Com má vontade, comprei um hipopótamo de pelúcia e, acompanhada por Jessie, peguei o trem até Dagenham. Jessie me encheu os ouvidos com histórias sobre o quanto Bobby era fofinho e meigo, mas eu não acreditei em nada disso. Até vê-lo. Com muito cuidado, peguei aquela miniaturinha de gente e o encaixei na curva do braço; então, ele *sorriu* para mim — talvez tenha sido apenas uma contração muscular involuntária, mas não importava. Depois, ele agarrou algumas pontas do meu cabelo com seus dedinhos em forma de camarão. Como alguém poderia ter ciúme daquela gracinha?

Logo depois do nascimento do Príncipe Perolado, mamãe conheceu Peter e tivemos mais mudanças pela frente: mamãe resolveu morar na Irlanda. Isso virou novamente a minha vida de ponta-cabeça. Minha família estava se espalhando pelos quatro cantos do mundo e eu era obrigada a aturar isso.

Não havia lugar para mim na casa de papai; o cômodo no qual Jessie e eu dormíamos virara o quarto de Bobby. Eu implorei à minha mãe para deixar que Jessie e eu fôssemos com ela para a Irlanda, mas, apesar de mamãe concordar, Jessie não quis ir. Ela gostava de Londres e resolveu permanecer ali. Quando ela soltou essa notícia bombástica para mim, eu reagi do modo habitual: vomitei todo o jantar.

Aquilo era ridículo: Jessie tinha dezoito anos e eu, vinte, mas parecia que estávamos sendo enviadas a orfanatos diferentes. Enchi baldes de lágrimas no dia em que fui para Dublin.

Não era apenas pela tristeza de deixar Jessie para trás, mas porque Peter tinha uma filha, Susan, que era seis meses mais velha do que eu. Eu esperava que ela reagisse mal à minha chegada e começasse a pentelhar a minha vida — mas aconteceu exatamente o contrário. A coisa que mais a empolgava era tentar descobrir se nós éramos irmãs por afinidade ou simplesmente irmãs postiças, e ficou muito satisfeita ao descobrir que, assim que Peter e mamãe se casassem, poderíamos nos considerar "meias-irmãs".

A melhor amiga de Susan se chamava Gemma Hogan e nós superamos nossas maiores expectativas ao nos tornarmos um trio inseparável. Por alguns anos, a situação da minha família foi estável e satisfatória, talvez se parecesse muito com um daqueles filmes franceses em que todo mundo já dormiu com o resto do elenco. Entretanto, todos se relacionavam bem uns com os outros.

Mas nada dura para sempre.

Nove anos depois de se casar com Viv, papai conheceu Debs e, por alguma razão incognoscível, se apaixonou por ela; acho que Cupido quis pegar uma peça em papai.

Debs cuidava sozinha de duas crianças, pois fora abandonada pelo marido. Papai resolveu resgatá-la. Deixou a adorável Viv e seu coração de ouro e a trocou pela desprezível Debs.

Todo mundo achou que ele estivesse sofrendo de insanidade temporária, mas assim que o seu divórcio com Viv foi homologado, ele se casou com Debs. Eu ganhei mais dois "meios-irmãos", Joshua e Hattie. Então Debs engravidou e deu à luz uma garotinha, Poppy. Mais uma meia-irmã, só que essa era de sangue.

Quando conheci Anton, tive de desenhar um gráfico para conseguir explicar tudo a ele:

Árvore
Genealógica

		┌── Papai e Mamãe ──┐	
descendentes		Lily, Jessie	
novos cônjuges de *meus pais*	Debs Terceira mulher de papai (*insuportável*)	Viv Segunda mulher de papai (*adorável*)	Peter Segundo marido de mamãe (*mandão, mas com boas intenções*)
descendentes *anteriores*	Hattie, Joshua (*esquisitos*)	Baz, Jez (*docinhos de coco*)	Susan (*não fala mais comigo*)
novos descendentes	Poppy (*versão femini- na de papai*)	Bobby (*um amorzinho*)	

42

Então, em uma bela manhã no início de fevereiro, Otalie me telefonou:

— Saiu uma resenha fantástica de *As Poções de Mimi* na *Flash!* desta semana.

— O que é essa tal de *Flash!*? — perguntou Anton, que ainda não tinha saído para trabalhar.

— É uma revista sobre celebridades.

— Vou comprar! — Ele já estava descendo as escadas.

AS DIVERTIDAS POÇÕES DE MIMI

As Poções de Mimi, de Lily Wright — Editora Dalkin Emery, 298 págs. — preço: £ 6.99

Você está na fissura? Tem o traseiro grande demais? A tatuagem inflamou? O médico de plantão da revista *Flash!* recomenda que você calce os seus Jimmy Choos novos, vá até a livraria mais próxima e se trate com *As Poções de Mimi*. Sabemos que vocês, garotas, vivem muito ocupadas, agitando todas, e não têm tempo de ler livros, mas esse aqui vale a pena e estamos falando sério. Brilhante, alegre e doce como Kylie Minogue, ele vai fazer você rolar de rir.

Melhor parte: o casal briga e voa um na garganta do outro — *escandalosamente* divertido. *As Poções de Mimi* recoloca a palavra ENGRAÇADO nos trilhos da anormalidade!

A pior parte: acabar de ler! Este livro é tão delicioso quanto um balde de bombons, só que sem a sensação de culpa. Corram para pegar essa onda, garotas! Nós, da revista *Flash!*, prometemos, de pés juntos: se vocês não se acabarem de tanto rir, juramos comer nossos chapéus Philip Tracey.

— Eles deram uma cotação de quatro e meio sapatos de salto agulha — leu Anton, maravilhado. — A cotação máxima é cinco. Essa resenha está *fantástica*.

Estava mesmo. Embora nunca tenha sido a minha intenção recolocar a palavra "engraçado" nos trilhos da anormalidade, mas deixem pra lá.

Jojo telefonou em seguida:

— Tenho uma ótima notícia — informou. — A Dalkin Emery vai rodar uma nova edição de *As Poções de Mimi*.

— O que isso quer dizer?

— Quer dizer que a primeira edição esgotou e eles esperam vender mais.

— E isso é bom, não é?

— Sim, é ótimo!

Liguei para Anton e contei a novidade. Ele ficou sem palavras.

— O que foi? — perguntei, ansiosa.

— Sou só eu que estou sentindo — ele grasnou — ou algo de muito bom está pintando?

Mais ou menos uma semana depois, Jojo tornou a ligar.

— Algo incrível aconteceu!

— Ah, foi?

— Vão lançar mais uma edição!

— Eu sei, você mesma me contou.

— Não, eles vão rodar outra edição *além daquela*. Vinte mil exemplares dessa vez. A primeira edição foi de cinco mil e a segunda, de dez mil. Você está vendendo na base da divulgação boca a boca.

— Mas, Jojo, por que isso?... O que está acontecendo?

— O livro tocou em algum ponto sensível das pessoas. Você devia olhar as opiniões dos leitores no site da Amazon. Sua sinceridade e seu jeito pouco solene de escrever estão comovendo todos os que leem o livro. Saiu um artigo na *Book News* desta semana, com uma foto grande de você pendurada no galho de uma árvore, tendo um ataque de riso. Vou pedir para Manoj lhe mandar por fax.

— Que bom! Só que... Nós não temos fax.

— Tudo bem, então. Eu mando pelo motoboy.

— Ahn... Não é melhor mandar pelo correio? — As encomendas especiais eram cobradas na entrega; as cópias também eram muito caras e Anton e eu estávamos sem grana nenhuma.

— Pode deixar que o motoboy leva e não pense nas despesas, pois quem vai pagar sou eu.

Puxa vida!

— Não esqueça de ler os depoimentos dos leitores na sua página da Amazon — relembrou Jojo, ao desligar.

Pedi a Anton para me ajudar a procurar *As Poções de Mimi* no site da Amazon. Havia dezessete resenhas dos leitores, e todos eles tinham dado quatro ou cinco estrelas, o que era fantástico, pois a cotação máxima era cinco estrelas. Fui lendo frases como "traz de volta o aconchego da infância... É mágico... Encantador... Fui transportada para outra realidade... É a recuperação da inocência perdida... Ausência total de arrogância estilística... Traz esperanças e levanta o astral... Me fez rir muito...".

Eu me senti atônita. Tanto que fiquei com vontade de chorar, de tanto orgulho e felicidade. Quem eram aquelas pessoas maravilhosas? Será que algum dia eu conheceria alguma delas? De repente, eu me senti cheia de novos amigos.

Então um pensamento horrível me assombrou.

— Anton, isso não é brincadeira, é?... — perguntei, cautelosa. — Será que não tem alguém por aí me pregando uma peça?

— É tudo verdade. Apesar de não ser o que normalmente se vê, Lily — explicou Anton. — As opiniões dos leitores no site da Amazon muitas vezes são terríveis. — Ele me mostrou algumas das críticas que outros escritores recebiam. Algumas os transformavam em cocô do cavalo do bandido, e eu me encolhi, trêmula.

— Como é que as pessoas podem ser tão cruéis?

— Contanto que ninguém faça o mesmo com você, o que importa? — disse Anton.

Na semana seguinte, recebemos a notícia de mais uma edição. O livro alcançou a surpreendente vendagem de cinquenta mil exemplares. Então Tania Teal me ligou e perguntou:

— Você está sentada?

— Não.

— Então sente-se para ouvir isso. Você, Lily Wright, autora de *As Poções de Mimi*, está em quarto lugar na lista dos mais vendidos do *Sunday Times*.

— Como?

— Você vendeu dezoito mil, cento e doze exemplares de *As Poções de Mimi* na semana passada.

— Vendi?!...

— Vendeu. Parabéns, Lily, você virou uma estrela! Estamos todos muito orgulhosos!

Mais tarde, naquele mesmo dia, recebi flores da Dalkin Emery. Uma pequena nota no *Daily Mail* me descrevia como um "fenômeno" e, nos dias que se seguiram, todo mundo que ligava pedia para falar com o "fenômeno". Além de ganhar destaque nas prateleiras da livraria em Hampstead, eu agora tinha um painel na porta da frente e um display só para o meu livro na vitrine. Elas até me convidaram para ir lá autografar exemplares, e Anton me aconselhou a mandá-los tomar naquele lugar. Na verdade, ele chegou a pedir pelo privilégio de fazer essa ligação. Eu, porém, generosa, decidi perdoá-los. Não me sentia amarga. Sentia-me embebida em alegria e felicidade.

Até que o *Observer* publicou uma resenha do meu livro...

43

The Observer, domingo, 5 de março

DOCE E AMARGO

As Poções de Mimi, de Lily Wright — Editora Dalkin Emery, 298 págs. — preço: £ 6.99

As Poções de Mimi é um livro tão doce que conseguiu revirar o forte estômago de Alison Janssen.

Como eu ganho a vida fazendo resenhas de livros, todos os meus amigos têm inveja do meu trabalho, mas, da próxima vez que eles começarem a comentar sobre o quanto a minha vida é fácil, vou lhes dar *As Poções de Mimi* e insistir para que o leiam até o final. Isso vai fazê-los mudar de ideia sobre o que faço.

Se eu dissesse que *As Poções de Mimi* é o pior livro que eu já li em toda a minha vida, provavelmente estaria exagerando, mas já dá para vocês terem uma ideia. O material de divulgação enviado pelos editores o descreve como uma "fábula" — sinalizando que não devemos esperar realismo, personagens tridimensionais nem diálogos plausíveis.

Puxa vida, eles tinham razão. Trata-se de uma desajeitada punhalada no realismo mágico, sem conseguir ser nem mágico nem realista. Para ser franca, o livro me pareceu tão insípido que eu passei as primeiras cem páginas esperando alguma virada radical na história.

Vai acontecer o mesmo com vocês, quando ouvirem o resumo daquilo que se faz passar por trama: uma dama linda e misteriosa aparece do nada em um pequeno vilarejo onde se manifestam todas as versões possíveis e imagináveis dos defeitos humanos. Um pai e seu filho, que romperam relações um com o outro, um marido infiel, uma jovem esposa frustrada — até aqui, uma cópia fiel do filme *Chocolate*. Mas, em vez de biscoitos e doce, Mimi prepara encantamentos e até divide a receita com os leitores; muitas delas incluem instruções que provocam ânsias de vômito: "Adicione uma pitada de compaixão, uma colher de chá de amor e polvilhe com gentileza."

Se esse é o remédio, eu prefiro a doença.

Lá pelo meio desse romance misericordiosamente curto, eu me senti como se estivesse sendo torturada até a morte por chicotes cobertos de açúcar ou tivesse algodão-doce sendo forçado pela minha garganta adentro.

A autora, uma tal de Lily Wright, já trabalhou como relações-públicas de várias empresas. Certamente conhece tudo sobre a arte de manipular de forma vergonhosa os sentimentos das pessoas, e prova sua habilidade em cada uma das palavras piegas que usa. A "trama" do livro é temperada por referências falsamente modestas a milagres, mas o único milagre verdadeiro é o fato de esse lixo açucarado conseguir ser publicado. O livro consegue ser tão doce a ponto de provocar cáries nos dentes dos leitores, mas é, ao mesmo tempo, tão desagradável quanto chupar um limão.

As Poções de Mimi é indolente, artificial e chega ao limite do impossível de ser lido. Portanto, da próxima vez que você reclamar do seu emprego, pare alguns instantes e pense nos infortúnios desta avaliadora de romances...

Isso foi uma das piores coisas que me aconteceram em toda a minha vida. Foi quase igual ao dia em que eu fui assaltada. Depois de ler o texto mais uma vez, meus ouvidos começaram a zumbir e eu me senti a ponto de desmaiar. Corri para o banheiro e pus para fora todo o café da manhã. (Talvez, a essa altura, já esteja claro para vocês que eu sou o tipo da pessoa fraca que tem náuseas sempre que se aborrece com alguma coisa.)

Sendo uma liberal de coração compassivo, eu era uma leitora assídua do *Observer* e era particularmente doloroso ser atacada por um órgão que eu respeitava. Se tivesse sido o *Torygraph*, eu provavelmente teria gargalhado e dito: "Também... O que se poderia esperar de um jornal desses?" Na verdade, talvez eu não caísse na gargalhada, porque ser transformada em escória na frente do mundo inteiro não é nada divertido. Mas eu os teria chamado de fascistas e tentado descartar suas opiniões.

Muitas vezes eu lia resenhas ruins sobre livros escritos por outras pessoas, bem como filmes e peças, e sempre presumi que as obras avaliadas mereciam ser arrasadas. Eu, porém, não merecia aquilo, e aquela tal de Alison Janssen simplesmente não compreendera o meu objetivo ao escrever o romance.

Jojo telefonou para me animar um pouco.

— Esse é o preço do sucesso. Ela está com ciúme de você. Aposto que tem algum romance medonho do qual todo mundo quer distância e ficou revoltada com você, que é uma escritora com um livro de sucesso na praça.

— Isso acontece? — Eu sempre achei que pessoas que analisam livros fossem criaturas nobres e imparciais, absolutamente desinteressadas nas picuinhas humanas e muito acima delas.

— Claro que acontece. O tempo todo!

Em seguida, Otalie, a minha divulgadora, ligou.

— Amanhã as palavras dessa mulher vão estar embrulhando peixe na feira — consolou-me ela.

— Obrigada. — Coloquei o fone no gancho e comecei a tremer violentamente. Estava gripada. Só que não estava. Como sou uma Garota Psicossomática, sentia os sintomas de uma gripe forte.

Então papai ligou: havia lido a resenha. Só Deus sabe como isso pode ter acontecido, porque ele lê o *Express* e não tem tempo para o que chama de "lixo esquerdista" apresentado em jornais como o *Observer*.

Ele transbordava de fúria:

— Aquela palhaça não pode falar essas coisas a respeito da minha garotinha. Você merece o melhor, princesa. Vou trocar umas palavrinhas com Thomas Myles.

Uma vez, no passado longínquo, Thomas Myles tinha sido editor de algum jornal, mas até eu sabia que não era o *Observer*. Fazer essas coisas era a cara de papai.

* * *

Imaginei que o mundo inteiro estava rindo da minha cara e me vi assustada demais para sair às ruas, pois ia me sentir como se andasse em público completamente nua.

Gastei uma absurda quantidade de tempo tentando imaginar quem aquela tal de Alison Janssen poderia ser e o que eu fizera para torná-la tão cruel. Cheguei a pensar em ficar fazendo hora diante do *Observer*, a fim de abordá-la na rua e exigir explicações. Em seguida, pensei em escrever ao *Observer* para contar a minha versão da história.

Anton comentou que conhecia alguns "rapazes" em Derry e eles poderiam dar uma surra nela com barras de ferro; fiquei chocada ao perceber que não queria que os rapazes de Derry fizessem aquilo: *eu mesma* queria fazê-lo.

Então, recaindo na falta de autoestima, decidi que Alison Janssen tinha razão e eu era uma idiota sem talento; nunca mais tentaria escrever uma única palavra.

No domingo seguinte, o *Independent* publicou uma resenha do livro: era tão demolidora quanto a do *Observer*. Otalie me ligou novamente para oferecer palavras de conforto.

— Amanhã essas palavras vão estar no chão do quintal de alguém, cobertas por xixi de cachorro.

Isso pouco me serviu de consolo, pois agora até os cães saberiam o quanto o meu livro era abominável.

Um artigo apareceu no *Daily Leader*, alguns dias depois; até que eram palavras positivas, mas eles comentavam que, apesar de Anton trabalhar como chef em um restaurante, eu não oferecera nem um biscoitinho ao jornalista que me entrevistara. Eu me senti terrivelmente envergonhada com aquela história dos biscoitos, mas não tanto quanto meu pai, que sempre se orgulhou de ser generoso e hospitaleiro.

O resultado disso tudo, em poucas palavras, é que eu tinha receio de abrir *qualquer* jornal.

Assim que fomos informados que a *Book News* vinha me entrevistar, Anton correu até a Sainsburys para buscar os biscoitos mais sofisticados que o dinheiro pudesse comprar. Mas o jornalista não comeu nenhum e nem ao menos os mencionou no artigo. Eles chamaram Anton de "Tom" e uma foto de nós dois com a cabeça inclinada uma na direção da outra foi publicada com a seguinte legenda: "Lily e seu irmão Tom."

Depois veio a tal reportagem da série "fulano em sua casa" com Martha Hope Jones. Aquilo foi considerado uma grande vitória e Otalie me pareceu empolgadíssima:

— Você chegou lá, Lily!

— Eu não poderia me encontrar com ela em um café?

Era impossível transformar o nosso apartamento apertado e escuro em um lugar bonito, e tentar fazer com que os jornalistas escapassem de Paddy Porra-Louca acabava com meus nervos.

— Lily, não pode ser em outro lugar, trata-se de um artigo para a série "em casa".

Anton foi mais uma vez enviado ao supermercado para comprar os melhores biscoitos que existissem sobre a face da Terra. O artigo ainda não tinha saído e nós estávamos com a respiração suspensa, esperando para ver se Martha iria mencioná-los ou não.

Apesar das resenhas ruins, o livro me deixou surpresa, pois continuava vendendo sem parar. Achei que o grupo de leitores em Wiltshire que se autointitularam "os bruxos" em minha homenagem fosse um caso isolado, mas outro grupo entrou em contato com a Dalkin Emery para dizer que também havia criado um clube de fãs com esse nome.

— Alguns críticos podem não gostar de você — disse Otalie —, mas seus leitores a adoram.

De vez em quando, pintava uma resenha favorável. Por exemplo, a revista *Loaded* descreveu o livro como "a maior diversão que alguém pode ter usando roupas". O resto da mídia continuou interessado. O mais estranho, porém, é que as boas avaliações causavam um impacto pequeno em mim. Eu sabia de cor cada palavra das resenhas desagradáveis, mas não confiava em nenhuma das boas.

44

Assim que abri os olhos naquele domingo, um presságio me colocou pra baixo.

Deitado ao meu lado, Anton perguntou:

— Temos algo terrível programado para hoje, não é?

Suspirei.

— Vamos almoçar com papai e Debs, em Vanish Hall.

— Que alívio! Pela sua cara, achei que eu ia ser executado ou algo assim. Se ao menos a gente pudesse... Isto é, o seu pai é um cara legal, mas... — Depois de outra pausa, com ar sofrido, Anton pegou o fone e começou a me imitar, falando: — Debs, eu adoraria visitar vocês, querida, mas acabei de quebrar a perna. Foi um acidente esquisitíssimo. Eu estava esvaziando a máquina de lavar e, de repente, ouvi um *crac!*, e em seguida me estabaquei no chão. Os ossos da perna são assim mesmo, não se pode confiar neles... Como disse...? Você quer que eu vá pulando em uma perna só até Vanish Hall? Bem, eu até que gostaria, mas você não ouviu o noticiário? Sobre a ogiva do míssil nuclear que acabou de explodir sobre Gospel Oak? Não, Debs, eu tenho a *leve impressão* de que não dá para limpar detritos atômicos com um pano úmido e Vanish, o seu amigo para limpeza pesada.

Anton recolocou o fone no gancho e ficou deitado de costas com olhar sombrio.

— Merda! — observou ele. — Ainda por cima vamos levar o dia inteiro para chegar lá.

Embora provavelmente tivesse condições financeiras para isso, papai não voltara a morar em Surrey. Depois de ser quase expulso de lá, acho que ele temia que algum leão de chácara estivesse na entrada do condado só para impedi-lo de retornar.

Ele agora morava em Muswell Hill, uma linda propriedade, em uma casa em estilo eduardiano que vivia envolta em cheiros fortes e artificiais. Debs limpava e aspirava os cômodos quase todo dia, adorava aromatizadores de ar e lencinhos umedecidos eram seus amigos mais chegados.

Muswell Hill não era tão absurdamente longe de Gospel Oak, se você fosse voando. Por trem, no entanto, a história era muito diferente.

Anton estava debaixo do chuveiro e eu trocava a fralda de Ema quando o telefone tocou. Deixei a secretária eletrônica atender, porém, depois de alguns segundos, a curiosidade venceu e eu corri para a sala, a fim de ouvir o recado.

Era Otalie. A entrevista com Martha Hope Jones fora publicada; ela não esperava que a matéria saísse na edição de domingo e nem disse que o artigo estava "fantástico". Aquilo era mau sinal.

— Anton — gritei —, vou sair para comprar o jornal.

Anton saiu do chuveiro e perguntou:

— O que foi?

— O artigo da Martha Hope Jones saiu.

— Deixe que eu vou! — Anton vestiu as roupas correndo, sem nem ao menos se enxugar, e saiu porta afora.

Enquanto ele não voltava, continuei a vestir Ema como se eu fosse um autômato, enquanto rezava: *Por favor, fazei com que a reportagem esteja boa, Senhor, fazei com que esteja boa.*

Então Anton chegou, com o jornal dobrado embaixo do braço.

— E então...? — perguntei, ansiosa.

— Ainda não olhei.

Abrimos o jornal no chão e o folheamos com dedos trêmulos.

Ali estava. O artigo era de página dupla e o título era "Mimi ou mau-mau?". Pelo menos era diferente de "Lily *escreve* e a leitora é *escrava*", ou outros títulos do tipo "*Lily... que tal lê-la?*". Que outros trocadilhos e jogos de palavras horrorosos ainda havia para os jornalistas inventarem?

Pelo menos a foto estava boa; dessa vez eu parecia inteligente, em vez de idiota. Porém, embaixo da foto de Martha com suas dragonas franjadas que encostavam nas orelhas, havia uma imagem horrível de um ombro ferido, com marcas roxas. A legenda dizia: "O ombro de Lily ficou assim depois do assalto." Minha nossa!

Comecei a passar os olhos pelo texto em estilo "leitura dinâmica":

> Lily Wright está escalando a lista dos mais vendidos com o seu "romance" *As Poções de Mimi*. Não pensem, porém, que essa obra foi fruto de um trabalho longo e meticuloso. "Levei apenas oito semanas para escrevê-lo", gabou-se Lily. "Geralmente os livros levam cinco anos para serem escritos, e muitas vezes nem são publicados."

Ler isso foi como receber um balde de água fria na cara.

— Eu não me gabei de nada — sussurrei. — E o que ela quer dizer com "romance"? Trata-se de um *romance*, e não de um "romance".

> O livro de Lily vem sendo descrito como "enjoativamente doce", mas não se pode dizer o mesmo de sua criadora. Mostrando um arrogante desdém pela opinião alheia, Lily disse: "Pouco me importa o que os críticos dizem."

Meus olhos buscaram mais uma vez a minha foto: agora eu não parecia inteligente, e sim calculista.

Em seguida, ela citou a minha frase ao recebê-la: "Bem-vinda à minha humilde morada."

> Bem, uma de nós tinha de falar essa frase!

Ela fez referências às roupas secando no varal da cozinha...

> Lily Wright não dá a mínima para a beleza ou a higiene do lar.

A peça de Lego...

Quando uma pessoa é convidada a sentar, será que é demais esperar que a dona da casa tenha removido todos os objetos pontiagudos do sofá?

Meu status de solteira...

Embora Lily já tenha uma filhinha, não demonstrou interesse algum em legitimá-la. Por falar nisso, que tipo de mãe manda a filha brincar lá fora em uma temperatura abaixo de zero?

Foi HORRÍVEL.

— Ela me fez parecer a Courtney Love — reclamei, extremamente consternada.

Ela citou as piores partes das resenhas do *Observer* e do *Independent*, para o caso de uma ou outra pessoa não ter lido os jornais. Em seguida, relatou a história do assalto, enfatizando muito o fato de eu não me esforçar para correr no encalço do ladrão. O último parágrafo dizia:

O trauma do ataque que Lily sofreu ainda não se dissipou. Apesar de estar com o bolso cheio de grana, Lily Wright prefere morar em um conjugado com um único cômodo, o qual, para ser franca, parece pouco melhor do que um barraco. Será que é isso que ela acha que merece? Se for o caso, talvez tenha razão...

— Cadê o bolso cheio de grana? — perguntei. — Tirando o adiantamento, eu não vi nem um *penny* sequer. E o que eu sou, afinal? A mulher arrogante ou a vítima de baixa autoestima? Além do mais, isso aqui não é um conjugado, é um apartamento de quarto e sala.

Pela primeira vez, Anton não se mostrou otimista. Não havia nada de bom no artigo. Nadinha.

— Devemos processá-la? — perguntei.

— Não sei — disse ele, pensativo. — Vai ser a sua palavra contra a dela. Além do mais, muito do que ela escreveu é apenas opinião pessoal, e as pessoas não podem ser processadas por isso. É melhor conversar com Jojo a respeito

— Certo. — Uma nova sensação gélida me atingiu. Aquilo era um milhão de vezes pior do que a resenha do *Observer*. Lá, a jornalista limitou-se a arrasar com o meu livro, mas o artigo que eu acabara de ler me atacava em nível pessoal.

— Só uma pessoa muito perversa pode ser tão cruel — falei, tentando convencer a mim mesma. — Ela provavelmente é muito infeliz.

— Eu também seria, se me parecesse com ela. Que diabos de esfregões são esses que ela carrega em cima dos ombros? Você não está com vontade de vomitar?

Balancei a cabeça para os lados.

— Nossa, então a coisa é pior do que eu pensava.

Uma segunda leitura do artigo mostrou novos equívocos que não havíamos percebido da primeira vez, por causa do choque.

— Anton, ela dá a entender que você é um operário.

— Um otário?

— Não, um operário!

— De onde é que esse pessoal tira essas IDEIAS? E a piranha não falou nada dos biscoitos, apesar de termos oferecido os melhores que existem.

— Vou ligar para Jojo.

Mas a ligação caiu na secretária.

Anton e eu ficamos simplesmente olhando um para o outro. Não tínhamos nem o equipamento básico de proteção para lidar com aquele tipo de coisa. Até Ema permaneceu estranhamente quieta.

Continuamos em silêncio por mais alguns minutos, até Anton dizer:

— Escute... Tive uma ideia!

Ele colocou a página dupla do jornal bem no meio da sala, alisou as pontas e estendeu a mão para mim.

— Vamos lá!

— Vamos lá aonde?...

Ele procurava um dos seus CDs.

— Vamos ver... Sex Pistols? Não, não... Encontrei um muito melhor!

Ligou o som e colocou um disco de dança flamenca.

Perplexa, eu o vi empinar o tórax, bater com os pés no chão e abrir os braços em arco acima da cabeça, começando a dançar e a sapatear, massacrando o artigo. Na verdade, ele me pareceu muito bom, quase tão bom quanto Joachim Cortes. Ema, aliviada ao sentir que a atmosfera pesada parecia ter se dissipado, começou a dar gritinhos de alegria e galopar em volta de Anton. A música acelerou e Anton também, sapateando e batendo palmas com muita exuberância, até que a música acabou e ele atirou a cabeça para trás com um floreio.

— Olé!

— Lé!... — gritou Ema, imitando o pai, jogando a cabeça para trás e quase capotando de costas.

A música seguinte começou.

— Venha cá! — Anton me chamou.

Eu tentei bater com o pé no chão e gostei. Tornei a bater e de repente entrei no clima. Concentrava os golpes de calcanhar no rosto de Martha, até que Anton empurrou meu pé para o lado, com o dele, pedindo:

— Deixe eu pisar na cara dela um pouquinho. Muito bom!... Ema, agora é a sua vez.

Ema pulou bem em cima da foto de Martha.

— Grande garota! — incentivou Anton. — Agora, bata com o calcanhar bem no queixo dela.

Então, Anton deu alguns passos para trás, tomou distância, veio correndo e pulou com seus sapatos número 42, aterrissando bem no nariz de Martha.

Nós três continuamos a sapatear e bater com os pés até as palavras horríveis e a careta medonha de Martha ficarem manchadas de tinta. O *grand finale* foi quando Anton segurou a página aberta pelas pontas como a capa de um toureiro e eu enfiei o pé por dentro dela, rasgando-a enquanto gritava:

— Ta-rãããã!...

— Sente-se melhor?

— Um pouquinho.

Não estava *muuuito* melhor não, mas valeu o esforço.

Alguns segundos depois, Paddy Porra-Louca bateu à nossa porta, reclamando:

— Que barulhada é essa? Um pedaço do gesso acaba de despencar do teto e caiu dentro do meu chá!

— Chá?! — perguntou Anton, com ar de deboche, fechando a porta na cara dele. — Só se for chá *on the rocks*, daqueles envelhecidos doze anos.

— E se for?... — A voz de Paddy Porra-Louca vinha abafada, mas ele parecia furioso, do lado de fora.

— Provavelmente a culpa é toda dele, sabia? — comentou Anton, olhando para mim. — Se esse boçal não tivesse cantado a musiquinha de Papai Noel, aquela mulher talvez não fosse tão cruel.

— Não sei...

— Devíamos nos mudar daqui.

Silêncio.

— Estou falando sério! — repetiu ele ao ver que eu não disse nada. — Devíamos pensar em comprar um cantinho para nós.

— Comprar com o quê? Contas coloridas e espelhinhos? Mal temos grana para comida e roupa.

— Do jeito que a sua carreira vai, não ficaremos duros para sempre.

— Do jeito que a minha carreira vai, estou prestes a ser apedrejada em praça pública. — Peguei o telefone. — Vou cancelar o almoço em Vanish Hall.

— Por quê?

— Estou envergonhada demais para sair na rua.

— As pessoas que se danem! Você não fez nada de errado, por que deveria ter vergonha?

— Puxa, mas eu pensei que você adoraria a chance de passar o domingo sem ter que olhar para Debs.

— Claro que eu adoraria, mas o mais importante agora é você manter a cabeça erguida. Se você se despedaçar, Martha Hope Jones ganhará a batalha.

— Tem razão — concordei, com ar cansado. — King's Cross, lá vamos nós.

* * *

O serviço dominical de trens para o norte de Londres é um desastre. Já estava mal *antes* de cancelarem o trem das 11:48 e o das 12:07.

Anton, Ema e eu ficamos sentados na estação, cercados por correntes de ar frio, esperando o trem seguinte, que torcíamos para também não ter sido cancelado. Para nos distrair, pensávamos em coisas que preferiríamos estar fazendo, em vez de visitar Debs.

— Espetar agulhas nos olhos.

— Assistir a um musical de Andrew Lloyd Webber.

— Beijar Margaret Thatcher.

— Debs não é má pessoa — disse eu.

— Claro que não — concordou Anton. — Ela nem mesmo é uma pessoa. Repare como ela nunca pisca. Pode acreditar em mim, ela é uma alienígena.

Silêncio.

— Não olhe para aquele lado! — Ele colocou a mão na frente dos meus olhos para impedir a visão de uma mulher no banco ao lado do nosso que folheava o *Sunday Echo*. Meu estômago se contorceu. Quantas pessoas por toda a Grã-Bretanha estariam lendo aquele veneno?

Quarenta e cinco minutos mais tarde, estávamos na porta de Vanish Hall. Debs a abriu e nos revistou de cima a baixo com seus olhos redondos e muito azuis. Nesse exato instante, Ema começou a choramingar.

— Vocês foram convidados para o almoço — ralhou ela de forma "bem-humorada" —, e não para a ceia.

Como sempre, estava vestida dos pés à cabeça em imaculados tons pastel e seus tênis novos eram tão brancos que meus olhos arderam. A fim de olhar diretamente para eles em segurança, a pessoa precisava estar munida de um papelão com um furinho no meio, ou então usar a parte escura de uma radiografia, daquelas usadas para observar um eclipse solar.

— Desculpe o atraso — disse eu, tentando dobrar o carrinho de Ema, enquanto Anton fazia de tudo para acalmá-la. — Os trens estavam com problemas de horário.

— Vocês e os trens... — comentou Debs, com ar indulgente. Ela tratava a mim e a Anton como se fôssemos boêmios inveterados, em vez de simplesmente pobres. — Um de vocês dois devia arranjar um emprego decente!

Lancei um olhar de aviso para Anton. *É feio matar a anfitriã.*

— Vamos entrando! — Debs nos levou pelo corredor, levantando a ponta de cada um dos seus pezinhos antes de pisar no chão, com todo o cuidado.

Na cozinha, papai me abraçou com força, como se alguém tivesse acabado de falecer.

— Minha garotinha — disse, com a voz embargada. Quando finalmente me soltou, havia lágrimas em seus olhos.

— Já percebi que o senhor leu o *Sunday Echo*.

— Ela é uma bruxa, aquela mulher. Uma bruxa malvada.

— Isso não são modos de se referir à sua esposa — disse Anton, baixinho, em meu ouvido.

— Há algo que eu possa fazer por vocês? — perguntou papai.

— Não, obrigada, eu simplesmente adoraria esquecer tudo isso. Ema, querida, vá dar um beijinho no vovô!

— Olhe o rostinho dela — corujou papai. — Parece uma pintura!

Debs preparou alguns drinques e disse alegremente para Anton:

— Ora, ora!... Soube que seus amigos ainda não desistiram.

— Como assim, mamãe?

Debs fez cara de quem não gostou muito do "mamãe", mas foi em frente:

— O IRA. Eles se recusam a abrir mão da luta armada.

Passávamos por isso sempre que o IRA aparecia no noticiário, e Anton já desistira há muito tempo de explicar a Debs que, na verdade, ele não era membro. Anton é irlandês e isso era o bastante para Debs. Basicamente, Debs não aprovava nada em relação a nenhum país estrangeiro. Com exceção da Provença e do Algarve, ela não conseguia compreender por que o mundo inteiro simplesmente não poderia ser inglês.

Em seguida, Anton cumprimentou Joshua, o filho de oito anos, e Hattie, a de dez anos do primeiro casamento de Debs.

— Ah!... — disse ele, de forma efusiva. — As Crianças do Milho. Debs achava que Anton se referia a seus filhos desse modo porque ambos eram muito louros. *As Crianças do Milho*,* porém, é um conto de Stephen King, e tem pouco a ver com a cor dos seus cabelos e tudo com o jeito esquisito das crianças: elas eram limpas demais, de forma pouco natural, e também excessivamente dóceis.

— Oi, Joshua... Oi, Hattie. — Eu me agachei para dizer alô, mas eles evitaram me olhar direto nos olhos. No entanto, em vez de agirem como crianças rudes e rebeldes, não me empurraram nem fugiram. Limitaram-se a ficar em pé diante de mim, de forma obediente, e fixaram o olhar em algum objeto invisível atrás da minha cabeça.

Anton costuma dizer que torcia para eles se tornarem *serial killers* e fazerem picadinho de Debs quando ela estivesse dormindo.

Então, como um minifuracão, surgiu Poppy. Ela parece papai em miniatura, só que usando uma peruca de cachinhos.

— Lily! — gritou ela. — Anton! E Ema! — Ela nos beijou a todos, pegou Ema pela mão e as duas saíram da sala, correndo. Ela é uma delícia de menina; somos todos loucos por ela, especialmente Ema.

Quando finalmente nos sentamos para almoçar, a comida estava meio fria e tivemos de aturar as desculpas de Debs pelo estado do rosbife.

— Infelizmente, ele foi preparado para ser comido mais de uma hora atrás.

— Desculpe — murmurei.

Mas isso foi apenas a preliminar do verdadeiro jogo da tarde — as expressões de alegria pelo artigo de Martha Hope Jones.

— Você deve estar arrasada, Lily. Eu estaria *morrendo* de vergonha, com medo até de mostrar a minha cara na rua. Quando penso em todos os milhares de pessoas que estão lendo aquilo e julgando você, puxa... Isso deve ser terrivelmente perturbador!

---

* Esse conto foi lançado em português com o título de *A Colheita Maldita*. (N.T.)

— Sim. — Olhei para o meu prato. — É por isso que eu preferia que não falássemos do assunto.

— É *claro*! Você deve estar louca para esquecer que aquilo aconteceu. Imagine, uma pessoa de fora escrever coisas de provocar indignação e depois publicá-las em um jornal de circulação nacional, com milhões de exemplares... Se fosse comigo, eu estaria com vontade de me matar.

— Posso lhe poupar o trabalho e cumprir eu mesmo essa missão — disse Anton, com ar alegre —, se você não calar a boca agora mesmo!

Debs ficou vermelha como um tomate.

— Nossa, desculpem! Eu estava apenas tentando ser *solidária*. Afinal de contas, depois de um momento tão terrível, embaraçoso, humilhante e...

— Chega! — disse papai. Pareceu tão firme que Debs perdeu o rebolado por um instante, mas logo em seguida ele cometeu o erro de lamber a faca de manteiga e ela pulou nas tamancas, chamando a atenção dele com a voz estridente.

Ao longo dos anos, Debs protagonizara cenas semelhantes às do filme *My Fair Lady*, tentando acabar com as manias mais condenáveis de papai, como beber leite direto da embalagem, deixando escorrer líquido pelo pescoço para depois limpar tudo com a manga da camisa. Ela até conseguira fazê-lo perder peso preparando-lhe refeições especiais com pouca gordura, mas eu morria de pena ao vê-la diminuí-lo literalmente na frente das pessoas.

Foi um dia terrivelmente difícil, mas, às quatro e meia, recebemos um presente antecipado: Debs ia jogar uma partida de tênis. Deixou papai lavando a louça e correu para trocar de roupa. Cinco minutos depois, desceu as escadas vestindo um saiote branco e uma faixa nos cabelos.

— Uau! — elogiou Anton. — Você parece mais com uma garotinha de escola do que com uma alienígena de quarenta e seis anos.

Debs fez pose com a raquete sobre o ombro, toda prosa, deu uma risadinha e em seguida franziu o cenho.

— Uma o *quê* de quarenta e seis anos?

— Alienígena — disse Anton, com ar muito animado.

Senti vontade de sair dali correndo.

— É uma palavra irlandesa — explicou ele. — Significa "deusa".

— Sério, mesmo? — Ela mostrou-se indecisa. — Entendo... Bem, está na hora de ir! O tempo não espera por ninguém.

— Muito menos por alienígenas — Anton piscou um olho.

— Ahn... Pois é.

— Até logo. Boa sorte na partida de tênis. E nada de sair com as garotas depois do jogo para tomar umas e outras — ralhou Anton. — Eu conheço você, sua garota levada...

Ela deu mais uma risadinha, sacudiu o corpo para soltar Joshua, que estava agarrado em sua perna e foi parar no canto da sala com o empurrão. Em seguida, entrou no seu Toyota Yaris verde-limão e saiu a toda velocidade.

— Não! — disse Anton, de forma categórica, enquanto sacolejávamos no trem de volta para casa.

— Não o quê?

— Não consigo acreditar que ela alguma vez transou na vida. Com aquela mania de limpeza, ela deve ter um Bom Bril no lugar do coração. Como é que a pequena Poppy conseguiu nascer? Vamos combinar... Sr. Vanish, o super-herói da limpeza pesada, é o único homem pelo qual Debs demonstra algum interesse.

— Talvez ela realmente durma abraçada a uma embalagem de Vanish.

— Ah, pare com isso, porque eu começo a imaginar coisas tétricas. Nossa, aquela mulher é horrível!

— Eu sei — concordei. — Mas papai é louco por ela, então eu acho que devíamos tentar aguentá-la. Além do mais, ela é muito boa para ele, de várias maneiras.

— Como?

— Ela curou a mania dele de correr riscos financeiros.

— Você quer dizer que ela foi astuta o bastante para passar a escritura de Vanish Hall para o nome dela.

— Pelo menos eles vão sempre ter um teto sobre suas cabeças.

— Bem, isso é verdade.

45

— Você faria uma coisa por mim, se eu pedisse? — perguntou Anton.

— Qualquer coisa — disse eu. Como fui tola.

— Há uma casa à venda na Grantham Road. Será que você e Ema poderiam ir comigo visitá-la?

Depois de uma pausa, perguntei:

— Quanto estão pedindo pela casa?

— Quatrocentos e setenta e cinco mil libras.

— E por que você quer visitar uma casa que nunca teremos condições de comprar, nem em um milhão de anos?

— Eu a vejo todo dia a caminho do metrô e fiquei curioso. Ela tem o aspecto de uma casa de conto de fadas, nem parece que fica em plena Londres.

— Por que está à venda?

— Pertencia a um velho que morreu e sua família não quer ficar com ela.

Senti uma fisgada no estômago. Anton andara pesquisando aquilo tudo sem me dizer nada.

— Não fará mal darmos uma olhada — disse ele.

Eu não concordava com aquilo, mas Anton pedia tão pouco de mim... Como eu poderia negar-lhe aquilo?

— É esta aqui — disse Anton, ao pararmos diante de uma casa em centro de terreno, imponente, revestida de tijolinhos vermelhos e com um telhado pontudo, meio gótico. Parecia um castelo em miniatura, e não era nem muito grande nem muito pequena. Tinha o tamanho certo.

Droga!

— Vitoriana — informou Anton, empurrando o portão de um metro de altura e estendendo a mão. Ema e eu o acompanhamos através de um caminho de pedra áspera que ia dar em uma varanda com piso em lajotões e um telhado inclinado. A pesada porta da frente se abriu na mesma hora e um rapaz de terno, usando botas, apareceu. Greg, o corretor.

Quando atravessei o portal e entrei no saguão, a porta se fechou atrás de mim e eu me senti inundada na mesma hora por uma sensação de calma. A luz era muito diferente ali. A janela em arco e raiada, de vidro fosco, que ficava acima da porta da frente lançava padrões coloridos sobre o piso de madeira, e tudo parecia dourado e calmo.

— A maior parte da mobília se foi — explicou Greg. — A família do senhor que residia na casa levou os móveis. Podemos começar daqui mesmo?

Nossos passos ecoaram no piso de madeira enquanto acompanhávamos o corretor até uma sala que se estendia até os fundos da casa, onde havia uma janela saliente e portas francesas, envidraçadas, que davam para o jardim — o qual se mostrou cheio de antiquados arbustos de malva muito malcuidados e necessitando de poda. Uma lareira alta coberta de ladrilhos de cerâmica em estilo William Morris ocupava a parede à direita.

— É original — informou Greg, batendo com os nós dos dedos no consolo da lareira.

Havia um aroma indistinto de fumo para cachimbo; imaginei crianças usando botinas de abotoar, comendo caramelos e brincando em volta, cavalgando antigos cavalos de madeira.

Ao lado do saguão, havia um aconchegante aposento quadrado, também com uma janela saliente e uma lareira.

— Esse aqui poderia ser o seu escritório — disse Anton. — Lily é escritora — contou a Greg.

— Ah, é? — ele demonstrou interesse, de forma educada. — Será que eu já ouvi falar de você?

— Lily Wright — eu disse, timidamente.

— Ah, é? — repetiu Greg, e notei claramente que ele não reconheceu meu nome. — Ahn... Meus parabéns.

As tábuas corridas junto à janela rangeram e na mesma hora eu me lembrei de uma mulher americana que quis recriar uma casa vitoriana e pagou caríssimo por tábuas corridas legítimas, daquelas que rangiam. Ali estavam elas diante de mim, autênticas e já instaladas.

— Eu poderia colocar a minha mesa de trabalho aqui — disse eu, acariciando a parede. Um pouquinho de massa corrida se esfarelou na minha mão.

— Obviamente, esta casa precisa de alguns reparos — disse Greg. — Vai ser divertido colocar tudo conforme o gosto de vocês.

— Sim — assenti, e estava sendo sincera.

Em seguida entramos na cozinha, que era escura e muito apertada.

— Dá vontade de sair quebrando as paredes todas — murmurei, sem expressar devidamente o que pensava, mas gostando da frase.

Consegui visualizar o que queria ali. Aquela cozinha escura com paredes que a gente tinha vontade de sair quebrando seria ampliada e ficaria quatro vezes maior, revestida por lajotões de cerâmica. O tempo todo haveria uma pesada caçarola de barro com ensopado, colocada sobre um fogão Aga azul-claro, em fogo brando. Se alguém chegasse de repente, eu poderia circular pela cozinha, descalça, para recebê-lo de forma calorosa, oferecer-lhe jantar e brindar com vinho de frutas vermelhas feito em casa. Eu seria como Nigella Lawson.

Quando as pessoas tivessem crises, elas apareceriam na minha porta lindamente emoldurada por uma faixa de ladrilhos, sabendo que poderiam contar comigo para protegê-las e consolá-las. Eu as envolveria em um sedoso cobertor de lã angorá, para em seguida instalá-las no peitoril interno da janela saliente da sala, onde elas poderiam observar a brisa brincando nos galhos e tomar chá de camomila quentinho em uma xícara charmosamente diferente do pires, até a *crise* passar.

Greg nos levou até o pé da escada e, quando eu me abaixei para pegar Ema no colo, vi furinhos minúsculos nas tábuas do assoalho. Carunchos de madeira. Que charmoso! Tão... Tão autêntico. Seria impossível não ser feliz nessa casa.

Cada um dos três quartos era mais encantador que o outro. Eu me senti cativada por imagens de cabeceiras de cama em ferro trabalhado, edredons bordados, cadeiras de balanço e cortinas de *voile* baloiçando suavemente ao sabor da brisa.

Dei uma olhada rápida no minúsculo banheiro antediluviano e murmurei novamente alguma coisa sobre sair quebrando as paredes.

Então Greg tornou a nos levar para o andar térreo, a fim de conhecermos o ponto alto da propriedade: o charmoso jardim coberto de vegetação. Ao longo dos limites do terreno, uma cerca em semicírculo feita de árvores e arbustos se debruçava para dentro e camuflava quase toda a casa e a torre, para quem olhava de fora.

— Pés de groselha-preta e um arbusto de framboesas — indicou Greg. — Há uma macieira também. No verão, vocês terão frutas frescas.

Não resisti e apertei o braço de Anton.

Junto à cerca dos fundos, havia uma estufa baixa, muito antiga, com uma pequena plantação de tomates. Ao lado, havia um antigo banco de praça, voltado para o sul, em madeira e com pernas em ferro batido, tudo pintado de branco.

— Não dá nem para sentir que estamos em Londres — afirmou Greg.

— Hummm. — Eu concordei com ele, tentando ignorar o barulho estridente de um alarme de carro que disparou na rua ao lado.

Eu me vi sentada naquele jardim, escrevendo livros em um lindo notebook, tendo ao lado uma cesta de framboesas recém-colhidas. À luz do sol, os meus cabelos estavam louros e ondulados, como se eu tivesse acabado de fazer luzes, e vestia uma roupa leve e branca comprada na Ghost, ou talvez na Marni.

A imagem mais vívida era a de Ema brincando com outras crianças — seus irmãos e irmãs, talvez? Por alguma razão, todos tinham cabelos cacheados e jogavam pedras, alegremente, na direção da estufa.

Eu prepararia flores prensadas. Minhas portas francesas teriam cortinas leves de musselina, que brincariam na brisa quando eu passasse através delas vindo do jardim, trazendo uma cesta transbordante de flores recém-cortadas por pequenas tesouras de jardinagem.

Tudo na casa tinha um cheiro bom, parecia um sonho que não lembramos por inteiro; as coisas eram familiares, como se eu já tivesse morado ali, embora soubesse que isso nunca acontecera.

Eu não sou materialista. Desde que me entendo por gente, sempre achei que o dinheiro era uma ilusão. Ele promete o mundo — e talvez o traga, por algum tempo —, mas perdemos tudo novamente, um pouco adiante.

De repente, percebi que grande idiota eu era. Devia estar com um pé no materialismo desde a primeira chance que tive na vida. Devia ter brigado por salários melhores.

Naquele instante, eu queria tanto aquela casa que me vi *ávida*, cheia de ambições egoístas. Seria capaz de vender a minha própria avó, se ela ainda estivesse viva e alguém se interessasse em comprá-la.

Nunca na vida eu desejara algo com tamanha intensidade. Eu *morreria* se não conseguisse essa casa. Se bem que não era necessário tanto melodrama, porque ela já me pertencia. Eu só precisava achar meio milhão de libras em algum lugar.

Mal me lembro da caminhada de volta para casa, mas assim que me vi novamente em meu apartamento pouco maior que um ovo, descontei em Anton. Era como se eu tivesse passado por uma experiência de quase-morte, conhecido a transcendente beleza do divino cara a cara só para no fim voltar ao meu corpo porque, devido a um erro burocrático, ainda não era a minha hora. Aquilo me arruinou o dia.

— Por que você inventou de me mostrar aquela casa? Nunca poderemos comprá-la!

— Ei! Me escute por um instante. — Anton rabiscava alguns números em um papel pardo. — Você já vendeu quase duzentos mil exemplares do seu livro, então vai receber mais ou menos cem mil libras de direitos autorais.

— Eu já expliquei a você que a minha primeira parcela de direitos autorais só vai sair no fim de setembro, e ainda faltam quase cinco meses. A casa terá sido vendida a essa altura.

Ele balançava a cabeça para os lados.

— Nós podemos pedir empréstimo por conta de dinheiro *a receber*.

— Podemos? Mas, Anton, a casa custa meio milhão *e* vamos precisar de grana para as reformas.

— Pense no futuro — incentivou ele, com os olhos brilhando. — Em algum momento, a Eye-Kon vai virar um negócio lucrativo.

Eu me mantive calada porque não queria que Anton achasse que não o apoiava, mas a verdade é que a única coisa que a Eye-Kon conseguira virar era o meu estômago, quando eu via na planilha o dinheiro que já havia sido gasto em almoços no Soho visando seduzir possíveis produtores, tudo sem retorno algum.

— O mais importante de tudo — lembrou Anton — é que você tem um contrato para dois livros.

— Sim, mas só escrevi dois capítulos do segundo. Aliás, ninguém na Dalkin Emery se importava; até recentemente, quando *As Poções de Mimi* os surpreendeu vendendo horrores, eles nem se lembravam que eu havia assinado um contrato para outro livro.

— E quanto a *Claro como Cristal*? — Obviamente, Anton já andara pensando a respeito disso. — Está pronto e é um grande livro. Mostre-o a eles.

Isso foi muito estranho, porque exatamente no dia seguinte Tania ligou. Queria dar uma olhada no novo livro que eu estava preparando.

— Vamos lançá-lo em capa dura a tempo de aproveitar as vendas de Natal.

Fui obrigada a declarar o fato terrível:

— Tania, não existe nenhum livro novo.

— Como disse?...

— Com o nascimento do bebê, o cansaço e tudo o mais, eu não consegui. Só fiz dois capítulos.

— Hummm, entendo. — Silêncio. Então: — É que nós pensamos que, como você assinou contrato para dois livros... Sabe como é... O normal é começar o novo logo depois de terminar o primeiro. Mas, claro, eu entendo... O bebê, o cansaço. Certamente você anda *muito* ocupada...

Mas ela deixou claro que não ficou nem um pouco satisfeita. Aflita, liguei para Anton.

— Mostre-lhe *Claro como Cristal* — ele tornou a sugerir.

— Mas o livro não é bom. Eu nem consegui um agente para ele.

— É bom, *sim*, muito bom. Aqueles agentes eram uns idiotas. O livro é ótimo!

— Você acha?

— Acho.

Então eu liguei para Tania e contei tudo a ela, com alguma hesitação.

— Não sei se você vai gostar da história. Eu enviei o livro para um monte de agentes e...

Tania me interrompeu:

— Você está me dizendo que tem outro livro *já pronto*?

— Sim.

— Aleluia! Lily tem outro livro prontinho — berrou ela, e alguém deu gritos de alegria. — Vou mandar o motoboy pegar.

Mais tarde, naquela noite, Tania ligou.

— Adorei, adorei. Adorei de verdade!

— Você já leu tudo? Que rápido!

— Não consegui largá-lo. É um livro diferente de *As Poções de Mimi*, *muito* diferente, mas dá para perceber a magia de Lily Wright. Já temos o nosso bestseller de Natal.

Logo depois, Jojo falou comigo sobre a assinatura de um contrato para o terceiro e o quarto livros.

— Por um adiantamento muito maior do que o primeiro contrato, é claro.

— Viu só? — disse Anton, muito alegre.

Jojo me avisou que podíamos assinar naquele momento, enquanto minhas vendas estavam nas alturas, ou podíamos esperar até o fim do outono, quando o meu segundo livro tomaria de assalto as listas dos mais vendidos e a minha posição para negociar seria muito melhor.

— Mas... E se o meu segundo livro não tomar de assalto as listas dos mais vendidos?

— Bem, sempre existe essa possibilidade, mas a palavra final é sua.

— Mas... O que você acha?

— Acho que você está numa excelente posição de barganha agora, mas ela poderia ficar ainda melhor em novembro. Só que tem uma coisa, Lily, e você precisa saber: sempre existem riscos, não há resultados certos nesse jogo. Desculpe, querida, sei que você não deseja isso, mas *só você* poderá tomar essa decisão.

Anton não deu importância ao aviso de Jojo.

— Ela não quer apavorar você, mas precisa se proteger. No final a decisão tem que ser sua, porque é você que escreve os livros. Você sabe que eu vou apoiá-la no que decidir, mas *você* é quem deve fazer a escolha final.

Eu não tinha a mínima ideia sobre o que seria melhor. Estava apavorada por ter de dar a resposta, pois poderia tomar a decisão errada e confiava mais na opinião dos outros do que na minha.

— Anton, o que você acha?

— Não sei, mas acho que devíamos esperar.

— Sério? Por que você não quer pegar essa grana agora, de imediato?

Ele riu.

— Você me conhece muito bem, mesmo. Estou tentando mudar os hábitos de toda uma vida, quero começar a pensar em termos de longo prazo, entende? A longo prazo, acho que você terá chance de conseguir mais grana se esperar.

— Certo, então nós vamos esperar — eu me ouvi dizendo. Decidir esperar até novembro era o menor dos problemas. Certamente aquilo não traria consequências imediatas. Mesmo assim, eu me senti agoniada.

— Oh, pobre Lily. — Anton colocou meu rosto de encontro ao seu peito e me fez cafuné.

— Cuidado aí em cima — murmurei. — Não esfregue muito meus cabelos, senão vou ficar sem o resto deles.

— Desculpe. De qualquer modo, venha cá... Tenho uma coisa para lhe contar que eu sei que vai fazê-la sorrir. Sabe a nossa casa, aquela que custava quatrocentos e setenta e cinco mil libras? Eles diminuíram o preço! Baixaram cinquenta mil!

— Por quê?

— Ela já está à venda há quase quatro meses e os donos devem ter ficado desesperados.

— Por que ela não foi vendida durante todo esse tempo?

— Porque estava supervalorizada. Agora está no preço justo, e é por isso que devíamos entrar em campo neste exato momento. Todo mundo vai querer comprá-la.

Só que eu não poderia me comprometer com um empréstimo tão alto.

— Existem muitas variáveis envolvidas — disse eu. — E se *Claro como Cristal* encalhar? E se eu não conseguir mais escrever livro algum e tiver que devolver o adiantamento?

— *Claro como Cristal* não vai encalhar e nós vamos contratar uma babá para você poder se dedicar à literatura em tempo integral. Podemos até deixar um quarto só para a babá, na casa nova.

Emiti um "hummm" evasivo.

— O que vamos fazer quando o dinheiro dos direitos autorais chegar? — perguntou ele. — Comprar um apartamento de um quarto só onde Judas perdeu as botas e morar empilhados uns sobre os outros por mais um ou dois anos, exatamente como estamos aqui, dormindo todos no mesmo cômodo? Depois, quando entrar mais alguma grana, vamos vender o apartamento, comprar outro um pouco maior e pagar duas vezes o imposto de transferência, que equivale a três por cento do valor do imóvel, uma fortuna? Sem contar que já vamos pagar quinze mil libras de impostos pela compra da casa, grana que nunca mais vamos ver de volta?

— Nossa, você anda mesmo matutando sobre esse assunto.

— No momento eu não consigo pensar em mais nada. — Ele se inclinou na minha direção, com muita convicção nos olhos. — Acho que a casa é exatamente o que precisamos. Ela tem aquele cômodo lindo, que seria perfeito para você montar seu escritório, temos espaço para uma babá e nunca mais precisaremos nos mudar. Tudo bem, eu reconheço que ainda não temos o dinheiro, mas ele *vai chegar*. Só que se ficarmos esperando sentados até esse dinheiro cair na nossa conta a casa terá sido vendida há muito tempo. — Ele parou para pegar fôlego. — Lily, nós dois somos péssimos para lidar com dinheiro, não é?

Concordei com ele. Éramos um caso perdido.

— Pelo menos uma vez na vida vamos tentar fazer a coisa certa. Vamos tentar ver o quadro todo, Lily, precisamos adquirir visão. Deixe-me saber uma coisa: você gostou da casa?

Fiz que sim com a cabeça. Assim que coloquei os pés lá dentro, eu me apaixonei pelo lugar e senti que aquela casa foi feita para mim.

— Eu a adorei também. É a casa perfeita para nós... A um *preço excelente*. O valor das casas talvez caia um pouco este ano, mas logo os imóveis vão tornar a subir de preço. Talvez nunca mais tenhamos esta oportunidade. Ajudaria dar mais uma olhada na casa?

Pulei de alegria ao ouvir isso; estava louca para analisar a casa toda com calma, novamente.

A sensação suave de pertencer àquele lugar, que me preenchera na primeira visita, tornou-se ainda mais profunda na segunda vez. Anton tinha razão ao dizer que aquele lugar não parecia estar em plena Londres; era o tipo de casa que as pessoas encontram em uma clareira no bosque, em um conto de fadas em estilo antigo. Quando estava dentro dela, eu me sentia segura, tocada de algum modo pelo seu encantamento.

Engraçado o jeito de as coisas acontecerem, porque no mesmo dia em que visitamos a casa recebemos uma notificação do sr. Manatee, nosso senhorio, informando que, devido a "aumentos inesperados nos custos", ele ia aumentar o nosso aluguel. Quando vi o novo valor, eu quase tive um infarto — era mais que o dobro.

— Isso é ultrajante! Vou falar com Irina a respeito disso, e também, minha nossa — passei a mão sobre os olhos —, Paddy Porra-Louca. Se formarmos uma frente unida, teremos mais chances de ganhar.

Mas nem Irina nem Paddy Porra-Louca tinham recebido notificação de aumento. A ficha começou a cair.

— Manatee deve ter lido a seu respeito — disse Anton. — Safado oportunista. Isso é extorsão!

— Anton, não temos condições de pagar o novo valor do aluguel, disso não há dúvida.

— Precisamos nos mudar daqui! — Nossos olhos se encontraram, faiscando com a nova percepção do que estava acontecendo.

Eu sempre procuro por "sinais" em toda parte e tive de reconhecer aquilo como um sinal, mesmo sem querer aceitar.

Anton aproveitou a chance:

— Eles estão pedindo quatrocentas e vinte e cinco mil libras. Vamos oferecer quatrocentas e ver o que acontece.

— Mas nós não temos quatrocentas mil libras, provavelmente não temos nem quatrocentas.

— Vamos fazer uma oferta pela casa e esperar a resposta. Nunca se sabe, porque essa não é uma situação padrão. Os herdeiros do velho...

— Herdeiros! — Anton já estava usando uma linguagem diferente e eu me senti excluída.

— ... Os herdeiros do velho não estão presos a um valor; não precisam vender o imóvel pelo preço escolhido para comprar uma casa nova, por exemplo; estão só esperando a sorte grande cair do céu. É muito mais provável eles aceitarem uma oferta menor, pois devem estar loucos para colocar a mão na bufunfa; estão amarrados a uma casa que não serve para todos ao mesmo tempo.

— Anton! Não podemos fazer oferta para uma casa sem ter alguma grana na mão.

— Claro que podemos.

— Você não vai acreditar! — gritou Anton. — Eles aceitaram nossa oferta de quatrocentas mil libras.

Senti o sangue desaparecer do rosto.

— Você fez uma proposta para a compra de uma casa e nós não estamos nem perto de ter o dinheiro! Que idiotice foi essa?

Ele não conseguia parar de rir. Quase caiu sobre o meu ombro, tonto de alegria.

— Vamos conseguir o dinheiro.

— Onde?

— No banco.

— Como? Você pretende assaltar um?

— Concordo com você quanto a nós não termos o perfil-padrão para pedir financiamento de casa própria. Precisamos de um banco que tenha visão.

— Não quero tomar parte nisso. Ligue para o pobre Greg e diga-lhe que ele está perdendo tempo conosco.

Isso o deixou irritado:

— Pobre Greg?... Lily, o cara é um corretor de imóveis.

— Se você não ligar para ele, eu mesma ligo!

— Não, Lily, por favor, não ligue para ele. Preciso apenas de um pouco mais de tempo. Confie em mim.

— Não.

— Por favor, Lily, por favor, amorzinho, confie em mim. — Ele me agarrou, me puxou para junto dele e seu amor por mim estava estampado em seu rosto. — Eu nunca faria nada que pudesse magoar você. Vou passar o resto da vida tentando tornar as coisas lindas e perfeitas para você e Ema. Por favor, confie em mim.

Encolhi os ombros. Não era exatamente um "sim", mas também não era um "não". Nunca era.

Anton começou a fazer ligações daquelas que o faziam virar de costas para mim cada vez que eu entrava na sala. Quando eu pergunta-va "Quem era?", ele simplesmente dava um tapinha na ponta do nariz e piscava. O carteiro começou a trazer cartas gordas que Anton carregava para longe, a fim de abri-las sozinho, e quando eu pergun-tava a respeito delas, lá vinha ele com tapinhas na ponta do nariz e sorrisos misteriosos. É claro que eu poderia insistir em saber de tudo, mas a verdade é que eu não queria.

Uma noite, tive um pesadelo em que me vi em um imenso depó-sito encaixotando montanhas de coisas minhas em meio a um mar de caixas de papelão de três metros de altura. Uma das caixas era só para sapatos, outra estava cheia de televisores quebrados e eu tentava espremer a lareira William Morris em uma caixa do tamanho de uma lata de biscoitos e, de repente, uma voz incorpórea falava: "Todas as lareiras devem ser devidamente embaladas." Então o sonho mudava e eu via Ema ao meu lado, as duas sentadas no canteiro divisório de uma autoestrada, acompanhadas de todas as caixas, e eu sabia com enjoativa certeza que não tínhamos lugar algum para chamar de lar.

Quando estava acordada, eu me pegava pensando o tempo todo na casa, de um jeito sonhador e nostálgico. Em minha cabeça eu a pintara, reformara, mobiliara todos os cômodos e vivia mudando a decoração o tempo todo, como se ela fosse uma casa de bonecas. No meu quarto havia uma cama antiga em estilo francês, com linhas curvas, pintada de creme e com pés em ferro trabalhados no formato de garras, uma cabeceira alta também trabalhada, um colchão muito macio e charmoso, baús com rosas entalhadas nas bordas, mesinhas de cabeceira com a parte de baixo em curva, almofadas gordinhas, edredons de cetim, tapetes feitos em tear espalhados pelo piso de madeira muito bem-encerado...

Quando eu pensava em morar lá, três diferentes versões da minha vida se abriam. Eu queria ter outros filhos, pelo menos mais dois, mas aquele era um desejo que tentava reprimir com firmeza, porque sob as nossas condições financeiras simplesmente era inviável. Mas poderia acontecer na nova casa.

Então, um dia, Anton chegou e me disse:

— Lily, luz da minha vida, amor do meu coração, você estará livre amanhã à tarde?

— Por quê? — perguntei, desconfiada. Aquela história de "amor da minha vida" geralmente vinha antes de um pedido para pegar o terno dele no tintureiro para algum evento com a mídia.

— Marquei hora para nós em um banco.

Uma pausa.

— Isso é brincadeira, não é?

— Não, eu realmente marquei, *ma petite*, meu docinho de coco.

Na manhã seguinte, deixamos Ema com Irina e lhe pedimos para *não* colocar a máscara de gosma verde na pobrezinha, pois ainda estávamos arrancando restos grudados no cabelo dela desde a última vez. Em seguida, vestimos nossas roupas mais apresentáveis e fomos recebidos, ao chegar ao banco, por três senhores com rostos praticamente idênticos e ternos escuros absolutamente iguais. Eu me senti sem graça, como se tivesse invadido a sala deles sob falsos pretextos, mas Anton foi absolutamente cativante. *Até eu* me convenci. Ele explicou que grande estrela eu era, como aquele era o início de uma carreira de sucessos e o quanto eles iriam se beneficiar se entrassem no barco naquele momento, pois seríamos leais ao banco no futuro, quando ganharíamos milhões por ano e teríamos outras casas em Nova York, Monte Carlo e Letterkenny (terra dos ancestrais dos Carolans). Então, para dar respaldo aos argumentos, Anton exibiu cartas de Jojo e dos contadores da Dalkin Emery, extratos das minhas vendagens até o momento, ganhos associados e uma projeção de vendas de *Claro como Cristal*, feita pelo gerente de vendas da Dalkin Emery, com um cálculo aproximado de quanto eu poderia ganhar no futuro. (Muito dinheiro, por falar nisso. Fiquei atônita ao ver o tamanho da ambição deles.)

Para amenizar a preocupação dos banqueiros pelo fato de não termos uma entrada para o imóvel nem um salário fixo, ele mostrou um gráfico propondo várias formas de pagamento, com uma parcela alta a ser paga assim que eu recebesse o meu primeiro cheque de direitos autorais, em setembro, e outra parcela alta quando eu assinasse o novo contrato, em novembro.

— Cavalheiros, podem ter certeza de que os senhores receberão o seu dinheiro de volta.

Com um floreio final, Anton fez surgir três exemplares de *As Poções de Mimi*, que eu autografei no ato e enviei para as esposas dos homens de paletó escuro.

— Essa grana está no papo — disse ele, quando voltávamos para casa de metrô.

* * *

A carta com a resposta do banco chegou dois dias depois. Senti o estômago embrulhado quando tentamos abrir a carta ao mesmo tempo. Meus olhos leram tudo por alto, tentando captar o texto, mas Anton foi mais rápido que eu.

— Merda!

— Que foi?

— Eles nos desejam sorte na empreitada, mas não vão embarcar na nossa canoa.

— Então está resolvido — disse eu, arrasada e, ao mesmo tempo, estranhamente aliviada. — Que babacas!

Só que é claro que não estava nada resolvido. Anton, o eterno otimista, simplesmente marcou hora em outro banco.

— É só bater em um monte de portas que uma delas vai se abrir.

Apesar de outra apresentação brilhante de Anton, o segundo banco também nos esnobou; ele nem acabou de lamber as feridas e já estava com outro banco engatilhado. Dessa vez, sabendo a enorme chance de aquilo não dar em nada, eu me senti uma fraude quando Anton começou a encher a minha bola. E quando eles enviaram a sua carta de recusa, implorei para que ele parasse.

— Só mais unzinho — insistiu ele. — Você desiste muito fácil.

Eu estava dando mingau a Ema, uma atividade extenuante e complicada, pois geralmente deixava o chão, as paredes e o meu cabelo grudentos de comida, quando Anton lançou uma carta sobre a mesa como se fosse um disco de *frisbee*.

— Dê uma olhada nisso. — Ele estava rindo feito bobo.

— Conte-me. — Eu estava com medo de acreditar, mas o que mais poderia ser...?

— O banco aceitou e vai nos emprestar o dinheiro. A casa é nossa!

Essa era a deixa para eu me atirar nos seus braços e ser girada por toda a cozinha, nós dois rindo de felicidade com a cabeça para trás. Em vez disso, eu me senti paralisada e fiquei olhando fixamente para ele, quase com medo.

Anton era uma espécie de alquimista, só podia ser. Como era possível ele, do nada, encontrar soluções de sonho como aquelas? Ele me conseguira uma agente, que me conseguiu uma editora, tinha "encontrado" o meu segundo livro quando eu achei que não havia nenhum e agora assegurara a minha casa dos sonhos, embora não tivéssemos grana nem para a entrada.

— Como você consegue isso? — perguntei, baixinho. — Você fez algum pacto com o diabo?

Ele poliu uma medalha imaginária no peito e riu de si mesmo.

— Lily, eu me curvo a você. É mérito seu nós estarmos para receber uma tonelada de dinheiro em setembro e mais ainda quando você assinar o seu novo contrato. Sem isso tudo, não adiantaria nada eu pentelhar os caras, pois não conseguiria nada. Eles mandariam o segurança me jogar no olho da rua.

— Ei! — Lutei para pegar a carta da mão de Ema, que usava as costas da colher para cobrir o envelope de mingau mole. Ela soltou um guincho de reclamação, mas estava presa em sua cadeirinha de refeição e não havia muito que pudesse fazer. Ao ler a carta escrita à máquina, um calorzinho de cautelosa alegria me fez cócegas na barriga. Se o banco concordara, é porque estava tudo bem. Obviamente, eles achavam que eu conseguiria dinheiro suficiente para lhes pagar tudo; aquilo era mais que um empréstimo, era um aval para a minha carreira.

Então eu li uma cláusula que fez o meu calorzinho de alegria esfriar de repente. Abafei um grito de espanto.

Ema me imitou; seus olhos ficaram arregalados e assustados, como os meus.

— Anton, aqui diz que o empréstimo "depende de avaliações". O que isso quer dizer?

— Anton, quizo qué *dizê*? — ecoou Ema.

— Significa que querem ter certeza de que a casa vale o dinheiro que eles estão nos dando, para o caso de não pagarmos o empréstimo e eles terem de retomá-la.

Franzi o cenho. Aquele papo de retomada de imóvel me congelava por dentro. Trazia lembranças do dia em que saímos da casa imensa em Guildford.

— Eles fazem uma avaliação estrutural também, para ter certeza de que a casa está em bom estado e é segura.

— E se não estiver?

— Ela parece segura para você?

— Sim, mas...

— Então, pronto!

Anton abriu a carta. Leu-a em silêncio, mas algo estranho impregnou a atmosfera da sala.

— Que foi?

— Tudo bem. — É o resultado da avaliação do banco.

— E...?

— Encontraram pontos com cupim na sala da frente. Em grande quantidade, segundo dizem.

Eu senti uma fisgada de desapontamento na barriga e lágrimas surgiram em meus olhos. Nossa casa linda, linda... E quanto aos pés de framboesa, o peitoril da janela saliente, eu circulando pela casa em um vestido vaporoso, carregando uma cesta cheia de flores? Os jantares boêmios que eu ofereceria para agradecer a Nicky e Simon, Mikey e Ciara, Viv, Baz e Jez, e todas as outras pessoas que haviam recebido a mim e a Anton em suas casas e a quem eu nunca convidara para ir à nossa porque o espaço era mínimo?

Eu me ouvi dizendo:

— Bem, então já era...

— Nada disso. Lily, não desista, cupim tem conserto, mole, mole! Eles ainda estão dispostos a nos emprestar o dinheiro, só que menos. Trezentas e oitenta mil.

— E onde vamos conseguir mais vinte mil libras?

— Se liga, Lily, não vamos! Simplesmente voltamos aos vendedores e baixamos a nossa oferta em vinte mil.

— Mas ainda vamos ter que fazer descupinização! Repito a pergunta: onde vamos arranjar mais vinte mil libras?

— Uma descupinização não custa vinte mil libras. No máximo, duas mil.

— Mas o banco disse...

— Eles estão apenas se garantindo. O que você resolve?

— Tudo bem — eu disse. — Faça o que você tem de fazer.

Para meu espanto completo, os vendedores aceitaram a redução na oferta. Quantos sinais mais eu precisava para me convencer de que aquela casa era para ser minha? Mesmo assim, dei um chiliquezinho final. Anton me perguntou:

— E então, vamos comprá-la?

Eu me ouvi soltar um lamento choroso:

— Não, estou com muito medo.

— Então, tá bom!

— Tá bom? — Surpresa, olhei para ele.

— Claro. Você está com muito medo. Vamos esquecer o assunto.

— Você não acha isso realmente, certo? Está apenas tentando usar psicologia reversa comigo.

Ele balançou a cabeça.

— Nada disso. Quero apenas que você fique feliz.

Olhei para ele, meio desconfiada. *Acho* que acreditei nele.

— Tudo bem, então, Anton. Convença-me a comprar essa casa.

— Tem certeza de que é isso o que quer? — hesitou ele.

— Depressa, Anton, antes que eu mude de ideia. Convença-me.

— Ahh... Está bem. — Ele fez uma lista de motivos pelos quais nós devíamos comprar aquela casa: tínhamos uma fortuna chegando; minha carreira começara a deslanchar e eu estava prestes a receber um polpudo adiantamento em novembro; o banco — notoriamente cauteloso — nos dera o selo de aprovação; comprar aquela casa era melhor do que comprar um apartamento pequeno agora e enfrentar o trabalhão de outra mudança em pouco mais de um ano; nós não queríamos simplesmente uma casa, havíamos nos apaixonado por *aquela casa* em particular, que tinha tudo a ver conosco. E finalmente:

— Se as coisas ficarem meio esquisitas, poderemos vender a casa e pegar de volta a parte que pagamos por ela.

— E se ela se desvalorizar e nós ficarmos devendo montanhas de dinheiro?

— Uma casa como aquela, em um ponto privilegiado? É claro que ela só tende a valorizar, isso é óbvio. Não temos como perder. Nada pode dar errado.

PARTE DOIS

PARTE DOIS

Gemma

1

Já fazia oitenta dias desde que papai saíra de casa. Menos de três meses. Contado desse jeito, não parecia tão ruim. Nada de novo andava rolando quando, subitamente, quatro coisas IMPORTAN-TES aconteceram, uma emendada na outra.

A primeira delas: no fim de março começou o horário de verão. Nada demais, eu sei, mas esperem um pouco, isso não é o mais importante, foi só o gatilho do resto. Enfim, o fato é que o horário foi adiantado em uma hora e, embora eu tivesse passado a maior parte do domingo acertando as horas do forno elétrico da mamãe, do microondas, do DVD, do telefone, de mais sete relógios e até mesmo do seu relógio de pulso, não percebi as implicações daquilo até na segunda de tarde, no trabalho, quando Andrea colocou o casaco e disse:

— Vou nessa! Até amanhã.

O dia ainda estava tão claro que eu disse:

— Mas ainda estamos no meio da tarde!

— Ela informou:

— São vinte para as seis.

De repente eu me liguei e quase engasguei de susto. As noites estavam mais longas por causa do verão; quando papai fora embora, estávamos no meio do inverno. O tempo tinha voado sem que eu me desse conta disso.

Eu precisava vê-lo. Não por causa de mamãe, mas por mim mesma. Embora eu raramente saísse do trabalho antes das sete, estava turbinada com uma necessidade tão desesperada que nem mesmo as forças combinadas de Frances e Francis conseguiriam me segurar.

Saí do trabalho quase tropeçando, de tanta pressa, entrei no carro e fui até o trabalho de papai — não iria procurá-lo no apartamento deles nem por um milhão de libras. Seu carro estava parado no estacionamento, o que significava que ele ainda não tinha saído. Fiquei observando a porta, grudada no volante, enquanto os funcionários iam embora para casa, aos poucos. Engraçado como eles não eram gorduchos, reparei. Na verdade, pouquíssimos deles eram rechonchudos, e eu imaginava que com todo aquele chocolate dando sopa por ali... Ai, caramba, lá vinha papai. Ao lado de Colette! *Merda*. Eu tinha a esperança de encontrá-lo sozinho.

Papai estava de paletó e tinha a aparência de sempre; seu rosto me era tão familiar quanto o meu próprio e me pareceu estranho não vê-lo há tanto tempo.

O cabelo de Colette estava alourado nos lugares certos. Ela continuava fazendo luzes. Não tinha descuidado da aparência, mesmo depois de fisgar um marido. Pelo lado positivo, não parecia estar grávida.

Enquanto se aproximavam de mim, vinham batendo papo com uma camaradagem que me causou desalento. Saltei do carro, caminhei na direção deles e parei na frente dos dois. Aquilo era para ter um tom dramático, mas eles caminhavam tão depressa que quase me atropelaram sem me notar e seguiram em frente.

— Papai! — eu chamei.

Os dois se viraram para trás, com o rosto sem expressão.

— Papai? — repeti.

— Gemma. Ora... Olá!

— Papai, não tenho notícias suas já faz algum tempo...

— Ah, eu sei. — Ele parecia pouco à vontade. Virou-se para Colette. — Pode me esperar no carro, amor?

"Amor" lançou-me um olhar de desprezo, mas foi em frente, na direção do Nissan.

— Ela precisa ser assim tão desagradável? — perguntei. Não resisti. — Que motivos ela tem para ser uma pessoa tão horrível?

— Ela está apenas insegura.

— *Ela* está insegura? E quanto a mim? Não vejo o senhor há quase três meses.

— Tanto assim? Ele arrastou os pés, trocando o peso do corpo com o jeito incerto das pessoas mais velhas.

— Sim, papai. — Em um esforço desesperado para fazer graça, perguntei: — Não vai requerer custódia sobre a sua filhinha? O senhor poderia exigir o direito de me visitar nos fins de semana e nós iríamos ao McDonalds.

Mas ele simplesmente disse:

— Você já é adulta e dona do próprio nariz.

— Mas o senhor nunca tem vontade de me ver?

Dizem que não se deve fazer uma pergunta para a qual não se tem certeza da resposta. É claro que ele queria me ver.

Mas ele disse:

— Provavelmente vai ser melhor que não nos encontremos, por enquanto.

— Mas, papai... — A dor foi surgindo dentro de mim como uma onda e eu comecei a chorar. As pessoas que passavam por nós começaram a olhar, mas eu pouco liguei. A onda se transformou num tsunami. Eu não via meu pai havia três meses, chorava muito e me engasguei, como se um amendoim tivesse entrado pelo buraco errado; mesmo assim, ele nem me tocou. Eu me lancei em seus braços; ele permaneceu duro como uma tábua e me deu tapinhas nas costas, meio sem graça.

— Ah, Gemma, por favor, não faça isso.

— Você não gosta mais de mim.

— Gosto sim, claro que gosto!

Com um esforço monumental, forcei-me a controlar o engasgo, pigarreei para limpar a garganta e tentei me recompor.

— Papai, por favor, volte para casa. Por favor!

— Noel, ainda temos que pegar as crianças. — Era Colette.

Eu me virei para ela.

— Acho que ele mandou você esperar no carro.

— Vamos logo, Noel! — insistiu ela, me ignorando. — As crianças! Elas devem estar se perguntando onde nós estamos.

— Quer saber de uma coisa? — eu lhe disse, apontando para papai. — Eu sou a criança *dele* e ando me perguntando a mesma coisa. — Acrescentei: portanto, vá se foder!

Ela me avaliou, mais fria do que nunca, e reagiu:

— Vá você! Mais dois minutos — avisou a papai. — Estou contando! — Entrou no carro com estardalhaço.

— Ela é cheia de classe, não?

— Como vai a sua mãe? — perguntou papai.

— Sua MULHER — gritei, para todos em volta do estacionamento ouvirem. As poucas pessoas que não olhavam começaram a se interessar pela cena. — Sua MULHER está ÓTIMA. Arrumou um namorado. Um cara suíço chamado Helmut. Ele tem um Aston Martin vermelho com portas que se abrem para cima, como asas de gaivota.

— É mesmo? Que exótico! Ouça, Gemma, preciso ir, agora. Geri fica revoltado quando demoramos para pegá-lo.

Um enorme desprezo por ele era tudo o que sobrara dentro de mim. Olhei para o meu pai e disse:

— O senhor é um covarde.

Na segurança do meu carro, as lágrimas voltaram. Todos os homens são covardes. Isso era uma coisa que ninguém ia conseguir consertar tão cedo; arrasava-me reconhecer, mas papai e Colette pareciam estar em um relacionamento permanente. Se fosse assim, onde isso me deixava? E quanto à minha vida?

Mamãe fazia o melhor que podia e tentava realmente ser valente. Ela seguia uma nova rotina, assistindo a uma novela diurna atrás da outra para ajudá-la a passar o tempo, como uma ponte de cordas sobre o abismo. Voltou a frequentar a missa, foi até mesmo tomar café com a sra. Kelly umas duas vezes, mas sempre voltava para casa tremendo que nem geleia. Ainda era necessário eu passar todas as noites com ela.

Por tudo isso, quais eram as chances de ela se virar para mim e dizer "Gemma, por que não tira uma folga de mim nesse fim de semana? Saia para tomar um porre, arrume uns dois namorados e curta-os até o meio da semana que vem. Será ótimo para você!"

Não... Por algum motivo eu não conseguia imaginá-la dizendo isso.

Ninguém me ajudaria. Pensei em Owen, o boyzinho que eu tinha conhecido na noite do aniversário de Cody (embora não me lembrasse disso). Ele já me convidara para sair duas vezes e na segunda eu topei, mas não conseguimos marcar um dia porque não havia como escapar da mamãe.

Eu prometi ligar para ele, mas até então a chance não tinha pintado

2

A segunda coisa — provavelmente a menos importante das quatro — foi que eu consegui um novo cliente no trabalho. Recebi a ligação no dia seguinte, à uma e dez da tarde, bem na hora em que eu ia sair para almoçar. Aquilo era um sinal de como as coisas continuavam sendo como eram; algumas pessoas eram superexigentes, mesmo sem querer. A diva intransigente da vez era Lesley Lattimore, uma patricinha irlandesa: em outras palavras, ela frequentava um monte de festas e gastava um monte de dinheiro que não havia sido ganho por ela. Seu pai, Larry "Balofo" Lattimore, fizera fortuna comprando casas na Irlanda, reformando-as e vendendo-as sem pagar impostos sobre o lucro, mas ninguém parecia se importar com isso. Muito menos Lesley.

— Preciso de alguém para organizar a minha festa de aniversário de treze anos e soube que foi você quem organizou o casamento de Davinia Westport.

Não perguntei se ela estivera na festa de casamento de Davinia, pois eu sabia que não. Ela era filha de um criminoso ainda não condenado, e Davinia era elegante demais para convidá-la. Só que papai Balofo obviamente queria oferecer para a sua única filhinha uma superfesta no estilo Davinia.

— Que tipo de evento você tem em mente?

— Mais de duzentos convidados. O tema é "Princesas". Pensei em Barbie Gótica — informou ela, e eu concordei; de repente, eu *precisava muito* daquele trabalho. — Quando você pode vir aqui me ver?

— Hoje. Agora!

Peguei algumas pastas com fotos das festas mais criativas e extravagantes que eu organizara e fui até o duplex no centro da cidade, com vista para o rio, onde Lesley morava. A menina tinha o cabelo super bem-cuidado, um bronzeado de St. Tropez, roupas estalando de novas e toda aquela camada de brilho que as pessoas ricas têm, como se tivessem sido mergulhadas em verniz. Além de tudo, é claro, Lesley tinha uma bolsa minúscula — confirmando a minha teoria de que, quanto mais rica a pessoa é, menor a sua bolsa. Afinal, do que elas precisam? Só do cartão dourado, das chaves do Audi TT, de um celular minúsculo e de um tubinho de brilho para os lábios. Quanto a mim, minha bolsa é do tamanho da mala com rodinhas de uma aeromoça e vive cheia de pastas de trabalho, estojos de maquiagem, canetas que vazam, notinhas de serviço da tinturaria, barras de cereais comidas pela metade, Tylenol, uma Diet Coke, uma revista de celebridades e, é claro, meu celular tijolão.

Lesley seguia o figurino até na atitude, que ficava em algum ponto entre "arrogante desagradável" e "grossa ao extremo", passando por todos os pontos intermediários. Isso tudo, ajudado pelo brilho que exibia, ajudava a mascarar sua beleza abaixo da média.

Era necessário ter contato com ela por algum tempo para reparar que seu nariz e o queixo eram pontudos. Para ser franca, se ela escolhesse uma festa temática sobre bruxas, em vez de princesas, estaria pronta para o papel principal. Engraçado o seu pai ainda não ter lhe comprado um queixo novo. Apesar desse detalhe e da bronca que eu senti por tudo aquilo, fui obrigada a admitir que a coisa podia dar certo.

— Por que eu devo contratar você? — ela quis saber, e eu comecei a citar os inúmeros eventos importantes que já organizara — casamentos, congressos, cerimônias para entrega de prêmios. De repente, eu hesitei, pensei um pouco e resolvi usar um coringa:

— Eu tenho uma varinha de condão — informei. — Ela é prateada e tem uma estrela purpurinada na ponta, de onde saem fiapinhos lilás.

— Eu também tenho uma, igualzinha! — exclamou ela. — Você está contratada!

Ela saiu correndo da sala, foi buscar a varinha e a passou em círculos sobre a minha cabeça, dizendo:

— Eu lhe concedo a honra de organizar a festa de aniversário de Lesley.

Em seguida, ela me passou a varinha e ordenou:

— Diga: "Eu lhe prometo um castelo cheio de torres."

Com ar relutante, peguei a varinha.

— Vamos lá! — incentivou ela. — "Eu lhe prometo um castelo cheio de torres."

— Eu lhe prometo um castelo cheio de torres — disse eu.

— Eu lhe prometo um legítimo salão medieval.

— Eu lhe prometo um legítimo salão medieval — repeti. Senti que aquilo seria muito desgastante.

— Eu lhe prometo um grupo de cavaleiros com armaduras e lanças.

— Eu lhe prometo um grupo de cavaleiros com armaduras e lanças.

A cada "prometo", eu era obrigada a circular com a varinha a cabeça dela e em seguida tocar com a ponta dela cada um dos seus ombros. Aquilo estava ficando um saco, mas logo ela perdeu o interesse na varinha e eu quase chorei de alegria. Especialmente porque eu precisava fazer uma lista de todas aquelas exigências.

E que lista! Ela queria um vestido prateado em estilo Camelot (palavras dela), com mangas pontudas que deveriam ir até o chão, uma capa branca de arminho, um chapéu pontudo de princesa e sapatos de prata (pontudos, é claro). Queria também drinques cor-de-rosa. Queria cadeiras prateadas de pernas curvas. Queria só comida cor-de-rosa.

Eu ia anotando tudo e concordando. "Hã-hã... Boa ideia!" Não lhe fiz nenhuma pergunta complicada do tipo "como convencer os rapazes a tomar bebidas cor-de-rosa?" nem "como será possível dançar ao som de uma banda de menestréis tocando alaúde?". Aquele não era o momento para eu mostrar os furos das exigências pouco práticas do seu sonho. Ainda estávamos na fase de brilho caloroso da lua de mel e teríamos muito tempo para trocas de desaforos nas semanas que viriam — ocasiões em que ela gritaria comigo e eu retribuiria tudo com sorrisos suaves. Nossa, havia *muito* tempo.

— Qual vai ser a data da festa?

— Trinta e um de maio.

Dali a dois meses. Para preparar tudo aquilo, eu teria preferido dois *anos*, mas as Lesleys deste mundo nunca são tão generosas.

Apesar de tudo, eu saí dali com a cabeça buzinando de ideias e tudo começou a parecer *mais fácil*. Enfrentar um novo desafio sempre me provocava um efeito bom — quando o tempo passava sem eu conseguir nenhum trabalho novo, eu me sentia privada de oxigênio. Naquele momento, porém, eu me senti respirando livre, à vontade, e era óbvio que a próxima sexta-feira à noite seria um momento perfeito para o meu contato imediato com Owen. Podia dizer à minha mãe que iria passar a noite trabalhando e, ao mesmo tempo, curtir uma ressaca tranquila no dia seguinte. Não ajudava em nada mentir para mamãe, mas eu não me importava. Depois de ver a proximidade de papai e Colette, precisava tentar mudar as coisas na minha vida.

Quando cheguei de volta à minha mesa, Lesley já deixara quatro mensagens. Tivera "grandes" ideias: os convites seriam entregues pessoalmente por um lindo príncipe; as convidadas ganhariam sacolinhas com presentes logo na entrada — mas ela não queria pagar por eles.

— Ligue para a Clinique — sugeriu ela. — E também para a Origins e para a Prescriptives. Diga-lhes que precisamos de muitas amostras grátis.

Na mensagem seguinte:

— Telefone para a Decléor e para a Jo Malone também.

Depois mais uma:

— Mande Lulu Guinness projetar o modelo das sacolinhas.

3

A terceira coisa importante: meu encontro com Owen.

Liguei para ele e disse: "Oi, aqui é a Gemma, do baldinho para carvão. Que tal sexta-feira, à noite?"

Eu já resolvera que, se ele não pudesse, eu iria mandá-lo à merda, mas ele perguntou:

— A que horas? Nove?

Eu hesitei em responder e ele perguntou:

— Você prefere às dez?

— Não, estava pensando em oito. É que, por motivos que não vêm ao caso, não tenho tido muitas chances de sair de casa e preciso extrair o máximo de diversão que conseguir dessa noite.

— Podemos marcar às sete, então, já que é assim.

— Não, a essa hora vou estar saindo do trabalho. Aliás, onde vamos nos encontrar? Por favor, não sugira a Kehoes. Você é um rapaz esperto, por dentro dos points da cidade, conhece todos os lugares quentes, e eu quero ir neles.

— Todos eles?

— É como eu expliquei: não tenho tido muita chance de sair.

Fez-se um silêncio pensativo.

— Nós estamos em Dublin, não em Manhattan. Não existem tantos lugares novos assim.

— Eu sei, desculpe. — Tentei explicar: — Quero ir a uma daquelas boates onde eu possa me sentir completamente desorientada, especialmente na hora de procurar o toalete. Preciso me sentir um pouco viva, entende?

— Então, que tal a Crash? Lá tem um monte de espelhos e degraus em toda parte. As pessoas vivem tropeçando e esbarrando umas nas outras.

Perfeito. E ia dar tempo de eu sair do trabalho com folga.

— Oito horas, então, sexta-feira na Crash. Não se atrase! — avisei.

Ao tropeçar logo na entrada da Crash, toda espelhada e cheia de degraus, avistei Owen. Ele não era tão bonito quanto eu lembrava, no dia em que o vi deitado no chão do meu quarto, naquela manhã terrível — devia estar vendo-o com meus óculos de birita. Na verdade, ele não era *feio*, só que não se parecia com aquele gatinho solista de banda com ar de criminoso que eu lembrava.

Enfim, não se pode ter tudo.

— Gostei da sua camiseta — disse eu. Tinha um Cadillac de frente, vindo pela estrada no meio de um deserto. Muito legal. — Gostei do seu cabelo também. — Era muito brilhante e espetado, ele certamente gastara um tempão se arrumando.

— Obrigado — disse ele, fazendo uma pausa e em seguida acrescentando: — Passei uns produtos espertos nele, tá ligada, para causar uma boa impressão. — Exagerei no lance?

— Não.

— Quer que eu lhe pegue um drinque?

— Vou tomar um cálice de vinho branco agora — me ajeitei no banco —, mas, a partir do segundo, vou intercalar um copo de água mineral; antes de vir, bebi um copo de leite para forrar o estômago, então não há perigo de eu dar um vexame igual ao daquela noite. Exagerei no lance?

— Ahn... Não. — Ele foi em direção ao bar e a parte de trás da camiseta mostrava a mesma estrada no deserto, dessa vez com o Cadillac indo embora.

De repente, o Cadillac já estava aumentando de tamanho novamente, vindo na minha direção.

— Seu drinque. — Ele ergueu o copo. — Saúde! À primeira balada de Gemma, depois de muito tempo.

Brindamos, tomamos o primeiro gole, recolocamos os copos sobre a mesa e então baixou um silêncio esquisito entre nós.

— E então... Ahn... O baldinho de carvão continua na área? — perguntou Owen.

Mas era tarde demais, a reação já viera:

— Owen, foi um silêncio estranho esse que rolou ainda agora. Por motivos que não vêm ao caso no momento, não tenho tempo a perder com silêncios estranhos. Precisamos acelerar esse lance. Não temos tempo bastante para conhecermos um ao outro de forma natural; vamos ter que impulsionar o processo. Sei que isso parece louco, mas será que não podíamos avançar a fita uns três meses até chegar à parte em que ficamos juntos assistindo a DVDs sem nenhum desconforto?

Ele ficou me olhando meio desconfiado, e então, para minha alegria, perguntou:

— A fase em que eu já vi você sem maquiagem?

— Sim, essa é a ideia. Já nem transamos toda noite. — De repente, fiquei vermelha. Na verdade, senti um fogaréu descontrolado invadir meu rosto, ao lembrar que ainda não havíamos transado nem uma vez. Por assim dizer. — Minha nossa, Owen. — Cobri o rosto em chamas com as mãos. — Desculpe.

Fiquei com vontade de ir embora. Não estava pronta para circular pelas ruas e fiquei atônita com a minha grosseria. Aquela não era eu, o que estava acontecendo?

— Sinto muito — repeti. — Eu não sou completamente insana, é que ando meio... estressada.

Houve um instante em que a noite pareceu se equilibrar sobre um fio de navalha, mas Owen pareceu aliviado com o meu pedido de desculpas e chegou até a sorrir.

— Depois da última vez que nos vimos, eu já sei como você é... Você é *doida demais*!

Sorri de leve, não muito feliz por ser a Pirada do Pedaço. Por outro lado, no entanto, se ele já me achava maluquete, eu não precisaria me esforçar tanto para parecer normal.

— Que os jogos comecem! — disse ele. — Conte-me tudo a seu respeito, Gemma.

Embora aquilo fosse ideia minha, fiquei meio sem graça.

— Tenho trinta e dois, filha única, trabalho como organizadora de eventos, o que é muito desgastante, mas nem sempre odeio o que faço; moro em Clonskeagh e... Será que esqueci alguma coisa?

— Carro?

— Toyota MR2. Devia ter imaginado que você se interessaria por isso. Agora é a sua vez.

— Honda Civic cupê VTi, todo equipado, com dois anos de uso, mas cara de novo.

— Legal para você. Que mais?

— Bancos de couro, painel imitando madeira...

— Que gracinha! — Achei engraçado. — Quero os detalhes do resto da sua vida.

— Tenho vinte e oito anos e sou o filho do meio; de segunda a sexta vendo minha alma à Edachi Eletrônicos.

— Fazendo o quê?

— Marketing. — Com ar de cansaço, continuou: — Tento fazer com que as pessoas comprem coisas.

— E você tem um monte de colegas de apartamento nojentos?

— Não, eu moro... — engoliu em seco — ... Sozinho.

— Certo. Agora eu vou ao banheiro.

— Boa sorte.

Quando voltei, estava impressionada.

— Muito esperta a maneira com que os reservados ficam escondidos atrás da pia e de um monte de espelhos. Levei horas para me achar. Você escolheu muito bem esse lugar. Agora, vamos passar ao histórico dos nossos relacionamentos. Dois anos e meio atrás, minha melhor amiga roubou o amor da minha vida; eles continuam juntos e têm uma filha; nunca vou perdoar nenhum dos dois e não encontrei mais ninguém desde então; talvez eu pareça amarga, mas isso é exatamente o que sou. Agora é a sua vez.

— Caraca! — Ele me pareceu um pouco chocado diante do desabafo. Puxa, eu o assustara novamente. Por fim, porém, respondeu:

— Ahn... Eu saía com uma pessoa. Uma garota.

Fiz que sim com a cabeça, para encorajá-lo.

— Então nós terminamos.

— Quando? Há quanto tempo vocês estavam juntos?

— Humm...

Tornei a incentivá-lo com a cabeça.

— Ficamos juntos por quase dois anos. Terminamos pouco antes — engoliu em seco novamente — ... do Natal.

— Faz menos de quatro meses? E durou dois anos?

— Sim, mas eu estou legal.

— Não seja tolo. É claro que não está.

Enquanto ele insistia que estava bem, fiquei pensando: *Isso é ótimo! Ele não vai querer* nada *de mim.*

Ao longo das três horas que se seguiram, e mais dois outros bares desorientadores, peneirei tudo sobre Owen e descobri:

1) Ele fazia *tai chi chuan*.
2) Não gostava de camarão — não era alérgico, simplesmente não apreciava o sabor.
3) Um dos seus pés era meio número maior que o outro.
4) Sua ideia de férias perfeitas era a Jamaica.
5) Achava que o anúncio original dos bombons Rolo ("Você ama alguém o bastante para lhe oferecer o seu último Rolo?") era muito mais charmoso e humano do que o atual, em que um rapaz tenta arrancar o Rolo da boca da sua namorada para entregá-lo a uma garota mais bonita que acabou de aparecer.

Ele respondeu a todas as minhas perguntas, uma por uma.

— Do que você mais tem medo na vida? — ele quis saber.

— Ficar velha e morrer sozinha — respondi e uma pequena lágrima escorreu-me pelo rosto. — Não, não se preocupe — tranquilizei-o abanando a mão. — É efeito do vinho. E quanto a *você*? Qual o seu maior medo na vida?

Ele pensou.

— Ficar trancado no porta-malas de um Nissan modelo Micra com dez anos de uso em companhia de Uri Geller.

— Excelente resposta! Agora, vamos dançar.

* * *

Algumas horas mais tarde, no apartamento dele (até que bem arrumadinho, considerando que pertencia a um rapaz), curtimos uns amassos enquanto tirávamos as roupas sobre a cama dele. É claro que eu pensei em Anton, o último homem com quem dormira; depois dele, achei que nunca mais dormiria com ninguém. Se bem que o que estava rolando ali era completamente diferente. Não só em intensidade emocional, mas também fisicamente. Anton era magro e esbelto, enquanto Owen era muito mais compacto. De qualquer modo, eu não podia reclamar. Antes que as coisas fossem mais adiante, agarrei um dos pulsos de Owen, interrompendo a deliciosa rodada de mordidas no pescoço, e disse, atropelando as palavras:

— Owen, eu normalmente não vou para a cama com ninguém na primeira noite.

— Eu sei. — Seu cabelo estava emaranhado e ele parecia quase sem fôlego. — Só que, por motivos que não vêm ao caso, a noite de hoje conta como se já estivéssemos juntos há três meses. Não se preocupe, Gemma. Simplesmente curta o momento.

Ele me colou nele, apertando-me com a sua excelente ereção, e eu fiz exatamente o que ele sugeriu.

Ele acordou no momento em que eu vestia minhas calças.

— Aonde você vai?

— Preciso ir para casa.

Ele se inclinou e olhou para o despertador.

— Mas são três e meia da manhã. Por que está indo embora? Ei...! Você não é casada, é?

— Não.

— Nem tem filhos?

— Não.

— Você vai cuidar do baldinho de carvão?

— Não. — Uma gargalhada escapou.

— Espere até amanhecer. Não vá embora.

— Tenho de ir. Você poderia me chamar um táxi?

— *Você* é um táxi.

— Tudo bem, eu pego um na esquina.

— Então tá...

— Pode deixar que eu ligo.

— Não precisa se incomodar.

Deixei escapar outra gargalhada.

— Owen, esta é a nossa primeira briga! Agora a gente acelerou de verdade!

4

A quarta coisa.

L H Agência Literária
Wardour Street, 4-8
Londres, W1P 3AG
31 de março

Cara Srta. Hogan,
(Será que já posso chamá-la de Gemma? — sinto como se já nos conhecês-
semos!)

Muito obrigada pelas suas páginas, enviadas por nós pela sua amiga
Susan Looby. Minha avaliadora e eu adoramos seu texto.

Obviamente ainda estamos longe de ter um livro e precisamos decidir
sobre o formato final — memórias, não ficção ou romance. No entanto,
estou interessada em conversar com você. Por favor, entre em contato, para
podermos combinar tudo.

Abraços,
Jojo Harvey

Dá para imaginar? Era uma noite de sábado. Eu curtira uma manhã
linda, cochilando, tomando um monte de Alka Seltzers e pensando
em Owen, até me sentir bem o bastante para me levantar e dar uma
passada no meu apartamento (que, por sinal, estava com um cheirinho esquisito), a fim de pegar a correspondência, dar água para o
gato, olhar com saudade para a minha cama etc., quando encontrei
isto. Antes mesmo de abrir o envelope, minha boca já estava mais

seca que o deserto de Gobi; toda carta com selo de Londres me provocava esse efeito — que idiota eu sou, né? Tinha esperanças de que pudesse ser Anton me dizendo que tudo foi um terrível erro, que Lily era uma megera careca com roupas de riponga e ele me queria de volta. Aquele envelope, em especial, provocou um efeito ainda pior, pois o selo fora carimbado com as palavras Londres W1 e, por acaso, eu sabia (tinha implorado a Cody para que ele me dissesse) que o prédio onde Anton trabalhava ficava exatamente naquela área.

Então resolvi abrir o envelope e vi que era uma carta escrita em um papel sofisticado de cor creme, mas não havia palavras em número suficiente ali para ser uma carta de arrependimento de Anton. Mesmo assim, os meus olhos correram até a última linha e, como eu previra, não havia assinatura nenhuma de Anton, e sim de alguém com o nome de Jojo Harvey. Quem diabos era aquela pessoa? Engoli várias vezes para tentar umedecer a boca e ler o texto, mas, em vez de entender melhor o que estava acontecendo, fiquei ainda mais confusa. Devia ser um erro, decidi. Mas... Ela mencionara Susan, com nome e sobrenome.

Resolvi telefonar para Susan. Eram dez da manhã em Seattle e eu a acordei, mas ela fez questão de me dizer que não se importava e nós duas ficamos tão empolgadas ao ouvir a voz uma da outra depois de tanto tempo que demorou um pouco até chegarmos ao motivo da ligação.

— Susan, veja que esquisito... Acabei de receber uma carta. Eu a abri porque veio endereçada a mim, mas o assunto tem alguma coisa a ver com você.

— Vá em frente. — Ela parecia intrigada. — Quem enviou essa carta?

— Uma mulher chamada Jojo Harvey, de uma agência literária de Londres.

Depois disso, veio um silêncio muito longo. Tão longo que eu acabei sendo a primeira a falar:

— Susan? Você ainda está aí?

— Ahn... Estou.

— Pensei que a ligação tivesse caído. Fale alguma coisa.

— Sim... Escute... Ela devia ter mandado essa carta para mim, e não para você.

— Então eu posso simplesmente reencaminhá-la a você. — Fiquei surpresa ao notar que ela estava na defensiva.

Depois de outro silêncio incômodo, ela começou a falar muito depressa:

— Gemma, tenho uma coisa para lhe contar e você não vai gostar nem um pouco, pelo menos não de imediato, e sinto muito você descobrir tudo dessa forma.

Aquelas eram as piores palavras do mundo: "Tenho uma coisa para lhe contar." Nunca é uma notícia boa, do tipo "Acaba de cair uma pedra preciosa do seu colar; acho que você não percebeu, mas *alguém* precisava lhe contar." Ou: "Um milionário excêntrico lhe deixou de herança uma quantidade absurdamente grande de dinheiro, capaz de mudar sua vida para sempre, e pediu que o dinheiro entrasse na sua conta sem avisá-lo, mas eu, na condição de seu amigo, senti que era meu dever contar." Nada disso... Geralmente eram más notícias.

Meu estômago despencou e continuou caindo em direção ao centro da Terra.

— O que foi, Susan? O que aconteceu?

— Você sabe que desde que eu mudei aqui para Seattle você me manda um monte de e-mails, não sabe?

— Sei.

— Lembra que desde que o seu pai deixou a sua mãe você anda inventando pequenas histórias sobre eles?

— Lembro.

— Pois então... Escute, eu achei todas as histórias muito engraçadas. Sempre soube que você era uma grande escritora e tenho certeza de que jamais faria alguma coisa a respeito disso por conta própria; além do mais, não imaginava que algo de bom pudesse resultar disso e... — Subitamente ela parou, parecendo acuada, e disse, com a voz mais aguda: — *Eu sei* que você jamais faria algo por conta própria a respeito disso.

— Eu não faria nada a respeito de quê? — Mas eu sabia. — Você enviou as minhas histórias para essa agente, não foi?

Aquilo era uma coisa boa, não era? Por que ela parecia tão acuada? De repente, ela confessou:

— Eu não enviei só as histórias.

— Enviou mais o quê?

— Os e-mails que você vem me mandando durante todo esse tempo.

Minha cabeça repassou rapidamente todas as coisas que eu contara a Susan: papai saindo de casa e abandonando a mamãe, o lançamento do livro de Lily, meu lance com Owen, que continuava rolando... Fiquei quase sem ar.

— Susan, você não mandou... *Todos* os e-mails, mandou?

— Não, nem todos. — Ela estava procurando pelas palavras certas. — Deixei um ou outro de fora.

— *Um ou outro?* Aquilo me pareceu bem pouco.

— Filtrei todas as partes realmente ruins, como o quanto você odeia Lily, e também...

— E também...? — Eu estava desesperada.

— O quanto você detestou o livro de Lily.

— E...?

— Como você se sente a respeito dela.

— Isso você já disse. Você mandou todo o resto?

— Sim. — Ela falou tão baixo que sua voz pareceu ruído de estática.

— Puxa, Susan!

— Sinto muito, Gemma, juro por Deus. Achei que estava fazendo a coisa certa...

Comecei a chorar. Devia me sentir furiosa, mas não tive forças para isso.

Fui de carro até a casa da mamãe.

— Entre logo! — disse ela, oferecendo-me um cálice de licor Baileys. — Estamos perdendo o *Midsomer Murders*.

— Não, hoje eu não posso assistir tevê.

Liguei o computador, louca para reler tudo o que enviara para Susan e que estava em Londres naquele exato momento sobre a mesa de uma mulher que eu nem conhecia.

Fiz leitura dinâmica na lista de "e-mails enviados". Caraca... Caraca... Caraca!... Aquilo ainda era pior do que eu lembrava. Toda a dor e os sentimentos íntimos que eu alimentava a respeito de papai e de mamãe. Sem falar nas baixarias que eu não me importava que meus amigos soubessem, mas que iriam me matar de vergonha se caíssem na boca de todo mundo.

5

Na noite de sábado e durante o domingo inteiro o meu celular não parou de tocar. Era Susan, arrasada, tentando pedir desculpas. Eu não atendi a nenhuma das ligações; precisava de um tempo para me recuperar.

— Eu estava apenas tentando ajudar — dizia ela, várias vezes em cada recado. — Você é uma escritora fantástica, mas eu sabia que jamais faria nada a respeito por conta própria.

Aquele era o problema com Susan. Só porque ela foi para Seattle, em busca da porcaria do sonho da sua vida, queria que todo mundo fizesse a mesma coisa. Nos bons e velhos tempos (ano passado) ela costumava suspirar, lamentando-se:

— Não estamos levando nossa vida para lugar algum, Gemma.

E eu sempre dizia:

— Eu sei. Isso não é ótimo?

Foi um choque enorme quando ela resolveu fazer algo de bom acontecer na vida dela, mas tentar repetir o processo com a minha vida era totalmente errado.

Ao ir para o trabalho na segunda-feira, fiquei morrendo de medo de estar com cara de idiota a qualquer momento. Toda vez que eu lembrava que a tal agente literária poderia estar lendo, naquele exato momento, sobre a minha primeira noite com Owen, por exemplo, ou sobre o falso infarto de mamãe, eu me sentia enrubescer.

Além do mais, percebi que devia ter trabalhado durante o fim de semana, em vez de ficar tratando da minha ressaca. Havia um monte de recados na minha caixa postal, inclusive um de Lesley Lattimore, onde ela avisava que:

1) Não havia gostado de nenhum dos estilistas que eu indicara.
2) Quais as amostras grátis de cosméticos que eu conseguira até agora?
3) Onde estava o castelo cheio de torres?

É claro que eu não agitara nenhuma amostra grátis de cosméticos, pois era difícil persuadir empresas famosas a descarregar toneladas de amostras grátis para uma festa de um contraventor que nenhuma coluna social iria divulgar. Além do mais, ainda não conseguira localizar nenhum castelo com torres que pudesse servir de cenário para a festa.

Em seguida, ouvi as mensagens dos três estilistas. Um deles se referiu a Lesley como "aquela pessoa horrível". A segunda era de uma mulher, contando que Lesley queria que ela lhe preparasse o vestido de graça, em troca da publicidade que ela teria. A terceira chamou Lesley de "lixo branco". *Uau!*

Comecei a dar telefonemas de forma frenética, sentindo-me em pânico e ligando para um monte de lugares praticamente ao mesmo tempo — designers, jornalistas, empresas de cosméticos, castelos com torres. Em uma das pequenas brechas entre uma ligação e outra, Cody ligou:

— Aqui é Cody "Kofi Annan" Cooper, ligando em missão de paz, para interceder em uma questão internacional. Susan me disse que você não quer falar com ela.

— E não quero mesmo. Essa foi a pior coisa que alguém já fez comigo em toda a minha vida!

— Deixe disso, sua rainha do drama. Puxa, você devia ter nascido gay, sabia? Gemma, vou lhe dizer uma coisa, e quero que você me escute com atenção. Uma agente literária está interessada em representar o seu trabalho e você *nem mesmo escreveu um livro*. Será que você faz ideia de o quanto é sortuda? Milhares de pessoas escrevem livros, abrem mão do seu tempo livre, se magoam tentando achar alguém que publique seus textos e mesmo assim não conseguem um agente. Quanto a você, uma agente literária cai bem no seu colo.

Encolhi os ombros, com desdém.

— Você encolheu os ombros?

— Nossa, Cody, às vezes você me assusta.

— Garota, essa é uma sensação mútua, sabia?

— Sobre o que está falando?

— Sobre você. E sobre o fato de você não fazer mais nada de interessante na vida.

— Ah, olha só quem está sendo a rainha do drama agora! Você *sabe* o quanto o meu trabalho é duro. Meu emprego exige muito de mim e, mesmo eu sendo perfeccionista, a verdade é que sou muito boa no que faço.

— Isso é verdade, você é ótima quando se trata de trazer rios de dinheiro para os Gêmeos do Mal, para eles poderem comprar uma casa de fazenda na Normandia ou sei lá onde, só com a grana desta semana. O que você recebe do dinheiro que gera?

— Eu ganho bem e por favor, Cody, não os chame de Gêmeos do Mal, porque às vezes eles monitoram as minhas ligações.

— Abra a sua própria empresa.

Todo mundo, na área em que eu trabalho, tem o *sonho dourado* de abrir a própria empresa. Só que é preciso muito capital, clientes em potencial, e F&F me prenderam em um contrato que determina que eu não posso levar nenhum dos clientes da firma, caso vá trabalhar por conta própria. Além disso, eu morreria de medo de que F&F pudessem roubar os que eu conseguisse depois.

— Quem sabe um dia... — disse eu.

— Nesse meio-tempo, telefone para essa agente literária. Se é que você tem algum juízo...

— E se o livro for publicado e o mundo inteiro descobrir tudo sobre o meu pai abandonando a minha mãe?

— Troque alguns detalhes.

— *Meus pais* vão saber que estou falando deles.

— Escute, eu não tenho todas as respostas. Pense em alguma coisa.

Permaneci calada até que, por fim, Cody disse:

— Só mais uma coisinha. Essa agente é a mesma de Lily.

— Lily *Wright*?

— Quantas Lilys nós conhecemos?

— Mas por que Susan escolheu logo ela?

— Porque ela não fazia a mínima ideia de onde procurar uma agente literária. Essa mulher, Jojo, era a única de quem Susan já ouvira falar, e então pediu ao pai que ele perguntasse à mãe de Lily o nome da sua agente.

— Por Deus Todo-Poderoso...

— Telefone para ela.

— Se ela realmente quiser ser minha agente, ela mesma vai me ligar.

— Não, não vai. Ela é muito ocupada e a demanda pelos seus serviços é grande.

— Então que se dane!

Eu não ia ligar para Jojo Harvey. Se aquilo era para acontecer, teria que ser sem a minha ajuda.

6

Tudo bem, eu acabei telefonando para ela. Mas só na segunda-feira da semana seguinte. Nesse intervalo, eu tive dias muito cheios, lotados de Lesley Lattimore. Esperei pelo que estivesse destinado a acontecer e, quando não aconteceu nada, peguei o telefone e liguei para a tal de Jojo Harvey.

Era manhã de segunda e eu havia passado o fim de semana inteiro atravessando a Irlanda de uma ponta a outra em busca de uma droga de castelo com torres. Precisava de *algo bom* na minha vida.

Levou alguns instantes para Jojo se lembrar de quem eu era, mas, quando isso aconteceu, ela me disse:

— Venha até aqui para conversarmos.

— Eu moro na Irlanda, não é fácil ir a Londres.

Ela não disse que poderia ir a Dublin, nem que pagaria a minha passagem aérea para Londres. Pelo visto, ela não estava tão interessada assim no meu trabalho — desconfio que só atendeu à minha ligação porque achou que fosse outra pessoa — e isso me provocou uma inesperada ansiedade.

Entretanto, recusei tomar a decisão de ir até lá. Mais uma vez achei que, se aquilo realmente estivesse destinado a ser, aconteceria sem interferência alguma de minha parte. Mesmo assim, para dar um empurrãozinho no destino, tentei fazer com que Francis & Frances me mandassem a Londres, comentando bem alto, do lado de fora da sala deles:

— Nossa, como eu odeio Londres! Adoro nunca precisar ir lá a trabalho. Apesar do que, pensando bem, as oportunidades são infinitas; há um monte de astros e estrelas britânicos loucos para casar na Irlanda, mas só de pensar em ser mandada a Londres para garimpar clientes nas agências de lá, isso me deixa desanimada.

Entretanto — como é que eu ainda conseguia me surpreender com essas coisas? —, eles me passaram para trás e na quarta-feira de manhã eu soube que eles iam mandar Andrea a Londres. Babacas diabólicos. É claro que eu já sabia que eles são convidados de honra das festas do lado negro, devem ter até um cartão de milhagem. E eu recebera o recado: aquilo não era para acontecer.

Pode esquecer.

Então liguei para Cody, que perguntou:

— Como anda a vida no convento?

— Nada mal. Temos um mingau gostosinho.

Cody estalou a língua e eu aposto que virou os olhos para o teto.

— Você precisa ir a Londres por algum motivo nos próximos dias? — perguntei.

— Não, mas ouvi dizer que você precisa.

Desisti de disfarçar.

— Acho que sim. Quer ir comigo?

— Se for para acompanhar você até o prédio onde a sua agente literária trabalha, eu topo. Quando?

— Qualquer dia da semana que vem. Que tal na quarta?

— Tudo bem, eu arrumo uma enxaqueca para esse dia. Agora, mande um e-mail para a Susan.

PARA: Susan_inseattle@yahoo.com
DE: Gemma 343@hotmail.com
ASSUNTO: Obrigada e desculpe

Vou conhecer Jojo Harvey na quarta-feira. Obrigada, obrigada, obrigada por fazer com que isso acontecesse. Você tem razão, eu jamais faria isso por conta própria. Desculpe por não atender as suas ligações; estava tentando ser cruel, mas, no fundo, me senti meio apavorada. Cody vai até lá comigo, já programou uma enxaqueca para faltar ao trabalho e eu vou ter cólicas menstruais. Prometo ligar quando não for o meio da madrugada em Seattle. Muitos, muitos, muitos e muitos beijos da sua amiga eternamente grata, Gemma

Depois daquela vez em que eu caí fora no meio da noite, Owen nunca mais telefonou, o que eu achei estranho, realmente estranho. Muita gente poderia dizer que eu "dei a ele o que ele queria" e não havia razão para ele se importar comigo novamente. Reconheço que a primeira vez que eu durmo com um homem é um momento perigoso — eu me preparo para uma mudança no equilíbrio de poder, ou para ele se mostrar ausente ou distante, ou para eu sentir que estou abrindo mão de alguma coisa boa. Com Owen, no entanto — não sei por que —, eu não dava a mínima mesmo, e então, toda alegrinha, liguei para ele.

— Owen, é Gemma! Vamos sair na noite de sexta? — Parecia até que estava tudo numa boa entre nós.

— Você tem muita cara de pau, sabia?

— Geralmente não — admiti. — Você é o único que provoca esse efeito em mim. Então, que tal na sexta?

— Você vai escapar sorrateiramente no meio da noite?

— Vou, mas eu tenho um motivo. Encontre-se comigo e eu conto tudo.

É claro que ele não resistiu e às oito em ponto de sexta-feira lá estava eu, tropeçando nos degraus espelhados da boate Crash.

— *Déjà-vu* — disse eu, sorridente. — Gostei da sua camisa. — Era outra, mas também muito bonita.

Ele não riu, mas eu continuei olhando com o mesmo sorriso nos lábios, até que ele desistiu da cara amarrada. Então, parecendo surpreso com a própria atitude, ele se levantou, me agarrou e me deu um beijo. Um beijo muito bom por sinal, que continuou por muito mais tempo do que planejamos e só acabou quando alguém ao lado gritou:

"Ei, por que não arrumam um quarto pra transar?"

— Muito bem, Gemma, qual é a sua desculpa para me largar sozinho no meio da noite?

— É uma desculpa ótima. Peça um drinque para mim que eu conto.

Eu relatei tudo a ele, com detalhes, especialmente a parte de mamãe não poder passar a noite sozinha, senão teria mais uma ameaça de infarto.

— Para ser justa, até que mamãe anda menos grudenta, mas o pesadelo ainda não acabou. Agora você entende que o fato de eu abandonar você não é nada pessoal, certo?

— Eu não queria que você fosse embora. — Ele conseguiu parecer emburrado e sexy ao mesmo tempo.

Diante das circunstâncias, achei que seria simpático responder:

— Eu também não queria ir.

Foi uma noite cheia de flertes, toques e sentimentos, muitas carícias de mãos, significativas trocas de olhar, e nós dois acabamos ligeiramente altos. Ficamos na Crash até a hora de fechar; depois, na rua, continuamos colados um no outro e ele perguntou:

— E agora? Vamos a outro lugar?

— Vamos para a sua casa — eu propus, dedilhando os botões da frente da sua camisa de um jeito picante e sedutor.

— Você vai sair de fininho novamente, no meio da noite?

— Vou.

— Então não pode ir para a minha casa.

Atônita, olhei para a cara dele e vi que ele falava sério!

— Mas, Owen, isso é a maior idiotice. — Eu estava louca para transar, pegara gostinho pela coisa.

— Se você não quer se dar ao trabalho de passar a noite toda, prefiro que nem vá.

— Mas eu já lhe expliquei o que está acontecendo! Preciso voltar para casa porque tenho que ficar com a minha mãe.

— Você tem trinta e dois anos! — ele gritou. — Esse tipo de problema eu posso conseguir com uma garota de dezesseis.

— Então *vá arrumar* uma garota de dezesseis por aí!

— Tudo bem.

Ele se virou e se afastou de mim, muito zangado e meio abalado. Estiquei o braço e chamei um táxi.

Tremendo de raiva, entrei e informei o destino:

— Kilmacud.

Um segundo antes de o táxi se pôr em movimento, a porta se escancarou e Owen se lançou dentro do carro, por cima de mim.

— Vou com você — avisou ele.

— Não, nada disso.

— Vou sim.

— Ah, que ótimo! Minha mãe vai adorar conhecer você. Não!

— Pare o carro! — berrou ele. Embora mal tivéssemos saído do lugar, paramos junto à calçada com um freada brusca, mas Owen não saltou. — Por que nós precisamos ir para a casa da sua mãe? Não podemos ir para o seu apartamento?

— Não adianta nada, porque eu vou ter que ir embora no meio da noite, do mesmo jeito.

— Tudo bem, eu aceito assim mesmo. Vamos para a casa dela, em Clonskeagh — ele avisou ao taxista.

— Como assim *vamos*...? Quem é que disse que você pode ir?

Ele tentou me beijar e eu lhe dei uma cotovelada. Mas ele tornou a tentar e, como beijava muito bem, eu deixei.

Então ele passou a mão espalmada por cima do meu top, pegou um mamilo e apertou-o com as pontas dos dedos; um choque elétrico desceu até lá embaixo e de repente eu me vi muito excitada.

No dia seguinte, eu estava muito pálida e calada. Fiquei bêbada e tinha brigado no meio da rua. Cometi um ato sexual dentro de um táxi — pelo menos tentei, mas o taxista me pediu para parar. Em seguida, tinha dormido com um homem que chamava seus países baixos de "Tio Dick e os gêmeos". Na verdade, o que ele disse foi:

— Tio Dick e os gêmeos se apresentando para a missão, senhor!

Mas querem saber de uma coisa? A transa foi fantástica. Rápida, fabulosa, suarenta, sexy — e abundante.

Entre uma rodada e outra, ele sussurrou, perdido em meus cabelos:

— Desculpe eu ter dito aquilo sobre a garota de dezesseis anos.

Eu bem que ficara uma arara na hora, mas para guardar mágoa você tem que se importar com a pessoa, e não era esse o caso.

— Você é muito babaca, mas eu o perdoo — afirmei, com ar magnânimo.

— Eu vi Lorna hoje.

Quem? Ah, a ex-namorada dele.

— Você ficou chateado? — perguntei.

— Não.

Claro que não, apenas devastado. Percebi o que acontecera na rua — ele não estava brigando comigo, e sim com alguém que não estava lá. E no meu caso, qual seria a desculpa?

Tentando ser solidária, afaguei-lhe a mão até sentir seu instrumento se manifestar e se colocar novamente em posição de sentido, e então me virei para ele.

— Diga! — pedi.

— Permissão para acoplar, comandante.

Ele me ligou no domingo à tarde.

— Arrumei dois ingressos para um show na noite de terça-feira. Você está a fim de ir?

— Vamos ter que assistir em pé?

— Vamos.

— Então eu dispenso. Não se ofenda, o problema é comigo. Vá com outra pessoa.

— Tudo bem. — Uma pausa. — O que você está fazendo agora?

Eu estava trabalhando, digitando as listas para a festa de Lesley.

— Nada — eu disse. Senti uma comichão aumentando na boca do estômago.

— Gostaria de fazer alguma coisa?

Engoli em seco.

— Como o quê, por exemplo?

— O que você gostaria de fazer?

Eu sabia o que queria fazer, e queria muito.

— Uma hora — avisei. — Esse é o tempo que eu tenho. Encontre-me no meu apartamento em vinte minutos. Mamãe! — berrei, enfiando um monte de coisas na bolsa. — Preciso dar uma saidinha. Assunto de trabalho. Vou ficar fora duas horas, no máximo.

7

Na quarta-feira de manhã, depois de trocar palavras mágicas com rapazes de cabelo bem tratado, Cody, vestindo terno e botas, nos conseguiu um *upgrade* para a primeira classe, com direito a usar a sala VIP.

— De onde você conhece todos esses rapazes? — perguntei. Cody folheava com desdém duas revistas, uma de golfe e outra de finanças. De repente, reclamou:

— Puxa vida! Custava alguma coisa eles colocarem um exemplar de *Heat* por aqui? Ahn... Eu conheci essa galera nas minhas baladas.

Assim que embarcamos no avião, um dos comissários reparou em Cody e ficou vermelho como um pimentão.

— Cody? — perguntou ele, atônito.

— Esse é o meu nome. Pelo menos por hoje. Quem sabe qual das minhas múltiplas personalidades estará no comando amanhã? — Cody se virou para mim. — Prenda o cinto, minha cara. Puxa, olhe só para isso! Não vou conseguir fechar o meu próprio cinto sem ajuda.

— É muito simples, seu burraldo, basta vo...

— Por favor, meu jovem! — Cody deu um tapa na minha mão, empurrou-a para longe e chamou o Senhor Pimentão. — Será que você poderia me ajudar a lidar com isto aqui? — Apontou para o espaço entre as pernas.

— Há algum problema com o equipamento? — A cara de vergonha do pobre Senhor Pimentão se manifestou com mais vermelhidão ainda.

— Preciso que alguém prenda isso para mim, se você não se importa... Opa!... Que dedos de seda... Isso aí... Muito gostoso! Maciiiooo e gostoooso.

— Conheceu nas baladas, né? — murmurei. — Você anda badalando muito, né?

— É muito melhor do que vestir um hábito e fazer voto de castidade.

— Não estou mais usando hábito. — De repente, comecei a achar isso engraçado. — E você é um porco fedorento.

— O que quer dizer com "não estou mais usando hábito"? — Ele olhou para mim meio desconfiado e, de repente, seus olhos brilharam de alegria. — É o cara da farmácia!

— Não. — Fiz um pouco mais de suspense, só para vê-lo sofrer. — É Owen.

— Owen, o *gatinho*?

Na noite do aniversário de Cody, Owen se aproximou dele e perguntou: "Desculpe, mas a sua amiga já tem namorado?" Como resultado disso, Cody achou Owen uma delícia.

— Owen, o lindinho — confirmei.

— Você dormiu com ele?

Fiquei atônita.

— Claro que sim!

— Mas nunca me contou.

— Não tive muita chance. Mal temos nos visto ultimamente, certo?

— Minha nossa! Conte mais.

— Ele faz com que eu me sinta jovem. — Mais que depressa, continuei a falar, antes de Cody começar a me zoar com seus arrulhos: — Nem sempre nesse sentido. Desde que comecei a sair com ele, eu... Primeiro... — comecei a contar nos dedos (Olhe só, minhas unhas não estão com uma cor linda?...) — Enfim, vamos lá... Primeiro: briguei com ele, ambos bêbados, no meio da rua; segundo: peguei no bilau dele dentro de um táxi; terceiro: escapei da casa de mamãe no domingo à tarde só para transar com ele.

— Só para transar? — Cody fez eco.

— E fiz a mesma coisa ontem à noite — disse —, antes de ir para casa, depois do trabalho.

Owen ligara para o meu trabalho mais ou menos às seis e meia e perguntou: "O que vai fazer hoje à noite?"

— Vou para casa, e você vai assistir àquele show.

— Só daqui a uma hora e meia. Passe aqui em casa.

Na mesma hora eu fechei todos os meus arquivos e me mandei. Assim que toquei a campainha dele, a porta se abriu, ele me puxou para dentro e em poucos segundos já estávamos transando, eu pressionada de encontro à porta só com metade das roupas e as pernas enroscadas na cintura dele.

— Qual a cor dos olhos de Owen? — perguntou Cody, com interesse.

— Sei lá! Uma cor de *olho* comum. Não se trata disso, Cody, estou só me divertindo e, de qualquer modo, Owen continua apaixonado pela ex-namorada.

— Mas foi a primeira pessoa com quem você dormiu desde Anton. Qual é a nota dele?

— Isso não é justo — disse. — Eu amo Anton, seria como comparar fast-food com um jantar completo no Ivy. — Pensei um pouco mais a respeito. — Se bem que... Tenho que admitir que há momentos em que um Big Mac é exatamente o que a gente quer comer e...

O piloto nos interrompeu: "Vamos aterrissar no aeroporto de Heathrow em quarenta e cinco minutos."

Owen foi instantaneamente esquecido quando eu me dei conta de que estava indo em direção a Londres, e do *potencial* disso. Minha boca ficou seca quando considerei os melhores resultados possíveis: se eu fosse uma autora publicada e fizesse sucesso, me tornaria uma bola espelhada em forma de gente... Mas qual seria a probabilidade disso?

Tornando-me sombria na mesma hora, disse a Cody:

— Provavelmente essa visita à agente não vai dar em nada.

— Isso é que é atitude positiva!

— Não, estou falando sério. Provavelmente tudo isso não vai dar em *nada*.

— E eu estou concordando com você.

— Ah, desculpe. Esqueci que era você.

Caiu um momento de silêncio.

— Como alguma coisa poderia acontecer? — perguntei. — Você é um tremendo derrotista.

Ele suspirou e folheou a edição de cortesia do *Irish Times*, declarando:

— Neste andar temos chaleiras, panelas etc.

A partir do momento em que aterrissamos em Heathrow, uma hora e meia depois — o piloto era um mentiroso sem vergonha —, toda loura que eu via era Lily, e todo homem com mais de um metro e setenta era Anton.

— Vivem oito milhões de pessoas nesta cidade — sussurrou Cody, quando sentiu que eu não parava de enfiar as unhas no seu braço. — Nós nunca, nunquinha mesmo, vamos encontrar com eles por acaso.

— Desculpe — pedi, baixinho. Desde que Anton e Lily foram morar juntos eu já tinha estado em Londres duas vezes — aquela era a terceira — e me ver no território deles sempre me reduzia a geleia. Ao mesmo tempo que eu morria de medo de dar de cara com eles em algum lugar, também sentia uma vontade repulsiva e *voyeurística* de vê-los.

Tremia, literalmente, quando saímos do metrô na Leicester Square e Cody foi mostrando o caminho em direção ao Soho; Anton trabalhava em algum lugar naquela área, mas Cody não quis me dizer em que rua.

— Nada de tocaias! — ralhou. — Lembre-se da razão de você estar aqui.

Vocês precisavam conhecer Jojo Harvey. Tinha uns três metros de altura, lábios carnudos, cílios pretos e cabelos castanho-avermelhados ondulados que lhe desciam até os ombros. Se Jojo fosse um filme, um sax emitiria uma nota dolente e sexy sempre que ela aparecesse em cena. Ela era *linda*. E sem ser magricela, entendem? Era abundante nos lugares certos.

Cody avisou que ia esperar na recepção e ela me levou por um corredor até a sua sala. Havia montes de livros em prateleiras e, ao ver um exemplar de *As Poções Perebentas de Mimi*, senti vontade, ódio e mais umas sessenta emoções. *Quero isso para mim.*

Jojo balançou nas mãos uma pilha instável de papéis e disse:

— Seus originais. Morremos de rir, juro por Deus.

— Ahn... Que bom!

— Aquela parte em que a garota vai à farmácia. E o pai deixando crescer costeletas. O texto é fantástico.

— Obrigada.

— Tem alguma ideia sobre o formato final? Vida real ou ficção?

— Bem... Vida real, certamente não. — Fiquei horrorizada.

— Ficção, então.

— Mas eu não posso — disse. — A história toda trata da minha mãe e do meu pai.

— Até mesmo aquele pedaço em que você descreve Helmut? Ou a garota — Colette? — dançando em volta do cabideiro só de calcinhas? Adorei essa parte.

— Bem, *isso* foi inventado. Mas a história básica, a do meu pai abandonando a minha mãe, é toda verdadeira.

— Sabe qual o problema? Pode me chamar de chata... — ela colocou os pés sobre a mesa (botas lindas) —, mas essa é a história mais velha do mundo, a do homem que troca a mulher por um modelo mais novo. — Com um sorriso largo, completou: — Quem vai processar você por plagiar a trama principal?

Fácil para ela dizer isso.

— Se preferir, Gemma, você pode modificar um pouco os detalhes.

— Como?

— O pai poderia trabalhar em uma fábrica diferente — se bem que eu adorei aquela história dos chocolates. — A mãe também poderia ser um pouco diferente.

— Como?

— De um monte de formas. Observe as mães à sua volta e veja o quanto elas são diferentes umas das outras.

— Mas todo mundo ainda vai saber que são os meus pais.

— Bem, todos dizem que o primeiro romance é autobiográfico.

Eu queria que ela continuasse a falar coisas desse tipo, para me convencer, para me atrair; queria continuar fazendo objeções e vê-la rebater todas na mesma hora. Era bom ver que alguém me queria; eu adoraria ficar ali por horas a fio.

Porém, logo em seguida, ela tirou as pernas longas de cima da mesa, levantou-se e esticou a mão.

— Gemma, eu não vou obrigá-la a fazer algo que você não queira.

— Oh! Certo...

— Foi uma pena nós duas termos perdido o nosso tempo.

Aquilo doeu. Mas eu acho que ela era uma mulher importante e muito ocupada. Mesmo assim, eu adoraria ser cortejada e persuadida, e agora já não gostava tanto dela.

Então, quando ela me levou pelo corredor até onde Cody estava, vi um tremendo gato vindo pelo outro lado, na nossa direção, com lindas pernas compridas e usando um terno maravilhoso. Seus cabelos eram pretos e brilhantes como as asas da graúna e seus olhos azuis como luzes de ambulância (dessa última semelhança eu não estou inteiramente certa).

Ele me cumprimentou com a cabeça e perguntou:

— Jojo, você ainda vai demorar?

— Não, vou já, já.

— Esse é Jim Sweetman — Jojo me informou. — Chefe do setor de divulgação e mídia.

No metrô, de volta para o aeroporto, Cody parecia enojado comigo e eu estava com o rabo entre as pernas. Uma agente, uma agente *literária*, demonstrou interesse em algo que eu escrevera — um evento mais raro, como se sabe, que um eclipse do sol, e agora tudo estava acabado. Suspirei. Aposto que Jojo andava tendo um caso ardente com aquele gatíssimo do Jim Sweetman.

Aquilo tudo me incomodou tanto quanto uma coceira que não passa. Eu perdera um precioso dia de folga — e o pior ainda estava por vir. Ao chegar a Heathrow, passei na banca de jornais para comprar algumas revistas e não pensar na minha burrada quando voltasse para casa, e então, a menos de dois metros de mim, eu vi. Pelo jeito que os cabelinhos do meu braço se arrepiaram, eu sabia que

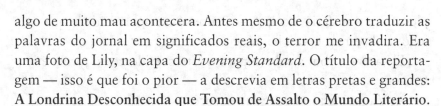

algo de muito mau acontecera. Antes mesmo de o cérebro traduzir as palavras do jornal em significados reais, o terror me invadira. Era uma foto de Lily, na capa do *Evening Standard*. O título da reportagem — isso é que foi o pior — a descrevia em letras pretas e grandes: **A Londrina Desconhecida que Tomou de Assalto o Mundo Literário.**

A história completa estava na página 9. Agarrei o tabloide e vasculhei as páginas até achar uma foto de Lily em sua casa suntuosa (para ser justa, dava para ver só um pedacinho do sofá), com seu marido suntuoso, falando do suntuoso bestseller que eu achei um lixo. Dói reconhecer, mas ela estava com ótima aparência, muito frágil, etérea e cheia de cabelo. Aquilo era muito, mas *muito* efeito digital mesmo, suspeitei na mesma hora.

Anton também estava ótimo, muito mais bonito que ela, para falar a verdade, ainda mais pelo fato de o seu cabelo pertencer a ele mesmo, e não a um entrelaçamento em estilo Burt Reynolds. Fiquei chocada por não ver mudança alguma — ele se parecia exatamente com o meu Anton — e ao mesmo tempo me senti ofendida pelas diferenças; seu cabelo estava mais comprido e sua camisa era de puro algodão, cheia de vincos estratégicos, muito diferentes do tempo em que suas roupas pareciam ter sido arrancadas de dentro de uma garrafa (fato que não o deixava mais charmoso, eu também não sou tão má assim).

Olhei fixamente para a foto e deixei seus olhos sorridentes olharem diretamente para os meus. *Ele está sorrindo para mim.* Pare com isso, sua lunática! Agora, só faltava eu começar a achar que ele se comunicava comigo por códigos.

Empurrada e apertada por outros passageiros, com Cody olhando por cima do meu ombro, li de relance a história da ascensão meteórica de Lily Wright ao reino dos bestsellers e tive medo de vomitar em público.

Virei-me para Cody.

— Você me disse que ela não estava com essa bola toda.

— E não estava mesmo — Ele estava revoltado por não ter percebido isso antes. — Não desconte em mim. É consigo mesma que você deveria estar revoltada. — Cody nunca pedia desculpas, simplesmente transferia a culpa. — Pense só na oportunidade que você jogou pela janela agora há pouco.

Ele acenou com a cabeça para a foto sorridente no jornal e sentenciou:

— Viu só? Essa aí poderia ser você.

Eu não comprei o jornal — não consegui —, mas pensei em Anton durante todo o percurso de volta para casa. Aquela tinha sido a primeira vez que eu o via em mais de dois anos, mas sua foto me afetou como se tivéssemos terminado há uma semana. E eu estivera tão perto dele naquela manhã. Talvez tivesse até passado pela porta do seu prédio. Talvez tivesse estado a poucos metros dele. Aquilo devia ter algum significado.

8

Sem sentir, fomos entrando no quinto mês da ausência de papai. Consegui não pensar nisso durante alguns dias, por estar deprimida com outras coisas, especialmente a minha natimorta carreira de escritora.

Jojo tinha razão — um marido que troca a mulher por outra mais jovem é a história mais velha do mundo. Mesmo sabendo que meu romance nunca seria publicado, as coisas começaram a se desenrolar na minha cabeça, ainda mais depois que eu comecei novamente a acordar às cinco da manhã.

No livro eu poderia ter um emprego diferente. Na verdade, poderia não ter emprego nenhum, se eu quisesse. Poderia ser uma dona de casa (ah, que felicidade!) com uns dois filhos para cuidar.

Poderia dar a mim mesma duas irmãs, ou talvez um irmão e uma irmã; ensaiei vários cenários na cabeça e no fim decidi ter uma irmã mais velha chamada Monica. Ela era competente, simpática, tinha me emprestado suas roupas durante a adolescência, mas agora vivia em constante estado de prontidão em uma casa sólida, com quatro filhos de formação igualmente sólida, morava muito distante (Belfast? Birmingham? Eu ainda não decidira) e não podia me ajudar em nada, na prática.

Também dei a mim mesma um irmão mais novo, um homem lindo chamado Ben, que tinha uma fila de mulheres atrás dele. Cada vez que o telefone tocava, ele agitava as mãos e dava uma série de instruções para mamãe:

"Se for a Mia, diga que eu saí; se for a Cara ligando de novo, diga que eu sinto muito e que ela vai acabar me esquecendo um dia."

Pausa para risos. "E se for a Jackie, diga que eu estou indo para lá. Já saí faz dez minutos."

Pensei em deixá-lo fora da história. A minha mãe ficcional também não era fã do comportamento do filho, o que seria nadar contra a corrente, em termos de expectativa do leitor; normalmente as mães ficam encantadas com seus filhos egoístas e charmosos, fingindo ralhar com eles quando tratam as namoradas como lixo, mas adorando a situação, em segredo, convencidas de que nenhuma mulher é boa o bastante para eles.

Ben não fazia muita diferença para o desenvolvimento da história. Era irresponsável e egoísta demais para prestar ajuda à nossa recém-abandonada mamãe. Eu continuava tendo de carregar o piano sozinha e era, para todos os efeitos, filha única.

"Meu" nome é Izzy e tenho cabelo cacheado que desce até a altura do queixo e é muito bonito. Por mais que eu quisesse, não conseguia me imaginar sendo uma dona de casa, então refleti muito a respeito do emprego que daria a Izzy. Minha primeira escolha foi a de assistente pessoal para compras, mas pensei em termos de realismo e popularidade — todo mundo iria detestar a personagem por ela ter um emprego tão maravilhoso — e acabei desistindo. Em vez disso — não é nenhuma surpresa —, ela ia trabalhar como relações públicas, além de, é claro, organizar eventos.

Izzy também tinha um histórico romântico similar ao meu:

1) uma infinidade de paixonites adolescentes não correspondidas;
2) uma paixão avassaladoramente ridícula entre os dezenove e os vinte e um anos, que ela achava que nunca fosse superar;
3) um relacionamento fixo dos vinte e cinco aos vinte e oito anos com um homem com quem todo mundo achava que ela iria se casar, só que ela ainda não se sentia "pronta" (na verdade, no meu caso, toda vez que o pobre Bryan levantava essa hipótese, eu quase engasgava).

Mas eu não quis dar um Anton a Izzy, um verdadeiro amor da sua vida, cruelmente roubado, debaixo do seu nariz, por sua melhor amiga. Afinal, e se... e se Anton um dia lesse o livro?

Em vez disso, Izzy tinha uma relação de flerte, na base do amor e ódio, com um de seus clientes. Seu nome era Emmet, um nome muito sexy, e ele não era diretor de cinema nem fazendeiro porque a história se passava em Dublin. Ele gerenciava o próprio negócio (cuja natureza exata eu ainda não decidira) e Izzy organizava congressos para ele. Ele era meio angustiado — mas só porque gostava dela — e quando ela reservou o hotel errado para todos os delegados de um evento por estar preocupada com seu pai, um vendedor de sorvetes que abandonara a sua mãe, Emmet não a demitiu no ato, como *certamente* aconteceria na vida real. Por algum tempo, ele teve uma cicatriz na bochecha direita, mas depois eu me manquei e consertei sua cara. Depois, por algum tempo, fiz Izzy ser lindíssima sem se dar conta disso, mas isso começou a me dar nos nervos e eu a mantive como uma mulher de aparência normal.

Outras modificações: o pai não estava de caso com a secretária, pois isso era um clichê insuportável. O caso dele era com a filha mais velha do seu parceiro de golfe. E a mãe da protagonista não era tão "banana" quanto a minha mãe — eu desconfiava que as pessoas não iriam acreditar se eu descrevesse a verdade.

Algumas coisas permaneceram como eram: meu carro, por exemplo. E eu mantive o rapaz simpático da farmácia, mas troquei seu nome para Will.

Achei tudo aquilo um exercício divertido — era como ser uma versão diferente de mim, ou talvez descobrir como seria viver a vida de outra pessoa. De qualquer modo, quando eu acordava cedo demais em cada manhã amarga e brilhante, paralisada por uma vontade desesperadora de gritar, aquilo ajudava a me distrair.

9

PARA: Susan_inseattle@yahoo.com
DE: Gemma 343@hotmail.com
ASSUNTO: Já comecei a escrever o livro

Ando pensando tanto no assunto que acho que ia explodir se não colocasse tudo para fora da cabeça. Escrevo sempre de manhã cedinho e à noite. Mamãe vai para a cama cedo, às nove e meia; dorme o sono profundo dos apagados pelo sedativo e eu fico livre para batucar no teclado do computador. Mesmo quando assisto a *Buffy*, penso o tempo todo na minha trama, louca para mamãe ir dormir e eu começar a escrever.

É isso o que significa ser uma artista atormentada? Respostas por cartão-postal, por favor.

Beijos,
Gemma

De volta ao mundo real, eu finalmente achei um castelo com torres. Ficava em Offaly — uma viagem longa para ir e voltar no mesmo dia. Também consegui uma estilista em maré tão ruim que se mostrou disposta a aceitar Lesley e suas exigências absurdas.

Aluguei vinte e oito *chaises* Luís XIV e mandei reestofá-las em lamê. Depois, liguei para uma agência de modelos e pedi:

— Estou à procura de um príncipe lindo.

O homem do outro lado da linha disse:

— Todos nós estamos, queridinha.

Carregava pra cima e pra baixo, o tempo todo, um livro ilustrado de *A Bela Adormecida*. Era a minha fonte de referência.

Ainda não tinha tido sorte com as sacolinhas de presentes, e Deus sabe o quanto tentei.

— Faça-me lembrar mais uma vez... — pediu Lesley. — Para o que mesmo eu estou pagando você? (Esse era outro problema: eu não vira a cor de dinheiro algum até então, apesar de perguntar tantas vezes que ficara sem graça para insistir no assunto.) — Existe um monte de outros organizadores de eventos em Dublin. Será que eu não devia procurar um deles?

Nossa, eu a *odiava*!

— Estou trabalhando muito — eu argumentava, e era verdade. Estava prestes a conseguir a equipe de reportagem de uma revista famosa e, se os cosméticos tivessem publicidade garantida na mídia, seria muito mais fácil conseguir patrocínio.

Apesar disso, repetia para mim mesma "Sou ÓTIMA no que faço". Para pegar uma festa cafona como aquela e transformá-la em algo parecido com um evento de celebridades é preciso muito talento!

Lesley se mancou, resolveu me dar uma trégua e me convidou para meditar com ela. Achei que não podia dizer não, mas talvez devesse, porque peguei no sono.

PARA: Susan_inseattle@yahoo.com
DE: Gemma 343@hotmail.com
ASSUNTO: Liguei para Jojo

e lhe comuniquei que resolvi escrever o livro. Ela me disse: "Meus parabéns, você já conseguiu a agente!" Depois, me perguntou se eu resolvera tudo com mamãe e eu disse simplesmente: "Hummm."

Vou deixar para pular da ponte quando chegar nela.

Beijos,
Gemma

Não contei a Susan o que aconteceu logo em seguida.

Ainda no telefone, eu pigarreei, pois tinha algo importante a dizer. Hesitei por alguns instantes, que me pareceram uma eternidade, e então:

— Jojo, eu conheço uma das suas clientes.

— É mesmo? — Ela não mostrou muito interesse.

— Lily. Lily Wright.

— Ah! Lily está se saindo muito bem! De verdade! Superbem!

— É, pois é... Diga a ela que Gemma Hogan manda lembranças.

— Digo, sim! Ei, tive uma ideia!... Talvez esteja me precipitando, mas se nós vendermos o seu livro, e estou certa de que conseguiremos, na época do lançamento podíamos marcar uma entrevista com vocês duas, no estilo "Viva a Amizade", para a revista de domingo de algum jornal. Sabe como é... Faturar alguma publicidade.

O tempo pareceu parar enquanto a minha voz ecoava na cabeça:

— Sugira isso a ela, mas pode ser que ela não tope.

— Claro que vai topar! Lily é um doce de pessoa.

Como veem, eu não estava muito certa sobre Susan aprovar essa história. Ela era minha amiga e encarava todo esse lance de agente literária de forma muito positiva, e confesso que a minha abordagem era meio "espírito de porco" e maldosa. Na verdade, eu queria deixar Lily perturbada com uma mensagem do tipo: "Entrei no mesmo ramo e agora estou na sua cola."

Ah, também... Qual é?!... Afinal de contas, ela roubou o grande amor da minha vida, ficou milionária e aparecia em um monte de jornais e revistas. O que era de esperar que eu fizesse?

As noites de sexta-feira com Owen haviam se tornado uma coisa regular *e* ainda conseguíamos uma rapidinha no meio da semana. Owen era muito divertido e não havia estômago dando cambalhotas, joelhos trêmulos nem língua travada, coisas que acontecem quando você está louco por alguém. Ele não ficava pensando em outras coisas quando estava comigo, era um cara bom para bater papo, eu não pensava nele quando não estava ao seu lado, mas sempre gostava de saber notícias dele. E ele sentia o mesmo com relação a mim.

O engraçado é que quase sempre nós tínhamos algum tipo de briga. Ou ele implicava comigo ou eu implicava com ele. Não digo que seja saudável, mas era um acontecimento regular.

— Adivinhe só! — disse eu, quando tornei a encontrá-lo.

— Anton quer você de volta?

— Não. Estou escrevendo um livro.

— É mesmo? Estou nele?

— Não. — Eu ri.

— Por que não?

— Por que deveria estar?

— Porque sou o seu namorado.

Eu tornei a rir.

— Você é?...

Mais uma pausa. Ele continuava a sorrir, só que um pouco menos.

— Qual o nome disso? — quis saber ele. — Seis semanas de drinques, telefonemas, contatos regulares com Tio Dick e os gêmeos?

— Mas você não é meu namorado, é apenas... Você é meu *hobby*.

— Ah. — O rosto sorridente desapareceu por completo.

— Não fique com essa cara — eu disse na mesma hora. — Eu também não sou sua namorada.

— Isso pra mim é novidade.

— Não, não! — insisti. — Eu sou a sua experiência com uma mulher mais velha. Sua, ah, *amante*, se quiser. Uma espécie de rito de passagem. Por mim, está *ótimo* — eu o tranquilizei. — Não me *importo*.

— Então, tudo o que eu sou para você é uma bunda redondinha?

— Não — protestei. — Você não é apenas uma bunda redondinha; aliás, essa é uma grande expressão. Mas escute: não é nada disso, eu também adoro o seu Tio Dick e os gêmeos.

Ele se levantou e foi embora. Não o culpei, mas também não levantei para ir atrás dele. Eu já conhecia bem o script a essa altura.

Ele vivia saindo daquele jeito, pisando duro e pau da vida, mas sempre voltava cinco minutos depois.

Tomei o meu vinho e fiquei pensando em coisas agradáveis até que — eu não disse? — lá estava ele de volta, reaparecendo com a cabeça na porta entreaberta e andando até a mesa.

— Seu idiotinha! — disse eu. — Sente-se e acabe de tomar seu drinque. Aceita uma batata frita?

— Obrigado — disse ele, irritado.

— Qual é o seu problema? — perguntei, com jeitinho.

— Você não me leva a sério.

Olhei para ele, confusa.

— Claro que não. E você também não me leva a sério.

— Pode ser que eu esteja levando.

— Não faça uma coisa dessas — avisei. — Isso seria horrível.

— Por quê?

— Primeiro motivo — declarei, abrindo os dedos para fazer uma lista —, eu acho que todos os homens são canalhas; segundo: quando eu começo a listar coisas contando nos dedos acabo me distraindo com a cor do esmalte, e terceiro... Viu só? Esqueci o que ia dizer! Ah!... terceiro: acho que todos os homens são canalhas. Eu já tinha contado esse, né?... Enfim, acho que não existe esperança para nós. De qualquer modo, você é novo demais para mim. Isso não vai dar certo. Meu pai era mais novo do que a minha mãe e veja só no que deu.

— Mas eles ficaram casados por trinta e cinco anos! — ele argumentou.

— Escute uma coisa — disse eu. — Não estou em condições de ter um relacionamento. Nem você! Veja só como nós vivemos brigando, e isso prova que somos dois bundões. Apenas temporariamente, mas dois bundões, do mesmo jeito. Além do mais, *você* está na rebordosa.

— E você quer que eu vá procurar alguém da minha idade?

— Nada disso. Bem, claro que quero, mas não *agora*.

* * *

PARA: Susan_inseattle@yahoo.com
DE: Gemma 343@hotmail.com
ASSUNTO: Em boca de Matilde

Frances me aparece e diz: "Soube que você está escrevendo um livro."

Nossa, quem será que abriu o bico?

"Vamos processar você, sabia?", ela ameaça. "Vamos arrancar o seu último *penny*."

Mas eles não se chamam Frances e Francis, é claro. Qualquer menção a pessoas reais no livro será totalmente disfarçada, e meu casal de chefes vai se chamar Gabrielle e Gabriel, conhecidos carinhosamente por Tira Mau e Tira Pior.

A gente se fala...

Beijos,
Gemma

10

No domingo eu estava fazendo as compras semanais no supermercado e me vi hesitante ao entrar no corredor dos cereais matinais. Meu plano inicial tinha sido de quebrar o hábito de mamãe, afastá-la do seu adorado mingau matinal e promover a ingestão de sólidos, como Fruit'n'Fibre, mas, em vez disso, eu me apaixonei por mingau. Trata-se de uma comida adorável que pode ser preparada no microondas e vem em vários *sabores*. Eu acabara de me dobrar a essa realidade e pegara um pacote de mingau de aveia sabor banana quando notei um homem junto dos CocoPops olhando diretamente para mim e sorrindo de forma calorosa.

Só que ele não era um daqueles tarados com cabelo mais compri-do de um dos lados da cabeça e penteado de forma a disfarçar a cal-vície; pelo contrário, era melhor que a encomenda — sabe como é, na idade certa e muito bonito. A novidade daquilo quase me fez rir alto. Eu estava sendo *paquerada*. Dentro de um supermercado irlan-dês! *Abram alas para me dar passagem, São Francisco!*, pensei, orgu-lhosa. Aqui em Dublin também podemos encontrar amor entre os legumes.

Só que o cara me parecia familiar. Esquisi...

— Gemma?

Caraca, ele me conhecia! E eu não fazia ideia de quem ele era.

— *Gemma?* — repetiu ele, só que agora franzia o cenho e sorria ao mesmo tempo, não sei *como*, e entrei em pânico. Esse é o proble-ma com Dublin. A cidade é tão pequena que qualquer tentativa de curtir noites escuras repletas de paixões anônimas vai para o espaço quando você se vê frente a frente com o seu amante anônimo sob a implacável luz fria do corredor de cereais. (Se bem que eu só tivera alguns carinhas do tipo "transa de uma noite só", e quando encontro um deles pela rua o sujeito me ignora por completo, o que eu acho ótimo.)

AimeuDeusdocéueraJohnnyocaradafarmácia!

— Olá, Johnny! Puxa, me desculpe. — A sensação de alívio me fez flutuar e eu abandonei o carrinho e o mingau para apertar o braço dele com força. — Por um momento achei que você era alguém com quem eu tinha dormido.

— Não, isso não aconteceu, senão eu me lembraria.

— É que eu não reconheci você sem o guarda-pó branco.

— Isso acontece o tempo todo.

Uma mulher que pegava um saco de cinco quilos cheio de barras de cereais Alpen parou com a estiva e nos lançou um olhar.

Izzy estava fazendo as compras semanais no supermercado e se viu hesitante ao entrar no corredor dos cereais matinais. Seu plano inicial tinha sido o de quebrar o hábito de sua mãe, afastá-la do seu adorado mingau matinal e promover a ingestão de sólidos, como Fruit'n'Fibre, mas, em vez disso, ela se apaixonou por mingau. Trata-se de uma comida adorável que pode ser preparada no microondas e vem em vários sabores. Ela acabara de se dobrar a essa realidade e pegara um pacote de mingau de aveia sabor banana quando notou um homem junto dos CocoPops olhando diretamente para ela e sorrindo de forma calorosa.

Só que ele não era um daqueles tarados com cabelo mais comprido de um dos lados da cabeça e penteado de forma a disfarçar a calvície; pelo contrário, era melhor que a encomenda — sabe como é, na idade certa e muito bonito. A novidade daquilo quase a fez rir alto; Ela estava sendo paquerada. Dentro de um supermercado irlandês! Abram alas para me dar passagem, São Francisco!, pensou, orgulhosa. Aqui em Dublin também podemos encontrar amor entre os legumes.

Só que o cara lhe parecia familiar. Esquisi...

— Izzy?

Caraca, ele a conhecia! E ela não fazia ideia de quem ele era.

— Izzy? — repetiu ele, só que agora franzia o cenho e sorria ao mesmo tempo, ela não sabia como, e entrou em pânico. Esse é o problema com Dublin. A cidade é tão pequena que qualquer tentativa de curtir noites escuras repletas de paixões anônimas vai para o espaço quando você se vê frente a frente com o seu amante anônimo sob a implacável luz fria do corredor de cereais. (Se bem que ela só tivera alguns carinhas do tipo "transa de uma noite só", e quando encontrava um deles pela rua o sujeito a ignorava por completo, o que ela achava ótimo.)

AimeuDeusdocéueraWillocaradafarmácia!

— Olá, Will! Puxa, me desculpe. — A sensação de alívio a fez flutuar e ela abandonou o carrinho e o mingau para apertar o braço dele com força. — Por um momento achei que você era alguém com quem eu tinha dormido.

— Não, isso não aconteceu — disse ele, mantendo o olhar fixo no dela —, senão eu me lembraria.

Subitamente ela percebeu o calor do braço dele sob a sua mão. E estremeceu.

— É que eu não reconheci você sem o guarda-pó branco.

— Isso acontece o tempo todo.

Parei de digitar, me afastei um pouco do teclado e olhei para ele. *Minha nossa*, pensei. *Acho que Izzy gosta de Will.*

11

Depois daquele dia no estacionamento, não tornei a ligar para papai. Eu costumava telefonar para ele pelo menos uma vez por semana, mas estava tão magoada que não ligava mais.

Entretanto, a sua ausência estava sempre presente e lembranças dolorosas e frequentes viviam me atingindo. Como na noite em que, zapeando através dos canais pelo controle remoto da tevê, eu vi Tommy Cooper aparecer na tela. É claro que eu não curto Tommy Cooper, mas papai era louco por ele.

— Olha só! — Apontei para a tela e meu primeiro instinto foi chamar papai para vir vê-lo, mas logo fechei a boca; a empolgação se esvaziou em um mar de insensatez e se transformou em sofrimento. Será que ele estava assistindo àquilo em companhia de Colette, na sala de estar deles, que eu nem sabia como era?

Só imaginar a cena já era doloroso e resolvi voltar os pensamentos, na mesma hora, para o meu livro. Graças a Deus por ele! Sem dúvida, era a maior válvula de escape que eu tinha. Eu simplesmente mergulhava nele e as horas passavam sem eu sentir; apesar de Izzy e sua mãe estarem tendo problemas, eu sabia que momentos felizes estavam por vir. Helmut e a mãe do livro estavam cada vez mais unidos e haviam acabado de abrir uma empresa de importação dos produtos La Prairie para a Irlanda; andavam até pensando em abrir um Spa La Prairie. Nesse ínterim, as coisas também andavam maravilhosamente bem para Izzy e Emmet; ele era louco por ela e provava isso mostrando-se superpreocupado com qualquer coisa que se relacionasse com ela, além de ser gentil com todo mundo, especialmente outras mulheres.

Enquanto, na vida real, eu suspeitava que papai e Colette também se entendiam muito bem, dentro do meu livro eu podia me dar o conforto de ver que a vida deles era uma diabólica rodada de danças em volta do cabideiro e jejum de empadão de bacon.

Então, um belo dia, o telefone tocou no trabalho e era papai. Meu queixo quase caiu quando atendi.

— O que houve? — perguntei, aflita. — Ela está grávida?

— O quê? Quem?... Colette? Não!

— Então, por que o senhor está ligando?

— Não tenho notícias suas há algum tempo. Existe alguma lei que me proíba de ligar para a minha própria filha?

— Papai, esta é a primeira vez que o senhor me telefona desde que foi embora, quase cinco meses atrás.

— Ora, Gemma, também não precisa exagerar.

— Não estou exagerando, é um fato. O senhor não me ligou nem uma vezinha.

— Ora, devo ter ligado sim.

— Não ligou não.

— Pois então estou ligando agora. Como você está?

— Bem.

— E sua mãe?

— Bem. Agora tenho de desligar, estou ocupada.

— Tem mesmo? — Papai demonstrou surpresa por eu não me mostrar dengosa, mas ele me magoara muito e eu não estava a fim de tornar as coisas fáceis. De qualquer modo, eu estava realmente ocupada, preparando-me para ir à casa de Owen.

— O que você acha que vai acontecer?

Owen e eu estávamos deitados na cama, de barriga para cima, na aura rosada pós-transa, inventando futuros imaginários e felizes um para o outro.

— Seu livro vai ser publicado — garantiu ele. — Você vai ser famosa e os editores de Lily Agora-é-cada-homem-por-mim Wright vão ficar loucos para contratá-la, mas você não vai aceitar, a não ser que eles dispensem Lily.

— E Anton vai largar Lily, voltar para mim e a vingança vai ser minha! Sem querer ofender você. — Dei um soco de leve no ombro dele, para aliviar o golpe. — Você não vai se importar, porque estará casado com Lorna e seremos todos amigos. Vamos nos hospedar em uma pousada na Dordonha e passar as férias de verão juntos.

— Eu terei sempre um carinho especial por você.

— Exato! E eu também terei sempre um carinho especial por você. Talvez você até possa ser padrinho do meu primeiro filho com Anton. Não, esqueça essa ideia. Isso já é ir longe demais.

— Como é que Lorna vai voltar para mim?

— Sei lá! Como você imagina?

— Ela vai nos ver juntos e perceber o valor do que ela desprezou.

— Exatamente! Você aprende rápido, meu pequeno pupilo.

— Obrigado, gafanhoto.

Olhei para o despertador dele.

— São onze e dez, ainda tenho algumas horas antes do meu toque de recolher. Vamos sair para tomar um drinque?

— Eu andei pensando — disse ele.

— Não! Não faça isso — reagi, passando a mão na testa.

— Por que você não me leva para conhecer a sua mãe? Talvez eu pudesse levá-las para almoçar fora, num domingo desses, ou algo assim bem baba-ovo. Se eu me entrosasse bem com a sua mãe, talvez ela não se incomodasse de você passar mais tempo comigo.

— De jeito nenhum! Toda vez que eu dissesse que fiquei trabalhando até tarde, ela saberia que eu estava aqui transando com você.

Esperei que ele fizesse alguma pirraça, mas não estava vestido, então não poderia sair porta afora de forma dramática. De qualquer modo, ele preferia sair porta afora de um lugar que não fosse o seu próprio apartamento. Cada coisa na sua hora...

Mais tarde, na Renards, depois de colocarmos vários drinques no estômago, Owen perguntou:

— Vou poder ir a essa festa Barbie Gótica?

— Não.

— Por quê? Você tem vergonha de mim?

— Tenho — confirmei, embora não fosse verdade. Não sei o que dava em mim de vez em quando, nas horas em que estava com ele.

Ele não poderia ir porque aquilo era trabalho; eu não era uma das convidadas da festa badalada de Lesley, era apenas uma escrava.

Empurrei minha cadeira com o corpo, a fim de dar espaço a ele para sair da boate porta afora.

— Pode ir — sugeri.

Lá foi ele. Eu tomei o meu vinho e fiquei pensando em coisas agradáveis, quando, em meio à multidão, reparei em um homem junto ao balcão do bar; ele olhava fixamente para mim e sorria de forma calorosa.

Só que ele não era um daqueles tarados com cabelo mais comprido de um dos lados da cabeça e penteado de forma a disfarçar a calvície; pelo contrário, ele era melhor que a encomenda — sabe como é, na idade certa e muito bonito. A novidade daquilo quase me fez rir alto. Eu estava sendo *paquerada*. Dentro de uma boate irlandesa!

Ele veio se aproximando. Ela chuta e marca!

Mas eu o conhecia. Só não sabia de onde. Ele me era frustrantemente familiar; de onde diabos será que... Oh, mas é claro! Era Johnny, o cara da farmácia. Cheio de pose. Senti um calorzinho na boca do estômago, mas pode ter sido efeito do vinho.

— Quem está cuidando da loja? — gritei.

— Quem está cuidando da sua mãe?

Demos risadinhas ofegantes e cúmplices.

Ele apontou com a cabeça para o meu vinho e disse, com bom humor:

— Escute, Gemma, eu adoraria convidá-la para um drinque, mas será que você devia beber, já que toma tranquilizantes?

— Não zão pramim, zeu mané, zão baminhamãe. — Eu estava um pouco mais alta do que imaginava.

— Eu sei. — Ele piscou.

— Eu sei que você sabe. — Pisquei de volta.

— *Desculpem* incomodar. — Owen voltou, forçando passagem por entre as pessoas, com o rostinho afogueado, e empurrou o cotovelo de Johnny, fazendo entornar um pouco da sua bebida.

— Vou deixar você resolver isso. — Johnny me lançou um olhar do tipo "seu jovem acompanhante está meio mamado" e voltou para onde estavam os seus amigos. — Foi muito bom vê-la, Gemma.

— Quem era esse sujeito? — quis saber Owen, me olhando com cara feia.

— Apenas um cara de quem eu estou a fim. — Puxa, qual era a minha? Não havia necessidade de dizer uma coisa dessas, ainda que fosse verdade.

Embora, pensando bem, talvez fosse.

Owen me lançou um olhar fulminante.

— Gemma, eu gosto muito de você, mas acho que não compensa o trabalho que me dá.

— *Eu* dou trabalho a você? — Fiz ar de pouco-caso. — Rá! Essa é boa! Ainda mais dito por um cara que voltou mais vezes ao palco do que Frank Sinatra. Bebe demais! — Comecei a contar nos dedos. — Sofre de completa imaturidade. Demonstra uma irritante irracionalidade. E olha que ainda estou falando de mim. Normalmente eu não sou assim.

Parei, com os olhos cheios de lágrimas, e então continuei:

— Não sei qual é a minha, Owen. Será que estou pirando? Não gosto da pessoa na qual me torno quando estou com você.

— Nem eu.

— Cai fora!

— Cai fora você! — exclamou ele, tomando o meu rosto entre suas mãos com estranha ternura e me beijando ardentemente; ele realmente beijava muito bem. Depois, beijou minhas lágrimas até elas secarem.

12

A semana da festa de Lesley Lattimore representou sete dias de inferno. Quando Deus criou o mundo, aposto que Ele não trabalhou tanto quanto eu em seis dias.

No primeiro dia...
Acordei no meio da madrugada e dirigi até Offaly. Havia toneladas de coisas para fazer, começando pela instalação de um sistema de iluminação externa feérica que transformaria o castelo em uma joia cintilante capaz de ser avistada do espaço sideral.

As coisas até que estavam correndo bem, até que Lesley resolveu que queria as paredes externas do castelo pintadas em cor-de-rosa. Fui pedir autorização ao dono da propriedade, sr. Evans-Black, mas ele me mandou cair fora da sua sala. Literalmente. E olhem que ele não era esse tipo de homem; tinha um ar anglo-irlandês, era muito distinto e educado.

— Caia fora, caia fora daqui! — gritou ele, transtornado. — Caiam fora todos vocês, filisteus irlandeses! Deixem meu adorado castelo em paz! — Ele cobriu o rosto com as palmas das mãos e choramingou: — Será que é tarde demais para desistir dessa loucura?

Fui até onde Lesley estava e lhe disse que nada feito.

— Então eu quero o castelo pintado em prata — disse ela —, já que ele não aceita cor-de-rosa. Vá até lá e peça!

E sabem o que aconteceu? Eu fui. Tinha de ir. Mesmo correndo o risco de ele sofrer um infarto e morrer. Precisava fazer aquilo porque era o meu trabalho.

Ao voltar com a notícia de que prata era igualmente inaceitável, Lesley reagiu com naturalidade, dizendo:

— Tudo bem... Vamos procurar outro castelo.

Levei um tempão e gastei todo o estoque de diplomacia para convencê-la de que não, nós não iríamos procurar outro castelo. Não só era tarde demais como também todo mundo já sabia que a festa seria ali...

No segundo dia...
Acordei no meio da madrugada e dirigi até Offaly. Minha vida seria muito mais fácil se eu pudesse ter permanecido dentro do útero, mas *pas de chance*. Mamãe não aceitaria isso sob nenhuma circunstância.

Havia tanta coisa a providenciar — o vestido, as flores, a música —, toda a preparação era muito similar à de um casamento. Inclusive os ataques histéricos. Tivemos a primeira prova, *in situ*, do vestido de mangas pontudas de Lesley e também dos sapatos pontudos, e ainda do chapéu pontudo. Mas, ao girar o corpo diante do espelho, ela colocou o dedo na boca e disse, com ar pensativa:

— Tem alguma coisa faltando...

— Você está LINDA! — eu gritei, sentindo as mandíbulas do inferno, que se abriam. — Não falta nada!

— Falta sim! — sentenciou ela, balançando o corpo para a frente e para trás e se comportando como uma garotinha de cinco anos. Aquilo era assustador, especialmente porque ela continuava se olhando no espelho e claramente aprovava o que via. — Já sei! Quero um aplique nos cabelos, com uma imensa cascata de cachos que vão descer desde o alto da cabeça até o meio das costas.

A estilista e eu compartilhamos um momento de desespero, e então ela pigarreou para limpar a garganta e ousou mencionar que o chapéu pontudo teria que ter a abertura do tamanho de um balde para conseguir ficar em pé sobre a "cascata" de cachos. Lesley analisou esse detalhe por um momento e se virou para mim guinchando:

— Resolva esse problema! Para que eu estou pagando você, afinal?

Mentalmente, eu disse: *Tudo bem, pode deixar comigo. Vou só modificar um pouco as leis da física, quem sabe trocar algumas palavrinhas com o simpático sr. Isaac Newton.*

Ela riu baixinho e disse:

— Você me odeia, não é, Gemma? Acha que eu sou uma pirralha mimada. Vamos lá, admita, eu sei que você pensa isso de mim.

Eu simplesmente arregalei os olhos e respondi:

— Lesley, qual é? Não seja louca! Este é o meu *trabalho*. Se eu levasse esse tipo de coisa para o lado pessoal, devia procurar outro emprego.

É claro que o que eu queria dizer, na verdade, era:

"Sim, eu odeio você, odeio mesmo, ODEIO COM TODAS AS MINHAS FORÇAS! Lamento terrivelmente ter aceitado essa merda de trabalho, *não tem* dinheiro que pague, e você devia saber que não importa quanto o seu chapéu seja pontudo, nem suas mangas ou seus sapatos, eles nunca ficarão tão pontudos quanto o seu NARIZ. Sabe como é que todos aqui se referem a você? CARA DE MACHA-DINHA. É isso! Às vezes, quando você vem correndo em minha dire-ção, eu acho que alguém me atirou um machado pontudo. Sério mesmo! Embora, às vezes, eu sinta um certo ciúme ao ver o quanto o seu pai é bom para você, prefiro mil vezes ser eu mesma do que você."

Mas eu não disse nada disso, é claro. Sou fantástica! Se alguém sofresse uma fratura feia na perna e precisasse de fios de aço para costurar os pedaços de osso, poderia usar alguns dos meus nervos. Sou o máximo!

Para piorar o estresse, eu estava ocupada demais para escrever e comecei a sentir síndrome de abstinência. Foi como quando eu esta-va deixando de fumar. Pensava no cigarro o tempo todo e me sentia angustiada.

É isso que significa ser uma artista atormentada?

No terceiro dia...

Acordei no meio da madrugada e dirigi até Offaly. O cabeleireiro que ia preparar a "cascata" de cachos de Lesley chegou e eu supervi-sionava a instalação das peças de seda cor-de-rosa que ficariam pen-duradas no teto e desceriam até o chão quando, de repente, ouvi alguém trovejar:

— Então você é a mulher que está gastando todo o meu dinheiro.

Eu me virei. Caraca! Era Larry "Balofo" Lattimore. Papai Balofo! Acompanhado pela sra. Balofo, que era um exemplo vivo do que acontece quando grana demais se mistura com tranquilizantes em excesso: um desastre de trem ambulante.

Balofo era gordo e sorridente — dava para perceber que se orgulhava da sua cordialidade e do estilo "rico boa-praça". Era um homem assustador. Pressenti que seu ar fraternal e festivo poderia se transformar a qualquer momento e ele mandaria seus "rapazes" levarem alguém para um celeiro abandonado e amarrá-lo numa cadeira para lhe quebrar as rótulas, "para ele aprender".

— Sr. Lattimore! Que prazer conhecê-lo pessoalmente! — menti.

— Diga-me uma coisa, minha jovem... Rende muita grana esse lance de organizar festas?

Aposto todas as minhas fichas que em um encontro com Elizabeth II ele seria capaz de perguntar se rendia muita grana esse lance de ser rainha.

Estremeci de medo.

— Bem, senhor, eu não sou a pessoa certa para responder a isso.

— A quem devo perguntar, então?

Ai, minha nossa.

— Entendi! — continuou ele. — Aqueles dois, não é? Francis e Frances? Os Gêmeos do Mal? São eles que ficam com todo o lucro?

O que eu poderia responder?

— Sim, sr. Lattimore.

— Pare de me chamar de "senhor", não precisa fazer cerimônia comigo.

— Já que insiste, Balofo.

Os olhos de peixe-morto da sra. Balofo-tranquilizante-desastre-de-trem cintilaram subitamente, ganharam vida e uma mínima e significativa pausa se seguiu. Balofo, por fim, disse:

— Meu nome... — acentuou ele, com ameaçadora calma — ... É Larry!

Oh, Senhor! Lá se vão minhas rótulas.

No quarto dia...
Acordei no meio da madrugada e dirigi até Offaly. O ventilador para fazer as peças de seda voarem pelo salão já havia chegado; a mobília estava a caminho; um novo chapéu com boca de balde estava sendo montado; Andrea e Moisés tinham ido me ajudar e as coisas estavam começando a parecer menos perigosamente descontroladas quando Lesley teve um súbito chilique:

— Os quartos são muito comuns! Precisamos decorá-los!

Eu a segurei com força pelos braços, olhei fixamente nos seus olhos e disse, entre dentes:

— Não... Vai... Dar... Tempo!

Ela manteve os olhos nos meus e rebateu:

— Invente... Tempo! Quero aquelas coisas que ficam por cima da cama, que parecem redes para mosquito, só que mais bonitas. Em prata.

Pensei em Balofo e nas minhas rótulas.

— Pegue o telefone! — gritei para Andrea, histérica e perigosamente perto de pirar. — Agora me dê licença, que eu preciso sair um instantinho para comprar todo o lamê prateado que existe na Irlanda.

Tive de ligar para todos os costureiros que eu conhecia; firmas grandes, firmas pequenas, até mesmo autônomos. Foi uma operação de guerra. Parecia a evacuação de Dunquerque.

No quinto dia...
Acordei no meio da madrugada e dirigi até Offaly. As taças chegaram e metade delas não sobreviveu à jornada. Foi um sufoco conseguir mais taças; e não eram taças comuns, eram de cristal italiano cor-de-rosa. Mas eram as telas de mosquito em lamê prata que estavam acabando comigo. Só alguns costureiros avulsos aceitaram o trabalho num prazo tão apertado, então eu mesma tive de ajudar a costurar a bosta do lamê. Trabalhei a noite toda. Nem consegui ir para casa. Liguei para mamãe e sugeri mandar um carro para buscá-la e trazê-la até o castelo, mas no fim, diante das minhas juras de que aquilo nunca mais tornaria a acontecer, ela disse que conseguiria passar uma noite sozinha.

No sexto dia...
O dia da festa. Não dormi nada, meus dedos estavam cheios de cortes, mas eu estava me segurando. Eu ... Estava ... Me ... Segurando. Ouvido no chão, como fazem os índios, dedo no pulso, essa era eu. Tentava resolver todos os problemas e defeitos, incluindo os dois sujeitos abrutalhados com cabeça pontuda que pareciam transbordar de dois paletós apertados demais. Seguranças. Nossa, eles pareciam bandidos...

Chamei Moisés num canto.

— Aqueles dois... Nós não podíamos ter arrumado seguranças que não tivessem cara de psicóticos?

— Aqueles? São os irmãos de Lesley. — Moisés disse isso e saiu correndo para receber os menestréis tocadores de alaúde e lhes fornecer malhas colantes e sapatos de pontas curvas.

Todo o resto do dia e da noite foi uma longa sucessão de pessoas me procurando para dizer:

"Gemma, alguém desmaiou no salão."

"Gemma, você tem camisinhas?"

"Gemma, Balofo quer uma xícara de chá, mas Evans-Black se entrincheirou dentro do quarto e não quer liberar a chaleira."

"Gemma, estão vaiando os tocadores de alaúde. A coisa tá ficando feia."

"Gemma, ninguém aqui trouxe drogas."

"Gemma, os irmãos de Lesley estão arrebentando a cara um do outro."

"Gemma, a sra. Balofo está transando com um cara que não é o sr. Balofo."

"Gemma, o toalete feminino está entupido e Evans-Black não quer emprestar o desentupidor."

"Gemma, Evans-Black está reclamando da imundície."

E no sétimo dia...

Ela mentiu para a mãe e disse que ia voltar ao castelo para cuidar da limpeza, quando na verdade Andrea e Moisés eram os desafortunados que estavam cuidando disso. Ao chegar à casa de Owen, ela avisou:

— Quero transar, mas estou completamente esgotada. Você se importa se eu simplesmente ficar ali deitada e deixar todo o trabalho por sua conta?

— E qual é a novidade?

Aquilo não era justo, ela era muito criativa e cheia de energia no rala e rola com Owen. Mesmo assim, ele fez o que ela pediu; depois, lhe preparou torradas com queijo e eles se sentaram no sofá para assistir a *Billy Elliot*.

13

Izzy tomou o seu vinho e ficou pensando em coisas agradáveis, quando, em meio à multidão, reparou em um homem junto ao balcão do bar; ele olhava fixamente para ela e sorria de forma calorosa.

Só que ele não era um daqueles tarados com cabelo mais comprido de um dos lados da cabeça e penteado de forma a disfarçar a calvície; pelo contrário, era melhor que a encomenda — sabe como é, na idade certa e muito bonito. A novidade daquilo quase a fez rir alto; ela estava sendo paquerada. Dentro de uma boate irlandesa!

Ele veio se aproximando. Ela chuta e marca!

Mas ela o conhecia. Só não sabia de onde. Ele lhe era frustrantemente familiar; de onde diabos será que... Oh, mas é claro! Era Will, o cara da farmácia. Cheio de pose. Ela sentiu um calorzinho na boca do estômago, mas pode ter sido efeito do vinho.

— Quem está cuidando da loja? — ela gritou.

— Quem está cuidando da sua mãe?

Deram risadinhas ofegantes e cúmplices.

Ele apontou com a cabeça para o vinho dela e disse, com bom humor:

— Escute, Izzy, eu adoraria convidá-la para um drinque, mas será que você devia beber, já que toma tranquilizantes?

— Não zão pramim, zeu mané, zão baminhamãe. — Ela estava um pouco mais alta do que imaginava.

— Eu sei. — Ele piscou.

— Eu sei que você sabe. — Ela piscou de volta.

Izzy *realmente* estava a fim dele. Algo esquisito rolava ali: o livro foi parar longe, muito longe de onde começara. As pessoas tinham mudado. A mãe, o pai e "eu" tinham se modificado e se tornado pessoas com vontade própria. Era aquilo que os escritores queriam dizer ao falar da magia de escrever, mas às vezes isso se tornava muito irritante. Eu tinha um adorável empresário que *não atuava* na área de internet prontinho para Izzy, mas ela insistia em sentir atração pelo carinha da farmácia, coisa que eu não tinha encomendado à personagem, *em absoluto*. Que cara de pau a dela!

Oh, beu Gristo, o guevoi gue eu griei? (Esse é o meu sotaque de Doutor Frankenstein.)

Tenho de admitir que todas as vezes que escrevia algo agradável a respeito de "Will" eu me sentia traindo Owen. Como ele aceitaria o fato de que o atendente da farmácia, e não ele, tinha servido de inspiração para o meu herói romântico? Quando o livro estivesse pronto, Owen e eu já estaríamos cada um para o seu lado há muito tempo. Para ser franca, toda vez que nos encontrávamos parecia ser a última.

Nesse ínterim, quanto mais eu escrevia sobre Will no meu livro, mais real o Johnny da farmácia aparecia, entrando em foco aos poucos como a revelação em uma Polaroid. Havia um corpo legal debaixo do guarda-pó. Eu havia reparado isso na noite de sexta-feira, pois o vira de roupa. Quer dizer, *roupa de sair*. Roupa de sair *bem transada* — em vez do guarda-pó branco, que não o favorecia em nada.

Será que Johnny tinha namorada? Eu sabia que ele não era casado porque me dissera isso em algum momento, quando nós dois nos queixávamos das nossas existências infelizes. Mas nada indicava que ele tivesse uma namorada. E se tivesse, será que conseguia ir vê-la, ao menos? Provavelmente não, a não ser que ela fosse uma daquelas mulheres irritantemente fiéis que resolvera "esperar por ele" até seu irmão melhorar da perna e aquele momento difícil ser superado.

Na semana seguinte à festa de Lesley, eu tive de pedir uma receita para a minha mãe (anti-inflamatórios... Mamãe teve um estiramento dos músculos da mão, sabe Deus como — apertando o controle remoto, talvez?) e pela primeira vez me senti tímida ao ver Johnny. Enquanto caminhava pela calçada, depois de sair do carro, senti que ele me acompanhava pelo vidro. É claro que eu tropecei.

— Oi, Gemma. — Ele sorriu e eu também. Havia algo realmente muito simpático nele. Um jeito educado, adorável. Não parecia o mesmo cara que eu vira na Renards, um homem com luz própria, vivaz e ligeiramente ousado. Será que aquilo era Complexo de Cinderela? Subitamente, compreendi que ele estava exausto. Desde o dia em que o conhecera, vinha trabalhando doze horas por dia, seis dias por semana, e embora fosse sempre gentil com a clientela, eu nunca o via em seu melhor momento. Se ao menos ele não precisasse trabalhar tanto...

Entreguei-lhe a receita e perguntei:

— Como vai o seu irmão?

— Vai levar séculos até ele voltar a pisar no chão. Ahn, escute... Espero não ter deixado o seu namorado aborrecido naquele dia, na Renards.

Respirei fundo.

— Ele não é meu namorado.

— Mas... Tudo bem.

Eu não tinha a mínima ideia de como explicar a relação estranha que rolava entre mim e Owen, e então, de brincadeira, disse:

— Pois é, eu tenho o hábito de beijar homens que não são meus namorados.

— Ótimo! Então eu tenho alguma chance. (Isso parece papo de um cara que tem namorada?)

— Ah, quer dizer então que você *não quer* ser meu namorado?

— Eu pretendia ser esperta, sabem como é... *Divertida*, mas logo senti uma onda vermelha surgir no rosto dele e depois no meu. Morrendo de vergonha e completamente mudos, irradiávamos calor um para o outro e minhas axilas começaram a coçar loucamente.

— Nossa! — Tentei salvar o dia com minha cintilante sagacidade. — Acho que conseguiríamos assar marshmallows só com o calor de nós dois.

Ele riu, cada vez mais vermelho, e disse:

— E olhe que já estamos meio grandinhos para ficar envergonhados desse jeito.

14

Depois que a extenuante festa de Lesley Lattimore acabou, eu consegui voltar o foco para o meu livro, que ia muito bem, obrigada; minha avaliação era a de que três quartos dele já estavam prontos. Havia outros eventos para eu organizar — mas nada tão desgastante quanto a festa de Lesley — e a única pedra no sapato (aliás, uma pedra muito grande) era minha mãe. Eu desconfiava que ela nunca aceitaria que o meu romance fosse publicado, embora, como eu vivia dizendo para mim mesma o tempo todo, aquela era a história mais velha do mundo. Além do mais, as pessoas já tinham se tornado completamente diferentes de nós.

Pensei em todos os tipos de coisas assustadoras. Como eu ser obrigada a lançar o livro sob pseudônimo e pagar a alguma atriz para ela se fazer passar por mim. Só que desse jeito eu não poderia tripudiar em cima de Lily nem mostrar a Anton o grande sucesso que eu era. *Eu* queria ter as honras e as glórias. Queria que a revista *Yeah!* mostrasse fotos da minha casa suntuosa. Queria que as pessoas perguntassem: "Você é *a* Gemma Hogan?"

Busquei conselhos com Susan.

— Simplesmente seja honesta com a sua mãe. Perguntar não machuca.

Nisso ela estava errada.

Trouxe o assunto à baila entre um comercial e outro, enquanto assistíamos à tevê.

— Mamãe?

— Hummmmm?

— Estou pensando em escrever um livro.

— Que tipo de livro?

— Um romance.

— Sobre quem? Cromwell?

— Não...

— Uma garota judia na Alemanha, em 1938?

— Escute... Ahn... Desligue a tevê um instantinho e eu lhe conto tudo.

PARA: Susan_inseattle@yahoo.com
DE: Gemma 343@hotmail.com
ASSUNTO: Dei com a língua nos dentes

Querida Susan,

Segui seu conselho e contei à minha mãe. Ela me chamou de vaca. Eu mal pude acreditar, e muito menos ela. As piores palavras pelas quais ela já se referira a alguém tinham sido "dondoca" ou "mocinha". Nem Colette fora chamada de "vaca".

Só que, quando mamãe soube da trama do livro, sua boca foi se abrindo, abrindo, abrindo cada vez mais, e seus olhos ficaram mais e mais esbugalhados. Sua expressão era a de alguém que tenta dizer um monte de coisas, mas o choque do pavor leva a sua voz; por fim, *in extremis*, as palavras lhe foram liberadas e vieram de uma área restrita da alma.

Muito bem... Sua grandessíssima... — Pausa longa e dramática, enquanto a palavra era direcionada por corredores pouco familiares, como os bastidores de um concerto de rock, até serem indo empurradas para a frente e para o alto, para o alto, sempre para o alto, para cima ("vai, vai, vai!"), em direção à luz do dia... VACA!

Foi como se ela tivesse me esbofeteado — então eu percebi que ela realmente fizera isso. Foi uma chicotada no meu rosto, vinda da palma da sua mão. A aliança eternamente enfiada em seu dedo me pegou bem na ponta da orelha e doeu de verdade.

— Você quer que o mundo inteiro saiba o quanto eu fui humilhada?

Tentei explicar que o livro não era sobre ela e papai, pelo menos agora não era mais, e que aquela era a história mais velha do mundo. Mas ela pegou a pilha de folhas que eu me dei ao trabalho de imprimir para ela ler.

— É isso aqui? — Ela arreganhou os dentes. (Sim, *arreganhou* os dentes.

Minha mãe!) Tentou rasgar tudo ao meio, mas era grosso demais, então ela pegou algumas páginas de cada vez e atacou com vontade. Pode-se dizer até *selvageria*. Juro por Deus que ela estava rosnando, e tive medo de ela começar a morder as páginas, ou até mesmo comê-las.

— Pronto! — declarou, ao ver que cada uma das páginas fora reduzida a fiapos e confetes minúsculos que flutuavam em torno da sala como uma nevasca. — Não tem mais livro nenhum!

Não tive coragem de contar a ela que o arquivo estava todo no computador.

Minha orelha ardia. Eu realmente *sou* uma artista atormentada.

Beijos,
Gemma

Isso fez o caldo entornar entre mim e mamãe. Eu me senti culpada e envergonhada — mas também muito magoada, e isso me deixou ainda mais envergonhada. Mesmo assim, eu não deixaria de escrever. Se eu gostava tanto dela, não deveria interromper tudo? O problema — pode me chamar de egoísta — é que eu achei que já tinha desistido de muita coisa na vida; havia uma vozinha interna dizendo: *E quanto a mim?*

Nesse ínterim, mamãe, que andava melhorando, voltou com as suspeitas, a todo vapor, e tentava monitorar todos os meus movimentos. A corda tinha de arrebentar em algum momento — e foi o que aconteceu.

Era um dia de semana, comum, eu estava borboleteando pelo quarto, de um lado para outro, me vestindo, e mamãe me encurralou.

— A que horas você vai voltar para casa hoje à noite?

— Tarde. Onze. Vou jantar no hotel novo que abriu no cais. Aquele onde vai haver um congresso.

— Por quê?

— Porque *sim*! — Suspirei, colocando as meias. — Preciso experimentar a comida do hotel para ver se ela serve para o congresso. A senhora pode jantar comigo, se não estiver acreditando.

— Não disse que não acreditei, só não gostaria que você fosse.

— Bem, isso é uma pena, porque eu não tenho escolha. Preciso trabalhar.

— Por quê?

— Porque tenho a prestação da minha casa para pagar.

— Por que você não vende aquele apartamento velho e vem morar aqui de vez?

AAAAAAAARRRRRRGGGGGGGHHHHHHH! Aquele era o meu pior pesadelo, disparado.

De repente, me deu um estalo.

— Vou lhe dizer o porquê, mamãe — disse, com a voz meio alterada. — ... E se papai resolver casar com Colette e nós tivermos que nos mudar daqui? Ficaremos felizes pelo meu apartamento, pois assim teremos onde morar, pelo menos.

Na mesma hora, eu me arrependi de ter falado isso. Até os lábios de mamãe ficaram pálidos e eu pensei que ela fosse ter outro daqueles falsos ataques do coração. Começou a lutar, com falta de ar, e, entre uma arfada e outra, disse:

— Isso nunca poderia acontecer! — Ela ofegou, sem ar, por mais algum tempo, e então, para minha surpresa, reconheceu: — Poderia sim. Já faz seis meses e nem uma única vez ele pegou o telefone para me ligar. Não tem o mínimo interesse por mim.

E querem saber?... No dia seguinte, como se o destino escolhesse o momento exato, chegou uma carta do advogado de papai, solicitando um encontro para discutir um acordo financeiro definitivo.

Eu li tudo e entreguei a carta para mamãe. Ela olhou para o papel por longo tempo, muito tempo mesmo, antes de falar:

— Isso quer dizer que ele vai vender a casa mesmo eu estando aqui?

— Não sei. — Eu estava muito nervosa, mas não queria mentir. — Talvez. Ou talvez ele a deixe ficar com ela, se a senhora abrir mão de outros direitos.

— Tais como...?

— O salário dele, ou a sua aposentadoria.

— E vou viver de quê? Vento?

— Eu cuido da senhora.

— Mas isso não está certo. — Ela olhou pela janela e já não parecia tão perplexa e arrasada. — Sempre cuidei da casa dele — ela refletiu. — Fui sua cozinheira, faxineira, concubina, mãe da filha dele. Não tenho direitos?

— Não sei. Precisamos arranjar um advogado. — Aliás, algo que eu deveria ter feito há séculos, mas não esperava que um dia chegássemos àquele ponto.

Mais um longo silêncio.

— E aquele livro que você estava escrevendo? Como você descrevia o seu pai na história?

— Como um homem mau. — Resposta certa.

— Estou arrependida por tê-lo rasgado.

— Arrependida até que ponto?

— Você não poderia escrever tudo novamente?

PARA: Susan_inseattle@yahoo.com
DE: Gemma_343@hotmail.com
ASSUNTO: Ela topou!

Mamãe me disse que queria papai descrito no livro com nome e sobrenome, para enchê-lo de vergonha, e queria também que todos soubessem da situação dele; estava até mesmo disposta a ir ao programa da Trisha, para confirmar o nome e o sobrenome dele ao vivo, na tevê. Adivinhe a outra novidade... Terminei o livro! Pensei que ainda fosse demorar um pouco para acabá-lo, mas amarrei as pontas soltas bem depressa, no final. Fiquei acordada até às seis da manhã, escrevendo. Tudo bem, o final é meio açucarado e talvez eu risse se fosse o livro de outra pessoa, mas, como tudo na vida, é diferente quando a dona é você.

Beijos,
Gemma

Liguei para papai e perguntei em que consistia o tal acordo financeiro definitivo. Era exatamente o que eu temia: ele queria vender a casa para conseguir dinheiro e comprar uma nova para abrigar Colette e seus fedelhos. Mamãe e eu contratamos uma advogada especializada em direito de família, Breda Sweeney, e fomos vê-la.

— Papai quer vender a casa. Ele pode fazer isso?

— Não sem o consentimento da esposa.

— O qual, é claro, ele não terá — afirmou mamãe.

Fiquei satisfeita e expressei minha surpresa, pois sempre suspeitara que a lei, nesse caso, era tendenciosa e contra as mulheres. Na verdade, ela me pareceu até protetora...

Mas eu me precipitei. Breda ainda estava falando...

— Quando completar um ano da separação do casal, ele poderá entrar com uma apelação em juízo, argumentando algumas coisas.

— E esses argumentos serão...?

— De que ele tem duas famílias para sustentar agora e muito do seu patrimônio é representado pela casa antiga. O que geralmente ocorre é que o juiz emite uma autorização para que a casa seja vendida, e o dinheiro arrecadado será dividido entre os cônjuges.

O medo me assaltou e mamãe perguntou, quase sussurrando:

— Quer dizer que eu posso perder a minha casa?

— A senhora terá dinheiro para comprar outra — explicou a advogada. — Não será necessariamente cinquenta por cento do arrecadado, quem vai decidir isso é o juiz, mas a senhora não sairá de mãos abanando.

— Mas aquele é o meu *lar*. Morei lá durante trinta e cinco anos. E quanto ao jardim? — Ela caminhava célere rumo à histeria. E não era a única. O preço das casas na Irlanda estava tão alto que, mesmo que mamãe ficasse com metade do valor do imóvel, claro que nunca conseguiria comprar nada sequer parecido com a casa onde morava.

A coisa ia de mal a pior. Mamãe tinha sessenta e dois anos, uma mulher na terceira idade prestes a ser arrancada do lugar onde vivera por mais da metade da vida e condenada a morar em uma casa minúscula a meio caminho de Cork.

— Mas papai será obrigado a sustentá-la? — perguntei.

— Não necessariamente. Por lei, Maureen tem direito a receber o que ele puder dar, a fim de mantê-la no mesmo padrão de vida, mas sem empobrecê-lo. — Breda fez um gesto de impotência. — O dinheiro vai ter que cobrir tudo.

— Meus tranquilizantes estão acabando — avisou mamãe, assim que chegamos em casa. — Não quero ficar sem remédios. Não agora, quanto mais depois dessas notícias. Você pode ir à farmácia para mim?

— Ahn... Tudo bem. — Acho que me senti estranha. Não via Johnny há duas semanas, desde o nosso ataque de flerte, quando eu tropecei na entrada e depois levei aquele papo com ele, cheio de insinuações.

Por que eu sentia hesitação em vê-lo?, perguntei a mim mesma. Afinal, ele era muito gentil e simpático. Mas eu sabia que o que estava fazendo era errado. Owen — eu querendo ou não — era meu namorado e não me parecia justo eu ficar de flerte com Johnny. A não ser que eu estivesse realmente a fim de alguma coisa; como, por exemplo, terminar com Owen e ir com a maior cara de pau até a farmácia, torcendo para Johnny enfiar coisas não apenas na minha cestinha de compras. Será que eu estava a fim de encarar isso?

Uma coisa era eu passar um tempão com Owen fantasiando em voz alta mil lances com Anton, mas Johnny era diferente. Ele era real. Estava mais perto de mim.

E estava interessado.

Eu sabia que poderia rolar algo com ele e, embora pensar nisso me provocasse fisgadas no estômago (fisgadas boas), eu tinha receio. Não sabia por quê. Tudo o que sabia é que com Owen eu não tinha aquele tipo de medo.

Jojo

15

Book News, 10 de junho

DIREITOS DE FILMAGEM

Os direitos para a filmagem de *O Amor e o Véu*, romance de estreia de Nathan Frey, foi vendido à Miramax por um valor de sete dígitos e estimado em cerca de 1,5 milhão de dólares. Brent Modigliani, da produtora Creative Artists Associates, fechou o contrato com Jim Sweetman, da Lipman Haigh. O romance, representado por Jojo Harvey, da Lipman Haigh, será publicado no primeiro semestre do ano que vem pela Southern Cross.

A srta. Harvey também representa Lily Wright, autora do grande e surpreendente sucesso da temporada, *As Poções de Mimi*, e também Eamon Farrell, indicado ao prêmio Whitbread de melhor autor do ano.

Nenhuma menção a Miranda England, que estava entre os dez autores mais vendidos desde janeiro, mas, também, Jojo não podia reclamar. Ah, nada como umas boas notícias para despertar seus velhos instintos consumistas. E já estava na hora do almoço. Quase.

— Manoj, vou sair! Talvez demore um pouco.

— Vai escolher cores de esmalte?

Aquela era uma das prioridades nova-iorquinas que Jojo nunca deixara de lado: a importância de cuidar bem das unhas.

— Esmaltes, bolsas, quem sabe? Estou aberta às possibilidades, livre e solta.

Mas não por muito tempo. Assim que colocou os pés na rua ensolarada, ela foi fisgada pela jaqueta de couro azul-bebê que viu na vitrine da Whistles, um tremendo objeto de desejo; sua boca ficou seca.

Jojo entrou, viu que eles tinham o modelo no seu tamanho, estendeu o braço e começou a acariciar a peça como se ela fosse um animal. O couro era fino e suave como uma pele, e a roupa lhe pareceu tão linda que ela estremeceu. Era também absurdamente cara, pouco prática e só serviria para aquela estação. Todos ririam dela se Jojo a usasse no ano que vem, mas o que *importava*?

De volta ao térreo, ela vestiu a jaqueta, procurou um espelho — e então, de repente, a empolgação acabou. Ela fazia seus seios aumentarem de tamanho como se tivessem sido enchidos por uma bomba de bicicleta. Era *obsceno*. Mark adoraria a roupa, é claro, mas em que lugar ela poderia usá-la, quando estivesse em companhia dele? Na sala de estar? No quarto? Na cozinha?

Em pensamento, ela já tinha comprado a jaqueta, levara a peça para casa dentro de uma sacola lindíssima e a usara duas vezes — uma delas só para impressionar as irmãs Wyatt. Agora, porém, reconsiderava a ideia. Era muito cara para algo que ela só poderia usar em seu apartamento. Ela não estava desistindo da ideia, mas teria que *pensar melhor* a respeito. *Será que isso é maturidade?*, refletiu. Se fosse, não havia pressa para obtê-la.

De volta à sua sala, Manoj avisou:

— Sweetman Sorrisos veio aqui procurar você.

Jojo se virou para o sanduíche com olho comprido, mas falar com Jim só levaria um minuto. Ela foi correndo até a sua sala.

— Qual é a boa?

— Tenho uma ótima notícia. Entre e sente-se.

— Meu almoço está à minha espera. Dá para ouvir uma boa notícia em pé mesmo.

— Você é quem sabe, Dona Agitadinha. Brent Modigliani, da CAA, quer trabalhar "em conjunto" conosco. Isto é, com a Lipman Haigh.

Brent era o agente americano que intermediara o contrato com a Miramax.

— Ter alguém baseado em Los Angeles, defendendo nossos interesses, vai facilitar a colocação dos nossos livros sobre a mesa dos produtores de Hollywood. E você tem um grande mérito nisso, pois *O Amor e o Véu* foi o título que o deixou interessado e abriu seus olhos para os autores que a nossa agência representa.

— Agora você me convenceu. Já estou me sentando.

Ele vem nos visitar na semana que vem, com o sócio. Nós vamos almoçar em um lugar bem badalado.

— Nós quem?...

— Você, eu e eles.

Richie Gant não foi citado. *Yes!*, comemorou ela.

— Quer saber, Jim? Os livros de Miranda England são PERFEITOS para Hollywood. Comédias malucas nunca saem de moda. E *As Poções de Mimi* é uma história *feita* para as telas.

Jim riu do entusiasmo dela.

— Você anda nos esnobando muito ultimamente, Jojo, mas hoje quero que venha tomar um drinque conosco depois do expediente. Vamos celebrar.

Ela pensou rápido. Não havia nada programado. Mark ia assistir à peça de Sophie na escola.

— Combinado! — assentiu ela.

— Você desistiu da hipnoterapia?

— Não. Bem, talvez sim. Eu *gosto* de fumar. Sou uma fumante assumida, embora faça parte de uma raça em extinção.

— Em extinção mesmo, sob todas as formas.

— Corta esse papo de recém-convertido.

De volta à sua mesa, Jojo comeu o sanduíche e verificou seus e-mails. Havia apenas um, de Mark:

PARA: Jojo.harvey@lipman_haigh.co
DE: Mark.avery@lipman_haigh.co
ASSUNTO: Segunda, à noite?

Posso marcar na agenda? Desculpe por furar esse fim de semana. É a droga das bodas de ouro dos meus pais. E tem também a droga da peça da minha filha na escola. Tenha um bom — mas não muito bom — fim de semana sem mim.

M xx

P.S. — Ovecamoeu.

Isso era arriscado, mas nos últimos meses ela e Mark vinham curtindo cada vez mais tempo juntos. Passavam quase todos os domingos na companhia um do outro. Shayna finalmente os recebeu em seu precioso almoço de domingo, e eles conseguiram até mesmo, uma vez, passear em público; foram a Bath para o feriadão na Páscoa, onde aproveitaram para transar muito entre lençóis engomados profissionalmente, além de fazerem vagarosas caminhadas através das ruazinhas, de mãos dadas, na certeza de que estavam tão longe de Londres que ninguém os veria. No fim do feriadão, Mark correu para casa, a fim de levar a família para uma viagem de uma semana à Áustria, onde todos iriam esquiar. Jojo achou isso ótimo. Ela o tivera por quarenta e oito horas consecutivas e agora estava sendo gentil com sua família; portanto, não precisava se sentir culpada.

— Tem certeza de que levar a família para esquiar é uma boa ideia? — ela perguntara. — Seus filhos são propensos a acidentes. Além do mais, não tem um monte de queijo na Áustria?

— Isso é na Suíça. Vocês, americanos, não sabem nada sobre a Europa.

— Você está completamente errado. — Com jeito brincalhão, ela cutucou-lhe o espaço entre as pernas com a ponta da bota. — Eu sei tudo sobre biscoitos dinamarqueses, sei tudo sobre massagens suecas, sei dançar em estilo espanhol. — Ela aumentou a pressão da bota e começou a movê-la com suavidade para trás e para a frente. — E sei também... — continuou com voz provocante — ... *Tudo* sobre beijos de língua à francesa.

— Sabe mesmo?

— Sei mesmo, sei *tudo*.

Em silêncio, os dois observaram a bota se erguer, levantada por algo que subia por baixo dela.

— Pois então prove... — exigiu ele.

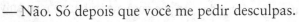

— Não. Só depois que você me pedir desculpas.

Ele pediu.

Desde aquela noite com os italianos, quando Mark ficara na casa dela, inadvertidamente, até amanhecer, ele agora dormia lá pelo menos uma noite por semana. Cassie nunca reclamava de ele não dormir em casa, e Jojo ficava atônita com a sua passividade.

— O que você *conta* a ela?

— Que vou ligar para a Califórnia, ou vou sair com algum cliente e não quero entrar em casa às três da manhã, tateando no escuro e acabar acordando todo mundo, ainda mais sabendo que ela tem de ir para o trabalho muito cedo.

— Ela acredita nisso?

— Parece que sim. Ela só pede para eu avisá-la antes de meia-noite, para passar a tranca na porta.

— Onde ela acha que você dorme?

— Em um hotel.

— *Eu* nunca embarcaria nessa história. De jeito nenhum. Se meu marido de repente começasse a passar as noites fora, sem ter mudado de emprego, eu daria na cabeça dele com uma chave de roda sem parar, até conseguir algumas respostas.

— Nem todas são como você, Jojo.

— Eu sei. — E ela sabia, também, que muitas vezes era muito difícil, para algumas pessoas, enxergar o que estava bem debaixo do seu nariz. Aquilo doía e ela não queria magoar Cassie. Nem ninguém.

Mas qual seria a opção? Deixar de ver Mark? Impossível.

PARA: Mark.avery@lipman_haigh.co
DE: Jojo.harvey@lipman_haigh.co
ASSUNTO: Bom fim de semana?

Segunda à noite está legal. Falta muito, mas está legal. Só tem uma coisa... "Tenha um bom fim de semana?" Como e que eu posso ter um bom fim de semana? Nunca vou me esquecer do jeito que você me tratou no meu aniversário.

J xx

P.S. — Omavoeceu também.

Quatro fins de semana antes, no dia 12 de maio, Jojo tinha completado trinta e três anos. Alguns dias antes, Mark lhe avisara:

— Vou viajar com você no seu aniversário.

— É?... — Ela sentiu um calor de prazer diante da consideração dele. — Vamos para onde?

Ele esperou alguns segundos, antes de responder:

— Londres.

— Londres? Esta Londres onde nós estamos?

Antes que ela o mandasse ir à merda, ele lhe mostrou um pedaço de papel, informando:

— É a programação da viagem.

Fim de Semana do Aniversário de Jojo

Sexta, às 3:30 da tarde: Sair de fininho do trabalho. Os dois seguirão em separado, por calçadas opostas, até a Brook Street, onde farão o check in no Hotel Claridges.

— O Claridges! Eu sempre quis conhecer o Claridges! — Isso fazia parte de uma grande fantasia de Jojo. Uma Grã-Bretanha bem no estilo Agatha Christie, cheia de chás com creme, mordomos arrogantes, geleias trazidas do campo naquela manhã, tomar chá com uma tia-avó excêntrica, o tipo de mulher que usa as joias da família até para cuidar do jardim.

— Eu sei! — disse ele.

Ela ficou tão comovida com aquilo que, por um instante, quase chorou, mas desistiu.

Sexta, 4:00 da tarde: Conhecer as instalações da suíte,

— Uma suíte! Eu amo você!

> ...dedicando especial atenção à cama, para em seguida dar um pulinho na Bond Street, ali perto, a fim de procurar um presente de aniversário para Jojo.

Ela olhou para ele.
— A Bond Street é *terrivelmente* cara.
— Eu sei.
Ela olhou para ele com admiração.
— Que cara fantástico!

Sexta-feira, 7:00 da noite: Drinques e depois jantar em um restaurante exclusivo, onde eu tive de prometer ao chef que ia editar um livro dele só para conseguir uma reserva antes do Natal.

* * *

Sábado, de manhã: Desjejum na suíte, seguido por um mergulho na piscina do hotel para em seguida voltar à Bond Street e dar prosseguimento à busca pelo presente de Jojo.

Tarde livre: Sugiro testar a maciez do colchão.

Sábado, 7:00 da noite: Coquetéis e em seguida jantar em outro restaurante onde é quase impossível conseguir reserva.

* * *

Domingo, de manhã: Desjejum na suíte, mais um mergulho e um teste final das molas da cama.

Meio-dia: *Check out* e volta para casa.

Aquele fora o fim de semana perfeito. Quando eles chegaram à suíte, flores e champanhe já estavam à espera. Transaram umas sessenta vezes, até mesmo na piscina, onde eles eram os únicos no local. Jojo não topou, a princípio, achou aquilo meio baixaria, mas na hora ele já a havia excitado tanto que ela não se importou em ceder.

Com toda a paciência, ele foi de loja em loja com ela, admirou cada livro de bolso que Jojo pegava para olhar, mesmo ela sabendo que para ele todos pareciam iguais; prestou atenção quando ela explicou que a lombada de um era branca, enquanto a do outro era preta, e o quanto aquilo fazia diferença na apresentação do produto. O único sinal de que ele estava quase enlouquecendo foi quando ela não conseguiu decidir entre a bolsa Prada com alça longa ou a bolsa Prada idêntica, só que com alça de mão. Mark resolveu comprar-lhe as duas.

— Ah, entendi! — Ela riu. — Você deve estar preocupado com a mobília da suíte. É melhor voltarmos lá para confirmar se foi o que pedimos.

Eles tomaram chá no Garden Room e beberam champanhe no almoço, que foi servido no quarto, na tarde de sábado. O único contratempo nos dois dias foi quando ele tentou arrastá-la na direção das alianças, na Tiffany.

— Acho que você devia escolher uma delas — sugeriu ele.

— Não seja estraga-prazeres — disse ela, subitamente zangada. A última coisa que ela queria, durante aqueles dias preciosos, era ser lembrada de que ele era casado.

Naquela noite no restaurante, enquanto olhavam o cardápio, ele entrelaçou os dedos com os dela. Jojo recolheu o braço, mas ele pegou novamente a mão dela e começou a afagá-la.

— Mark! — ela ralhou, franzindo a testa. — Alguém pode nos ver.

— E daí?

— Estamos em Londres, precisamos tomar cuidado.

— Tomar cuidado é a coisa mais perigosa que uma mulher como você pode fazer.

Ela caiu na gargalhada.

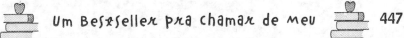

— *Feitiço da Lua*? Nicolas Cage diz exatamente isso para Cher. Acertei?

Mark deu um suspiro.

— Era para você pensar que eu criei essa frase. Sabe que você é a mulher mais surpreendente que eu conheci em toda a minha vida? Você sabe tudo!

PARA: Jojo.harvey@lipman_haigh.co
DE: Mark.avery@lipman_haigh.co
ASSUNTO: Aniversário no fim de semana

Você não gostou?

PARA: Mark.avery@lipman_haigh.co
DE: Jojo.harvey@lipman_haigh.co
ASSUNTO: Se eu gostei?...

Sim. Gostei até demais. Nada vai conseguir superar aquilo.

16

6:30 de sexta-feira, no The Coach and Horses
Um monte de gente apareceu para tomar os drinques de comemoração — afinal, era a empresa que estava pagando. Richie Gant circulava à volta de todos como um tubarão, tentando atrair um pouco da atenção para si, mas Jojo e Jim eram o foco principal, sentados juntos como um rei e uma rainha, bebendo vodca-martínis.

— Viu só? Não é tão mau — disse-lhe Jim. — Eu lembro da época em que nós sempre podíamos contar com você no happy hour das noites de sexta-feira.

— Tem razão. — Ela estava ruborizada e feliz. — Eu estou me divertindo *à beça*. Talvez tenha algo a ver com todo esse álcool, mas quem está reclamando? E então, como vão as coisas com você, Jim? Como vai sua namorada, Amanda?

— Jojo, você anda tão distante... Amanda me dispensou faz duas semanas.

— Ela fez isso? Puxa, sinto muito. E você já arrumou uma nova garota?

— Estou na fase dos testes para elenco, mas até agora, nada.

Aconteceu uma pausa estranha que serviu de alerta e Jojo, movida por algum sexto sentido, disse:

— Você não me perguntou se eu tenho namorado.

Mais uma pequena pausa estranha e Jim disse:

— É porque eu sei que você tem.

O tempo parou.

— Sei tudo sobre Mark.

O estômago de Jojo pulou, como se ela estivesse em um elevador que parara de repente.

— Ele contou a você?

— Não. Eu adivinhei. Ele apenas confirmou.

— Então ele lhe contou? Quando?

— Hoje.

Subitamente, ela se sentiu completamente sóbria e muito zangada com Mark. Ele quebrara um acordo tácito que eles haviam feito. Mark não era o único com muita coisa a perder se o relacionamento deles se tornasse público. Aquilo não ia pegar nada bem para ela nas conversas entre os sócios. Lembrando de o quanto Jim e Richie Gant eram amigos, Jojo se sentiu nauseada.

Mark devia ter contado a ela! Alguém conhecia os seus segredos sem ela ter conhecimento disso. Aquilo a deixou *com o pé atrás*, na mesma hora.

— Não seja muito dura com Mark. Ele precisa de alguém com quem conversar.

Ela não podia nem ligar para Mark e gritar com ele. Que situação!

— Não se preocupe — acudiu Jim. — O segredo de vocês está em segurança comigo.

Jojo não sabia se poderia acreditar nele. Não sabia também se poderia confiar nele. De repente, ficou paranoica.

— Preciso ir! — Ela recolheu suas coisas, fez uma ligação e chamou um táxi para ir à casa de Becky e Andy.

No táxi, sua raiva com Mark pareceu explodir e ela pensou: *Não vou me segurar até a próxima chance de encontrá-lo*. Então, enviou-lhe uma mensagem de texto: *Ligue para mim!*

Quase na mesma hora ele ligou.

— Qual foi o seu lance com Jim Sweetman?

— Ele já sabia.

— Não-ele-não-sabia! Você pisou na bola, Mark. Talvez Jim *pensasse* que sabia, mas, até você confirmar, ele não tinha como ter certeza. *Capisce?*

— Jojo, ele me viu saindo do seu apartamento às nove e meia da manhã, no domingo.

— Viu? Como?!

— Estava passando por ali de carro.

— E por que ele passaria pela minha rua?

— Ele mora em West Hampstead, perto de você. Fui pego no flagra. Pode acreditar, Jojo, esse é o tipo de situação da qual eu adoraria escapar pela tangente. Teria feito isso, se tivesse conseguido.

Ela ficou calada. Eles andavam se arriscando tanto que um flagra daqueles, em algum momento, seria inevitável. Mas por que tinha de ser alguém da firma?

— Podemos confiar em Jim — afirmou Mark.

— Espero que sim. — De qualquer modo, Jojo ainda poderia pegar no pé dele por outra coisa. — Se você sabia que ele já sabia, por que não me avisou com antecedência?

— Eu avisei. — Ele pareceu confuso. — Mandei um e-mail para você, assim que ele saiu da minha sala.

— A que horas?

— Quatro, quatro e meia...?

Ela não verificara seus e-mails antes de sair. No clima festivo da sexta-feira, ela não se dera ao trabalho de verificar as mensagens, antes de sair, e tinha ido direto para o pub. Aquilo não era do feitio dela e foi um erro.

— Tudo bem. — Mark estava limpo. Não fizera nada de errado. — Você está liberado, mesmo sem fiança.

— Ufa! Achei que você fosse ler meus direitos e deveres perante a lei e me permitir um único telefonema.

— Direitos? Telefonema? — Ela conseguiu dar uma risada. — Você acha que eu lhe daria essa moleza?

— Sinto tanto não poder ver você neste fim de semana.

— Tudo bem, numa boa. Mazie Wyatt, uma das fabulosas irmãs Wyatt, vai dar uma festa amanhã, para comemorar os seus trinta anos. Uma festa à fantasia. Isso vai me manter ocupada.

— Só para eu lembrar... Qual é mesmo a irmã que você curte mais?

— Magda. Mas...

— ... Não sexualmente falando — os dois entoaram, juntos.

— Obrigado por me avisar, meu caro amigo — disse Mark, parecendo muito sério de repente.

Hein?

— Ela é uma grande escritora e não queremos perdê-la — continuou ele.

Cassie deve ter entrado no quarto.

— A gente se vê na segunda.

Ela contou a Becky e Andy tudo o que acontecera.

— Quando as pessoas do escritório começarem a descobrir, todo mundo vai acabar sabendo — disse Jojo.

— Acho que não era à toa que vocês estavam se arriscando — disse Andy. — *Queriam* ser pegos. Por que não escolher logo de uma vez a opção mais decente e contar à esposa, antes que alguém faça isso por vocês?

Jojo respirou fundo.

— Eu lhe digo por que, Andy. Porque é a pior merda do mundo acabar com um casamento. Não só pela esposa, mas também pela dor dos filhos. Como eles vão conseguir superar?

— Sei lá — disse Andy. — Só sei é que esse tipo de coisa acontece muito. O tempo todo.

— Mas eu não sou assim. É como dar início a uma guerra. Mal posso acreditar que eu esteja *discutindo* essa possibilidade. Não compreendo como certas pessoas conseguem encarar tudo numa boa. Os caras odeiam as esposas, dizem que a culpa pelo fracasso do casamento é delas, por engordarem feito umas baiacas e nunca fazerem boquete nos maridos. Por que será que não é desse jeito comigo? Por que eu me sinto tão envergonhada de mim mesma?

— Então dê um chute na bunda dele. — Andy parecia entediado com aquilo. Não conseguia evitar, porque era homem.

— Talvez não sinta *tanta* vergonha assim — explicou Jojo. — O que é péssimo e faz com que eu me sinta ainda pior.

— Ah, isso é pós-moderno demais para a minha cabeça — disse ele.

— Se... Quando... Se Mark e eu tornarmos pública a nossa relação, a coisa não vai ter um desfecho cor-de-rosa. Não importa a forma como aconteça, a coisa vai ser feia. Isso é um fato.

— Mas *vai* acontecer? Sim ou não? — Sem lhe dar a chance de responder, Andy continuou: — Estou desapontado com você, Jojo. A maioria das mulheres não faz nada, só reclama dos problemas. Elas reclamam, reclamam, reclamam e nunca *fazem* nada. Veja a pobrezinha da Becky e o seu trabalho. Desculpe, amor — disse ele, olhando para Becky meio de lado. — Eu sei que você não consegue evitar. Mas de você, Jojo, eu esperava mais! Prove que eu não estava enganado a seu respeito. Mostre-me que você vai agir de acordo com os seus princípios. Preciso de algo em que acreditar.

— Andy está assim porque o centro financeiro de Londres acabou de demitir um dos administradores — explicou Becky.

— Tudo bem. — Jojo engoliu em seco. — Isso vai acontecer, é só uma questão de "quando". O problema é que eu ainda me lembro da época em que tinha a idade de Sam... — Ela parou, mas logo foi em frente, com a voz trêmula: — Quando penso em Sophie e Sam ficando sem o pai...

As lágrimas começaram a escorrer e ela soluçou baixinho com a cabeça baixa. Becky e Andy fizeram uma cara de "tá feia a coisa..." um para o outro. Jojo não era de chorar.

Naquela noite, deitada na cama, Jojo enfrentou a verdade. Ela esperava o momento em que a dor de não estar com Mark fosse maior do que a de acabar com aquele casamento e deixar seus filhos sem pai. Esse momento, porém, ainda não chegara.

Jojo amava Mark, mas se segurava um pouco. Ela nunca — a não ser de brincadeira — declarara o seu amor por ele, embora ele tivesse lhe dito mais de uma vez: "Você está resistindo e me enrolando, Jojo."

O fato é que ela não queria que seus sentimentos transbordassem a ponto de ela ser obrigada a fazer algo que entrasse em conflito com seu código moral de forma tão violenta.

Mas Andy tinha razão. Ela e Mark andavam se arriscando muito. Era como se estivessem *torcendo* para alguém vê-los juntos, pois a decisão seria retirada da mão deles.

E como seria o dia a dia da vida dos dois, juntos? Onde eles iriam morar? Será que ela teria de vender o seu apartamento? Sim, e por ela, tudo bem. Ela teria de entrar para uma academia, pois subir as escadas do prédio a mantinha em forma. Mais ou menos. Talvez eles comprassem uma casa longe do centro.

Mas tudo aquilo deixou de assustá-la. Estou pronta, ela percebeu. Quase. Ela e Mark poderiam viajar juntos, dormir juntos todas as noites, acordar um ao lado do outro a cada manhã... Toda aquela coisa de viverem se esgueirando teria um fim.

Ela não achava que a empolgação com Mark pudesse desaparecer. As pessoas sempre dizem que casos extraconjugais se alimentavam do sexo frenético e nunca sobreviviam à transição da fase de encontros furtivos para o tédio doméstico. O fato, porém, é que quando ela e Mark estavam sozinhos eram entediantes de dar dó. Com exceção do sexo, que era sempre excitante, eles faziam pequenas coisas calmas. Ela lhe preparava o jantar, eles liam revistas, faziam palavras cruzadas, conversavam sobre o trabalho. Só faltavam os chinelos de flanela.

— Mark, olhe só para nós — ela exclamara, no domingo anterior. — Parece que estamos casados há décadas.

— Isso pode ser providenciado.

— Não comece!

Jojo suspirou na escuridão. Aquilo traria dor para muita gente e vergonha para ela. Era preciso pesar tudo com cuidado. A sorte é que Jojo era ótima em fazer coisas que não queria, mas o fato de ser boa naquilo não a obrigava a gostar da situação.

17

Sábado à noite, na casa da família Wyatt

Magda abriu a pesada porta de madeira e gritou a plenos pulmões:

— JOJO HARVEY, sua garota de arrasar, de ARRASAR! Mazie! Marina! Jojo chegou!

Um monte de louras deslumbrantes se reuniu em torno de Jojo, que usava suas antigas calças legging, chifres vermelhos meio gastos e uma cauda vermelha de prender com velcro. Todas a encheram de carinho. Até a sra. Wyatt, "Magnolia, por favor" — que poderia passar por uma das três irmãs —, se juntou ao grupo.

— Você está mais SEXY do que NUNCA — elogiou ela.

— Que grande ideia vir fantasiada de diabinha — aprovou Magda.

Aquilo era a prova, pensou Jojo, de que algumas pessoas merecem ser ricas e lindas. As fantasias das irmãs Wyatt tinham sido alugadas ou, talvez, feitas sob medida. Mesmo assim, elas demonstravam empolgação com os chifres sujos e a cauda vermelha como se eles fossem a coisa mais fantástica que elas já tinham visto na vida.

Mazie, com um vestido branco frente-única, era Marilyn Monroe; Marina, com vários pardais empalhados costurados no seu terninho Chanel azul-claro, era Tippi Hedren em *Os Pássaros*, e Magda estava alta e gloriosa como a Rainha dos Elfos de *O Senhor dos Anéis*.

— Jojo, estou achando a minha fantasia o máximo — comentou Magda. — Sempre detestei minhas orelhas. Elas são retas e pontudas, pensei até em fazer plástica, mas agora estou feliz por não ter feito.

Magnolia concordou:

— Eu sempre lhe disse, filha, que quando a gente insiste em usar alguma coisa por muito tempo ela acaba entrando na moda novamente.

Nesse momento, três meninas muito comportadas, filhinhas do irmão de Magda, Mikhail, apareceram no saguão. A primeira levou o casaco de Jojo para guardá-lo; a segunda, com ar solene, pegou o embrulho que Jojo trouxera e avisou que iria colocá-lo na "sala dos presentes", enquanto a terceira ofereceu à convidada uma taça de champanhe.

A festa era sofisticada e elegante, como se um profissional tivesse organizado o evento, mas Magda fizera os preparativos sozinha e pensara em tudo. Havia uma sala de descanso fracamente iluminada e com ar-condicionado, um salão de jantar com um bufê variado e sofás macios e confortáveis, um salão com sistema de som e bar, a "sala da balada". Bandejas com drinques apareciam do nada centésimos de segundo depois de você terminar o que tinha na mão, poltronas surgiam no momento exato em que você resolvia se sentar e homens lindos lançavam olhares de admiração exatamente no momento em que você se sentia desconfortável por ser a única pessoa da festa com fantasia improvisada. *Todo mundo* envergava trajes alugados. Nos primeiros cinco minutos, Jojo avistou um gorila, um Gandalf, uma Pantera Cor-de-Rosa, um cavaleiro com armadura e elmo, uma donzela em perigo, outro Gandalf, uma freira, Batman, mais um Gandalf e duas Maria Antonietas, ambas homens. Andy apareceu fantasiado de Superman e Becky veio com um collant apertado, em vinil, e máscara de Mulher-Gato.

Então Jojo viu Shayna e Brandon; suspirou aliviada. Shayna, magérrima como sempre, também veio de collant claro imitando pele de crocodilo. Estava fantasiada de biscoito Skinny. Brandon tinha blocos arredondados de isopor, em formatos irregulares, presos em todo o corpo. Sua fantasia era "tigela de pipoca".

— Temos alguns rapazes maravilhosos para você, Jojo — informou Magda. — O primeiro é um que veio vestido de Ali Babá. Tem rios de dinheiro e é muito gente-fina. Você não encontraria um par melhor. Ele só tem um probleminha, mas você tem que me prometer que isso não vai fazer você desistir de conhecê-lo. — Ela apertou a mão de Jojo. — Por favor, por mim... Você promete?

Sorrindo, Jojo prometeu. Ela *adorava* Magda, que continuou a falar:

— É que ninguém explicou ao pobrezinho como aplicar creme de autobronzeamento para compor o seu Ali Babá. Apesar disso, ele é um doce e, como eu já disse, tem rios de dinheiro. Venha comigo, para eu apresentar vocês dois.

Ela levou Jojo através do salão até um sujeito com calças bufantes em cetim cor-de-rosa e faixa vermelha na cintura.

— Jojo, este é Henry. Sei que vocês vão adorar se conhecer.

Jojo deu uma olhada no Ali Babá e precisou se segurar muito para não cair na risada. O rosto de Henry, por baixo do turbante cor de açafrão, parecia ter sido tingido. O contorno dos olhos feito com *kohl* muito mal aplicado também não ajudava muito.

Magda borboleteou para longe. Henry pigarreou para limpar sua garganta regada à *tequila sunrise* e disse:

— Desculpe pelo meu rosto listrado. Eu não soube usar corretamente um produto para autobronzeamento e deu nisso.

— Ora, mas como você poderia saber, sendo homem?

— Já me disseram que vai levar mais de uma semana para meu rosto voltar ao normal.

Jojo riu, solidária.

— Vai ser horrível trabalhar com a cara desse jeito — continuou ele.

— Em que você trabalha?

— Eu leio o noticiário.

Outra gargalhada reprimida quase a fez engasgar. Ela fechou as mãos com força.

— Leio os relatórios do mercado de ações, na verdade — explicou ele —, e não o noticiário propriamente dito. Mesmo assim vai ficar esquisito.

Jojo se perguntou como poderia escapar dele, mas nem precisava ter se preocupado. Magda Wyatt já estava vários passos à frente dela e reapareceu com um coelho cor-de-rosa.

— Henry, esta é Athena, irmã mais nova de Hermione. Sei que posso confiar em você para tomar conta dela por alguns minutos. Jojo, sinto muito interromper o seu papo com Henry, que parecia tão agradável, mas preciso roubar você um instantinho.

Quando se viu longe de Henry, murmurou:

— O que desanimou você foi o bronzeado artificial?

— Não...

— Deixa pra lá, temos mais um monte de homens maravilhosos em nossas fileiras. Deixe ver... Para quem eu poderia apresentar você agora?...

Havia algo de interessante em Magda: ela parecia estar sempre pronta a ouvir confidências.

— Sabe o que é, Magda? Eu já tenho namorado, só que ele é casado.

— Meu Deus, que emocionante! — Mas, ao dizer isso, percebeu o olhar triste de Jojo. — Não é tão emocionante assim? Venha conversar, sente-se aqui.

Naturalmente, elas estavam ao lado de um peitoril de janela baixo, no tamanho ideal, como se ele tivesse sido feito sob medida para acomodar Jojo e Magda. Uma das sobrinhas se materializou do nada e Magda lhe pediu uma garrafa de champanhe, que foi devidamente consumida enquanto Jojo desabafava tudo sobre Mark.

— Ele é o homem certo para você? — perguntou Magda, quando Jojo acabou de contar tudo.

— Não sei. Acho que sim, mas como posso ter certeza?

— Sabe quando é que eu descubro se um homem serve para mim? Ele sempre tem sapatos medonhos, daqueles que deixam a gente morrendo de vergonha. Mesmo que ele seja perfeito no resto, os seus sapatos serão horrorosos. É assim que eu descubro que ele é o homem certo.

— Quem me dera que para mim fosse assim tão fácil. — O pior é que parecia que toda aquela coisa ia aumentando de intensidade, percebeu Jojo. Era como se ela e Mark já não pudessem evitar o transbordamento. Mark havia contado tudo a Jim Sweetman. E veja só o que acabara de acontecer ali. Embora ela gostasse muito de

Magda, Jojo não a conhecia assim tão bem e elas nem tinham muita intimidade. Mesmo assim, abrira o seu coração para ela.

No dia seguinte, na casa de Becky e Andy
Andy abriu a porta de casa e olhou para Jojo por um longo tempo.

— Jojo, você já levantou? Deve ter a constituição de um elefante. Nós estamos *caindo pelas tabelas.*

— Eu saí da festa enquanto ainda conseguia andar. — Ela entrou, acompanhando-o. — Onde está Becky?

— Vomitando, eu acho.

— Nossa, não quero saber dos detalhes! Muito bem, você! — apontou para Andy. — Você é homem.

— Hoje não. Um dia talvez tenha sido, mas hoje estou arruinado. Aquelas irmãs Wyatt, hein...?

— O aniversário de Mark é na semana que vem. O que eu deveria comprar para ele? Do que os homens gostam?

— Posições sexuais diferentes com uma mulher perigosa?

— Isso ele sempre tem. Outra coisa, por favor.

— Abotoaduras?

— *Nyet.*

— Algemas?

— *Nyet.*

— Uma carteira?

— *Nyet.*

— Roupas.

— *Nyet.* Cassie vai notar qualquer uma das coisas que você sugeriu e não pode ser tão burra.

— Sei não... — refletiu Andy. — Ela não come sanduíches de queijo mesmo sabendo que eles lhe provocam enxaquecas? Que tal um tabuleiro de gamão?

— *Nyet.*

— Um livro?

Andy estava tentando fazer graça, mas Jojo pulou de alegria.

— Agora você me deu uma boa ideia! A primeira edição de um livro famoso. Ele adora Steinbeck. Que tal uma primeira edição de *As Vinhas da Ira?*

Becky chegara na sala, quase rastejando, com o rosto cinza e muito abatida. Com todo o cuidado, foi se arrastando até o sofá e se deitou nele, de barriga para cima.

— Acabei de vomitar.

— E o que quer agora? — perguntou Jojo. — Uma medalha?

— Estou só comentando! Quanto ao livro, se você der a ele uma primeira edição, não vai poder escrever uma dedicatória bonita, porque a mulher dele vai acabar lendo.

— Você estava ouvindo tudo! — Andy ficou surpreso.

— Consigo vomitar e ouvir ao mesmo tempo.

— Jojo quer a *minha* opinião. Na condição de homem. E ela pode fazer uma dedicatória, sim, se ele mantiver o livro em seu escritório na agência.

— Crianças, parem de brigar. Eu nunca escreveria nada em uma primeira edição. *Ponto final.*

Becky cutucou Andy com o pé.

— Vá lá dentro pegar alguma coisa para dor.

— Peça por favor.

— Por favor. Olhe o meu estado, Jojo. Coloquei meu pijama para dormir às três da manhã, com a cabeça latejando e o estômago ardendo, sem falar no mal-estar. Aquelas garotas Wyatt sabem mesmo dar uma festa!

— Foi simplesmente o máximo. Marina não estava uma gracinha com aquele terninho Chanel?

— E Mazie, com o vestido branco?

— E Magnolia, com a sua roupa de *Pussy Galore*?

— Mas, Magda... — as duas arrulharam de admiração por Magda, e então, lá da cozinha, Andy soltou gemidos lascivos. Jojo exclamou, em sua defesa: — Não sexualmente falando.

Andy voltou com um punhado de analgésicos.

— Pelo que eu me lembro, havia cinco Gandalfs.

— Acho que pelo menos um deles era Dumbledore — afirmou Becky. — Mas havia homens aos *montes*. Foi uma ótima festa para arrumar companhia, especialmente para quem é solteiro. — Ela olhou para Jojo. — E então? Sei que você não está solteira, mas os homens da festa não sabiam. Como foi? Teve sorte com algum?

— Não posso reclamar. Dancei coladinha a um Gandalf, fiz a minha exibição de *Os Embalos de Sábado à Noite* acompanhada de uma Madre Superiora e um aromatizador de ambientes me convidou para sair.

— Aromatizador de ambientes? De que tipo?

— Daqueles em forma de pinheiro, para pendurar no espelho retrovisor.

— Ué!... Pensei que aquilo fosse uma árvore de Natal. Ele era bonito?

— Não deu para ver sua cara. Tinha um nariz gigantesco na frente.

— E eu vi você dançando com um Rei Canuto — disse Andy. Jojo balançou a cabeça para os lados.

— Dançou sim. Eu vi! Mesmo bêbado, eu me lembro de achar que vocês dois estavam se agarrando no meio do salão.

— Não, eu fiquei presa na malha metálica da roupa dele. Não estávamos dançando, eu queria era me soltar dos fios de arame.

18

Segunda-feira de manhã, abrindo a correspondência
Uma das cartas estava marcada como pessoal e Jojo achava que
conhecia a caligrafia. Rasgou o envelope e puxou a carta.

— Ah, não!

Querida Jojo,

Não existe uma forma fácil de lhe contar isso, mas eu resolvi não
voltar a trabalhar. Sei que prometi a você que voltaria. Pretendia
voltar mesmo, na época, mas não estava preparada para o que eu
sinto por Stella, e não aguento pensar em deixá-la todos os dias
com uma babá. Quando acontecer com você, sei que vai entender
o que estou sentindo.

Sei que você estará em boas mãos com Manoj e espero que
continuemos amigas.

Montes de beijos,

Louisa e Stella

Jojo adorava Louisa. Ela era seu braço direito, uma garota esperta que sempre chegava junto. Pelo menos era, até que perdeu os neu-
rônios durante o trabalho de parto. Aquilo não era nada bom. Na
mesma hora, ela foi falar com Mark:

— Louisa resolveu parar de trabalhar.

— Aaaahhhhh.

— Você já sabia?

— Imaginei que ela fosse parar. Isso acontece.

— Mas ela jurou de pés juntos que voltaria.

— Certamente ela pensava em voltar, na época.

— Pensava mesmo — confirmou Jojo.

— Quer que coloquemos um anúncio para contratar alguém ou você vai ficar com Manoj?

— Manoj está indo bem. Tudo bem, devo reconhecer que ele é ótimo — admitiu Jojo, com relutância. — É que Louisa era minha amiga. Ela sabia a seu respeito. Agora não tenho com quem conversar. Pelo menos posso desabafar com Jim Sweetman, quando precisar.

Mark não disse nada. Permaneceu calado por mais algum tempo, até que Jojo teve de quebrar o gelo:

— Ei, seu aniversário é na sexta-feira. — Ela se sentiu mais leve. — Vamos nos encontrar às oito da noite, na minha cama, para um presente muito especial.

Um longo silêncio se seguiu e ele disse, por fim:

— Não posso. — Pareceu agoniado. — Cassie marcou uma comemoração especial.

— Oh. Qual?

— Uma noite em um hotel em estilo rústico. Weymouth Manor ou algo assim. Sinto muito.

Jojo tentou se recompor.

— Tudo bem, Mark. Afinal, ela *é* a sua mulher.

— Pode ser no domingo?

— Claro.

Em seguida, ela voltou à sua sala e avisou a Manoj que a sua função ali passaria a ser permanente. Ele ficou tão feliz que quase chorou.

— Você não vai se arrepender disso — assegurou ele, trêmulo de emoção.

— Já estou me arrependendo. Controle-se! Algum recado?

— Gemma Hogan ligou. Perguntou se você já conseguiu vender o livro dela.

Jojo girou os olhos para cima. Gemma Hogan era uma irlandesa que enviara um monte de e-mails para uma amiga contando em detalhes a história do seu pai idoso que abandonara a mãe. Quando aquelas páginas amontoadas despencaram sobre a mesa de Jojo, elas nem mesmo estavam em forma de livro, mas o material foi interessante e divertido o bastante para atrair sua atenção.

Então elas se conheceram — e aquele foi um dos encontros mais estranhos que Jojo tivera em sua vida: todo escritor que aparecia chegava absolutamente *louco* para ver seu livro publicado. Mas aquela tal de Gemma era diferente e, quando Jojo percebeu que estava se oferecendo para representar uma mulher que nem mesmo havia escrito um livro e nem queria ser publicada, acabou com o papo na mesma hora. Achou que nunca mais ouviria falar dela, mas algumas semanas depois Gemma ligou dizendo que estava em pleno processo de criação do livro — e menos de um mês depois o produto final chegou.

Ele pertencia à categoria de livros que Jojo batizara de "... E daí?" — nada tão especial a ponto de ser vendido através de um leilão badalado; em vez disso, Jojo teria de bater de porta em porta e passá-lo adiante à editora seguinte, após cada recusa.

Izzy, a protagonista do romance, vivia uma história de amor certinha demais com uma fraca reviravolta no final. Desde a página 1, dava a entender que ela acabaria com o sisudo Emmet e seu queixo quadrado, um herói muito convencional; em vez disso, porém, ela se apaixonou pelo farmacêutico sossegado e sexy que vendia os tranquilizantes que sua mãe tomava. A história da mãe era a mais difícil de digerir. Sessenta e dois anos, tola e dependente a ponto de nunca ter aprendido a dirigir. Mesmo assim, ela já gerenciava o próprio negócio, com sucesso, na página 79 (importação de cosméticos da Suíça para a Irlanda, em sociedade com o namorado garotão também suíço).

Nonsense total. Na vida real, para cada esposa abandonada que virara Empresária do Ano, havia milhares de outras que nunca recobravam o equilíbrio, o que era compreensível. *Qual delas Cassie iria ser?*, perguntou-se Jojo. *Se* Mark e ela um dia se separassem, ela torcia sinceramente para Cassie ser a versão Empresária do Ano.

Apesar das falhas, porém, o livro era divertido e provavelmente venderia bem. É claro que os críticos nem iriam reconhecer que ele existia; livros daquele tipo — "bobagens de mulher" — voavam pelo mercado abaixo do radar. De vez em quando, para servir de exemplo aos outros, eles tiravam um desses da gaveta e faziam sua "resenha" (embora, na verdade, o texto tivesse sido escrito antes de o crítico ler o livro), e destilavam deboche com a terrível superioridade de membros da Ku Klux Klan que gargalham diante de rapazes negros amarrados a um tronco.

Seria muito diferente, claro, se o mesmo livro fosse escrito por um homem... Nesse caso, haveria elogios à sua "corajosa ternura" e à "destemida exploração e exposição de emoções". E as mulheres que normalmente riem de "ficção feminina" o leriam com orgulho em lugares públicos.

Aliás, aquela era uma boa ideia... Será que ela conseguiria convencer Gemma a fingir que era homem? Não *se vestir* como um, mas apenas lançar o livro sob o pseudônimo de Gerry Hogan, por exemplo. Mas não havia jeito. Como acontecia com muitos autores, Gemma provavelmente estava a fim de agito, de ver sua foto na *Hello!* e seu nome nos jornais.

Quando Jojo ligou para Gemma comunicando que iria representá-la, Gemma riu baixinho.

— Estou dando cambalhotas de alegria, mas bem quietinha, porque estou no trabalho — disse ela, como se pedisse desculpas. — Quer dizer que você gostou do livro?

— ADOREI! — Bem, na verdade, ela tinha apenas gostado. — Ah, mais um detalhe... Você já tem título para ele?

— Claro. Eu não coloquei no original? O nome vai ser *Os Pecados do Pai*.

— Ah, não, nada disso.

— Desculpe, eu não entendi...

— Desculpas peço eu! Mude o nome depressa, de preferência para ontem.

— Mas tem a ver com a história.

— O livro é ficção romântica leve! Precisa de um título leve e romântico. *Pecados do Pai* é nome de dramalhão barato: a história terrível de uma menina que acaba de entrar na adolescência e é espancada e chicoteada por um meio-irmão que vive querendo estuprá-la. E manca de uma perna.

— Quem manca? A menina ou o irmão?

— O irmão. Mas também poderia ser a menina. Na verdade, provavelmente os dois. Que tal *Zoação e Reação*?

— Mas isso não significa nada.

— Gemma, preste atenção ao que eu vou lhe dizer. Eu-não-con-sigo-vender-um-livro-com-esse-título. Arrume-um-nome-novo.

Depois de uma longa pausa, Gemma perguntou, meio contrariada:

— *Papai Fujão*?

— Nada disso.

— Não consigo pensar em outro título.

— Tudo bem. Vamos usar esse, então. Temporariamente. Precisamos de um título, mas vou começar a oferecer o livro agora mesmo.

— Não precisa mandá-lo para um monte de editoras. Gostaria de lançá-lo pela editora de Lily Wright, a Dalkin Emery. Pode ser?

Ora... Para uma novata, Gemma sabia muito a respeito de editoras. Mas Jojo refletiu sobre a ideia... Até que não era má. A Dalkin Emery era boa para ficção feminina: além de Lily Wright, eles haviam transformado Miranda England em um grande sucesso.

— Tudo bem, Gemma. Podemos tentar a Dalkin Emery, mas antes vou mandá-lo para um editor diferente. Não é uma boa ideia duas amigas trabalharem para a mesma editora. Talvez lhe pareça difícil de acreditar, mas isso pode dar início a uma tremenda rivalidade. — Se é que isso já não acontecia, como Jojo começava a suspeitar. — A amizade de vocês duas vai acabar sendo prejudicada.

— Nós não somos amigas, na verdade. Apenas... nos conhecemos.

Mesmo assim, Jojo não aceitou (o cliente *nem sempre* tem razão) e mandou o livro para Aoife Byrne.

Mas Aoife Byrne ligou de volta explicando:

— Jojo, esse tal de *Papai Fujão* tem mais a ver com Tania Teal. Eu já o enviei para ela.

O mais estranho é que, assim que Jojo desligou, Gemma ligou novamente para saber como iam as coisas, e, quando ouviu que a editora de Lily estava avaliando o seu livro, exclamou:

— Eu sabia! Era meu destino cair nessa editora.

Embora Jojo não acreditasse naquela história de "destino", ficou muito impressionada.

Mas só por cinco minutos. Tania dispensou o livro. Disse que era uma história leve, que a fez lembrar os primeiros trabalhos de Miranda England, mas não achou nada de especial.

Droga, pensou Jojo. A grana que ela ganhava com esses livros "... E daí?" só servia para comprar esmalte de unhas, eles davam mais trabalho do que lucro.

Quem agora? Patricia Evans, da Pelham. Só que Patricia nunca a perdoara por não aceitar a oferta pré-leilão para *O Amor e o Véu*. Para confirmar essa impressão, dois dias depois de mandar *Papai Fujão* para Patricia pelo motoboy, uma carta-padrão de rejeição pousou na mesa de Jojo. Ela era capaz de apostar que Patricia nem sequer lera o livro. Ele agora estava com Claire Colton, da Southern Cross.

Mesmo sem ter novidades, Jojo ligou para Gemma. Ela seguia a política de sempre retornar as ligações de seus autores, não importa o quão pouco lucrativos eles fossem, e era sempre direta com eles.

— Nada de venda até agora, Gemma. Recebemos mais duas recusas. Mesmo assim, não se preocupe, pois há um monte de editoras por aí.

— Será que não poderíamos tentar novamente a editora de Lily?

— Não, isso é totalmente impossível.

— Tudo bem. Já pensei em um novo título.

— Diga.

— *Traição*.

— Não, é "Danielle Steel" demais. Para ser franca... Bem, talvez não caiba a mim lhe dizer isso, mas eu acho que você precisa *levar a vida em frente*. Todos os títulos que você escolheu são meio... Como direi... Amargos.

— É porque eu *sou* amarga. — Ela parecia orgulhosa disso.

— Ah. Tudo bem, então. Por favor, me avise quando escolher um novo título.

19

Quinta-feira de manhã
Brent e Tyler, os dois agentes de direitos cinematográficos da CAA, chegaram e iluminaram a recepção com o brilho de dez sóis. Brent era louro e Tyler exibia uma cabeleira escura; ambos tinham a pele clara, mas estavam bronzeados e transbordavam charme por todos os poros, em estilo Costa Oeste americana. Ambos usavam calças de algodão saídas da loja, camisas polo e, embora estivessem com *jet lag*, seus olhos cintilavam. Além disso, ambos tinham a pele perfeita demais.

Jim Sweetman apresentou Jojo como a mulher que "descobrira" *O Amor e o Véu*.

— Temos muito a lhe agradecer — arrulhou Brent, com ar empolgado.

— Sim, não estaríamos aqui se não fosse você.

— Mal posso esperar para ler seus outros autores. Já ouvimos coisas surpreende*eeentchisss* a respeito dele*ishh*.

— Sim, supreende*eeentchisss*.

— Surpreende*eeentchiss meishmo!*

Jojo teve de rir do sotaque deles.

— Volto já, rapazes.

A caminho de volta para sua sala, esbarrou em Mark. Dê só uma olhada nos bonecos Ken da CAA — ela cochichou, com o canto da boca. — Fazem o resto de nós parecer o elenco do filme *A Noite dos Mortos Vivos*.

Mark pôs os olhos em cima deles.

— Caramba! Eles são a única coisa colorida em um mundo preto e branco.

— Como a estrada de tijolos amarelos em *O Mágico de Oz*.

— Ou a menina de roupa vermelha em *A Lista de Schindler*. Vou lá trocar uma palavrinha com eles.

— Cuidado. Eles são tão envolventes quanto um cobertor barato.

— Parecem mais com brotoeja — comentou Mark com ela, baixinho, quando os dois tornaram a se encontrar dez minutos depois em uma grande sala de reuniões.

Jojo observou todos os agentes que entravam. Primeiro veio Dan Swann, que, pelo visto, já nem tirava mais o seu chapéu de feltro verde da cabeça. Está doido para ser promovido a excêntrico emplumado de plantão, decidiu ela. Dan se sentou ao seu lado e olhou, hipnotizado, para a dupla de super-heróis bronzeados.

— Eles parecem seres humanos — disse, em voz baixa —, só que são mais cintilantes.

Em seguida, entrou Jocelyn Forsyth, em um terno risca de giz e se mostrando muito British ao chamar Brent de "caríssimo" e Tyler de "prezado".

Logo depois entraram Lobelia French e Aurora Hall, e as duas, como sempre, olharam diretamente para Jojo, sendo seguidas pela honorável Tarquin Wentworth, que também lhe lançou um olhar de ódio declarado. Nem um pouco agradável, mas, por outro lado, qual a sua culpa se Jojo trabalhava com mais vontade e gerava mais dinheiro para a empresa do que aquelas três juntas?

Mas havia alguém que todas desprezavam ainda mais do que ela e ele acabara de chegar: Richie Gant, que conseguia ficar mais repulsivo a cada dia. Por um segundo, todas as quatro mulheres se uniram em seu desdém por ele.

Olga Fisher se sentou do outro lado de Jojo e olhou para Brent e Tyler, comentando:

— Que pele maravilhosa a deles, não acha?

— O que será que eles usam? — especulou Jojo.

— La Mer. Eu perguntei. Ah, tenho um DVD sobre javalis para lhe emprestar. Não são as criaturas mais bonitas do planeta, mas o documentário é interessante. Vou deixar com aquele rapaz, o seu auxiliar.

— Manoj. Está com um contrato permanente agora. Louisa não vai voltar a trabalhar.

— Se eu fosse mãe de um anjinho como aquele, acho que eu também não gostaria de voltar.

— É mesmo? — Mas todos na empresa chamavam Olga de "osso duro de roer", pensou Jojo consigo mesma.

— Não, acho que não voltaria. Escritores são tão exigentes quanto filhos, mas muito menos gratificantes. E quanto a você, Jojo? Voltaria a trabalhar depois de ter um filho?

— É claro!

— Sei! Você diz isso agora...

— Mas é claro que eu...

Mark estava dando início aos trabalhos e Jojo teve de calar a boca.

A reunião acabou mais ou menos ao meio-dia e chegou o momento da verdade: Jojo ia almoçar no Caprice com Jim e os rapazes da CAA, mas temia que Jim convidasse Richie Gant no último minuto. Mas ele não fez isso e ela estava sendo sincera ao comentar com Jim, no táxi de volta para a agência:

— *Adorei* conversar com eles.

Brent e Tyler eram tão entusiasmados que faziam parecer que todos os direitos para o cinema dos autores que Jojo representava já estavam vendidos para Hollywood e em pré-produção. Eles até mesmo a encorajaram a deixar a imaginação correr solta e lhes dizer que atores achava que deviam representar cada um dos personagens de seus autores, e de quais os diretores ela gostaria mais.

— Sei que estavam exagerando um pouco — suspirou ela para Jim, com ar alegre —, mas eu realmente cheguei a ver meus livros subindo no pódio. — Jojo tomara três taças de champanhe e um verso lhe veio à cabeça: "Topo do TOPO!", da canção *New York, New York*.

— Então...? — perguntou Manoj. — Voltando às dez para as quatro? Espero que tenha sido bom.

— Todos se enturmaram. Foi muito, muito bom. Eles encheram tanto a minha bola que foi tão bom quanto sexo. Puxa, acho que foi melhor!

— Você vai sair para gastar dinheiro?

— Pode apostar. Compras tarde da noite e tudo o mais. Que tal isso?

Sexta-feira, logo cedo
Havia um e-mail de Claire Colton, da Southern Cross, agradecendo e recusando o livro de Gemma Hogan. Ela disse exatamente o que Tania Teal já dissera e o que Jojo também pensava — era uma leitura divertida, mas nada de especial.

Tudo bem, pensou Jojo, absorvendo o golpe. Quem vem agora? B&B Calder. O problema é que a sua lista de opções já estava acabando; as editoras pequenas haviam sido compradas pelas maiores e agora só havia seis grandes editoras em Londres. Vários selos existiam sob o guarda-chuva de cada uma delas, mas, se um editor rejeitasse o original, não dava para ficar reencaminhando a obra para outro editor do mesmo grupo. Com cada um deles, só dava para ter uma chance, então era preciso escolher o editor com muito cuidado. Quem, na B&B Calder, ela poderia abordar? Não Franz "Editor do Ano" Wilder, certamente! Ela já conseguia ouvir sua risada de malévolo deboche ao ler as primeiras páginas de *Papai Fujão*.

Alguma agente iniciante na profissão e cheia de gás serviria para esse livro. Então ela lembrou: Harriet J. Evans; jovem e entusiasmada, ela começava a marcar sua carreira graças a alguns lançamentos com personalidade. Por que ela não havia pensado em Harriet antes? Jojo pegou o telefone.

— Mande um e-mail para mim — pediu Harriet.

Em seguida, Jojo mostrou a Manoj uma fabulosa agenda que ela comprara na véspera. Estava demonstrando o funcionamento de uma seção secreta onde alguns cigarros podiam ser escondidos quando Richie Gant veio chegando na direção da mesa de Manoj. Jojo o sentiu antes mesmo de vê-lo — uma vaga sensação de repulsa veio lhe subindo pela espinha. E lá estava ele, com os cabelos empastados com gel em demasia, o terno barato e o pescoço sardento.

Ele fez uma pausa, lançou um olhar de escárnio por cima dela e então, para sua surpresa, riu na sua cara.

— Rindo de piadas que só você consegue ouvir? — Então acrescentou, com ar gentil: — Pobrezinho... Pirou!

Mas ele tornou a rir alto e o sopro de sua expiração atingiu-a em cheio. Ela o viu seguindo bem devagar pelo corredor, continuando a rir sozinho.

— Algo está rolando — disse ela para Manoj, que assumiu um ar assustado. — Vá descobrir!

Depois de fazer hora durante quinze minutos ao lado da copiadora, Manoj voltou com o relato:

— Ontem à noite eles todos saíram.

— Quem?

— Brent, Tyler, Jim e Richie.

— E por que não me convidaram?

— Porque foram a uma boate de striptease.

— Mesmo assim, por que não me chamaram?

— Para não deixar ninguém sem graça.

— Mas eu não ficaria sem graça!

— Mas *eles* talvez ficassem. Dããã...!

Uma boate de striptease! Richie Gant, o pequeno *sacana*. Ele fizera aquilo novamente: almoço no Caprice não era nada comparado a uma noite bebendo e se enturmando em companhia de mulheres nuas. Ela se sentiu ferver por dentro por ter sido tratada de forma condescendente. Brent e Tyler a levaram para almoçar e já tinham um momento de diversão — diversão *de verdade* — agendado para mais tarde. O tempo todo eles estavam apenas tentando deixá-la alegrinha.

Jojo não era ingênua, sabia muito bem que essas coisas aconteciam, mas pensou que no ramo editorial houvesse um pouco mais de classe. Lembrou-se de como se sentira feliz no táxi, ao voltar para a agência, e se encolheu toda. Jim Sweetman devia ter lhe contado que eles iam sair com Richie Gant mais tarde, mas Jim era o tipo de cara covarde que acredita que o mensageiro sempre leva o primeiro tiro. Ele só dava boas notícias.

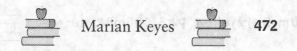

Homens, pensou, contrariada. Babacas inúteis com um cérebro e um pênis, mas sem sangue suficiente para irrigar os dois ao mesmo tempo.

Então o seu ódio se transferiu para as mulheres que tiravam as roupas e davam chance aos homens de confraternizar com clientes e roubar o trabalho de outras mulheres. Como os homens poderiam respeitar o sexo oposto, profissionalmente, quando podiam pagar a vagabundas para tirarem a roupa diante deles? Como evitar aquela imagem de que todas as mulheres eram brinquedos?

Ela nunca sentira, em termos profissionais, que não teria acesso irrestrito a algum lugar. Pois se enganara. Ela era uma grande agente literária, mas jamais estreitaria laços com ninguém daquele jeito, pagando strippers para clientes idiotas. Homens, no entanto, podiam fazer isso, o que lhes dava uma vantagem. A injustiça daquilo foi como uma bofetada em seu rosto. Os homens e seus bilaus governavam o mundo. Por um momento, ela sentiu todo o peso daquele desequilíbrio. Estava furiosa e também deprimida, o que era incomum.

De qualquer forma, ela se sentiria melancólica: era aniversário de Mark e queria estar em sua companhia. Em vez disso, a qualquer hora da tarde, Cassie iria aparecer na firma e arrastá-lo para passar uma noite em um hotel com paredes em tons pastel, camas com quatro colunas, jantares de sete pratos e uma piscina romanesca (ela pesquisara na internet).

20

Sexta-feira à tarde
O dia só foi piorando. Logo depois do almoço, Harriet J. Evans
ligou.
— E então...?
— Não quero. Desculpe, Jojo.
— Mas você nem teve tempo de ler o livro!
— Li o bastante. Na verdade, eu gostei do texto, ele me fez rir,
mas tem muitos outros como ele por aí. Desculpe, Jojo — repetiu ela.
Próximo!
Paul Whitington, da Thor. Apesar de ser homem, ele era bom
para ficção comercial. Ao contrário de um monte de homens edito-
res, ele não achava que bom senso de humor fosse motivo para ver-
gonha.
Jojo ligou para ele, levantou a bola de *Papai Fujão* como se ele
fosse o livro do ano, e Paul prometeu lê-lo no fim de semana.
— Manoj! Mande pelo motoboy!

Eamonn Farrell, autor famoso e bêbado profissional, estava agendado para vê-la às três e meia. Apareceu às cinco para as quatro, fedendo a cigarro, hambúrguer, Paco Rabanne e um toque de urina. Isso
tudo é porque ele era um gênio. Como era um dos autores cinco
estrelas de Jojo, perdendo só para Nathan Frey, ela foi obrigada a
beijá-lo. *Não é frequente, mas tem horas que eu odeio o meu trabalho,* pensou ela, com tristeza.

Ele se sentou diante da mesa usando roupas que pareciam ter sido amarradas ao para-choque de um carro e arrastadas por toda a cidade durante duas horas (outro sinal do gênio que ele era) e reclamou por exatos quarenta e cinco minutos de todos os outros escritores do sexo masculino no planeta. Então, de repente, levantou-se e anunciou:

— Tudo bem. Vou sair e tomar um porre.

— Eu o acompanho até o elevador.

No corredor, eles passaram pela porta de Jim, que gritou:

— Jojo, você vai demorar muito?

Curtiu a noite passada, Jim, pagando àquelas mulheres para tirarem a roupa? Ela se obrigou a engolir a raiva.

— Não. Volto já, já.

— Passe aqui.

— Quem é esse cara? — perguntou Eamonn. — É o tal de Jim Sweetman, o sujeito dos direitos para o cinema? O agente que vendeu aquele monte de merda do Nathan Frey para Hollywood? O que ele vai fazer comigo?

— Com relação ao seu monte de merda? Estamos batalhando.

— O quê...

— Pronto, chegou o elevador! — Ela empurrou Eamonn e o seu fedor junto. — Cuide-se, querido. Já estou com saudades!

As portas se fecharam, levando Eamonn Farrell, atônito. Ai, que alívio! A educação esmerada de Jojo para lidar com autores ficara em casa naquele dia. Com o coração mais leve, ela se virou para voltar, e então, na outra ponta do corredor, viu Mark acompanhado de uma loura. Uma escritora? Uma editora? Todos os seus nervos entraram em posição de alerta quando Jojo percebeu que era Cassie.

A qual, por sinal, não era nem um pouco do jeito que ela lembrava. Estava mais alta e mais magra, usava jeans, uma blusa branca e... O QUÊ? MEU BOM DEUS! Não podia ser. Mas ela olhou de novo. E era! O seu cérebro pareceu se encolher diante da impossibilidade daquilo. *Cassie está usando a minha jaqueta.* Ela tem mais de quarenta anos, que diabos está fazendo com uma jaqueta de couro da Whistle? Um produto estiloso que ia cair de moda dali a três meses? Algo que *até eu* hesitei em comprar, e tenho apenas trinta e três anos.

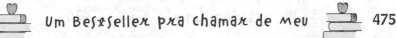

Mark a viu, seu rosto se acendeu com o susto e eles trocaram um olhar que atravessou como um relâmpago toda a extensão do corredor. Jojo poderia dar meia-volta e chamar o elevador, mas ia parecer estranho; ela se viu *obrigada* a caminhar na direção deles. O corredor era como uma passarela e não havia escapatória, nenhuma porta lateral por onde escapar e os seis ou sete metros levariam uma eternidade para ser atravessados. Cassie vinha andando mais depressa que Mark, sua voz era mais alta e ela parecia estar reclamando de alguma coisa com ele.

— Deixe de ser bobo! — ela dizia, e então sorriu.

Quando os alcançou, Jojo abaixou a cabeça, murmurou um "Olá", e passou batida, mas então ouviu Cassie dizer:

— Ooooi!

Merrrda.

— Oi.

Tanto Mark quanto Jojo tentaram seguir em frente, cada um para um lado, mas Cassie parou e Mark teve de apresentá-las, o que ele fez com o entusiasmo que um homem demonstraria ao se encaminhar para a cadeira elétrica.

— Esta é Jojo Harvey, uma das nossas agentes.

— Jojo Harvey? — Cassie cumprimentou Jojo colocando a mão dela entre as suas. Olhou-a fixamente e disse: — Minha nossa, você é linda! — Os olhos de Cassie eram azuis muito claros, do tipo escandinavo, e apesar da pintura, ela era muito atraente. — Sou Cassie, a esposa sofrida de Mark.

Merrrda.

Mas Cassie piscou e Jojo percebeu que ela estava brincando.

— Andei pensando em lhe mandar um e-mail, Jojo.

Merrrda.

— Andou?...

— Você representa tantos escritores bons. Deve ser muito inteligente.

Como é que ela sabe quais autores eu represento?

— Adorei *As Poções de Mimi* — exclamou ela. — História brilhante, uma pequena joia. — Era exatamente o que Jojo achava.

Merrrda.

— Espero que você não se incomode, mas eu pedi a Mark para roubar um exemplar do mais novo livro de Miranda England da sua sala. Ela é ótima, não? Escapismo puro. — Exatamente o que Jojo achava. *Merrrda.*

— Você lê muito? — Jojo se sentia um robô falando, mas, puxa vida, estava em estado de choque. Esperava saias de cambraia folgadas no traseiro e com elástico na cintura, pés chatos em sapatos baixos largos em uma mulher mortalmente entediante que curtia chá e jardinagem.

— Eu adoro livros — Cassie mostrou-se esplendorosa em sua alegria — e acho que a única coisa melhor que um livro é um livro *grátis.* — Era exatamente o que Jojo achava. *Merrrda.*

— Que... Bom... Para... Você — comentou Jojo, em seu tom monótono de robô mutante — ... Conhecer... Alguém... No ramo... Editorial.

Cassie sorriu afetuosamente para Mark.

— Sim, ele serve para algumas coisas. — Deu uma risadinha. Uma risadinha! Como se estivesse lembrando os outros usos de Mark. Em seguida, puxou-o pela gravata. — Venha comigo, aniversariante.

Enquanto era levado pelo corredor, Mark lançou um olhar de súplica para Jojo; seu rosto tinha a cor de cimento recém-preparado.

— Prazer em conhecê-la, Jojo — despediu-se Cassie, acenando com o exemplar de Miranda England. — E obrigada pelo livro.

Jojo os viu entrar no elevador e sentiu uma vontade desesperada de gritar: "Mark, por favor, não durma com ela!"

Por falar nisso, quando teria sido a última vez que Mark dormira com Cassie? Aquilo era uma coisa com a qual Jojo nunca se importara. O ciúme da esposa de Mark nunca aparecera em cena. Jojo se ressentia pelo tempo que a família de Mark roubava dele, mas aquela era a primeira vez em que ela pensara em Cassie como uma rival. Até então, ela sentia unicamente pena. Pena e culpa.

Ele conversa com ela. Ele conta a ela sobre o seu trabalho. Ela gosta de ler, é inteligente. Tem muito bom gosto para escolher jaquetas. E homens. Merrda. Vou lá fora, preciso de um cigarro.

Ela pegou o maço de cigarros, o isqueiro e já estava a caminho do elevador quando, ao passar pela porta entreaberta de Jim Sweetman, ele a chamou:

— Jojo, venha aqui um instantinho!

Ela abriu a porta com o pé, fazendo-a bater em um armário, e se encostou no portal.

— Aquele Eamonn Farrell fede a caminhão de lixo! — Então, Jim notou seu jeito estranho.

— Ô-ô... Você conheceu Cassie?

— Ela estava usando a minha jaqueta. Vou à rua fumar um pouco. Volto para conversar depois.

O elevador fedia a Eamonn. Na calçada, ela deu a primeira tragada no cigarro, muito bem-vinda por sinal, e se encostou à parede externa do prédio quando, com um susto, viu Mark e Cassie dentro de um carro junto à calçada do outro lado da rua. Eles ainda não tinham ido embora. Instintivamente, ela deu um passo atrás, escondendo-se no recesso da entrada do edifício, para o caso de eles a verem. Mark ia no banco do carona e Cassie estava atrás do volante. Tinha um cigarro apertado entre os lábios e dava ré em uma vaga apertada, com os olhos estreitados pela fumaça. *Ela fuma! O jeito dela tem muito a ver comigo!*

De repente, ela saiu da vaga com determinação, entrou em meio ao fluxo de carros e quase bateu em um veículo que passava. O motorista, um senhor idoso, buzinou com raiva, mas Cassie tirou o cigarro da boca e lançou-lhe um beijo; Jojo viu que ela quase gargalhou e saiu pela rua a toda velocidade.

Puta merda!

Jojo esmagou o cigarro sob o sapato, acendeu outro, depois fumou mais um, e só então subiu para ver Jim.

— Seja lá o que você quer conversar comigo, podemos fazê-lo enquanto tomamos uns drinques, Jim?

— Quando? Agora?!

— Já passa das cinco. Vamos nessa.

— Aonde você quer ir? Que tal The Coach and Horses?

— Tudo bem. Qualquer lugar que venda bebidas fortes.

21

A ideia de Jim não era tão difícil de acompanhar, mas, depois do terceiro vodca-martíni, Jojo sentiu dificuldades para seguir o raciocínio dele.

— ... Estava doido para pegar esse título, mas, em vez de seguir o figurino normal, batendo de porta em porta nos estúdios, Brent acha que um diretor "famoso" ou uma atriz de primeira linha nos deixaria com o contrato praticamente no papo.

— Qual título? *As Poções de Mimi*?

— Não. O primeiro livro de Miranda.

— Ah, sim... Claro. — Ela riu, meio sem graça.

— Jojo, querida, acho que você não está prestando atenção a nada do que estou dizendo.

— Não estou mesmo, desculpe. — Jojo suspirou e entornou em um gole só o seu copo quase vazio. — Hora de pegar mais um.

— Deixe que eu pego.

Quando ele voltou, Jojo comentou, cheia de jovialidade:

— E aí, Jim? *Você* conhece Cassie. Fale-me dela. E NÃO MINTA!

— Acha que eu faria isso?

— Provavelmente. Como deseja que todo mundo o ame, você só fala o que as pessoas querem ouvir.

Na mesma hora, o sorriso abandonou os olhos de Jim e sua boca se tornou uma linha rígida.

— Opa — Jojo riu, fingindo-se de confusa. — Acho que ele não gostou.

Jim nem olhou para ela. Encolheu-se e começou a tamborilar sobre a mesa.

— Você gostaria de não ter parado de fumar, Jim? — Ela vasculhou a bolsa em busca dos cigarros e atirou o maço na direção dele. — Eu consigo tentar você?

Ele se virou rapidamente e a olhou direto no rosto, garantindo:

— Não, Jojo, *a mim* você não consegue tentar.

Ela o fitou com olhar duro. Que merda ele estava insinuando?

— Ei! — Ela se sentiu lançada de volta a um desagradável estado de sobriedade. — Qual é a sua?

Ele não respondeu e baixou os olhos. Jojo esperou se acalmar um pouco antes de falar:

— Jim, eu sinto muito. Estou meio alta e um pouco magoada.

Agora, era a vez de ele pedir desculpas.

— Ei, Jim, eu lhe dei uma oportunidade.

— Para quê?

— Pedir desculpas.

— Pelo quê?

— Que tal você mesmo me dizer? Quem sabe por insinuar que estou tentando chegar a sócia da firma dormindo com o chefe?

— Ora, mas é isso que você anda fazendo? Engraçado, e eu aqui pensando que você era boa o bastante em seu trabalho para não precisar recorrer a truques.

Ótimo! Ela só estava piorando as coisas.

— Então, Jim... Que tal pedir desculpas por me fazer de idiota diante de Brent e Tyler?

— Como assim?

— Uma boate de striptease com Richie Gant, enquanto eu consegui apenas um almoço maçante? Puxa, *obrigada*.

— O almoço não foi maçante, foi fantástico. Eles gostaram muito de você! Adoraram os seus livros.

— E ganharam uma noite em um clube de strippers por causa disso?

— Ofereço a cada um o que ele pede. E faço o melhor para cada agente, individualmente, porque — ele afirmou, com ênfase — *esse é o meu trabalho*.

Jim normalmente não era tão sombrio; ele era o Senhor Brilho do Sol, o Sweetman Sorrisos, tudo para todos. Em silêncio, os dois acabaram seus drinques muito depressa. Jim estava novamente tamborilando na mesa e Jojo engolia golfadas de ar junto com as tragadas de nicotina.

Os minutos se passaram. Muita gente entrou no pub, mais gente saiu, Jojo acendeu outro cigarro, fumou-o inteiro e esmagou a guimba no cinzeiro. Mais alguns minutos se passaram e então ela tocou a manga do paletó dele.

— Escute, Jim, vamos começar tudo de novo.

Ele afastou o braço dela, dizendo:

— Certo, mas antes eu quero deixar algumas coisas bem claras. Não acho que você esteja dormindo com o chefe para conseguir promoção; você é uma agente literária brilhante. É tão importante para Brent e Tyles quanto Richie Gant. Até mais.

Jim sorriu novamente, mas Jojo não parecia convencida. Ele fazia o mesmo que ela: fingia que as coisas eram de uma determinada maneira e a maioria das pessoas era idiota o bastante para acreditar.

— E aí? Você quer saber tudo sobre Cassie? OK, vou ser bem franco. — Outro sorriso. — Ela é uma boneca, uma pessoa muito doce e especial.

— Mas ela me pareceu muito inteligente também, quando eu a encontrei hoje.

— Muito. Mark gosta de mulheres fortes e inteligentes.

Jojo não gostou da forma como ele disse isso, fazendo parecer que Mark tinha um batalhão de namoradas, todas fortes e inteligentes.

— Você disse que ela estava usando a sua jaqueta? Como foi que ela a conseguiu? Você a esqueceu no carro de Mark ou algo idiota desse tipo?

— Não era *a minha* jaqueta. Eu vi uma jaqueta em uma vitrine e gostei muito dela. Cassie a estava usando. Sim, eu sei... Temos muito em comum. — Sem pensar, ela perguntou, de repente: — Cassie sabe sobre mim?

Jim olhou para Jojo com os olhos sem expressão, impossíveis de decifrar.

— Não faço a menor ideia.

Os dois acabaram seus drinques e ambos sabiam que não iam beber mais nada.

— Quer que eu lhe chame um táxi? — perguntou Jim, com um jeito educado demais.

— Deixe-me fazer uma ligação primeiro — Jojo pegou o celular. — Becky, vocês vão ficar em casa? Posso passar aí? — Em seguida, disse a Jim: — Vou pegar um táxi para West Hampstead. Você não mora lá? Posso deixar você em casa.

Mas ele não quis. Estava sorridente, recusou com muita educação, mas não aceitou a carona. Sentindo-se mal como há muito tempo não acontecia, ela chegou à casa de Becky e Andy, onde eles lhe serviram vinho e deixaram que ela se abrisse:

— Tive um dia de merda! Acabei de brigar com Jim Sweetman e acho que estraguei nossa amizade, o que é péssimo, porque talvez eu precise do voto dele, se um dia Jocelyn Forsyth se aposentar e eu quiser virar sócia. Por outro lado, Richie Gant provavelmente o tem no bolso há muito tempo, então seria difícil de qualquer jeito. O pior de tudo, porém, muito pior, foi que eu conheci Cassie Avery e ela é uma tremenda gata.

Becky riu, com cara de deboche.

— É sério! Ela foi calorosa, divertida e seu cabelo estava maravilhoso. Ela me fez sentir do mesmo jeito que Magda Wyatt. Sob diferentes circunstâncias, eu poderia até me interessar por ela. — Virando-se para Andy, gritou: — NÃO SEXUALMENTE FALANDO.

Baixando a voz, continuou a falar, olhando para Becky:

— Ela disse que eu era linda, mais ou menos como Magda faz. E ainda teve uma coisa muito estranha: ela estava usando a jaqueta azul-claro que eu quase comprei.

Becky não conseguiu esconder o espanto ao ouvir isso.

— Acho que ela sabe de tudo a seu respeito — afirmou Andy. — Mandou seguir você e a jaqueta foi uma mensagem em código. Ainda bem que você não tem um coelho.

— Você anda assistindo muitos filmes de suspense antigos — reagiu Becky, olhando para Andy. — Além do mais, você sempre fala a coisa errada. Voltando-se para Jojo, continuou: — Pensando bem, eu acho que ela pode suspeitar de você sim. Parece que ela armou a cena toda. Puxa, fala sério... A *mesma* jaqueta? E você disse que o cabelo dela estava lindo. Como se ela tivesse acabado de sair do salão?

— Isso!

— Viu só?

— Bem, mas não foi exatamente assim. Espero que a jaqueta tenha sido coincidência. Quer dizer... Foi pura coincidência eu tê-la encontrado. Não creio que Cassie saiba de algo a meu respeito.

— E eu achava que ela era apenas uma mulher idiota que comia sanduíche de queijo mesmo sabendo que ele lhe provoca enxaqueca — disse Andy.

— Eu também. Que diferença uma semana faz! Na sexta passada eu me sentia muito culpada, não queria que Mark a deixasse nunca; hoje é o contrário: quero que ele a abandone, mas acho que isso não vai acontecer.

— Vai sim, Jojo. Ele não está brincando — garantiu Andy. — Eu o observei naquele dia, na casa de Shayna. Ele olha como se quisesse devorar você.

— Devorar? A mim? Sei... Vai largar a mulher para ir morar comigo? Acho que não. Vocês sabem que ele dorme lá em casa agora e ela nem questiona isso, não sabem? Pois eu achei que fosse uma decisão dela não querer notar. Depois fiquei achando que talvez ela *tivesse* notado, mas pouco ligava! Achei que eles viviam cada um a sua vida, continuavam casados só por causa das crianças e que talvez ela até tivesse um amante também. Só que hoje eles não me pareceram estar levando vidas separadas. Sabem o que eles pareciam?

— O quê?

— Um casal muito bem-casado e feliz.

— Eca!...

Até aquele instante, Jojo vinha se recusando a tocar as beiradas da sua vida, recusando-se a pensar muito a respeito do assunto. Agora ela se via forçada a fazê-lo. Será que acontecia o mesmo com toda mulher que se envolvia com um homem casado? Será que ela era uma tola? Será que Mark nunca largaria a sua mulher?

— Puxa, eu não me sentia assim tão mal desde Dominique, na época em que ele ficava tentando decidir o nosso futuro e não decidia nunca. Prefiro terminar com Mark a passar por tudo aquilo novamente.

— Mas você o ama! — protestou Becky.

— Pois justamente por amá-lo é que eu não conseguiria aguentar ficar ali esperando que ele decidisse o nosso destino.

— Não, nada disso! — objetou Andy. — Você só deseja puni-lo. Está magoada e quer deixá-lo apavorado por ele ter uma esposa bonita. E quanto ao seu emprego? Se você der um chute na bunda dele, o que isso vai fazer com as suas chances de ser promovida? Você vai acabar tendo que sair da Lipman Haigh para ir trabalhar em outro lugar, começando tudo do zero.

Jojo se sentiu quente e gelada ao mesmo tempo, de medo. Até então, ela achava que tudo estava sob controle, mas o breve encontro com Cassie a tirara do prumo; ela se viu tão impotente quanto uma rolha flutuando no mar.

Muito tempo atrás, Andy a alertara sobre o perigo de ela se envolver com o chefe. Ele tinha razão.

— Estou enjoada. E se ele aceitou ter um caso comigo só por achar que eu jamais lhe pediria para abandonar a esposa? E por que ele me fez achar que ela era uma mulher que não se cuida?

— Mas ele fez isso?

Jojo pensou. Talvez não. Ele até dissera ao jantar, na primeira noite em que eles saíram juntos, que sua esposa o compreendia. Comentou que, de vez em quando, eles ainda dormiam juntos. Ela se sentiu muito abalada e insegura.

Jojo contou a Becky e Andy o resto da história e Becky concluiu:

— Pelo menos ela não colocou o cigarro na boca dele e arrancou com o carro em estilo "amigos para sempre", como Thelma e Louise.

— Além do mais, você está meio alta, Jojo — disse Andy. — As coisas sempre parecem piores do que são quando a pessoa está bêbada.

— Elas sempre parecem *melhores* quando você está bêbada, seu idiota.

— Ah, é!... Desculpem.

22

Sábado de manhã
Chegaram flores. Isso já acontecera tantas vezes que ela odiava o presente.

Logo depois o telefone tocou. Ela olhou o número: era o celular de Mark. Ao atender, Jojo dispensou as amabilidades e perguntou, muito direta:

— Onde está Cassie?

— Hein? No spa.

— E como foi o seu jantar de sete pratos diferentes?

— O quê?...

— E a cama de quatro colunas?

— A...?

— E a piscina romanesca? Escute, pare de me mandar flores!

— Mas isso é para que você saiba que eu a amo mesmo quando não posso estar aí. — Ele pareceu magoado.

— Eu sei. Tá legal, eu sei! Só que colocá-las em um vaso para depois de alguns dias recolher as pétalas murchas do chão e jogar os galhos mortos no saco de lixo sem ficar com gosma nos dedos é horrível. Quer saber de uma coisa? Eu sempre estrago tudo, mas já estou de saco cheio!

— Por causa de Cassie?

— Acho que sim.

Houve um longo silêncio, até que, por fim, ele disse com uma voz pesada e resignada:

— Precisamos conversar.

Ela sentiu o arrepio cruel de algo muito ruim, e então ele disse:

— Isso não poderia mesmo continuar para sempre. — A cabeça de Jojo se ergueu com o choque. Ela não estava pronta para o fim de tudo.

— Converse comigo agora, Mark.

— Não posso. Cassie vai voltar a qualquer momento. Vejo você amanhã.

Ela desligou. Merda! Vinte e quatro horas de tormento.

Na mesma hora, Jojo ligou para a mãe. Não para conversar sobre esse assunto, e sim para se lembrar quem ela era.

— Como vai todo mundo, mamãe?

— Estão ótimos. O pequeno Luka fica mais lindo a cada dia.

Luka já estava começando a andar. Era o filho do irmão de Jojo, Kevin, e de sua mulher, Natalie.

— Recebi as fotos. Ele é uma gracinha.

— Os pais até já o inscreveram em uma agência de modelos.

— Boa ideia.

— Não acho não. Já é horrível para um homem ser bonito, mas *ter consciência* disso desde criança... Oh, céus! Felizmente o seu pai nunca teve esse problema.

— Eu escutei isso! — A voz de Charlie se fez ouvir, ao longe.

— É muito melhor para um homem aprender a desenvolver a personalidade — garantiu a mãe de Jojo. — Se bem que o seu pai também não fez isso.

— Escutei isso também! — Charlie tornou a gritar.

Depois de desligar, Jojo ligou para Becky, que apareceu em sua casa uma hora depois com Andy a tiracolo.

— Você deve estar agoniada — observou Becky.

Jojo encolheu os ombros.

— De qualquer modo, acho que está mostrando coragem!...

— Sou assim mesmo, Becky. Durona. Mais forte que a média das mulheres.

— Isso mesmo. — Becky e Andy trocaram um olhar, reparando na garrafa de vinho tinto quase vazia sobre a mesa, no cigarro queimando abandonado dentro do cinzeiro e no outro preso entre os dedos de Jojo. Na tevê, o vídeo *Fuinhas da África*.

— Pelo menos tem uma coisa boa nessa história — refletiu Jojo.
— Não gastei todo o meu dinheiro em uma primeira edição de *As Vinhas da Ira*. Acabei comprando a primeira edição de *A Pérola*, porque *As Vinhas da Ira* era muito caro.

— Não o dê a ele! Revenda pela internet — aconselhou Becky.

— Dê o livro a ele sim — sugeriu Andy. — Fique do lado dele. Não importa o que aconteça, ele ainda é o seu chefe.

— Certamente a carreira dela, a essa altura, é a menor das preocupações — reclamou Becky.

— Estamos falando de Jojo — reclamou Andy, de volta —, e não de você.

No dia seguinte, Mark chegou ao apartamento de Jojo à uma e quinze. Tentou abraçá-la, mas ela se afastou dele. Ele a seguiu até a sala de estar, onde ambos se sentaram em um silêncio sombrio.

— Eu amo meus filhos — disse ele.

— Eu sei.

— Nunca quis abandoná-los. Disse isso a você desde o início.

— Sempre.

— Andei pensando sobre qual seria o melhor momento de deixá-los. Primeiro, achei que poderia ser no fim do ano letivo, mas não queria lhes arruinar as férias. Depois, resolvi levá-los para curtir suas últimas férias felizes, em família, e resolvi sair de casa depois que voltássemos da Itália, em agosto, mas aí eles estariam prestes a começar o novo ano escolar e seria um momento terrível. — Ele parou e deixou os ombros caírem. — Jojo, eu percebi que não existe momento ideal. Nunca será o momento certo. Nunca.

O coração dela pareceu parar.

— Portanto, vamos fazer isso agora — ele disse. — Hoje!

— Fazer o quê?

— Vou contar tudo a Cassie. Vou deixá-la hoje mesmo!

— *Hoje?* Espere um instante, não estou acompanhando o seu raciocínio. Pensei que você estivesse terminando tudo comigo.

— *Terminando tudo?* — Ele era a própria imagem da confusão. — Por que razão você acharia isso? Eu amo você, Jojo.

— Mas você disse que precisava conversar. E nunca me disse que Cassie era tão atraente.

— Você já a tinha visto antes! Você sabia como ela era.

— Não me lembro de ela ser tão bonita.

— Porque na época não lhe importava a aparência dela.

Jojo reconheceu que poderia ser isso.

— Mark, vocês se dão tão bem!

— Eu também me dou muito bem com Jim Sweetman, mas isso não significa que eu devia me casar com ele.

Jojo acendeu um cigarro. A reviravolta fora rápida demais. Ela achou que fosse perdê-lo, já estava quase aceitando o fato e, em vez disso, as coisas estavam acelerando na direção contrária. Ele estava vindo morar com ela... Naquele mesmo dia!

Depois de achar que ia perdê-lo, Jojo o queria com uma intensidade tamanha que isso a assustou. Só que, antes, havia um pergunta para a qual ela precisava de uma resposta:

— Mark, você dormiu com ela neste fim de semana?

— Não — respondeu ele, rindo.

— Por que não? Vocês tinham a cama de quatro colunas, o jantar de sete pratos diferentes...

— Nada disso importa. Eu não a amo, pelo menos não desse jeito. Eu amo você.

— Qual foi a última vez em que você dormiu com ela?

Ele baixou os olhos, franziu a testa e então tornou a levantar a cabeça.

— Honestamente?... Não faço a mínima ideia.

— Não precisa mentir para mim. No início você me contou que, às vezes, vocês faziam sexo.

— Sim, mas desde que eu me envolvi com você não consegui dormir com mais ninguém.

Ela teve de acreditar nele.

Mark se levantou.

— Vou para casa agora para contar tudo a ela. Não sei quando volto...

— Não, não, espere! Hoje é muito cedo.

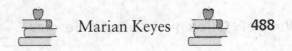

Ele olhou para Jojo com curiosidade.

— Quando, então?

Ela pensou com cuidado. *Quando seria o melhor momento para deixar Sam e Sophie sem o pai? Na semana seguinte? Dali a quatro semanas? Quando? O adiamento não poderia continuar para sempre, eles precisavam de uma data definida.*

— Muito bem! — exclamou ela, por fim. — Vá passar as férias com a sua família, em agosto.

— Tem certeza?

— Tenho.

— OK. Fim de agosto, então. Agora, podemos ir para a cama?

23

Segunda-feira de manhã
— Estou com Jeremy, o marido de Miranda England, na linha. Aceito a ligação ou dispenso?
— Aceite. — Ouviu-se um clique. — Oi, Jeremy! A que devo a honra...
— Miranda está grávida.
— Meus parab...
— Ela sofreu três abortos espontâneos nos últimos oito meses e seu ginecologista a mandou ficar em repouso absoluto. Trabalho, NEM PENSAR! Isso quer dizer que o próximo livro dela não vai ser entregue a tempo. Avise ao pessoal da Dalkin Emery.
— Tudo bem, mas...
— Até logo.
— Espere!
Mas ele desligou. Na mesma hora, ela ligou de volta e a ligação caiu na secretária.
— Jeremy, aqui é a Jojo. Precisamos conversar a respeito disso...
A ligação foi atendida com rispidez:
— Não há mais nada a dizer. Vamos ter um bebê, ela precisa repousar, não vai terminar o livro até estar bem e liberada para isso.
— Jeremy, dá para perceber o quanto você está preocupado...
— Eles a sugam de todo jeito. Um livro por ano e todo aquele circo promocional. Os babacas dos jornalistas perguntam até a cor das calcinhas que ela usa. Não é de espantar que ela perca um bebê atrás do outro.
— Eu entendo, entendo de verdade. Miranda trabalha muito, eu reconheço.

— Sei que ela tem um contrato a cumprir, mas eles podem pegar o dinheiro de volta, se quiserem. Certas coisas são mais importantes.

Jojo fechou os olhos. Ela não ia jogar na cara dele que, dois anos antes, ela conseguira para Miranda um adiantamento de mais de cem mil libras. Aquele era o maior erro que uma agente poderia cometer: conseguir tanto dinheiro para uma escritora que ela não precisava mais trabalhar.

— Para quando é o bebê?

— Janeiro. E nem pense que ela vai voltar a trabalhar assim que ele nascer. Portanto, avise aos caras da Dalkin Emery que eles podem esquecer o livro dela. Nem precisa se dar ao trabalho de telefonar para nos fazer mudar de ideia. Estamos decididos e Miranda não pode se estressar.

Ele tornou a desligar e dessa vez Jojo não ligou de volta. Entendera muito bem a mensagem. E agora...? Era melhor telefonar para Tania Teal e tentar avisar a ela que a autora mais estrelada deles estava em greve. Aquilo não iria pegar nada bem.

Tania ainda não chegara ao trabalho, mas Jojo deixou um recado muito detalhado com a assistente que a atendeu.

Dez minutos depois, Tania ligou.

— Soube da maravilhosa notícia sobre a gravidez de Miranda. Tentei ligar para ela, mas caiu na secretária.

E continuaria a cair, se dependesse de Jeremy.

— Jojo, a gravidez de Miranda é uma ótima notícia, mas estou com o diretor de vendas bufando no meu cangote. Quais são as chances de Miranda entregar esse livro dentro do prazo?

Jojo pesou bem as palavras.

— Sempre existe a chance de Miranda e Jeremy mudarem de ideia, mas... Quer saber honestamente? Acho melhor esquecer. Eles querem esse bebê *de verdade*, e me parece que vão fazer exatamente o que o médico mandou. Para publicação em maio, ela já deveria estar acabando o livro, e ainda está na metade.

— Mas... E se ela recomeçar a escrever assim que tiver o bebê? Se ela nos entregar o livro até março, dá para apressar as coisas. Podemos fazer o copidesque e a primeira prova de qualquer original

em cinco semanas, no máximo. Depois, mais três semanas na gráfica e estamos prontos para lançar.

Jojo ia anotar aquele cronograma para a próxima vez que os editores reclamassem sobre o atraso na entrega de algum original.

— Não existe chance de uma autora escrever com um recém-
nascido em casa — disse Jojo. — Tania, isso não vai acontecer.

Tania ficou calada e então, quase para testar, afirmou:

— Ela *tem* um contrato a cumprir.

— Mas pouco se importa. Jeremy disse que vocês podem receber
o dinheiro do adiantamento de volta, se quiserem.

Tania ficou calada e Jojo sabia exatamente o que ela estava pensando: se Miranda precisasse de dinheiro, escreveria o livro. Talvez
tivesse sido um erro lhe oferecer um adiantamento tão grande. Mas
teve a elegância de não dizer tal coisa. Em vez disso, simplesmente
suspirou e comentou:

— Pobre Miranda, ela não merece esse tipo de pressão. Dê-lhe
lembranças minhas, Jojo. Algumas flores já estão a caminho, é claro.

PARA: Jojo.harvey@lipman_haigh.co
DE: Mark.avery@lipman_haigh.co
ASSUNTO: Encontre-me para almoçar

Tenho uma coisa para lhe contar.

PARA: Mark.avery@lipman_haigh.co
DE: Jojo.harvey@lipman_haigh.co
ASSUNTO: Re: Encontre-me para almoçar

Conte logo agora, especialmente se a notícia for ruim.

PARA: Jojo.harvey@lipman_haigh.co
DE: mark.avery@lipman_haigh.co
ASSUNTO: Re: Encontre-me para almoçar

Não é ruim, mas é confidencial. Nos vemos no Antonio's, da Old Compton
Street, ao meio-dia e meia.

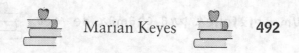

PARA: Mark.avery@lipman_haigh.co
DE: Jojo.harvey@lipman_haigh.co
ASSUNTO: Re: Encontre-me para almoçar

ANTONIO'S? Na última vez que eu estive naquela espelunca, eu ainda era atendente do balcão e Becky foi envenenada. É melhor que seja coisa boa.

Mark já estava lá quando Jojo chegou. Tinha diante de si uma xícara de louça branca barata com cappuccino aguado.

Jojo veio rebolando pelo corredor apertado com mesas de fórmica dos dois lados e quase deslocou os pratos dos outros clientes com os movimentos dos quadris.

— Que lugar legal! — Riu ela. — Para não dizer o contrário.

— Aqui é bom porque ninguém nos verá.

— Você poderia dizer a mesma coisa de uma suíte no Ritz. — Ela se lançou no compartimento apertado onde ficava a mesa. — O que houve?

— Jocelyn Forsyth vai se aposentar.

Jojo prendeu a respiração.

— Uau! Quando?

— Em novembro. Só será anunciado oficialmente depois que ele comunicar o fato aos clientes, mas achei que você gostaria de saber em primeira mão.

— Obrigada. — Subitamente, ela se sentiu empolgada e seus olhos ficaram brilhantes. — Às vezes, até que vem a calhar dormir com o sócio administrativo da empresa. Quer dizer então que a Lipman Haigh vai aceitar um novo sócio, certo?

— Certo.

— E quem vai ser?

Ele riu com jeito culpado.

— Não tenho tanto poder assim, Jojo. Essa decisão cabe a todos os sócios.

— Então eu preciso ser boazinha com todos eles.

— A começar por mim. — Ele enfiou o joelho por entre as coxas dela. — Podemos fazer o pedido?

— Não sei. Comer neste lugar é uma espécie de esporte radical. Ele empurrou a perna um pouco para a frente.

— Mais um pouco — ela pediu baixinho.

— Ahn?... Ah, certo. — Na mesma hora as pupilas dele se tornaram quase pretas. Escritores de livros românticos eram muito criticados, mas Jojo tinha de reconhecer que eles estavam certos a respeito de pupilas que se dilatavam.

Mark empurrou o joelho para a frente mais alguns centímetros e ela se deixou escorregar um pouco no banco, abrindo as pernas até encostar a pélvis no joelho dele.

— Bingo! — disse ela, baixinho. — Acho que vou acabar gostando daqui.

— Puxa vida, Jojo! — reagiu ele, demonstrando desejo, agarrando-lhe a mão e olhando para a sua boca, para em seguida observar seus mamilos entumescidos, que pareciam querer furar o sutiã, a blusa e o terninho colante.

Ele começou a avançar com o joelho e ela lambeu os dedos dele de forma sensual, para então, de repente, se endireitar no banco e quase cuspir a mão como se ela estivesse em brasa; alguém que ela reconheceu vinha entrando. Na verdade, Jojo sentiu sua chegada antes mesmo de seu cérebro identificar a pessoa. Era Richie Gant. E ele vinha acompanhado de... *Ora, ora, quem diria...?* Olga Fisher!

Uma relampejante troca de olhares se passou entre os quatro, mais parecendo um rápido e confuso arremesso de facas em um número de circo, e todos ficaram petrificados, com ar aturdido.

Merda, pensou Jojo, sentindo-se estranhamente deslocada. *Pensei que Olga fosse me apoiar.*

— A lasanha daqui é surpreendentemente boa — comentou Olga, à guisa de cumprimento. — Só que eu acho que vou querer comida chinesa hoje.

Voltaram por onde haviam entrado. Jojo e Mark ficaram olhando um para o outro.

— Quantas pessoas sabem a respeito da aposentadoria de Jocelyn? — perguntou Jojo, com jeito casual.

— Achei que ele só tivesse contado a mim, mas pelo visto o velho tolo já espalhou para todo mundo.

— E eu que pensei... — Jojo sentiu a garganta quase se fechar quando continuou: — Pensei que Olga estivesse do meu lado. O que ela estava fazendo com o boyzinho nojento, o Rei das Piranhas?

— Talvez estejam tendo um caso.

Jojo riu, embora aquilo não tivesse graça nenhuma. De repente, porém, a possibilidade lhe pareceu divertida. A refinada Olga transando com o garoto propaganda de creme para acne era uma imagem cômica.

— Tudo bem. — Jojo sorriu. — Você, Dan Swann e Jocelyn estão do meu lado, com certeza.

— Jim também.

— Acho que não.

— Pois eu lhe garanto. Sério! — insistiu ele. — Jim acha você o máximo. E os rapazes de Edimburgo também.

— Acham...? Sabe de uma coisa? Talvez eu devesse fazer uma viagem a Edimburgo, só para ver como Nicholas e Cam estão passando.

— Grande ideia! E como eu também estou devendo uma visita a eles há muito tempo, talvez vá junto.

Mais animada, ela perguntou:

— E aí?... Onde é mesmo que nós estávamos?

Ao voltar, Jojo recebeu um recado de Tania Teal na caixa postal:

— Acabo de voltar de uma reunião sobre o caso Miranda. Estivemos pensando se não há um jeito de contornarmos o problema. — Ela tentava aparentar descontração, mas sua voz tremia de ansiedade.

Jojo ligou de volta e Tania a colocou a par das ideias que haviam surgido:

— Poderíamos fornecer uma secretária para ficar com Miranda, em casa, e escrever tudo o que ela ditasse. Miranda não precisaria nem mesmo levantar da cama. Podia ficar deitadinha ali o dia todo e...

— Não adianta, Tania. Isso seria estressante do mesmo jeito.

— Mas...

— O difícil não é ficar sentada ou deitada, e sim ser criativo.

— Mas...

— Vocês podem publicar o novo livro dela no ano que vem.

— Mas já perdemos as vendas do verão. Contávamos com um aumento expressivo para...

— Tania! — exclamou Jojo, com ar de ameaça.

— Desculpe — disse ela, depressa. — Desculpe, desculpe.

PARA: Jojo.harvey@lipman_haigh.co
DE: Mark.avery@lipman_haigh.co
ASSUNTO: Andei pensando...

Talvez seja melhor esperarmos até a indicação do novo sócio em novembro, antes de tornar público o nosso relacionamento. Não quero que o fator "nós" prejudique a sua carreira.
M xxx

Jojo olhou para a tela consternada. Será que Mark a estava enrolando? Novembro estava longe, muito longe; tão longe que talvez nunca chegasse. Será que ele tinha amarelado?

A possibilidade a deixou tão apavorada que ela se sentiu surpresa com a reação.

Foi direto até a sala dele e entrou sem bater.

— Qual é a sua?

— Em relação a quê?

— Havíamos concordado em soltar a bomba em agosto, agora você quer me empurrar para novembro. Se está fazendo isso para me ajudar, esqueça a ideia, porque eu vou rir na sua cara.

Mark ergueu as sobrancelhas, com ar de educado questionamento.

— Alguns dos sócios (Jocelyn Forsyth e Nicholas, na Escócia, por exemplo) são homens de família. — Mark parecia calmo, até mesmo frio, mas Jojo o conhecia bem o bastante para saber que ele estava zangado. Quando ele se indignava, parecia transbordar do terno. — Eles não vão ter uma boa impressão do nosso estilo "destruidores de lares". Para ser franco, acho que nenhum dos sócios vai gostar dessa história. Não quero correr o risco de você perder votos.

Jojo teve de reconhecer que aquela possibilidade já passara por sua cabeça.

— Eu tomei aquela decisão... Sugestão — corrigiu Mark — ... Tendo em mente apenas a sua carreira.

Jojo concordou com a cabeça, um pouco intimidada com o tom ríspido dele.

— Mas Jim já sabe — argumentou ela. — Olga também já deve ter desconfiado. E aposto que Richie Gant já foi contar para todo mundo que nos viu juntos.

— Pode ser... Mas ter um caso é diferente de eu largar minha mulher e juntar os trapinhos com você.

Jojo refletiu um pouco: ele tinha razão. Era melhor esperar. Novembro era pouco depois de agosto. O problema era que...

— Puxa, Mark... Geralmente sou eu que vivo adiando o nosso grande dia — ela admitiu.

— Já percebi — concordou ele, em tom seco.

— Você sempre foi muito paciente comigo.

— Por você eu seria capaz de esperar para sempre. — Então acrescentou: — Embora, obviamente, preferisse não passar por isso.

— Novembro, então. Mas quando? Qual vai ser o dia da decisão?

— Acho melhor esperarmos a notícia ser oficialmente anunciada e devidamente publicada na *Book News*. Não adianta nada morrermos na praia, depois de tanto sufoco.

— Você está fazendo a mesma coisa novamente.

— Fazendo o quê?

— Me apavorando.

— Não devemos temer nada.

— Exceto o próprio medo.

— Ou monstros que saem do armário.

— E rochas gigantes que despencam do céu sobre nossas cabeças.

— Exatamente!

Terça-feira de manhã
A primeira carta que Jojo abriu vinha de Paul Whitington, rejeitando o livro de Gemma. Com aquela recusa, sobrara apenas a Knoxton House. Depois, seria a hora das editoras independentes. A essa altura do campeonato, Jojo reconhecia que era possível não conseguir vender o livro para ninguém e, se conseguisse, pegaria um adiantamento mínimo. Talvez mil libras.

— Escolha com muita cautela seu próximo editor, srta. Harvey — aconselhou Manoj. — Pode ser o último.

Jojo decidiu ligar para Nadine Steidl e se obrigou a parecer entusiasmada.

— Consegui uma pequena joia para você. — Jojo resolveu usar a expressão de Cassie, da qual gostara muito.

Só que sua simpatia não foi suficiente para convencer Nadine e, na quinta-feira de manhã, ela devolveu o livro acompanhado de um não.

Quinta-feira à tarde
— Tania Teal na linha. Você atende ou dispensa? — perguntou Manoj.

— Preferia enfiar um compasso enferrujado no olho.

— Não foi isso que eu perguntei. Atende ou dispensa?

— OK, atendo!

Ouviu-se um clique e logo depois a voz de Tania, transbordando de ansiedade:

— Jojo, por causa de Miranda a nossa programação para o próximo verão está péssima!

De volta à choradeira por causa da autora grávida.

— Precisamos de um livro popular de ficção feminina para preencher o buraco deixado por Miranda, mas não temos nada.

— Ora, Tania, vocês publicam tantos autores bons!...

— Andei pesquisando o que temos e todos os livros para o ano que vem estão ligados a esquemas promocionais específicos ou programados para maio.

E o que você quer que eu faça?, perguntou-se Jojo. *Sente em um canto e escreva a droga de um livro eu mesma?*

— Andei matutando a respeito daquele original irlandês que você me enviou — disse Tania. — Ele bem que nos serviria... Você já conseguiu vender os direitos dele para alguém?

Ela se referia ao livro de Gemma Hogan. O mesmo que Jojo não conseguia empurrar para ninguém.

Só que ela não iria confessar isso a Tania, é claro!

— Talvez esse seja o seu dia de sorte! — exclamou ela. — O romance ainda está disponível, mas não por muito tempo. Há duas editoras que ficaram de oferecer lances por ele e...

— Na faixa de quanto?... — interrompeu Tania. — Dez mil?

— Ahn...

— Vinte?! Trinta mil, então?

Jojo não disse nada. Por que deveria? Tania estava fazendo um leilão consigo mesma.

— Trinta e cinco? — tentou.

Jojo fez a sua jogada:

— Cem mil por dois títulos.

— Nossa! — Tania sussurrou. Em seguida, com voz mais apropriada para uma profissional, perguntou: — Já existe um segundo livro dessa autora?

— Claro! — Jojo não sabia ao certo, mas provavelmente havia.

— Sessenta mil por um título — propôs Tania. — É pegar ou largar. Não quero nenhuma autora nova, já temos um monte. Preciso apenas de um lançamento tapa-buraco.

Não era a situação ideal. Um contrato para dois livros era sempre melhor, pois significava que a editora se comprometia com o autor a longo prazo.

Por outro lado, um contrato único era melhor do que nenhum. E sessenta mil libras era um valor melhor que mil. E quem sabe?... Se o livro vendesse bem, ela conseguiria um contrato para Gemma por muito mais.

— Você venceu. *Papai Fujão* é todo seu.

Dava para sentir Tania recuar de horror diante do título.

— Mas esse nome tem que dançar, Jojo.

Em seguida, Jojo ligou para Gemma, que ficou empolgada ao saber que seu livro fora vendido para a mesma editora de Lily Wright.

— Obrigada por insistir, Jojo. Eu *sabia* que você iria convencê-la.

Escritores, pensou Jojo. Não sabem de nada! Em seguida, contou a Gemma sobre o dinheiro.

— *Sessenta* mil. Sessenta *mil?* Meu bom Deus! Grande! Fabuloso! Fantástico!

Era fantástico mesmo. Não precisava contar a Gemma que ela era o equivalente literário de um Band-Aid, porque aquilo podia acabar dando certo.

Lily

24

Book News, 5 de agosto

COMPRA DE DIREITOS

Tania Teal, da Dalkin Emery, acaba de adquirir os direitos de publicação de *Caçando Arco-Íris*, romance de estreia da escritora irlandesa Gemma Hogan. Agenciado por Jojo Harvey, da Lipman Haigh, o livro foi vendido por sessenta mil libras. Descrito como uma mistura de Miranda England com Bridie O'Connor, ele será lançado em maio do ano que vem.

Eu folheava a *Book News* como pretexto para não escrever quando as palavras "Gemma" e "Hogan" saltaram da página, esperaram até eu voltar toda a minha atenção para elas, e então me golpearam o estômago. Segurando a página com força demais, li a notícia bem devagar e depois tornei a lê-la, enquanto ondas de choque me invadiam o cérebro. *Gemma. Livro. Minha agente. Minha editora. Montes de dinheiro.*

Com o coração aos pulos de medo, olhei fixamente para as letras pretas até meus olhos ficarem embaçados. Podia ser que existissem muitas Gemma Hogans irlandesas, pois o nome não era tão incomum assim, mas na mesma hora eu tive certeza: aquela era a *minha* Gemma. Ela muitas vezes comentara sobre escrever um livro e o fato de estar com a *minha* agente e a *minha* editora seria o cúmulo da coincidência. Como era possível ela ter conseguido aquilo? Se já era dificílimo uma pessoa ter um livro publicado, o que dirá conseguir a agente e a editora de sua escolha! Ela só podia ter se tornado praticante de magia negra. Enterrei o rosto entre as mãos; aquilo era uma mensagem, como a cabeça ensanguentada do cavalo na cama daquele sujeito em *O Poderoso Chefão*.

Tenho o dom da intuição e até premonições; sabia que o jogo tinha começado. Embora receasse algum tipo de vingança, tanto tempo já havia passado que eu comecei a alimentar a esperança de que Gemma tivesse tocado a vida em frente e talvez até me esquecido. Nossa, como eu estava errada! Todo aquele tempo ela planejava o ataque. Eu não sabia exatamente como ela conseguiria arruinar a minha vida, nem poderia determinar com certeza os detalhes de onde nem quando, mas sabia que aquele era o primeiro de uma série de desdobramentos.

Em um segundo, senti toda a minha vida desaparecer sob meus pés. Gemma me odiava. Contaria ao mundo inteiro o que eu fizera a ela e todos se voltariam contra mim.

E o dinheiro! Sessenta mil libras! Uma fábula, comparada às minguadas quatro mil libras que eu conseguira de adiantamento. Seu livro devia ser assombrosamente bom. Pronto, minha carreira estava condenada! Ela ia me tirar do campo com sua obra-prima de sessenta mil libras.

Peguei o fone, soprei o pó que se acumulara sobre ele e, com mãos trêmulas, liguei para Anton.

— Gemma escreveu um livro.

— Gemma Hogan?

— O pior não é isso... Sabe quem é a agente literária dela? Jojo. Agora adivinhe o nome da sua editora? Tania.

— Não! Não pode ser!

— Mas é, juro que é! Saiu na *Book News*.

Silêncio. Então...

— Caraca! Ela está nos mandando uma mensagem cifrada. É como a cabeça do cavalo em *O Poderoso Chefão*.

— Foi exatamente o que eu pensei.

— Ligue para Jojo e descubra que história é essa. Só pode ter a ver com nós dois, certo?

— Lógico! O pior, porém, você ainda não ouviu. — Eu mal conseguia pronunciar as palavras, tamanha era a minha inveja. — Ela conseguiu um adiantamento gigantesco.

— De quanto?

— Você não vai acreditar.

— Quanto?!...

— Sessenta mil.

Anton ficou calado por muito, muito tempo, e então eu ouvi um gemido distante.

— O que foi? — perguntei, quase aos gritos.

— Escolhi a garota errada!

— Rá... rá... rá!... — reagi, muito pau da vida.

Liguei para Jojo. Embora a minha cabeça estivesse a mil por hora e eu louca para saber de tudo, consegui perguntar, com toda a educação:

— Como vai?

Em seguida, lutando para manter a voz bem casual, mas parecendo meio abafada, perguntei:

— Ahn... Jojo... Eu li na *Book News* que você está com uma nova autora, chamada Gemma Hogan... Fiquei aqui imaginando se ela não seria...

— Sim, é a mesma que você conhece — confirmou Jojo.

Merda. Merda, merda, merda, merda, MERDA.

— Tem certeza? Ela mora em Dublin, trabalha na área de relações públicas e tem o cabelo parecido com o da Liza Minnelli?

— Essa mesma!

Senti vontade de chorar baixinho

— Pois é... — continuou Jojo. — Ela mandou lembranças para você. Nossa, isso já faz séculos, mas eu esqueci de dar o recado. Desculpe.

— Ela... Ela mandou alguma mensagem para mim?

— Não, simplesmente pediu para eu lhe dar um alô.

O terror me sufocou. Qualquer esperança de que aquilo pudesse ser alguma coincidência bizarra se dissolveu. Gemma armara tudo aquilo. Era um ato deliberado e com alvo específico.

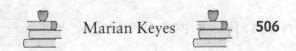

— Jojo, eu gostaria de saber se... Não quero quebrar o sigilo entre você e sua cliente, mas... O livro dela é sobre o quê?

— O pai dela, que abandonou a mãe.

— E a melhor amiga, que roubou o namorado de outra mulher?

— Não, nada disso, é apenas o pai se separando da mãe. É divertido! Vou mandar um exemplar para você assim que chegar da gráfica.

— Obrigada — falei baixinho e desliguei.

Jojo estava mentindo para mim. Gemma já devia tê-la convencido a ir para o lado negro.

Ema cresceu e fugiu com um bando de larápios, todos formados em contabilidade, pensei. *Anton estava com gangrena na perna esquerda e eu perdi minha mãe em uma rodada de pôquer.*

Eu me obriguei a focar naquilo e me concentrei com determinação em todos os horrores daquele enredo que eu acabara de criar. Franzi a testa e tentei de verdade. Por um rápido momento, tive um vislumbre de como seria terrível conviver com um homem que tinha a própria perna apodrecida e infestada de insetos. Depois eu me sacudi mentalmente, dizendo em voz alta:

— Sua tola! Nada disso é verdade!

Esse exercício normalmente me deixava grata e feliz.

Só que naquele dia não funcionou.

25

Anton ligou de volta.

— Eles já apareceram?

Nem precisava perguntar quem eram "eles": os operários. Nossa obsessão, nossa fixação, o centro da nossa vida.

Apesar dos empecilhos da maioria dos bancos da Grã-Bretanha, havíamos conseguido comprar nossa maravilhosa casa dos sonhos, revestida de tijolinhos, e mudado para ela em fins de junho. Nosso astral estava nas alturas. Eu me senti tão feliz que achei que fosse explodir e passei uma semana inteira sem fazer mais nada na vida, a não ser procurar camas de ferro trabalhado na internet.

Antes mesmo de nos mudarmos, apareceu uma empreiteira disposta a acabar com a infestação de cupins na casa e aquilo parecia o prelúdio de uma porção de coisas boas. Mal havíamos terminado de desencaixotar a mudança e um pequeno exército de operários irlandeses desceu sobre nós, todos preocupantemente parecidos com Paddy Porra-Louca.

Os Paddys Porra-Louca empunharam os seus martelos e alicates e se puseram a trabalhar com dedicação, comportando-se como se tivessem pela frente um trabalho de demolição. Arrancaram a tinta e o reboco das paredes, em seguida os tijolos, para em seguida removerem quase toda a fachada da casa; a única coisa que a impediu de tombar sobre o jardim da frente foi a elaborada estrutura de andaimes à sua volta.

Por quase uma semana eles racharam, quebraram e destruíram tudo. Quando chegou ao ponto em que deveriam começar a reconstruir nossa casa arruinada, descobriram que a infestação de cupins era muito pior do que haviam avaliado originalmente. Todo mundo que lida com obras e tem experiência no assunto diz que isso é o que geralmente acontece. Entretanto, pelo fato de Anton, Ema e eu sermos a Família Cagada, para a qual nada jamais dá certo, aqueles que sempre entram nos restaurantes da vida e são encaminhados para a mesa instável e com uma das pernas bambas, levei a coisa para o lado pessoal.

E o custo da obra? Diante das novas descobertas, o orçamento original duplicou da noite para o dia. Mais uma vez aquilo era de esperar, em se tratando de gente como nós, e eu levei para o lado pessoal.

Resmungando alguma coisa sobre a necessidade de novos lintéis para as janelas (o que quer que fosse isso) e de não terem condições de adiantar nada na obra até o material chegar, os rapazes — conforme a tradição, pelo que me contaram — desapareceram do mapa. Mais uma vez, levei para o lado pessoal.

Por mais de duas semanas não tivemos notícias deles. Sumiram, mas não foram esquecidos. Anton, Ema, Zulema (já falo dela) e eu morávamos em meio à imundície. Marcas de cimento em forma de botas marchavam pela sala ao longo do maravilhoso piso de madeira antiga; eu vivia encontrando jornais velhos nos lugares mais esquisitos (embaixo do travesseiro de Ema, que tal?) e pisava em torrões de açúcar semiesfarelados; as pessoas reclamam que os operários ingleses passam o dia bebendo chá, mas não era o chá que me incomodava, e sim a bagunça deixada pelos restos de açúcar.

Toda noite eu imaginava que alguém ia subir pelos andaimes e entrar na casa por um dos muitos buracos nas paredes, a fim de nos assaltar. Se isso acontecesse, os ladrões ficariam muito desapontados, pois a única coisa de valor que tínhamos era Ema.

Ferramentas de todo tipo estavam espalhadas por toda a casa e uma delas, uma chave inglesa de trinta centímetros de comprimento, havia se tornado um objeto de afeto para Ema. Ela ficara tão apaixonada pelo troço que insistia em dormir com ele. As crianças geralmente sentem fixação por coelhos de pelúcia ou pequenos cobertores; minha filha se apaixonara por uma chave inglesa maior que o seu bracinho comprido e fofinho. (Ela batizara a ferramenta de Jessie, depois que minha irmã estivera em nossa casa para uma rápida visita, vinda da Argentina, onde ela resolvera morar de vez com o namorado, Julian. Ema se impressionara muito com Jessie.)

Pior, no entanto, que todas as outras pragas juntas era a poeira onipresente... Ela se enfiava debaixo das unhas, entre os lençóis, por trás das pálpebras. Era muito parecido com morar dentro de uma tempestade de areia. Toda vez que eu passava creme no rosto, ele me parecia um esfoliante, e eu já desistira de limpar a casa, porque me parecia algo absurdamente sem sentido.

A calamidade estava muito além da minha capacidade de descrevê-la, especialmente para mim, que trabalhava em casa. Quando implorei a Anton para fazer algo a respeito, ele me garantiu que os homens voltariam assim que os lintéis chegassem, seja lá de onde viessem.

Eu continuava sem fazer a menor ideia do que era um lintel, mas também não queria saber, e eles acabavam com a minha paz de espírito do mesmo jeito.

Uma empoeirada manhã, antes de Anton ir trabalhar, ele estava comendo mingau. De repente, baixou a colher no prato e confessou:

— Isso está com gosto de poeira!

Passou o dedo pela borda do prato e olhou para algo que ficara grudado.

— Olhe só para isso! — exclamou ele, estendendo o dedo para mim. — É poeira mesmo.

— É farinha de aveia.

— Não, é a porra da poeira!

Eu fingi observar o pó suspeito com mais atenção.

— Você tem razão, é poeira. — Quem sabe assim ele ligaria para os homens, chamando-os para trabalhar...

Com efeito, ele ligou para Macko, o empreiteiro, e as notícias foram terríveis; os lintéis haviam chegado da Lintelândia, mas os Paddys Porra-Louca estavam trabalhando em outra obra. Eles voltariam para nossa casa assim que tivessem chance.

Nós bufamos, saímos pela casa pisando duro e reclamando com as piores palavras possíveis. Eles *têm* de vir! Olhe para o *estado* deste lugar! Não podemos *viver* desse jeito!

Isso tinha acontecido mais de uma semana antes, e desde então Anton e eu vínhamos nos revezando na tentativa de ser adultos, ligando para eles e insistindo com firmeza na voz que eles tinham de voltar para acabar o serviço em menos de uma semana. Eles riam da gente. Isso não é força de expressão nem paranoia. Eu sabia que eles riam porque eu os *ouvia* fazendo isso, ao fundo.

Por fim, Anton conseguiu arrancar deles uma promessa.

— Eles vêm na segunda-feira. Juraram pelas mães mortinhas que estarão aqui com os lintéis na segunda de manhã.

Já estávamos na quinta-feira. Três dias depois.

— Não, Anton. Ainda nenhum sinal deles.

— É a sua vez de ligar reclamando.

— Desculpe, mas acho que é a sua. Eu liguei hoje de manhã cedo.
— Nós telefonávamos para a firma quatro ou cinco vezes por dia.

— Não foi você que ligou, foi Zulema.

— Mas fui eu quem a subornou.

— O que você lhe ofereceu, dessa vez?

Hesitei antes de responder:

— Meu creme tonificante.

— O creme que eu lhe dei de presente? Aquele da Jo Malone?

— Esse mesmo — confirmei. — Desculpe, Anton, não fique aborrecido. Eu adorava o produto, de verdade, mas odeio ficar ligando toda hora para os caras, e Zulema é ótima para essas coisas. Eles não riem na cara dela.

— Isso já foi longe demais! — afirmou Anton, com súbita determinação. — Vou consultar um advogado.

— Não! — exclamei. — Desse jeito, eles *nunca mais* vão voltar!
— Uma das coisas que eu ouvia o tempo todo era que, se você fizesse uma ameaça de colocá-los na justiça, *já era...*! — Por favor, Anton. Essa é a última coisa que devemos tentar fazer. É melhor continuar implorando.

— Tudo bem, eu ligo para eles.

Então eu me lembrei que concordara em dar uma trégua a Anton, devido a uma obturação de dente que ele fizera na véspera.

Ao longo da semana que passara, com relação a telefonar para os operários, Anton e eu havíamos criado um complicado sistema de obrigações, exceções e prêmios. Pelo fato de o meu trabalho ser mais bem-remunerado que o de Anton, ele era obrigado a fazer duas ligações para cada uma das minhas. Só que esse pepino poderia ser vendido, permutado ou passado para outra pessoa, se conseguíssemos persuadi-la a ligar em nosso nome. Duas vezes desde segunda-feira eu subornara Zulema com cosméticos. Anton tentara convencer Ema. Casos de doença também eram considerados exceção; a obturação de Anton lhe garantia um dia livre. Eu, pelo meu lado, estava louca para chegar a minha menstruação.

Ouvi a chave na porta da frente; Zulema e Ema acabavam de chegar do seu passeio.

— Esqueci da sua obturação — eu disse a Anton. — Não esquenta, deixa que eu ligo.

Com essa magnânima oferta, desliguei.

Ia convencer Zulema a ligar.

Muito bem, vamos falar de Zulema.

Zulema era a nossa *au pair*. Fazia parte do nosso maravilhoso mundo novo (casa nova, eu escrevendo meu novo romance etc.). Uma latina alta, bonita e muito determinada, Zulema chegara três semanas antes da Venezuela.

Eu morria de medo de Zulema. Anton também. Até mesmo o sorriso perene de Ema perdia um pouco do brilho na presença dela.

Sua chegada na nossa vida foi cronometrada para coincidir com o fim das obras na casa. Tínhamos a esperança de dar-lhe as boas-vindas em uma maravilhosa casa livre de cupins, e quando ficou claro que a casa ainda estaria um caos no dia de sua chegada, eu lhe telefonei, para fazê-la desistir. Mas ela se mostrou tão inflexível quanto um míssil pré-programado.

— Estou indo!

— Mas, Zulema... A casa ainda está um canteiro de obras, literalmente, e você...

— Estou indo!

Anton e eu corremos de um lado para outro como duas baratas tontas, a fim de preparar o quarto nos fundos da casa (o único com todas as paredes intactas) para ela. Instalamos lá a nossa cama de ferro trabalhado, nosso melhor edredom e, no fim, ele ficou mais bonito que o nosso próprio quarto, ou o de Ema. Mas Zulema olhou para a casa revestida de andaimes, observou a poeira que se entranhara em toda parte e anunciou:

— Vocês vivem como animais. Não pretendo dormir aqui.

Com espantosa velocidade, ela arrumou um namorado — um cara cujo apelido era Blogueiro (não me perguntem por que, pois ele não tinha nenhum blog). O rapaz morava em um apartamento simpático em Cricklewood e Zulema se mudou para lá.

— Será que ela deixa a gente se mudar para lá também? — perguntou Anton.

Zulema era uma mão na roda, fabulosamente prestativa. O dia todo ela cuidava de Ema e me deixava com tempo livre para trabalhar, mas eu sentia falta da minha filhinha, além de detestar o conceito de ter uma *au pair* em casa. Além do mais, o salário ridiculamente baixo que lhe pagávamos fazia com que eu me encolhesse de vergonha, embora o valor fosse muito maior do que a maioria das profissionais recebia para trabalhar em uma creche, conforme descobri ao confessar a minha culpa para Nicky. (Nicky e Simon conseguiram ter o seu sonhado bebê três meses depois de Ema nascer.) Ela comentou:

— Simon e eu pagamos à babá metade do que vocês pagam à sua, *e* olhe que ela fica *superfeliz* com o salário. Pense só... Zulema está aprendendo inglês e trabalhando *legalmente* em Londres. Você está lhe fazendo um grande favor!

Como Zulema morava longe, não tínhamos ninguém disponível para ficar de babysitter, mas eu não me importava. Na verdade, sentia o maior alívio por não ter de morar na mesma casa que ela. Como eu conseguiria relaxar? Dividir o espaço com alguém estranho é sempre complicado, mesmo que a pessoa seja adorável. O que Zulema não era. Trabalhadora? Sem dúvida! Responsável? Garanto que sim! Muito honesta também, a não ser quando usava o meu *shower gel* Gloomaway, da Origins (do qual eu tinha dependência *total*. Era a única coisa que me animava a tomar banho naquela banheira velha e empoeirada). O problema é que Zulema não era nem um pouco divertida. Nem de longe. Toda vez que eu a via chegar com sua beleza séria e as sobrancelhas espessas muito franzidas, ficava deprimida.

— Zulema! — chamei.

Ela abriu a porta do escritório com força. Pareceu chateada.

— Dando almoço Ema.

— Sim, ahn... Obrigada. — Ema apareceu entre as pernas de Zulema e piscou para mim (com ar de cumplicidade?...). Ela estava com vinte e dois meses, era muito novinha para lançar olhares de cumplicidade, não era? Logo em seguida ela foi embora, aos pulos.

— Zulema, você se importaria de ligar para Macko novamente? Dessa vez *implore* para eles aparecerem. Pode ser?

— O que você vai me dar?

— Ahn... Dinheiro? Vinte libras? — Eu não devia ter lhe oferecido grana, pois estávamos quase a zero.

— Gosto do seu creme antirrugas, aquele da marca famosa... Prescriptives.

Olhei para ela com ar de súplica. Meu adorado creme noturno. Novinho em folha. Mas que escolha eu tinha?

— Tudo bem — concordei. Pelo visto, eu ia ficar sem creme nenhum em pouco tempo.

Ela voltou com a resposta em questão de segundos:

— Ele diz que está vindo.

— Será que falou sério?

Ela deu de ombros, olhou para mim e comunicou:

— Vou levar o antirrugas da Prescriptives.

— Tudo bem.

Zulema subiu correndo para pegar meu creme da penteadeira e eu voltei para a mesa de trabalho. Quem sabe eles viriam mesmo daquela vez? Por alguns instantes, deixei-me carregar pela esperança e meu astral se elevou alguns centímetros. Então vi um exemplar da *Book News* sobre a escrivaninha, lembrei do tremendo contrato que Gemma conseguira, e do qual eu me esquecera por breves instantes — e o astral tornou a despencar a níveis abissais. Que droga de dia!

Com ar sombrio, acabei de abrir o resto da correspondência, torcendo para não topar com nada insano; agora que eu virara uma "escritora de sucesso", chegava pelo menos uma coisa maluca por dia.

Recebia cartas de gente pedindo dinheiro, outras de gente que me avisava que escrever sobre feitiçaria era trabalho do diabo e eu seria castigada (essas sempre vinham escritas em tinta verde), chegavam cartas de pessoas que haviam passado por experiências muito interessantes e estavam dispostas a compartilhá-las comigo em detalhes (desde que eu lhes desse cinquenta por cento dos lucros da história), vinham cartas de gente me convidando para passar o fim de semana em suas casas ("Não tenho muita coisa, mas ficarei feliz em dormir no chão e deixá-la usar a minha cama. As atrações locais incluem uma torre que é uma réplica do Big Ben e há menos de seis meses foi inaugurada uma filial da Marks and Spencer, chiquérrima!"), havia ainda cartas de pessoas que me enviavam seu original e pediam para que eu lhes conseguisse uma editora para publicá-lo.

Cada dia era uma coisa diferente. Na véspera eu recebera uma carta de uma jovem chamada Hilary, com quem eu estudara em Kentish Town. Ela fazia parte de um trio de pentelhas que fizera da minha vida um inferno. Foi logo depois de eu me mudar de Guildford e me sentia profundamente infeliz, com medo de mamãe largar papai. Hilary e suas duas amigas gordas decidiram que eu era uma "vaca metida" e obrigavam todo mundo a me chamar de "Sua Majestade". Sempre que eu abria a boca na sala, Hilary liderava um coro de "Lá vem a Lady Di!".

Na carta que ela me enviou não havia menção alguma a nada disso, é claro. Ela me dava os parabéns pelo sucesso de *As Poções de Mimi* e dizia que adoraria me reencontrar.

— É... Agora que você ficou famosa — debochou Anton, falando pelo canto da boca por causa da obturação —, mande ela se foder. Se quiser, eu mesmo faço isso.

— É melhor simplesmente ignorá-la — disse eu, amassando a carta e jogando-a na cesta de lixo, enquanto pensava: Como as pessoas são estranhas. Será que Hilary realmente achava que eu gostaria de me encontrar com ela? Será que não sentiria vergonha?

Resolvi ligar para Nicky. Ela também sofrera muito com as zoações de Hilary. Então resolvi *não* ligar. Nicky e Simon viviam convidando a mim e a Anton para jantar e eu morria de vergonha porque.

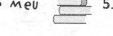

apesar de termos uma casa bem grande agora, ainda não tínhamos retribuído a hospitalidade deles.

Voltei à correspondência.

Naquele dia chegou a carta de uma mulher chamada Beth, que me enviara um original seu um mês antes, pedindo-me para encaminhá-lo à minha editora, o que eu fizera. Entretanto, Tania não deve ter gostado do texto a ponto de querer publicá-lo, e eu agora tinha nas mãos algumas páginas cheias de revolta me informando o quanto eu era egoísta. "Muito obrigada", dizia Beth. Ela agradecia por eu ter destruído a chance de o livro dela ser publicado, ainda mais tendo tudo na vida. Achou que eu fosse uma boa pessoa, mas, nossa, como estava enganada! Nunca mais iria comprar nenhum dos meus livros enquanto vivesse, e iria contar a todo mundo a pessoa horrível que eu era.

Eu sabia que o fracasso de Beth não era culpa minha, mas, mesmo assim, aquele ataque me chateou e me deixou abalada. Depois das alegrias da correspondência, era hora de — aaargghh! — escrever um pouco.

Meu novo livro era sobre um homem e uma mulher que passaram a infância juntos e se reencontravam, depois de adultos, na reunião de veteranos da escola. Quase trinta anos antes, quando ambos tinham cinco anos, eles haviam testemunhado um assassinato. Na ocasião, não entenderam o que viram, mas o reencontro destrancou e recolocou em perspectiva lembranças há muito reprimidas. Ambos tinham suas vidas pessoais e eram casados, mas, à medida que começaram a explorar o que havia acontecido, começaram a se envolver um com o outro. Como resultado disso, os seus casamentos estavam em crise. Aquilo não era o que eu queria escrever, pois tratava de um tema que me deixava triste, mas meus dedos insistiam em levar a história adiante.

Franzi o cenho para mostrar ao monitor que eu estava disposta a trabalhar pesado e fui em frente. Bem que eu tentei. Digitava palavras no teclado... Sim, sem dúvida eram palavras, mas será que prestavam?

Bocejei. Uma soneira baixou em mim, envolvente como um cobertor, e era difícil me concentrar. Tinha dormido muito mal naquela noite, um sono todo fragmentado. Aliás, na véspera também. E na antevéspera...

Na maioria das vezes, Ema acordava duas ou três vezes durante a noite e embora, teoricamente, Anton e eu nos revezássemos para atendê-la, na prática sobrava sempre para mim. Em parte aquilo era culpa minha — eu vivia levantando para ir olhar se Ema estava bem; em parte era culpa dela — no meio da noite, Ema sempre preferia ficar comigo a ficar com Anton.

Resolvi tomar uma xícara de café assim que Zulema saísse para o passeio da tarde. Não dava para aturar ficar na cozinha "de papo" com ela enquanto esperava a chaleira ferver. Atenta a sinais de sua saída, esperei um pouco. Estava louca para deitar a cabeça no travesseiro e tirar uma soneca, só que certamente Zulema iria me pegar no flagra e ela já me achava patética demais sem precisar daquilo.

De repente, eu a ouvi empurrando Ema para fora de casa. Corri para a cozinha, fiz um café e voltei ao trabalho.

Quando o contador do programa me avisou que eu já escrevera quinhentas palavras naquela manhã, parei. Bem no fundo, eu sabia que quatrocentas e setenta e cinco daquelas palavras eram lixo. Se ao menos a história não insistisse em ser tão triste.

Buscando conselhos ou, pelo menos, um pouco de distração, liguei para Miranda. Sim, Miranda England, *aquela* Miranda. Quando nos vimos pela primeira vez na catastrófica noite de autógrafos, eu a achei tão distante e remota quanto as estrelas. Mas havíamos tornado a nos encontrar em outros eventos literários — uma conferência de vendas e uma festa para os autores — e ela me pareceu muito mais calorosa. Anton me disse que ela só estava sendo gentil porque eu era um sucesso, e talvez fosse verdade. De fato, Miranda era diferente da pessoa que eu pensei que fosse, e quando descobri que estava passando por um sufoco para ter um bebê, isso a tornou mais humana aos meus olhos.

Ela finalmente havia conseguido engravidar e resolvera ficar um tempo sem escrever para evitar um aborto, mas estava sempre disposta a ouvir meus desabafos de escritora.

— Estou sem inspiração — disse eu, explicando meu dilema.

— Quando estiver bloqueada — aconselhou ela —, escreva uma cena de sexo. — Mas eu não conseguiria fazer aquilo. Papai podia ler.

De repente, ouvi o barulho de uma caminhonete rugindo lá fora. Logo depois a campainha tocou e havia vozes na porta de casa. Vozes masculinas. Vozes altas, arrastadas, graves e cobertas de cimento. Parece que ouvi a palavra "boceta". Será que eram...?

Olhei pela janelinha do escritório. Eles haviam chegado! Macko e sua equipe finalmente haviam voltado para consertar a minha casa!

— Miranda, eu preciso desligar agora! Obrigada!

Valeu a pena perder meu antirrugas e o creme noturno. Eu seria capaz de dar um beijo em Zulema. Isto é, se não morresse de medo de virar uma estátua de sal.

Abri a porta da frente e deixei os Paddys Porra-Louca entrarem, pisando duro. Como eles eram todos iguais, eu nunca sabia exatamente quantos havia na casa, mas naquele dia reparei que eram quatro. A caminhonete, que continuava com o motor ligado junto à calçada, tinha um monte de peças de madeira compridas e grossas — os tais lintéis esquivos! Aos berros e tentando seguir as ordens recebidas, os Paddys Porra-Louca levaram as toras de madeira para o andar de cima, arrancando pedaços do revestimento das paredes durante o processo, além de lascas de sancas. (Aquilo tudo era material original e insubstituível, mas na hora eu me senti tão feliz que nem liguei.)

Telefonei para Anton.

— Eles chegaram! Com os lintéis novos! Já estão arrancando os antigos neste exato momento! Estão fazendo buracos imensos em todas as paredes!

Silêncio. Mais silêncio.

— Anton? Você ouviu o que eu disse?

— Ah, ouvi sim. É que eu fiquei tão feliz que perdi a voz.

Pelo resto do dia eu me sentei no escritório tentando escrever, enquanto a equipe de operários zumbia em torno da casa como um enxame, aos berros, batendo as portas e falando "porra" isso e "caralho" aquilo. Suspirei, feliz. Tudo estava como devia estar.

Quando Anton voltou do trabalho, olhou com ar furtivo em torno e fez mímica com a boca, perguntando: "Ela ainda está aqui?" Referia-se a Zulema.

— Não, já foi embora. Mas os rapazes ainda estão!

— Uau! — Ele se mostrou impressionado. Nos raros dias em que eles apareciam, sumiam como por encanto antes das quatro da tarde.

— Tenho uma ideia — sugeri. — Mas você não vai gostar dela.

Anton me olhou, desconfiado.

— Já que estão todos aqui, vamos bater um papo com eles — propus. — Vai causar muito mais impacto do que reclamar pelo telefone. Precisamos elogiá-los pelo bom trabalho que fizeram. — Eu tinha lido isso em algum artigo sobre como lidar com empregados. — Depois vamos ter que *assustá-los*, sabe como é, para que terminem o serviço. Podemos fazer o estilo tira bom, tira mau. Que tal?

— Tudo bem, contanto que eu possa ser o tira bom.

— Não.

— Droga!

— Vamos lá! — Eu o levei até a sala da frente, onde os rapazes estavam sentados nos lintéis novos, bebendo chá quase melado de tanto açúcar.

— Olá, Macko, Bonzo, Tommo, Spazzo. — Cumprimentei a todos com um aceno de cabeça (tinha *quase* certeza de que aqueles eram os nomes deles). — Obrigada por voltarem e removerem os lintéis velhos. Estou vendo que os lintéis foram todos... Ahn... Removidos. Se vocês instalarem os lintéis novos de forma tão eficiente quanto tiraram os velhos, ficaremos muito felizes.

Nesse momento cutuquei Anton e o empurrei para a frente.

— Como sabem, rapazes, vocês já deveriam ter terminado tudo há mais de três semanas — continuou ele, com voz severa, mas logo perdeu o pique. Apertou as mãos e pediu: — Por favor, pessoal, estamos enlouquecendo aqui! E há uma criança pequena envolvida nessa situação... Ahn... Obrigado.

Saímos de fininho e, assim que fechamos a porta, a sala explodiu em gargalhadas. Abri a porta novamente, com força. Macko enxugava os olhos e dizia:

— Pobrezinhos, caralho!

Tornamos a sair. Anton e eu olhamos meio desconfiados um para o outro.

— Bem... — disse eu. — ... Acho que nos saímos muito bem.

Anton e eu estávamos na cama. Eram só oito da noite, mas já tínhamos ido para o quarto dos fundos, o único aposento da casa com paredes intactas. Tínhamos levado a televisão para lá três semanas antes, e desde então praticamente morávamos naquele cômodo. Como não havia nenhum lugar onde sentar, estávamos na cama.

Eu folheava o catálogo da Jo Malone, sonhando em pular para dentro das páginas brilhantes e me mudar para dentro da revista; aquele era um mundo sereno, perfumado e sem poeira. Anton assistia a um seriado cômico na tevê, pois estava alinhavando um contrato com Chloe Drew, a atriz famosa que estrelava o programa na telinha. Ema andava de um lado para outro pelo quarto de camisetinha regata e fraldas, calçando as botinhas cor-de-rosa de plástico que amava tanto e às vezes usava até para dormir. Suas coxinhas rechonchudas e macias pareciam feitas de borracha.

— Ema, você parece um daqueles halterofilistas de circo — comentou Anton, desviando os olhos da tevê. — Só falta o bigode retorcido nas pontas.

Ema estava em companhia de seus objetos favoritos: Jessie, sua adorada chave inglesa; um cãozinho de pelos crespos que Viv, Baz e Jez lhe haviam trazido e cujo nome era "Jessie", além de um velho mocassim de Anton (que também se chamava "Jessie"). Carregava-os de um lado para outro do quarto, enfileirando-os conforme uma ordem determinada que apenas ela conhecia.

— Fofinho! — disse ela para um dos objetos.

Seus cabelos haviam crescido de forma meio estranha e fios muito compridos emolduravam o seu rosto, enquanto atrás e no alto da cabeça eles eram mais curtos. Parecia um corte em estilo *mod* — às vezes ela ficava com a cara de Paul Weller; mesmo assim, era adoravelmente linda. Eu conseguiria ficar ali admirando seu rostinho para sempre.

Esperei o programa a que Anton assistia acabar antes de lhe mostrar a notícia da *Book News*, a respeito de Gemma. Observei o seu rosto enquanto ele lia o texto, curiosa para saber sua reação.

— Então, o que acha? — eu quis saber, por fim. — Por favor, não me venha com aquele papo otimista de que isso não significa nada.

— Tudo bem — concordou ele. — É meio assustador. Como foi que ela conseguiu a mesma agente e a mesma editora que você?

Se Anton, o otimista do século, achava aquilo meio assustador, é porque devia ser catastrófico.

— O livro não fala de nós. Foi o que Jojo me informou.

— Pelo menos isso é melhor que furar o olho com um palito.

— Mas Gemma mandou lembranças para mim por Jojo. Essa história é meio... Sei que não tem lógica, mas estou com uma espécie de... *Mau presságio,* como se algo terrível estivesse para acontecer.

— Que tipo de coisa?

— Sei lá. É só uma sensação, como se ela fosse destruir tudo em nossa vida, para você e para mim.

— Para nós dois? Mas ela não tem como nos atingir!

— Diga-me que você vai sempre me amar e nunca vai me abandonar.

Ele me olhou com o rosto muito sério.

— Mas você já sabe disso.

— Então diga.

— Lily, eu sempre vou amar você e nunca vou abandoná-la.

Eu concordei com a cabeça. Tudo bem. Aquilo já ajudava.

— Será que você se sentiria mais segura se nós nos casássemos? — perguntou Anton.

Eu recuei. Casamento só serviria para acelerar qualquer possível desastre.

— Vou considerar a sua cara como um sinal de "não". Nesse caso, é melhor devolver a aliança de vinte mil libras à Tiffany's.

Ema empurrou a chave inglesa na minha direção e quase me quebrou os dentes da frente.

— Lily... Beija!

Dei um beijo estalado na ferramenta.

Sem ninguém ensinar, Ema começara a me chamar (e a Anton também) pelo nome de batismo. Isso nos deixara muito alarmados, pois não queríamos que as pessoas achassem que éramos como os pais esnobes e liberais de Islington. Para dar o exemplo, começamos a nos chamar um ao outro de "papai" e "mamãe".

— Agora leve a chave inglesa para o papai beijar.

— Anton — ela me corrigiu, franzindo a testa.

— Papai! — insisti.

— Anton!

Depois de Anton beijar a ferramenta, olhou para mim e anunciou:

— Trouxe um presente para você.

— Espero que não seja uma aliança de vinte mil libras da Tiffany's.

Ele enfiou o braço embaixo da cama e fez surgir um pacote da Jo Malone. Era um creme tonificante de pele para substituir o que eu dera a Zulema.

— Anton! Nós estamos sem grana!

— Não por muito tempo ·Quando eu e Mikey fecharmos esse contrato, vamos nadar em dinheiro. E ainda tem o seu cheque de direitos autorais, no fim de setembro.

— OK. — Fiquei mais calma. — Meus poros agradecem muito, mas por que razão você me trouxe esse presente?

— Precisamos curtir a vida um pouco. Além do mais, isso é uma cantada para poder transar com você.

— Você não precisa trazer presentes para transar comigo. — Eu sorri.

Ele sorriu de volta.

— Basta você ligar para os operários nas minhas próximas três vezes — eu propus — e farei qualquer coisa que você queira.

— Combinado.

26

Mais uma semana se passou. Macko e os rapazes continuavam a aparecer em dias incertos, de forma intermitente — só o necessário para nos manter de forma precária sobre uma corda bamba de esperança —, mas não o bastante para que a obra avançasse de forma significativa. Eles haviam removido os lintéis velhos, mas não tinham começado a instalar os novos.

Ter buracos na parede do quarto era bom em julho e agosto — até agradável —, mas entramos em setembro e o calendário seguiu outono adentro.

Toda manhã eu me via prendendo a respiração até um dos operários chegar, e Anton me ligava vinte vezes por dia para saber se alguém tinha aparecido para trabalhar.

Eu conseguia me livrar da maioria dos telefonemas obrigatórios — estava transando *muito* com Anton e Zulema também resolvera me dar um refresco —, então não tinha de ouvir a maioria das desculpas criativas deles, mas, segundo Anton, eles eram especialistas em inventar desculpas; Spazzo deslocou o pulso; o tio de Macko morreu; o tio de Bonzo morreu; a van de Tommo foi roubada e logo depois o tio *dele* também morreu.

— O que foi dessa vez? — Anton costumava berrar ao telefone. — Essa semana foi a morte de quem?

Então, justamente quando conseguimos alguns dias sem a morte de nenhum tio, choveu. Os novos lintéis não podiam ser colocados enquanto estivesse chovendo. Nas quatro semanas anteriores, o tempo estivera glorioso, mas, assim que precisamos de tempo bom, começou a chover.

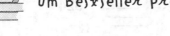

* * *

Eu parecia estar sendo arrastada e puxada do fundo do mar. Com muito esforço, consegui chegar à superfície do meu sono. Fui acordada pelo choro de Ema pela quarta vez só naquela madrugada. Foi uma noite terrível, mesmo para os padrões de Ema.

— Deixa que eu vou — disse Anton.

— Obrigada. — Voltei ao estado comatoso. De repente, havia alguém me sacudindo o ombro, tentando me fazer recobrar a consciência. Era Anton.

— Ela está enjoada e vomitou no pijaminha.

— Troque os lençóis e a roupa dela.

No que me pareceu dois segundos depois, eu fui puxada novamente do fundo do mar.

— Desculpe, querida, mas ela quer você.

Preciso levantar, preciso levantar, preciso levantar.

Tive de me forçar a sair da cama, uma das coisas mais difíceis que já fiz na vida, e fui atender Ema. Seu rosto estava com um tom vermelho brilhante e o quarto cheirava a vômito, mas mesmo assim ela sorriu de orelha a orelha ao me ver.

— Lily! — Ela se mostrou empolgadíssima por eu estar ali, embora fizesse menos de cinco minutos desde que me vira.

Eu a peguei no colo. Ema me pareceu muito quente. Ela quase não ficava doente. Era uma bonequinha resistente e, quando caía, dava topadas ou levava esbarrões que fariam qualquer criança colocar a casa abaixo com os gritos, simplesmente massageava o lugar machucado e se levantava. Para falar a verdade, ela era tão resistente que muitas vezes zoava as outras crianças que se machucavam e choravam; ria, esfregava os olhos com os dedos fechados e fazia "Buáá! Buáá!", imitando o choro escandaloso delas. (Eu bem que tentava impedi-la de fazer isso, porque pegava muito mal com as outras mães.)

— Vamos ver se você está com febre.

Debaixo do braço, ela estava com 36,7; no ouvido, 36,8. A temperatura oral era de 36,9; a retal — "Desculpe, querida" —, de 37 graus, certinhos. Em todos os buracos em que eu verifiquei a existência de uma possível febre, ela estava bem.

Procurei por marcas vermelhas na pele e depois apalpei seu pescoço, para ver se estava rígido.

— Ai! — ela reclamou. Aquilo me deixou preocupada, então eu apertei mais algumas vezes, até que ela começou a rir.

— Você está ótima — eu lhe disse. — Volte a dormir que eu tenho um livro para escrever amanhã.

Ela colocou a mão espalmada sobre os olhos, espiou por entre os dedos e cantou:

— Estou vendo você!

— Querida, são quatro e quinze da manhã e ver pessoas a essa hora é terrível.

Sentei-me em uma cadeira de balanço, torcendo para conseguir fazê-la dormir novamente, e então, para meu espanto total, a cabeça de um sujeito apareceu na janela do quarto. Era um homem de quarenta e poucos anos. Passou-se mais um instante antes de eu perceber que ele era um ladrão. Sempre achei que os ladrões fossem jovens. É claro que ele subira até ali pelos andaimes. Ficamos olhando um para o outro em silêncio, petrificados de susto.

— Não se dê ao trabalho de entrar — avisei. — Não temos nada de valor.

Ele continuou imóvel.

— Nossa empregada venezuelana se recusou a ficar aqui! — insisti, apertando Ema com mais força. — Preferiu ir morar em Cricklewood, com um homem que mal conhecia. Um sujeito chamado Blogueiro. Eu tinha alguns cosméticos caros, mas ela levou tudo. Os potes estão em Cricklewood agora.

Deixei aquelas informações pairando no ar e, quando tornei a levantar a cabeça, o ladrão desaparecera tão silenciosamente quanto havia chegado. Voltei para o quarto dos fundos, acordei Anton e lhe contei tudo o que acontecera.

— Isso é um absurdo! — ele reagiu. — Vou ligar para Macko logo cedo.

Dito e feito. Assim que se levantou, Anton pegou o telefone com uma determinação provocada por fúria em estado puro.

— *Bom-dia*, Macko! Será que há alguma chance de eu avistar você ou algum dos seus homens hoje? Não? O que foi dessa vez? Morte de alguém da família? Não me conte quem foi, deixe eu adivinhar. Seu cão? Seu primo de décimo quarto grau? Ah. Seu pai? Puxa, essa deve ser a terceira vez que seu velho morreu, só neste mês. Quem sabe é uma daquelas epidemias de morte que andam por aí, né? Acho que ele devia tomar umas colheradas de óleo de fígado de bacalhau.

Anton ficou calado. Ouviu, ouviu um pouco mais, em seguida murmurou alguma coisa, desligou e disse:

— Merda!

— Que foi?

— O pai de Macko morreu de verdade. Ele estava chorando. Agora mesmo é que eles nunca mais vão aparecer aqui.

Eu fiquei desesperada. Não poderia culpar Gemma por aquilo, mas decidi fazer isso do mesmo jeito.

Mais tarde, naquela mesma manhã, eu tive mais um motivo para pensar em Gemma: Tania Teal me mandou, pelo motoboy, um exemplar pronto de *Claro como Cristal*. Era um livro muito bonito, pesado, com uma capa muito parecida com a de *As Poções de Mimi*. A ilustração da capa do primeiro livro era a de uma pintura a óleo meio enevoada, onde se vislumbrava uma mulher com jeito de bruxa contra um fundo azul-bebê. Aquela era uma pintura a óleo meio enevoada onde se vislumbrava uma mulher com jeito de bruxa contra um fundo azul-claro. Parecia *absolutamente igual* à capa do primeiro livro, mas, quando eu o comparei com *As Poções de Mimi*, notei que havia um monte de diferenças. A mulher de *As Poções de Mimi* tinha olhos azuis. A de *Claro como Cristal* tinha olhos verdes. Na capa de *As Poções de Mimi*, a mulher usava botas de abotoar, enquanto a de *Claro como Cristal* usava sapatos de saltos não muito altos, com alguns botões. Um *monte* de diferenças.

Ele seria lançado só dali a dois meses, no dia 25 de outubro, mas a partir do dia seguinte já estaria à venda nos aeroportos.

— Boa sorte, meu livrinho — disse eu, beijando-o, como se tentasse protegê-lo da magia negra que Gemma pudesse ter posto em ação.

Se eu não estivesse morta de cansaço pela noite maldormida, iria mostrá-lo a Irina.

A vida de Irina mudara muito. Ela conhecera um "empresário" ucraniano chamado Vassily, que a arrancara de Gospel Oak e a instalara em um apartamento montado em St. John's Wood. Ele era louco por ela. Irina continuava a trabalhar em regime de meio expediente, mas por puro amor à Clinique, e não por precisar de grana.

— Acho que, se eu tivesse que passar o resto da vida sem ganhar amostras grátis, seria melhor morrer. (Ao dizer isso, ela apertara o peito de forma dramática e em seguida pegou o espelhinho do pó compacto para examinar os lábios.)

Eu já a visitara na casa nova: um imenso apartamento de três quartos em um prédio estiloso, com entrada de serviço e tudo. Folhas verdes enfeitavam as janelas do segundo andar e, embora aquela fosse a casa de uma amante russa bancada por um gângster ucraniano, tudo parecia tremendamente respeitável. Havia um pouco mais de enfeites dourados do que eu teria escolhido, mas, de resto, era um lugar muito bonito. Eu admirei, em especial, a falta de poeira.

27

Enviamos flores para o funeral do pai de Macko e ele deve ter nos perdoado, pois na segunda-feira seguinte quatro dos operários apareceram em nossa casa. Havia um ar de profissionalismo neles e parecia que os lintéis seriam finalmente instalados. Até que Bonzo, ao passar pela sala com um dos canos da armação dos andaimes, se virou rápido demais e o enfiou sem querer pela vidraça em arco que ficava acima da porta da frente, estilhaçando-a em mil pedaços.

Eu tinha aguentado aqueles homens das cavernas discutindo a respeito dos mamilos da minha empregada, passando tempo demais trancados dentro do banheiro lendo o *Sun* ou ensinando a Ema alguns palavrões irlandeses, tudo isso sem reclamar uma única vez. Mas a vidraça sobre o portal de entrada era antiga, linda e insubstituível. Aquilo foi demais para mim. Tudo desabou. A espera, o desapontamento e o terror da ver a obra eternamente inacabada despencaram sobre a minha cabeça e, diante de Bonzo, Macko e Tommo, eu me acabei de chorar.

Semanas de exaustão, preocupações financeiras, tentativas de escrever um livro que não queria ser escrito, além do terror de saber que Gemma poderia fazer alguma coisa contra a minha família, tudo me transbordou dos olhos.

Tommo, o de coração mais mole, disse, meio sem jeito:

— Puxa, não chore!

Porém, como punição pelas críticas a ele, ainda que indiretas, Bonzo foi embora. De repente, voltou e convocou os colegas para acompanhá-lo, com ar zangado, e todos o seguiram meio envergonhados. Dois dias depois disso, eles ainda não haviam voltado e eu atingi o fundo do poço. Sempre que algo saía errado, eu me lembrava de Gemma. Morria de medo de ela ter adquirido poderes mágicos voltados para o mal. Ela era o Darth Vader do meu Luke Skywalker, o Voldemort do meu Harry Potter e eu imaginei — sem nenhuma lógica — que ela orquestrava, de forma malévola, a morte de tudo de bom que havia na minha vida. Tentei alertar Anton para aquilo, mas ele, de forma sensata, me garantiu que nada daquilo tinha a ver com Gemma.

— Até *eu* sentiria impulsos homicidas — assegurou-me ele. — O próprio Dalai-Lama perderia todo o seu equilíbrio mental se morasse nesta casa.

Pensamos na possibilidade de contratar outra equipe para terminar a obra, mas não tínhamos dinheiro e nem teríamos, pelo menos até eu receber o cheque de direitos autorais, no fim de setembro, ou seja, dali a um mês.

Anton estava deprimido demais para pensar em sexo e eu já dera a Zulema todos os cosméticos que eu tinha, com exceção da minha frasqueira da Jo Malone para viagens aéreas. Sendo assim, não tive alternativa senão ligar para Macko implorando pela volta de Bonzo.

— Vocês o magoaram — informou Macko. — *Do mesmo jeito que me magoaram também* — seu tom de voz parecia completar — *quando você e seu amante fizeram chacota da morte do meu pai. Meu único pai!*

— Desculpe — eu disse. — Não pretendíamos magoá-lo.

— Bonzo é muito sensível.

— Sinto muito, de verdade.

— Vou conversar com ele e ver o que podemos fazer.

O telefone tocou. Era Tania Teal. Mas sua voz me pareceu muito fina e ela falava rápido demais:

— Oi, Lily, tenho notícias! Boas notícias, na verdade. Decidimos refazer a capa de *Claro como Cristal*. A outra era linda, mas muito parecida com a de *As Poções de Mimi*. Preparamos uma nova. O motoboy vai aí levá-la para a sua aprovação.

— Tudo bem.

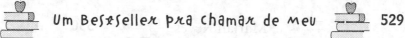

— Essa mudança é ótima. Não quero que a capa fique parecida e as pessoas o confundam com *As Poções de Mimi*.

— Você está bem, Tania?

— Estou — respondeu ela, depressa. — Estou sim, estou ótima. Mas preciso da sua aprovação, rapidinho! Tenho que mandar tudo para a gráfica ainda hoje. Não podemos perder a data do lançamento. O motoboy já está a caminho. Avise-me se ele não chegar aí em meia hora, que eu mando outro.

Em menos de meia hora, a capa nova chegou. Era marrom, com imagens meio indistintas que a faziam parecer muito séria. O extremo oposto da capa original, mas muito mais a ver com o livro. Eu gostei. Liguei para Tania, que continuava falando como uma metralhadora:

— Gostou? Que bom! Ótimo! É claro que os exemplares que foram distribuídos nos aeroportos estão com a capa azul, mas quando o livro for lançado no mundo real vai ser com a capa nova.

— Tania, você tem certeza de que está bem?

— Sim, estou ótima. Ótima!

Tinha *alguma coisa* rolando por trás daquilo.

Era o dia da Dalkin Emery, porque, logo depois Otalie, a responsável pela divulgação, me telefonou:

— Tenho uma grande notícia! O *Show das Onze* quer entrevistar você.

O *Show das Onze* era um programa matinal de tevê, meio brega. Apesar do nome, ele passava das dez e meia ao meio-dia e era apresentado por duas mulheres que, pelos comentários que eu ouvia, odiavam uma à outra, mas se tratavam com uma doçura perturbadora diante das câmeras. O ibope delas era altíssimo.

— Sei que *Claro como Cristal* ainda não foi lançado, mas o programa passa em rede nacional, uma chance grande demais para dispensarmos!

— Quando eles querem que eu vá?

— Sexta-feira.

Dali a dois dias. Estremeci de medo. Eu estava um caos estético ambulante. Tornei a pensar em Gemma; se fosse *ela* a convidada do *Show das Onze*, certamente pareceria deslumbrante. Gemma tinha roupas caras, cabelos brilhantes (e volumosos), além de usar sempre saltos altos; vivia bem cuidada. Eu, por outro lado, mesmo nos melhores dias, parecia sempre um desastre (imaginem sem estar nos melhores dias).

— Que bom, Otalie! — Foi a minha reação. Coloquei o fone no gancho, mas tornei a pegá-lo e liguei para Anton.

— Vou aparecer no *Show das Onze*, sexta-feira! — Estava quase histérica. — Em rede nacional! Eu me odeio. Não tenho roupas, ainda não consegui o meu entrelaçamento capilar estilo Burt Reynolds e me odeio.

— Você já tinha dito que se odiava, duas frases atrás. Vamos às compras!

— Anton! Preciso que você seja prático e objetivo. Preciso que ME AJUDE!

— Me encontre debaixo do relógio da Selfridges em uma hora.

— Não podemos ir à Selfridges. NÃO TEMOS GRANA.

— Temos cartões de crédito.

— E QUANTO A EMA?

— Vou ligar para o celular de Zulema e pedir para que ela fique até mais tarde.

— ELA VAI ESTRAÇALHAR VOCÊ!

— Tudo bem.

A calma dele era tamanha que aquilo começou a me afetar.

— Selfridges — ele repetiu. — Daqui a uma hora. Vamos dar um banho de loja em você.

— Anton. — Consegui puxar todo o ar que havia à minha volta e colocá-lo para dentro dos pulmões. — Estou falando sério... Nós estamos sem grana.

— Também estou falando sério. Temos dois cartões de crédito. Que nem mesmo estão estourados. Não sei se acontece o mesmo com você, mas eu nunca me sinto à vontade com um cartão de crédito que não foi usado até o limite. Tenho uma sensação incômoda, como se tivesse deixado o gás de casa ligado...

* * *

Ele já estava à espera quando eu apareci, com o rosto sombrio e assustado. Fui até onde ele estava e nem parei, continuei andando.

— Vamos logo com isso. Preciso de calças pretas e algum top. Tudo o mais barato possível.

— Não. Ele parou de andar e eu tive de parar também. — Nada disso. Vamos nos divertir um pouco. Você merece!

— Vamos começar pelo térreo. As roupas lá têm preços razoavelmente baixos.

— Não. Quero ver os preços absurdamente altos do segundo andar. É onde ficam os produtos de boa qualidade.

Respirei fundo. Inspirei mais uma vez e acabei me rendendo a ele, deixando-me levar pela sensação quase física. Anton estava assumindo o comando, portanto eu não precisava me sentir culpada. Meu senso de responsabilidade foi-se embora, deixando-me frívola e quase nas nuvens.

— Lembre-se, Lily, não estamos aqui para passar o tempo, estamos aqui para nos divertir!

— OK. Vá em frente.

No segundo andar, Anton começou a pegar roupas das araras e empilhá-las sobre os braços. Escolheu coisas que eu nem havia reparado e, embora algumas delas fossem impossíveis de usar, outras me deixaram surpresa e cheia de vontade de experimentá-las. Aquilo era uma metáfora perfeita da minha vida com Anton: ele expandia a minha visão, me fazia olhar a vida, as roupas — e a mim mesma — de um novo jeito.

Rapidinho, Anton conseguiu uma atendente que entrou na onda dele; os dois me afogaram em roupas maravilhosas.

Ele me incentivou a experimentar um monte de coisas: saias curtas de couro, "Por que você tem pernas lindas, Lily". Vestidos colantes em lycra, muito sexy, com alguns buracos estratégicos, "Porque você tem a pele linda, Lily".

Assumi várias identidades — virei uma roqueira radical com roupas pespontadas, uma estrela de cinema francesa bem *soignée*, uma bibliotecária chiquérrima em roupas Prada. Meus piores receios se dissiparam e eu comecei a rir e a me divertir. Aquele era Anton no que ele sabia fazer de melhor, um homem empolgado de gestos largos, extravagância e visão.

Desde que passamos a nos ver regularmente, ele sempre me trazia presentes — coisas que eu não compraria para mim mesma, por serem supérfluas. Como a frasqueira para viagens aéreas, por exemplo, que eu vira em uma revista e namorara como uma menina de seis anos namora uma bicicleta cor-de-rosa. Eu raramente viajava de avião e não *precisava* de uma frasqueira perfeita para guardar miudezas, mas Anton, com sua incrível percepção para os detalhes, percebeu que eu *queria* uma. E, embora eu o repreendesse por gastar tanto dinheiro que nós não tínhamos, amei tanto o presente que dormi com ele ao lado do travesseiro. Era a única coisa que eu não tinha dado (nem jamais daria) a Zulema.

Anton me cobriu com sua percepção em estilo "pode ser que você não precise disso, mas deseja" e não parava de me trazer carregamentos de roupas para o trocador, enquanto levava outras embora. Fui proibida de ver quanto as peças custavam e ele me avisou:

— Só vou fechar a porta do trocador se você jurar não olhar o preço de nada.

Depois de mais de uma hora experimentando coisas lindas, decidi por um par de calças pretas com feitio de arrasar e um top estranho, cheio de pontas, que revelava meus ombros. Anton também me convenceu a comprar uma das saias curtas de couro e um vestido colante de cashmere.

— Posso usar as calças e o top a partir de agora? — pedi.

Comparadas àquelas maravilhas, as roupas com as quais eu entrara na loja me pareceram velhas e caidaças. Depois de aturar vários meses de poeira e desleixo, descobri que estava *louca* para ganhar coisas novas e brilhantes.

— Você pode ter tudo que seu coração desejar.

Anton foi até o caixa para pagar e, pelo olhar de desejo no rosto das vendedoras, elas deviam estar achando que ele era um cara rico e gostosão, e eu, uma piranha mimada. Se ao menos soubessem que Anton e eu estávamos rezando para o cartão não ser rejeitado...

Mas o cartão não foi rejeitado e o vestido, a saia de couro e minhas roupas velhas e nojentas foram embrulhados com cuidado. Ao sairmos do caixa, Anton anunciou:

— Agora, vamos aos calçados.

— Que calçados? Você está abusando da sorte.

— Não preciso abusar, porque a sorte está do nosso lado.

Era sempre assim com Anton. Quando ele estava num bom dia, a vida com ele era superexcitante. Eu entrei na pilha, feliz por me mostrar submissa; ele levou poucos minutos para achar o par de sapatos perfeito — na verdade, eram botas. Eu as experimentei e as botas pareceram se aninhar em torno dos meus pés, como se os tranquilizasse entre sussurros.

Anton viu minha expressão de êxtase e decidiu:

— Elas são suas!

— Mas, Anton, essas são botas Jimmy Choo! Não faço nem ideia de quanto elas custam!

— Você é uma escritora de sucesso. Merece botas Jimmy Choo.

— Tá... — Não consegui evitar um risinho, como direi... quase histérico. — Que diabos! Por que não?

— Você quer sair da loja usando as botas?

— Sim. E o que vou fazer com o meu cabelo?

— Blanaid já marcou hora para amanhã de manhã em um salão de arrasar que fica no Soho. — Blanaid era a assistente de Anton e Mikey. — Ela diz que todas as modelos frequentam o lugar. É claro que ela não marcou um transplante folicular — avisou depressa. — Acho que eles nem fazem isso lá. Mas vão ajeitar o seu cabelo do jeito que você gosta.

— Com muito volume — disse, ansiosa.

— Isso mesmo, com muito volume, foi exatamente o que eu pedi a ela.

— E quanto às minhas unhas? Não consigo pintá-las sozinha, acabo sempre com esmalte espalhado pelos dedos.

— Posso pedir a Blanaid que lhe marque um horário na manicure. Ou eu mesmo posso pintar suas unhas.

— Você? Anton Carolan?

— Seu criado. Quando eu era garoto, costumava pintar soldadinhos de chumbo com alto grau de precisão. Na época fui acusado de ser um *geek*, mas sabia que essa habilidade me seria útil um dia. Eu também pintei uma van que eu tive com os famosos irmãos Peludos Doidões. Eu tinha quebrado a perna e não dava para andar de bicicleta, então fui aprender a pintar com eles. Eu faço suas unhas.

— Fabuloso!

A compra das botas ocorreu sem mais dramas — era um dia daqueles em que tudo dá certo — e então fomos embora. No andar térreo, ao passarmos pelo departamento de cosméticos, fomos abordados por uma garota alegrinha que me perguntou se eu não gostaria de testar alguns produtos. Segui em frente sem parar. Já conseguia ver a luz do dia no lado de fora da loja. Morria de medo daquelas mulheres, porque elas sempre me barravam a passagem.

— Lily! — chamou Anton. — Você não quer testar alguns produtos?

Com ar frenético, balancei a cabeça para os lados e fiz mímica com os lábios:

"NÃO!"

— Volte aqui, amorzinho — ele me seduziu. — Vamos ver o que a... — ele olhou para o crachá da jovem. — Vamos ver o que a Ruby tem para você.

Embora não quisesse, eu me vi sentada em uma banqueta de encosto baixo, tendo uma bola de algodão esfregada por todo o rosto e achando que as pessoas prendiam o riso ao passar por mim.

— Você tem uma pele muito boa — elogiou Ruby.

— Tem mesmo, não é? — Anton sorriu de satisfação. — Ela deve isso a mim. Sou eu quem compra os produtos que ela usa.

— Qual a sua marca preferida? — Ruby me perguntou.

— Jo Malone — respondeu Anton. — Além de Prescriptives e Clinique. Na verdade, os produtos da Clinique eu nem compro, porque ela ganha amostras de Irina, uma amiga demonstradora.

— Vou aplicar uma base leve — informou Ruby.

— Ótimo — eu disse. Qualquer base, leve ou pesada, servia. Ficar ali sentada em plena Selfridges com a cara completamente nua era muito perigoso. Conforme a Lei de Murphy, fatalmente ia aparecer alguém que eu conhecia. *Gemma* surgiu em minha mente, embora ela morasse em Dublin.

Ruby trabalhava em meu rosto e Anton não parava de fazer perguntas:

— Que troço cor-de-rosa é aquele? Como é que você consegue traçar uma linha tão fina com o delineador?

Quando ela acabou, eu fiquei parecida comigo mesma, só que em uma versão muito, mas *muito* mais bonita.

— Você está linda, amor — garantiu Anton, para em seguida informar a Ruby: — Ela vai aparecer no *Show das Onze*, na sexta-feira de manhã. Provavelmente vai usar esse top. Você tem algo aí para dar um realce nos ombros dela?

Ruby fez surgir um pó compacto iridescente e um pincel grosso de maquiagem, com muitos pelos curtos e macios. Começou a passar nos meus ombros.

— Vamos ter que comprar isso — avisou Anton. — E o troço cor-de-rosa também. Além do delineador, para Lily poder se preparar sozinha, em casa. — Olhando para mim, ele assegurou: — É um investimento.

Eu retribuí o olhar. Claro que aquilo não era investimento nenhum, porém, levada pela empolgação, não me importei.

— Tem mais alguma coisa que você queira? — ele perguntou.

— Talvez a base — disse eu, baixinho. — Gostei do batom cor-de-boca também.

— Vão os dois, então — Anton comunicou a Ruby. — Ah, coloque o rímel junto, aproveitando o embalo. — Ele se agachou a meu lado e sussurrou em meu ouvido, enquanto Ruby catava os produtos nas gavetas: — Depois de todo o trabalho que ela teve, seria criminoso sair daqui sem levar nada.

Depois de colocar tudo em uma sacola, Ruby jogou um monte de amostras grátis lá dentro.

— Fantástico! — exclamou Anton. — Como você é legal!

— Oh. — Ruby pareceu surpresa pela gratidão demonstrada por Anton. — Leve mais algumas amostras. — Pegou mais um punhado, jogou tudo na sacola e eu sorri comigo mesma.

Anton falava aquelas coisas de peito aberto e eu adorava o seu jeito de fazer todo mundo se apaixonar por ele. Ele flertava o tempo todo, mas nunca de um jeito vulgar.

Ruby nos entregou a sacola e saímos da loja.

Eu estava com ótimo astral; ótimo por causa das compras; ótimo por me sentir bonita; ótimo por minhas coisas novas, todas sem poeira.

— Ah, eu nem queria ir para casa — comentei.

— Isso é bom, porque nós *não vamos* para casa! Zulema está de plantão. Vamos sair, só você e eu.

Anton me levou a um clube privê no Soho, onde ele parecia conhecer todo mundo. A recepcionista nos instalou em uma cabine só para dois, em um cantinho, com bancos macios revestidos em couro; todos os outros ficaram do lado de fora. Ele nem me perguntou o que eu queria beber; não havia dúvida que seria champanhe. Fiquei sentadinha ali, com as roupas novas, a cara nova e cintilante. Por algum tempo, eu me esqueci da casa destruída, do açúcar espalhado por todo lado, do terror constante que era pensar em Gemma.

Eu me senti glamourosa, linda e loucamente apaixonada.

O cabeleireiro da moda, no Soho, fez o meu cabelo criar volume de forma maravilhosa; Anton realizou um belo trabalho nas minhas unhas e as roupas novas, juntamente com as botas, estavam perfeitas.

Minutos antes de entrar em cena, descobri que o motivo do convite para eu ir ao *Show das Onze* era a matéria sobre assaltos que eles iam apresentar. Não me perguntaram nadica de nada sobre os meus livros, só queriam saber o quanto o meu assalto fora terrível.

— Você precisou ser hospitalizada? — perguntou uma das "solidárias" apresentadoras, naquele tom exagerado de "eu me importo com você".

— Não.

— Ah, não? Puxa... — Ela se mostrou tão desapontada que eu me apressei em informar-lhe que estava grávida na ocasião e morri de medo de perder o bebê. Isso a animou um pouco.

Ao voltar para casa, notei vários recados na secretária. Viv, Baz e Jez me disseram o quanto estavam orgulhosos de mim. Também havia um recado de Debs, dizendo: "Sei que o dinheiro anda curto, mas você precisava aparecer na televisão com aqueles trapos?" Era uma referência ao meu fantástico top novo. "Rá, rá, rá", ela riu ao desligar.

28

O mês de setembro trouxe alguns avanços e retrocessos em nossa vida.

Anton e Mikey haviam passado a maior parte do verão alinhavando um contrato grande e muito importante. Conseguiram um roteiro bom, com muito suspense, arrumaram financiamento com três fontes confiáveis e o compromisso da jovem estrela do momento, Chloe Drew, bem como o de uma diretora muito promissora, Sureta Pavel. Essa era a cartada que iria tornar a Eye-Kon famosa. Tudo corria às mil maravilhas e o contrato estava para ser assinado quando o roteiro atraiu a atenção de alguém em Hollywood. Antes que eles tivessem a chance de dizer "punhalada", o roteiro foi vendido e todo o esquema desmontou como um castelo de cartas. Isso jogou Anton em um fosso de depressão.

Testemunhar seu desespero foi absolutamente assustador, porque o estado natural de Anton era o de otimismo invencível. Mas, com tanta coisa dando errado ao mesmo tempo, era difícil ele dar a volta por cima daquela vez. Começou a reclamar do grande fracasso que era, o quanto decepcionara a mim e a Ema, e chegou a dizer que ia procurar outra coisa para fazer na vida. "Atendente de bar, talvez", disse ele, deitado de bruços. "Quem sabe apicultor."

Pelo lado positivo, alguma coisa no ar sombrio e desesperado de Anton afetou os operários. Sem que fosse preciso ninguém ligar para empentelhar a vida deles, os rapazes instalaram três ou quatro dos novos lintéis e até começaram a emassar o quarto principal.

Por uma semana inteira, Anton tirou folga do trabalho.

— Estou sem estômago para aquilo — disse ele. — É tão difícil conseguir material de qualidade... Essa era a nossa grande chance! Acho que a coisa nunca vai dar certo para a produtora.

Anton passou muito tempo com Ema. De algum modo, ele conseguiu afastar Zulema de casa por toda a semana. Desconfio — embora não tenha perguntado — que ele pagou para ela *não aparecer.*

Anton ficou parado na porta do meu escritório, observando-me digitar no teclado. Várias emoções apareceram em seu rosto.

— Você trabalha tanto! — exclamou e, em seguida, perguntou:
— Ema, onde está você?

Ema entrou no aposento, usando seu macacãozinho com listras horizontais vermelhas e azuis. Anton a observou com ternura.

— Você parece um halterofilista húngaro... — disse, e concluiu, depois de analisar atentamente: — ... do início dos anos cinquenta.

Foi então que eu percebi que ele estava melhorando.

Entretanto, nunca mais voltou ao que era. Fazia referências constantes ao meu trabalho pesado, ao fato de todo o dinheiro que entrava em casa ser gerado por mim, e dizia que se não fosse por mim não teríamos nada.

Isso me assustou, porque embora, naquela época, toda a nossa renda estivesse sendo produzida por mim, eu nunca considerara aquela uma situação permanente. Na verdade, eu confiava em Anton, nas suas ideias e na sua energia inesgotável. Imaginava que de repente ele estaria produzindo dinheiro bastante para nos manter em segurança. Não gostei da sensação de que tudo — desde as despesas com moradia até a comida — dependia de mim.

No último dia de setembro, o primeiro cheque de pagamento dos direitos autorais de *As Poções de Mimi* chegou. Seu valor era tão absurdamente alto — cento e cinquenta mil libras — que parecia até brincadeira de alguém. Chorei de orgulho. Peguei meu exemplar de *As Poções de Mimi* em uma prateleira empoeirada, olhei para aquele monte de letrinhas impressas nele e me maravilhei ao ver que tudo aquilo resultara em tanto dinheiro, o qual, por sinal, iria garantir o nosso lar... A coisa toda era um milagre, desde a criação do livro a partir de um momento triste até o seu inesperado sucesso.

Anton tirou uma foto em que eu aparecia segurando o cheque como se erguesse uma taça, e depois eu dei um beijo de despedida no papel, porque quase toda aquela grana já estava comprometida. Com o banco, com a empreiteira e com os cartões de crédito.

— Só mesmo você e eu conseguiríamos ganhar um cheque de cento e cinquenta mil libras para dois dias depois ficarmos quase duros novamente! — eu disse a Anton.

— Mas toda a grana que gastamos foi por uma boa causa — afirmou ele. — Olhe para nós, somos adultos responsáveis. Pagamos a primeira parcela da casa ao banco e agora eles não vão mais poder tirá-la de nós.

Eu recuei diante disso. Era a pessoa errada para ouvir aquele tipo de piada sobre perda de imóveis.

— Desculpe. — Anton percebeu. — Bobeira causada pela empolgação.

— E quando vence a prestação seguinte?

— No dia 30 de novembro, depois de você renovar o contrato com a Dalkin Emery. — Ele parou de falar e eu senti uma das suas recaídas de baixo-astral. Torci para ele não desabar. Não no dia em que tínhamos motivos para alegria! — Eu me odeio por saber que todo esse fardo está sobre suas costas — comentou ele, sentindo-se péssimo.

— Não, por favor — implorei. — Hoje não! Deixe para se odiar outra hora. Tire um dia de folga.

— Estou deprimida!

Era Miranda England, ao telefone.

— São os hormônios — garanti. — Isso acontece durante a gravidez.

— Não são os hormônios. É a porra do site da Amazon. Acabei de entrar lá. Não sei por que eu faço essas coisas comigo mesma. Meu mais recente lançamento está com uma média de três estrelas e meia na opinião dos leitores. O anterior tinha um monte de resenhas cinco estrelas, e as pessoas que escreveram dessa vez são muito cruéis!

— Puxa vida... — eu reagi, sem saber o que dizer. — Eles sabem ser horríveis, mesmo.

— Quanto a isso, você nem precisa se preocupar — disse ela, com voz triste. — Dei uma olhada na página de *As Poções de Mimi*. Todos amam você. Quase todas as avaliações têm cinco estrelas. Eles lhe dariam seis, se pudessem.

Eu não devia ter feito aquilo.

Assim que ela desligou, fui até o site da Amazon, olhei a página de *As Poções de Mimi* e passei alguns minutos muito felizes olhando resenha após resenha, cada uma com mais elogios ao livro que a anterior.

Mas não se deve cantar vitória antes do tempo, porque logo depois — justamente quando eu devia ter parado — fui pesquisar se alguém já escrevera alguma coisa sobre *Claro como Cristal*. O livro só seria lançado no fim de outubro, mas alguns exemplares já haviam sido distribuídos nos aeroportos.

Digitei "Claro como Cristal" e fiquei toda empolgada ao ver que já havia resenhas de leitores! Apenas três, mas já era alguma coisa.

Foi quando eu li o título da primeira resenha e senti uma espécie de enjoo. "Pobrezinha!" era o título.

"'Pobrezinha!' — resenha enviada por uma leitora de Darlington."

A avaliação dela foi uma estrela, das cinco possíveis. Pelo menos ela me dera uma estrela, pensei, tentando me agarrar em qualquer coisa para não afundar. Então comecei a ler:

A única razão de eu dar uma estrela para esse livro é que o sistema não permite que o leitor não dê nenhuma.

Ô-ô...

Quase fiz xixi nas calças de tanto rir ao ler As Poções de Mimi, *mas não há uma única cena engraçada neste monte de estrume. Comprei* Claro como Cristal *no aeroporto, a caminho de uma semana em um lugar ensolarado. Seria melhor ter economizado essa grana para tomar mais uns drinques à beira-mar.*

Caramba! Minha nossa! Com o coração martelando, corri para a resenha seguinte, torcendo para que ela fosse melhor. A leitora me dera duas estrelas.

"De volta ao Prozac", de uma leitora de Norfolk.

Eu estava deprimida e sem sair de casa havia quase seis meses quando As Poções de Mimi *caiu em minhas mãos. O livro me animou tanto que eu consegui voltar a frequentar as reuniões dos Vigilantes do Peso. Imaginem a minha empolgação ao descobrir que Lily Wright tinha lançado um novo livro. Pedi a uma vizinha para me comprar um exemplar na livraria do aeroporto, pois ela ia visitar a mãe em Jersey. Tinha esperança de começar a procurar um emprego de meio expediente assim que acabasse de lê-lo. Alguém já leu? Saibam que é muito deprimente. Ele me fez voltar ao auge da depressão. Minha cotação é duas estrelas, mas na verdade não gostei nem um pouco do livro. Mesmo assim, eu me considero uma boa pessoa.*

Na resenha seguinte eu também recebi duas estrelas.

"Estou extremamente desapontado", de um leitor compulsivo do noroeste do país.

Gostei muito de As Poções de Mimi, *embora não seja o tipo de livro que eu costumo ler. (Adoro Joanne Harris, Sebastian Faulks e Louis de Bernieres.) Mesmo assim, sou obrigado a admitir que estava curioso para ver o novo livro de Lily Wright, pois a considerei uma boa promessa ao ler* As Poções de Mìmi. *Ao ver o novo livro no aeroporto (a caminho de uma exposição de arte em Florença), eu o comprei. Entretanto, minhas esperanças foram abortadas.* Claro como Cristal *não é bom e eu nem sei a que compará-lo. É tão ruim (embora, é claro, não exatamente!) quanto um exemplar da chamada literatura "mulherzinha". Ele merece só uma estrela, mas resolvi dar duas só pelo fato de não ser exatamente um livro do tipo "mulherzinha"!*

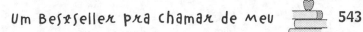

— An-TON! — gritei. — ANTONNNN!

Escorregando — quase surfando — sobre açúcar, ele apareceu correndo e eu lhe mostrei as resenhas.

— E se todo mundo odiar o *Claro como Cristal*? — perguntei. — E se ninguém comprar o livro? A Dalkin Emery não vai renovar o meu contrato e vamos ficar arruinados. E o meu novo livro também não é lá essas coisas!

— Calma, calma! — acudiu Anton. — *As Poções de Mimi* também recebeu resenhas ruins.

— Mas foram feitas por críticos velhos e embolorados. Não por pessoas de verdade. Não por leitores!

Agora eu entendia o porquê de Tania estar tão apavorada e apressada para mudar de capa. Eles estavam preocupados com o fato de os leitores terem expectativa de uma nova história no estilo de *As Poções de Mimi*, como obviamente acontecera com aqueles três. Cheia de medo, senti um gosto de metal na boca.

Aquela bagunça infernal não poderia ser obra de Gemma, a não ser que ela mesma tivesse escrito as três resenhas. Mesmo assim, resolvi culpá-la.

— *Claro como Cristal* precisa vender muito bem — agarrei o braço de Anton —, porque, se isso não acontecer, a Dalkin Emery não vai me oferecer um novo contrato. E sem contrato não vamos ter grana para pagar a próxima prestação da casa.

Perder a casa! Senti um formigamento no alto da cabeça. Não conseguia imaginar nada pior.

Com toda a calma, Anton começou a sua ladainha:

— *Claro como Cristal* é um grande livro. A Dalkin Emery vai fazer uma campanha maciça para ele. Será um grande sucesso! A editora acha que ele vai alcançar o primeiro lugar entre os mais vendidos na época do Natal. Daqui a um mês, Jojo vai lhe oferecer um novo contrato e você vai receber um adiantamento gigantesco. Tudo vai acabar bem. Tudo *está* bem.

PARTE TRÊS

PARTE TRÊS

Jojo

Desde o dia em que Olga e Richie pegaram Jojo e Mark no flagra, almoçando juntos no Antonio's, Jojo receava que todo mundo no trabalho ficasse sabendo. Só que, tirando o fato de o Rei das Piranhas se referir a ela como *Nojo*, em vez de Jojo, para depois negar que o fizera, ninguém mais a tratava de jeito diferente.

Na verdade, sem que ninguém pedisse, tanto Dan Swann quanto Jocelyn Forsyth garantiram a Jojo que, quando chegasse a hora de decidir qual seria o novo sócio, em novembro, ela poderia contar com o voto deles. Considerando que o voto de Mark já estava no papo, ela só precisaria de mais um, e se perguntou quem deveria tentar influenciar. Jim Sweetman? Por que se dar ao trabalho de tentar? As coisas andavam esquisitas entre eles há meses, desde aquele dia em que Cassie Avery aparecera no escritório. *Além do mais*, Jim já andava de amizade com Richie Gant havia muito tempo. Só que uma mulher inteligente não deve guardar rancores e Jojo não viu nada de errado em ser gentil com Jim. Não em demasia, é claro, porque senão ela ia parecer carente, certo?

Olga Fisher? Apesar da bandeira de ela ter ido almoçar com Richie Gant, Jojo chegou à conclusão de que não havia nada a perder em atacar por aquele flanco. Assim, comprou-lhe um DVD sobre os hábitos de acasalamento dos pinguins imperadores e evitou qualquer referência sobre solidariedade feminina. Olga não era mulher de se impressionar com essas coisas.

E quanto a Nicholas e Cam, em Edimburgo? É claro que ela já os encontrara um monte de vezes, mas nunca chegou a criar laços de amizade. Eles quase não iam a Londres, e quando o faziam ficavam só o tempo necessário para dizer a todos o quanto odiavam a cidade.

— Por que será... — reclamavam sempre — ... que essas reuniões não podem acontecer em Edimburgo, de vez em quando?

Aquela era uma dupla manhosa. Nicholas tinha uns quarenta e poucos anos, cara de mau e usava barba; Cam era um celta superpálido com olhos azuis muito claros, cabelos castanhos-claros e um grande repertório de comentários ferinos.

Jojo tentou encurralá-los em uma sexta-feira, após a reunião semanal.

— Oi, Nicholas, eu...

— Odeio Londres! — gemeu Nicholas. — É um inferno todo esse tráfego!...

— ... Sem falar nas pessoas! — ele e Cam entoaram a uma só voz.

— Vambora, Cam! Vamos tirar o time de campo.

— Sim, mas... — disse Jojo, ansiosa para conversar um pouco com eles.

Nicholas lançou-lhe um olhar furioso e Cam pregou os olhos muito azuis nela, explicando:

— Temos um *avião* para pegar.

— Tudo bem, desculpem. Ahn... Boa viagem!

Antes da visita seguinte dos dois a Londres, Jojo enviou-lhes um e-mail sugerindo um almoço. Nada feito. Só topariam almoçar se houvesse um motivo muito importante para impedi-los de pegar a ponte aérea de três e meia da tarde para Edimburgo, respondeu Nicholas. Obviamente, Jojo não era um motivo muito importante.

Droga, pensou ela. Aqueles dois eram mais difíceis de pegar que gotas de mercúrio e só lhe restava uma opção. Era meio radical, talvez, mas a única forma de conseguir ter uma conversa decente com eles seria ir visitá-los.

Tudo bem, aquele não seria um problema tão grande. Ela saíra dizer que Edimburgo era linda, e quem sabe Mark também não arrumaria um pretexto para lhes fazer uma visita?

O problema é que estava difícil conseguir uma chance. Cam saíra de férias por três semanas em setembro; depois, Jojo teve que ir à feira do livro em Frankfurt; logo em seguida, Nicholas sumiu por duas semanas. Por fim, todos concordaram em fazer uma reunião no fim de outubro, menos de quatro semanas antes de Jocelyn se aposentar. Jojo não ficou muito satisfeita por deixar aquilo para a última hora, mas talvez fosse melhor. Ela seria lembrada por eles na hora da votação.

Ela voou com Mark para Edimburgo em um horário indecentemente cedo, em uma sexta-feira de manhã; ela ia se encontrar com os rapazes ainda de manhã, e Mark ia vê-los só à tarde, e depois... Fim de semana de lazer em um hotel legal. Oba!...

No avião, Jojo perguntou a Mark:

— Algum conselho?

— Faça como quiser, mas não se mostre condescendente. Eles são um pouco... Como direi?... *Sensíveis* com relação à sua posição secundária, por trabalharem fora de Londres. Especialmente pelo fato de conseguirem para a agência uma quantidade assombrosa de contratos. A Escócia produz um número desproporcional de escritores bons de venda. A palavra-chave neste caso é R-E-S-P-E-I-T-O.

— Saquei.

Mark levou as coisas para o hotel e Jojo foi de táxi até a Lipman Haigh de Edimburgo, que ficava em uma casa antiga de quatro andares em um largo cheio de construções antigas. Jojo adorou o lugar. Nicholas e Cam a cumprimentaram de forma educada, mas sem muita empolgação. Ela, porém, sorriu sem parar. Estava muito feliz de estar ali. Tudo era tão *antigo*.

Eles a apresentaram aos sete outros membros da equipe e lhe mostraram os escritórios, a minissala de reuniões e até a quitinete.

— É aqui que Nicholas e eu preparamos o nosso almoço à base de Cup Noodles.

— Sim — grunhiu Nicholas. — Entre outras iguarias finas.

Jojo não sabia se devia rir. Era mais seguro não fazê-lo, decidiu. De volta à sala de Nicholas, ele disse:

— Creio que você não fez essa longa viagem só para admirar nossas humildes instalações. O que podemos fazer por você, Jojo?

Fingir que aquela era uma simples visita social seria desonesto; ela preferiu a ideia de ser clara e direta:

— Meus caros, vocês têm algo que eu quero.

— Uau! Mas eu tenho uma esposa e sou feliz no casamento — explicou Nicholas.

— E eu sou "frutinha" — informou Cam.

— Droga! — Jojo bateu na coxa, indignada. — Perdi a viagem!

— De qualquer modo — disse Nicholas, com a voz arrastada —, um passarinho nos contou que você quer o nosso voto para se tornar sócia da empresa.

Jojo ficou ruborizada. Não esperava aquilo. Será que todos os outros sócios já sabiam?

— Que passarinho foi esse? — perguntou ela. — Esperem, não me contem!

— Foi esse mesmo, o rapaz sardento. Richie Gant.

Jojo deu de ombros, fazendo de tudo para esconder a raiva.

— O que posso dizer, então? — Foi a reação dela.

— E Mark Avery, em carne e osso, está vindo para cá hoje à tarde para um encontro conosco. — Nicholas se virou para Cam e fingiu surpresa: — Isso não é uma espantosa coincidência, Cameron? Jojo e Mark aqui em Edimburgo, no mesmo dia?

— Ora, Nicholas, coincidências acontecem.

— Mas eles devem ter vindo em voos diferentes, é claro.

— É claro — confirmou Cam, virando-se para Jojo. — Não vieram?

Ela forçou uma risada.

— Tudo bem. Vocês me pegaram nessa! — Nossa, aqueles dois eram *cruéis*.

— Relaxe, garota — arrulhou Nicholas. — Curta o seu fim de semana de sacanagens numa boa. Onde vocês se hospedaram? Em algum lugar espetacular? Espero que estejam no Balmoral.

Jojo inclinou a cabeça para o lado. Droga! Era preferível ter reservado uma pensão barata com duas camas e um banheiro no fim do corredor. No pé em que as coisas iam, dava a impressão de que ela marcara aquele encontro como pretexto para um feriadão sexual, e aqueles caras já eram suscetíveis demais sem precisar disso.

— Não gostamos de Richie Gant — afirmou Nicholas, com ar descontraído. — Gostamos, Cam?

— Não — concordou Cam, com ar quase sonhador. — Ele é vilanesco!

— Eu diria odioso.

— Atroz!

— Monstruoso!

— Ele veio ver vocês. Acertei? — perguntou Jojo.

— Ah, veio, sem dúvida. Há muitos meses. Assim que o velho Jock anunciou a aposentadoria.

Pelo menos uma coisa ela era obrigada a reconhecer, pensou Jojo. *O safado não era de perder tempo.*

Mantenha o sorriso na cara, disse a si mesma. Não há mais nada a fazer. E tente não ser condescendente, embora já esteja dando pinta. A palavra-chave é R-E-S-P-E-I-T-O.

— Então vocês realmente já sabem o porquê de eu estar aqui. — Ela pegou a pasta com a sua apresentação, que incluía a sua lista de autores, gráficos em forma de pizza e diagramas de vendas, tudo para mostrar as perspectivas de seu trabalho a longo prazo.

— Agora não! — Nicholas dispensou aquilo com um aceno de mão. — Deixe essa pasta conosco. Vamos dar uma olhada nela quando não tiver nada de bom passando na tevê.

— Agora que temos você todinha para nós, queremos saber de algumas coisas a seu respeito.

Jojo suspirou, de forma teatral.

— Querem que eu prove que sou uma ruiva legítima. Vocês não imaginam o número de vezes que...

Isso os fez dar uma gargalhada. Que sorte!

— Nada disso. Queremos que nos conte como é ser uma policial. Você alguma vez transou de farda? Com alguém também de farda, de preferência homem?

— Ora, Cam — ralhou Nicholas. — Você não pode perguntar uma coisa dessas à garota.

— Claro que pode! — garantiu Jojo.

— E então?... Transou?

— Infelizmente não. Sinto muito, Cam. Mas já fiz sexo com um bombeiro. Ele foi meu primeiro namorado de verdade. Às vezes, estava de uniforme, ou parte dele, quando não conseguia tirar tudo a tempo. E às vezes eu usava o seu capacete durante a transa.

— Conte mais!

— Não! Estou interessado nas perseguições aos bandidos — disse Nicholas.

— Tudo bem, eu sou do tipo multitarefa.

Não era exatamente o que Jojo esperava da reunião, mas, se isso era necessário para conseguir a sociedade, então era assim que ia ser. Ela contou sobre o homem que deu um tiro no vizinho por ele assistir à tevê com o volume muito alto; sobre o suicida que ela achou pendurado dentro do closet e contou da fase corrupta do seu pai, quando ele costumava chegar em casa com eletrodomésticos usados que jurava ter comprado. Batalhou muito para tornar os relatos dramáticos e assustadores, e, quando chegou a hora de Nicholas e Cam saírem para encontrar um cliente, na hora do almoço, Nicholas elogiou:

— Jojo, você é estimulante!

— Sei que nós pegamos um pouco no seu pé, mas gostamos muito da sua visita — disse Cam. — Você tem espírito esportivo, não é como a bebê-chorona da Aurora Hall.

— Ela também esteve aqui?

— Ela e também aquela esnobe, Lobelia French; sem falar da esquisita sem queixo, não me lembro o nome; todas vieram até aqui. A cada semana nos perguntávamos por que você estava demorando tanto. Achamos que estivesse ofendida por algo que fizemos. — Os dois se apoiaram um no outro e caíram na gargalhada, rindo de alguma piada que só eles conheciam.

Jojo se levantou, estendeu a mão e disse:

— Obrigada por me receberem. — Virou-se para ir embora.

Nicholas e Cam olharam um para o outro, atônitos.

— Você não nos trouxe nenhum presente? — perguntaram.

Merda, pensou Jojo. Richie Gant provavelmente tinha levado bebidas, charutos... Dançarinas de striptease. E as esnobes devem ter chegado com vinhos raros da adega do papai. Ela devia ter comprado alguma coisa.

— Nenhum presente — disse ela, arrasada. — Nem pensei nisso.

— Gostamos de presentes.

— Sinto muito.

— Mas respeitamos você por ter vindo de mãos abanando.

— Sério mesmo? Quer dizer que estou no páreo? — Ela sorriu.

— Precisamos analisar o histórico de todos os candidatos. Vamos bocejar de tédio, mas gostamos da sua visita e de você. Não gostamos? — Nicholas se virou para Cam.

— Sim, sem dúvida. Gostamos muito mesmo.

— Eu não sou vilanesca?

— Não. Nem odiosa, nem atroz e nem monstruosa. Na verdade, você é... aromática.

— E pitoresca.

— Exatamente! Uma região preservada, cheia de maravilhosas belezas naturais. Tenha um fim de semana adorável e sexy com o adorável e sexy Mark Avery.

No domingo à noite, quando Jojo colocou o pé fora do avião, em Heathrow, estava feliz. Em tudo e por tudo, mesmo depois do início esquisito, a sua reunião com os sócios de Edimburgo não poderia ter corrido melhor.

* * *

Segunda-feira de manhã, início de novembro

PARA: Jojo.harvey@lipman_haigh.co
DE: Mark.avery@lipman_haigh.co
ASSUNTO: Novidades. Provavelmente ruins

Jocelyn adiou a data da sua aposentadoria para janeiro. Ele começou sua carreira na Lipman Haigh também em janeiro, trinta e sete anos atrás, e, tradicional como sempre, quer completar um número redondo de anos antes de sair.

PARA: Mark.avery@lipman_haigh.co
DE: Jojo.harvey@lipman_haigh.co
ASSUNTO: Trinta e sete não é um número redondo

!
J xxx

Ingleses, pensou Jojo. Todos eles eram malucos de pedra.

PARA: Jojo.harvey@lipman_haigh.co
DE: Mark.avery@lipman_haigh.co
ASSUNTO: Novidades. Provavelmente ruins

Isso significa que a decisão sobre o novo sócio não vai ser tomada antes de janeiro.

Jojo olhou para a tela.
— Merda!
Ela estava preparada para resolver tudo até o fim de novembro. Sua vida, embora não exatamente em ponto morto, estava toda focada naquilo.

Segunda-feira à noite, apartamento de Jojo
— E agora, o que fazemos? — quis saber Mark.
— A respeito de quê?
— A respeito de nós.
Jojo pôs-se a pensar.
— Resolvemos esperar até a votação do novo sócio. Nada mudou. Vamos só adiar tudo por dois meses.
— Mas qual é o objetivo dessa espera? Todo mundo no trabalho já sabe, graças ao Richie Linguarudo.
— Achei que já havíamos resolvido isso.
— Estou cansado de esperar e todo mundo já sabe mesmo.
— Mas é como você mesmo disse no verão passado... Todo mundo saber que estamos tendo um caso não é tão ruim quanto você

largar sua mulher e ir morar comigo. Qual é?... — brincou ela, tentando persuadir Mark. — Não é tanto tempo a mais para esperar.

Mas ele não se convenceu. Estava revoltado com ela e nem tentou esconder o fato.

— Foi você mesmo que preferiu esperar até a decisão sobre o novo sócio! — reclamou ela.

— Mas agora que todo mundo sabe, isso não faz mais diferença. Vou pra casa.

Ela ouviu a porta fechar. Droga, pensou. Aquilo não era nada bom. E ela ainda tinha outro problema na cabeça.

Quarta-feira de manhã
Jojo ligou o computador. Estava ansiosa. A lista de bestsellers da semana era atualizada todas as quartas-feiras, às nove da manhã. Ela estava um pouco temerosa com o desempenho do novo livro de Lily Wright. Depois do sucesso estrondoso de *As Poções de Mimi*, todos davam como certo que o novo lançamento iria subir ao topo da lista, e em algumas das reuniões do pessoal de vendas da Dalkin Emery a expectativa era de que ele chegasse ao primeiro lugar antes do Natal. No início, porém, Jojo teve algumas dúvidas incômodas sobre isso; *Claro como Cristal* era um livro muito diferente de *As Poções de Mimi*. (Diga-se de passagem, um livro excelente, um testemunho social escrito com inteligência e compaixão. Só que era em estilo realista, em oposição direta a *As Poções de Mim*, que era escapismo puro.)

Tania conseguiu que Lily lhe enviasse *Claro como Cristal* sem Jojo ter visto o original, e quando esta foi informada sobre isso, já estava tudo acertado — uma atitude presunçosa de Tania. Se Jojo tivesse visto o livro, talvez a aconselhasse a não publicá-lo naquele momento. Poderia sugerir a Lily que tirasse um ano de folga para escrever outro livro antes de lançar aquele. Mas ela não teve a chance de fazer nada disso.

Verdade seja dita, Tania se empolgou muito com *Claro como Cristal* — e ela conhecia bem seu ramo de trabalho. Além disso, o mais importante foi Tania ter assegurado uma propaganda maciça e orçamento para uma grande operação de marketing; obviamente todos na Dalkin Emery embarcaram no barco. Em maio, logo depois de Tania aceitar o livro, Jojo participara de uma reunião preliminar de marketing, e eles pareceram tão empolgados com o lançamento que *até ela* ficou convencida. A editora pretendia gastar rios de dinheiro. Todos adoravam Lily, dos livreiros até os leitores, e *Claro como Cristal* era um grande livro. Tudo ia dar certo.

De repente, surgiram alguns problemas. Em agosto, duas cadeias de supermercados cortaram os pedidos do novo livro pela metade, depois que os compradores leram a prova final do livro e descobriram que *Claro como Cristal* era completamente diferente de *As Poções de Mimi*. Depois, a Dalkin Emery entrou em pânico por causa da capa, que era muito parecida com a do primeiro livro. Recolheu tudo e rodou uma nova, muito mais séria. O livro fora lançado oficialmente no dia 25 de outubro. Os relatórios das lojas e algumas prévias sem números definitivos indicavam que as vendas mostravam-se lentas e inexpressivas, mas a lista daquela quarta-feira era o teste final.

Jojo olhou com atenção os dez primeiros: nada. Os vinte primeiros: nada. Achou Eamonn Farrell no quadragésimo quarto lugar e Marjorie Franks, uma das suas escritoras de livros de suspense, firme e forte no sexagésimo primeiro lugar. Mas onde estava Lily? Foi descendo, descendo, descendo. *Devo ter passado por ela sem perceber*, pensou, e então a avistou lá no fundo, em centésimo sexagésimo oitavo lugar. Na primeira semana de lançamento, ela vendera uma quantidade ridícula: 347 exemplares. Merda. *Claro como Cristal* era para estrear entre os dez primeiros, mas, pelo visto, estava mofando nas prateleiras.

— *As Poções de Mimi* também demorou a decolar — lembrou Manoj.

— *As Poções de Mimi* não teve uma campanha publicitária maciça no valor de duzentas mil libras.

Na mesma hora, ela telefonou para Patrick Pilkington-Smythe, chefe do departamento de divulgação da Dalkin Emery, e tentou convencê-lo a soltar mais dinheiro para publicidade.

— Precisamos de mais anúncios, especialmente nos jornais de domingo, quando chegar perto do Natal. E o preço de capa vai ter de diminuir um pouco.

— Calma, Jojo. Não vamos nos desesperar por enquanto — disse Patrick, com voz arrastada. — Ainda é cedo. Há um monte de bons livros entrando no mercado nessa época do ano.

Tudo bem, talvez ele tivesse razão. De setembro em diante, havia sempre uma enxurrada de livros novos, todos lançados a tempo de concorrer ao prêmio Booker. Sem falar nas biografias que toda celebridade esperava colocar na rua por essa época, a fim de virar presente de Natal para os fãs de todo o país.

— As vendas vão acelerar quando estivermos perto do Natal — garantiu Patrick.

O plano de Jojo era começar as negociações para o novo contrato de Lily na semana seguinte ao lançamento de *Claro como Cristal* — *naquele mesmo dia*, por exemplo —, ocasião em que, se tudo corresse conforme o esperado, a estrela de Lily estaria no clímax. Jojo esperava poder discutir as condições do acordo de olhos fechados; tudo o que precisaria resolver com a Dalkin Emery era se eles dariam a Lily uma bolada de dinheiro obscena de tão grande ou simplesmente uma quantia absurda. Agora, ela já não tinha tanta certeza.

Pelo lado positivo, Lily estava prestes a dar início à turnê promocional de três semanas. Talvez isso fosse o pontapé inicial para o aumento das vendas.

Jojo ligou para Tania Teal. Mostrando-se animada e confiante, ela cantarolou:

— Hora de tratar de assuntos sérios, Tania: Lily Wright. Estamos prontos para fechar.

— Fechar o quê?

Merda. Jojo manteve a voz firme:

— O novo contrato.

— Ahhh... Sei... Escute, você me disse que ela estava trabalhando em um livro novo, não foi? Acho que é melhor eu dar uma olhada no material antes de determinarmos um valor exato.

Aquela não foi a resposta entusiasmada que Jojo esperava. Puxa vida, Tania Teal nem parecia a mesma mulher que a perturbara dia e noite em maio passado para Lily assinar logo o novo contrato.

Mantendo a firmeza e o ar alegre, Jojo propôs:

— Vou mandar o motoboy entregar os sete primeiros capítulos do FABULOSO novo romance de Lily agora mesmo. Prepare o talão de cheques.

Quarta-feira à noite

Jojo se encontrou com Becky para comer pizza. Depois de sentarem à mesa, Jojo disse:

— Adivinhe o que aconteceu. Minha menstruação está atrasada.

Becky ficou absolutamente imóvel.

— Atrasada quanto tempo?

— Três dias. Sei que pode não ser nada, mas meu organismo é um relógio. O pior é que eu me sinto meio estranha.

— Estranha como?

— Meio... Tonta. E perdi a vontade de fumar.

— Caraca! Minha nossa! — Becky mordeu os nós dos dedos. — Já fez o teste?

— Hoje de manhã. Deu negativo. Mas é cedo demais para ter certeza pelo teste.

— E isso pode ter acontecido?

— Hummm... Nós sempre usamos camisinha, mas sabe como é... Acidentes acontecem. O pior é que transamos bem no meio do mês. É fácil lembrar o dia exato quando a gente namora um homem casado.

— Pois eu preferia mais sexo e menos violinos — reclamou Becky. — Andy e eu não transamos nem uma vez no mês passado.

— Mas vocês dois estão numa boa um com o outro?

— Melhor do que nunca. Espere só para ver... Quando você e Mark pararem de transar, você vai descobrir o que é estar junto *de verdade*. Por falar em Mark, como acha que ele vai encarar essa possibilidade? — Becky escolheu bem as palavras: — Existe uma chance de ele não se sentir muito... Feliz com a notícia?

Jojo considerou a hipótese.

— Pode ser. — Em seguida sorriu de leve. — O mais provável é que ele curta de montão, mas... E quanto a mim? Será que *eu* vou me sentir feliz?

— Não vai?

— Não é o momento certo para termos um bebê.

— Mas *nunca* é o momento certo. Isso acontece com todo mundo, não só com você. Aliás, quando a hora certa chega, quase sempre é tarde demais.

— Tem razão. Um bebê não é o fim do mundo. Só que... Eu me sinto tão mal por causa da Cassie e das crianças. Isso vai piorar muito a situação.

— Talvez não seja um acidente — sugeriu Becky. — Inconscientemente, talvez ele tenha armado uma cilada. Ou talvez você mesma tenha se colocado nessa armadilha. — Ela suspirou. — Sua sortuda! Eu adoraria ficar grávida sem planejar, mas não temos condições de ter um bebê por enquanto.

— Pois é, mas se eu me tornar sócia da agência, a minha renda vai despencar nos próximos três anos.

— Como assim?

— Os sócios precisam investir muita grana para poder entrar na firma. Agora que Jocelyn está saindo — se é que ele vai SAIR algum dia —, vai levar a bufunfa relativa à parte dele na empresa. O novo sócio tem que repor essa grana.

— Quanto é?

— Cinquenta mil.

— *Cinquenta* mil libras? E onde você vai arranjar esse dinheiro todo?

— Não vou. O que eles fazem é deduzir o capital inicial dos meus futuros pagamentos, e eu vou ganhar menos cinquenta mil libras ao longo dos próximos três anos.

Quinta-feira à noite, na casa de Becky e Andy
Andy atendeu à porta.

— ... E o resultado?

— O teste continua dando negativo, mas...

Andy balançou a cabeça para os lados, com tristeza.

— Quer um conselho? — ele a interrompeu. — Não conte nada a ele. Saia de fininho e faça um aborto.

— De jeito nenhum! — Jojo detestou a possibilidade. — Esse é um problema dele também.

— Ô-ô!... — Andy apertou as mãos com força. — É nessa hora que a gente descobre quais são os homens e quais são os meninos.

— Qual é, sai dessa, Andy! — Mas Jojo não conseguia deixar de imaginar se Mark poderia fugir, apavorado. Será que ele ia querer que ela abortasse para em seguida amarelar e se esconder no porto seguro do seu casamento? — Vou contar para Mark, e querem saber de uma coisa? Se ele tentar me sacanear, eu vou rir na cara dele.

Sexta-feira, apartamento de Jojo

— Adivinha o que aconteceu — perguntou Jojo.

Mark olhou para ela, fez uma rápida inspeção em volta e algo mudou em seus olhos, como se ele recuasse.

— Você está grávida.

Ela ficou muda, atônita.

— Poxa, você é bom mesmo, hein? Minha menstruação está cinco dias atrasada, mas o teste deu negativo.

— Isso não quer dizer nada. Aconteceu o mesmo com Cassie. Os testes davam negativo, mas ela estava gravidíssima.

Os dois se olharam fixamente, absorvendo aquela informação, para em seguida caírem na risada ao mesmo tempo, com ar aterrorizado.

— Merda! — sussurrou Jojo. — Bem, todos sabem qual é a cena seguinte. Essa é a parte em que tudo desmorona em minha vida. Você deixa a coisa rolar por algum tempo e arranja tudo para eu ser despedida da empresa.

— Então você descobre que Cassie também está grávida, poucos dias à frente de você, e nós vamos dar uma grande festa para renovar os votos do nosso casamento.

— Mas só descubro quando recebo um convite para a festa por engano.

Todos aqueles eram clichês familiares aos dois, e eles riram juntos.

— Vou logo avisando, Mark: meu pai ficará uma arara quando descobrir e vai querer matar você. Vai bater na sua casa muito tarde da noite com meus três irmãos e uma espingarda.

— Nesse caso, é melhor eu transformar você em uma mulher honesta.

Em seguida, ao pensar na novidade, a ficha caiu e ele se lançou em profundo silêncio. Passou a mão sobre a boca uma vez e depois repetiu o gesto.

— Isso serve para focar a mente — explicou ele.

— Você vai me abandonar?

A mão dele parou, petrificada, e ele olhou para ela com terror.

— Não.

— Resposta correta.

— Só que isso é uma coisa muito grande, Jojo. Grande e sem planejamento.

— Dãããá!... Isso eu já saquei.

— Eu sempre imaginei que isso fosse acontecer, *em algum momento*. Nós dois. Filhos. — Parou de falar e acrescentou, desanimado: — Mas não tão cedo.

— Você ficou mal com a notícia, Mark?

— Quer que eu seja honesto, Jojo? — Ele olhou com firmeza e ela percebeu que ele estava em dúvida sobre enrolá-la ou dar-lhe uma resposta direta, do fundo do coração. — Eu, honestamente, preferia que passássemos algum tempo juntos, só nós, antes de termos filhos. Começar a vida a dois compartilhando-a logo de cara com mais alguém, mesmo um bebê, eu acho que... — ele procurou a palavra exata — ... Eu lamentaria isso. — Expirou com força. — Você sabe o quanto eu amo meus filhos, e vou amar os nossos também. Mas, depois de todo esse tempo na clandestinidade, gostaria que tivéssemos algum — quase riu para si mesmo — ... Tempo juntos, sem preocupação de nenhum tipo. — Ele franziu o cenho. — Como foi que isso *aconteceu*?

Jojo olhou para ele fixamente.

— O rapaz foi para a cama com a moça e enfiou o seu...

— Não, estou falando sério. Nós tomamos precauções, não tomamos?

— Acidentes acontecem.

Ele reconheceu:

— Sim, tem razão. O problema é que esse não é um bom momento, em termos financeiros. Vou ter que pagar pensão para Cassie e as crianças, e nós precisamos de um lugar para morar. Não podemos ficar aqui em seu apartamento para sempre, ainda mais com um bebê. E se você parar de trabalhar, vamos perder seu salário.

— Mas por que eu deixaria de trabalhar? Estou grávida — se é que estou mesmo — e não doente. Você está com medo de que eu me transforme em Louisa?

— Não é só Louisa. Vejo isso o tempo todo. Quando as mulheres têm filhos, suas prioridades mudam. Não estou julgando ninguém, é apenas uma observação. Essa é uma prerrogativa das mulheres.

— Sou diferente.

Ele encolheu os ombros, sem concordar.

— Eu realmente sou diferente, Mark.

Ele riu da fúria que se estampou no rosto dela, mas logo ela também riu e os dois falaram, ao mesmo tempo:

— É isso que todas as mulheres dizem.

— Preciso contar a Cassie agora mesmo. Não dá mais para adiar.

Jojo sentiu uma fisgada de vergonha na barriga.

— O fato de eu ter engravidado vai tornar tudo muito pior para ela.

— Eu sei. Mas não é justo com Cassie deixá-la sem saber.

— Tem razão, mas não dá para você esperar até termos certeza absoluta?

Mark pareceu irritado, mas logo se mostrou arrependido e pegou na mão dela.

— Jojo, escute com atenção, pois é muito importante o que eu vou dizer. Cassie vai ter que saber de tudo em algum momento. Isso é um fato.

— Eu sei — murmurou ela.

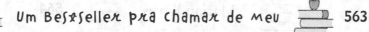

— Você conheceu Cassie. Viu que ela é uma mulher inteligente, com grande autoestima, que não gostaria de ser a última a saber. Honestamente, acho que ela ia preferir que eu lhe contasse. Não gostaria de passar por tola.

— Você acha?

— Só que eu quero que você saiba: não vai ser nada agradável. Vai ser terrível, mas resolveremos o assunto. Eu já aceitei isso e ela é minha esposa. Você é uma pessoa corajosa, Jojo, e vai precisar ser valente para enfrentar essa barra. As coisas não vão se consertar por um passe de mágica.

— E se ela conhecer outro homem e decidir abandonar você? Eu gostaria disso.

Ele suspirou.

— OK, reze para Cassie conhecer alguém. — Logo, seu tom de voz mudou: — Ou então pare de me enrolar, Jojo.

Algo fez o astral dela despencar.

— Eu não estou enrolando você.

— Tem certeza, Jojo? Porque é isso que está parecendo. Ouça-me com atenção. A decisão sobre o novo sócio vai acontecer daqui a oito semanas. Vou largar minha esposa para vir morar com você. Se isso não for o que você deseja, é melhor me contar logo.

Ela entrou em pânico.

— É claro que eu quero isso. Mas é difícil para mim. Detesto a ideia de desrespeitar Cassie e roubar seu marido. Não são esses os valores morais sob os quais eu fui criada.

— Não foram esses os valores sob os quais eu fui criado também. Você não é a única nessa história a se sentir mal, mas vou encarar tudo porque eu a amo. Só que estou achando que estamos desnivelados em relação a isso.

O instinto fez Jojo sentir que entrava em território muito perigoso. Estava muito perto de perdê-lo.

— Mark, foi você mesmo quem disse que nós devíamos esperar até a reunião para escolha do novo sócio. Não me lembro de ter me empolgado com isso.

— Não no primeiro momento. Mas depois das suspeitas iniciais sobre eu estar hesitante, bem que você gostou. Até demais, na minha opinião.

Aquele era o problema com Mark. Ele era muito esperto.

Jojo precisava escolher: *Se correr o bicho pega, se ficar o bicho come.* Tudo bem, ela ia ficar.

— Espere até termos certeza da gravidez e então contaremos a Cassie. OK?

Ele olhou para ela com seus olhos muito escuros e disse, bem devagar:

— Você já foi avisada, mas... OK.

— "Avisada"? Não fale comigo nesse tom. Não sou uma editorazinha que não paga os direitos autorais dos seus autores.

Mas ele não pediu desculpas. Saiu sem dizer nada.

Naquela mesma noite Jojo perdeu o sono, pensando. Mark, como era muito esperto, tinha razão em questionar a sua hesitação. Ela se sentiu arrasada. Nunca quis dar o sinal verde para Mark deixar Cassie. Esperava que algum evento externo acertasse as coisas. Seu cenário favorito era Cassie conhecendo outro homem. Mas Mark estava errado em achar que ela o estava enrolando; o comprometimento de Jojo com Mark era forte como uma rocha. Às vezes ela se perguntava o que havia de tão especial nele. Tudo bem, ele atendia aos três grandes quesitos: era inteligente, divertido e sexy, mas o sentimento dela era muito maior, e não efêmero. Podemos avaliar os motivos de se amar alguém, podemos até fazer uma lista deles. No caso de Mark, contavam a sua confiança, a sua inteligência, o seu belo físico e o fato de ele nunca deixá-la entediada. Porém, havia ainda algo a mais, o fator x, o ingrediente mágico. Mark possuía esse ingrediente, não importa qual fosse, e em grande quantidade.

Ele era a pessoa favorita de Jojo e tudo o que ela fazia ou sentia — pelo menos em nível subconsciente — não lhe parecia real até o momento em que contava para ele. Depois de alguns dias longe dele, ela sentia uma dor quase física. Ele a *conhecia*. O relacionamento deles era totalmente honesto e duas pessoas não poderiam ser mais adequadas uma à outra.

Ela conseguia vê-los juntos muito além no futuro. Eram o Senhor e Senhora Terceira Idade, resolvendo palavras cruzadas juntos, ainda loucos um pelo outro, sempre os melhores amigos um do outro.

Naquele dia, Mark verbalizara a resistência dela e sua raiva a fez ultrapassar as barreiras que ela mesma se impusera. Ele ia abandonar Cassie e isso era bom. Ela se lembrou de um ditado: *A única saída é enfrentar*. Sua opção era se arriscar a perder Mark e, na verdade, isso era inadmissível.

Ela estava pronta. Pelo menos, tão pronta quanto jamais estaria. Mas continuava a se sentir mal por Cassie...

Lembrou o que Becky dissera: talvez aquela gravidez não fosse um acidente. Talvez ela tivesse deixado isso acontecer para a decisão ser arrancada das suas mãos. O engraçado era que, embora não houvesse cem por cento de certeza de ela *estar* grávida, todos acreditavam nisso mais do que a própria Jojo. Agora, porém, ela começava a aceitar a possibilidade e até gostou da ideia. Ela, Mark e um bebê... Seria divertido. A vida deles certamente mudaria, mas não muito, e de uma forma boa. Ela devia festejar o fato, e não lamentar. Jojo nunca sentira a *vontade* que muitas mulheres têm de engravidar, não importavam as condições. Mas como aquilo era parte de um pacote e como aquele era um filho de Mark, tudo era diferente.

Ela colocou a mão na barriga, porque era isso que as mulheres faziam, não era? Viu só o quanto ela fora feita para a maternidade? Como seria o bebê deles? Nasceria com cabelos escuros, louros ou ruivos? Teria uma vontade de ferro, isso era certo, não importa de que lado ele puxasse. Na verdade, naquele exato momento, o DNA dos seus pais devia estar disputando terreno para ver qual dos dois iria prevalecer.

Lily

"*Caitriona estava grávida e morria de medo de que seu terror se materializasse no quarto bebê a ser afetado. Ela não precisava de mais provas. Sabia. Tinha conhecimento de tudo fazia muito tempo. Aquele tipo de câncer era extremamente raro e alguma coisa o estava provocando...*"

Ninguém me ouvia. Eu estava em uma livraria de Sheffield, na terceira e sensacional semana da turnê promocional para o lançamento de *Claro como Cristal*. As oitenta e poucas mulheres amontoadas na sala analisavam as unhas, contavam os lajotões do piso ou planejavam o que preparar para o jantar do dia seguinte — qualquer coisa para fazer o tempo passar até o fim da leitura.

Dei uma olhada na minha plateia; o grupo de mulheres com mantos brancos; o trio que foi obrigado a ficar no fundo da loja porque seus chapéus pontudos bloqueavam a visão dos outros; a gangue de amigas na primeira fila, todas segurando varinhas de condão feitas em casa, sem falar nos pompons e purpurinas. É claro que havia outras mulheres vestidas com roupas comuns na sala, mas as esquisitas atraíam mais atenção.

Tinha sido daquele jeito desde o início da semana; em todas as sessões de leitura um monte de gente fazia um esforço espantoso para ficar parecido com alguma coisa tirada do livro *As Poções de Mimi*. Porém, mesmo correndo o risco de parecer ingrata, eu preferia que elas não fizessem isso. Eu acabava pensando: *Minha nossa, que tipo de monstro eu criei?* (Para piorar as coisas, aquilo desviava a atenção de *Claro como Cristal*, o livro que eu promovia e torcia para que todas comprassem.)

Mais uma vez uma onda de inquietude me assaltou, endireitei as costas em meu banco alto e decidi pular a última página da leitura. Fizera a mesma coisa nas noites anteriores. Eu me sentia perplexa com o óbvio tédio demonstrado pelas leitoras e não queria prolongar a sua agonia.

"*Caitriona pegou o telefone. Aquela ligação já devia ter sido feita há muito tempo...*"

Deixei a voz ligeiramente em suspenso para mostrar a todas que eu terminara de ler, e em seguida disse:

— Muito obrigada. — Com toda a calma, pousei o livro sobre o púlpito. Uma educada salva de palmas se seguiu e, quando o silêncio voltou a reinar, perguntei: — Alguém tem alguma pergunta?

Uma das mulheres se levantou. *Não pergunte o que está querendo saber*, implorei, em silêncio. *Por favor, não pergunte.* Mas é claro que ela perguntou. Aquela foi a primeira pergunta em todas as sessões de leitura, em todas as noites da turnê:

— Você não vai escrever outro livro como *As Poções de Mimi*?

A aprovação de toda a sala foi quase tangível. Todas concordaram com a cabeça. As palavras *Eu ia perguntar isso* ficaram flutuando no ar, como um sussurro. *Boa pergunta. Sim, excelente pergunta.*

— Não. — Foi a minha resposta.

— Ahhhh! — reagiu toda a sala, em uníssono. O tom não era apenas de desapontamento, mas de mágoa, quase raiva. As varinhas de condão da primeira fila foram balançadas de forma agitada e as três "bruxas" no fundo da sala tiraram os chapéus pontudos e os colocaram junto do peito, como se mostrassem respeito pelos mortos.

Desesperada, tentei explicar que *As Poções de Mimi* fora escrito como um desabafo, em reação ao assalto que eu tinha sofrido.

— Não dava para você ser assaltada de novo, então? — perguntou outra mulher, de brincadeira, é claro. Eu acho.

— Rá-rá-rá — reagi, com um sorriso grampeado na cara. — Mais alguma pergunta? — Peguei o exemplar de *Claro como Cristal* que estava ao meu lado, só para lembrar à plateia a razão de eu estar ali, mas nada feito. Todas as perguntas que se seguiram tinham a ver com *As Poções de Mimi*, sem exceção.

— A personagem Mimi foi baseada em você?

— A cidade de Mimi é um lugar real?

— Você fez algum treinamento como bruxa antes de escrever o livro?

Tentei responder a tudo com gentileza e graça, mas começava a odiar Mimi, e isso era perceptível nas minhas respostas. Logo depois veio a sessão de autógrafos e uma fila alegre se formou, serpenteando até o fundo da loja. Só que em vez de todas trazerem a linda edição em capa dura de *Claro como Cristal*, pegaram na bolsa exemplares de *As Poções de Mimi*, alguns tão manuseados que pareciam ter sido disputados por matilhas de cocker spaniels. Senti um leve enjoo.

Ao mesmo tempo eu não poderia deixar de sentir gratidão pelo calor de cada pessoa que se aproximava da mesa.

— Obrigada por escrever *As Poções de Mimi*...

— *Amei* este livro...

— Ele salvou a minha vida...

— Eu já li pelos menos dez vezes...

— Comprei vários exemplares e dei para todos os meus amigos...

— É melhor que qualquer antidepressivo...

— Melhor que chocolate...

— Mal podia esperar para conhecer você pessoalmente...

Ganhei muitos presentes. Bombons caseiros, encantamentos escritos em pequenos pedaços de papel, um convite para um casamento druídico. A maioria das pessoas pedia para tirar uma foto ao meu lado, igualzinho àquele dia com Miranda England, tanto tempo atrás.

Se a minha carreira não dependesse tanto da boa vendagem de *Claro como Cristal*, eu até teria curtido as gentilezas e saboreado mais aquele gostinho de ter criado algo que comovera tanta gente. O fato, porém, é que a minha carreira *dependia* de *Claro como Cristal* vender bem, e das oitenta e tantas pessoas que apareceram para a sessão de leitura somente duas compraram o livro. Na véspera, em Newcastle, só três exemplares foram vendidos, e na noite anterior àquela, em Leeds, apenas um saíra da loja; o mesmo acontecera em

Manchester; em Birmingham, no início da semana, nem um único exemplar saiu das prateleiras. Aquilo não era bom. E as notícias sobre as listas dos mais vendidos também não eram nada animadoras.

A caminho do hotel, depois de sair da livraria, liguei o celular e rezei com todas as forças para encontrar um recado de Jojo, informando que a Dalkin Emery queria me oferecer meio milhão de libras pelo próximo livro. Já estava entrando em delírio de tanto desespero. Qualquer notícia animadora serviria. Jojo enviara os primeiros sete capítulos do novo livro havia mais de uma semana, não era possível não ter retorno. A horrível voz eletrônica entoou a ladainha de sempre: *Você não tem nenhuma mensagem.* Liguei para Anton, que ficara em casa cuidando de Ema.

— Pintou alguma novidade?

— Jojo ligou. Ela não quis telefonar para você durante a sessão de leitura, mas não há novidades. Tania ainda não deu retorno e Jojo acha melhor não pressioná-la.

Engoli em seco. Era uma sexta-feira. Não ia acontecer nada até segunda, pelo menos. Um fim de semana inteiro para suportar, sem saber o que o futuro me reservava.

A extensão do erro de cálculo que eu e Anton havíamos cometido me deixou atônita. Obviamente devíamos ter assinado o contrato com a Dalkin Emery em maio, quando tivemos a chance. Só que na época as coisas estavam indo tão maravilhosamente bem que era inimaginável que poucos meses à frente o meu livro novo estaria vendendo pouco a ponto de representar o fim da minha carreira literária.

Analisando tudo a distância, dava para ver agora que a Dalkin Emery começara a tirar o time de campo em agosto. O chilique de Tania por causa da capa fora provocado, conforme eu descobri depois, porque alguns compradores de grandes cadeias de lojas amarelaram ao descobrir que *Claro como Cristal* era tão diferente de *As Poções de Mimi* quanto um par de cenouras e os bigodes de Adolf Hitler.

O problema é que ninguém me disse nada. Nunca me comunicaram oficialmente que os pedidos haviam sido reduzidos, nem que a

Dalkin Emery tinha perdido a confiança em mim. Eu é que acabei descobrindo isso pela alegria forçada dos seus cumprimentos e pelo olhar deles, meio desconfiado. Só que eu achava tudo tão terrível que continuei empurrando minhas esperanças com a barriga. Se eu fingisse que a coisa não era tão ruim, talvez tudo desse certo.

A questão era simples. Se a Dalkin Emery resolvesse não renovar o meu contrato, não só a minha carreira no mundo literário estaria acabada, como também Anton, Ema e eu provavelmente perderíamos a casa. O empréstimo nos fora concedido sob a condição de que pagássemos cem mil libras ao banco assim que meu novo contrato com a Dalkin Emery fosse assinado. Nós não tínhamos nenhuma outra fonte de renda. Tudo o que havia era o meu próximo cheque de pagamento de direitos autorais, que só seria pago em março, dali a quase cinco meses. Resumo da equação: zero contrato mais zero dinheiro para pagar ao banco era igual a zero casa.

Voltei para o meu solitário quarto de hotel, tomei uma dose dupla de gim-tônica e devorei um saquinho de castanhas-de-caju do minibar. Estava exausta. Aquela fora uma semana difícil, acordando cedo e visitando inúmeras livrarias, sem falar no monte de entrevistas para rádios e jornais locais, que se transformaram em um borrão na minha cabeça. Apesar do cansaço, o terror me manteve presa em suas garras e me tirou o sono.

Para me animar, pensei: *Anton me trocou pelo chefe dos garçons do Fleet Tandoori; tive gangrena no pé e todo mundo reclama do cheiro; alguns profetas no Tibete decidiram que Ema será o próximo Dalai-Lama; ela vai ser tirada de mim e levada para um misterioso lugar no Himalaia, onde ficará sentada de pernas cruzadas usando uma túnica cor de açafrão e pronunciando mantras sábios e incompreensíveis.*

Deitei na cama, bebendo meu gim-tônica e saboreando meus infortúnios.

Aquilo era horrível... Especialmente a parte do pé gangrenoso fedendo. Sem falar nos mantras sábios e incompreensíveis.

Esperei até me sentir absolutamente arrasada com a situação, para então fazer o equivalente a pular de dentro de um guarda-roupa, gritando: "Peguei você! É tudo mentira!"

Sim, avaliei... Dava para sentir uma levantadinha no astral. Aquele truque de psicologia reversa realmente funcionava. Então percebi que já tinha tomado três doses de gim-tônica e a animação que sentia era provavelmente efeito do álcool.

Jojo

Quarta-feira de manhã

Quando a menstruação de Jojo chegou, com dez dias de atraso, ela se sentiu meio sem graça; a sorte é que ela não fazia o gênero "dramática". Como o teste vinha dando negativo todo aquele tempo, ela não chegara a acreditar que estivesse realmente grávida, então não se sentiu perdendo um bebê. Apesar disso, ficou vagamente interessada em saber o que provocara o atraso: a ansiedade por Mark abandonar Cassie? A espera prolongada pela reunião que apontaria o novo sócio da agência? Estresse do trabalho? Puxa, nesse aspecto, havia muito com o que se estressar.

Na segunda semana depois do lançamento do novo livro de Lily Wright, tinha havido uma melhora, mas nada para empolgar. Ela "subiu" do posto 168 para o 94, vendendo um pífio total de 1.743 exemplares. Considerando que não havia estação de trem em todo o país que não tivesse anúncios de *Claro como Cristal*, aquele número era péssimo.

A Dalkin Emery estava abalada. Eles fizeram uma primeira edição com cem mil exemplares — só para começar, pois essa seria a primeira de muitas reimpressões — ou pelo menos foi o que imaginaram, no início. Agora estavam calculando o tamanho do prejuízo que iriam sofrer.

Na terceira semana, Lily alcançou o número 42 da lista, mas as comemorações foram prematuras, porque na quarta semana ela voltou para o número 59.

Jojo continuava a pressionar a Dalkin Emery em busca de mais anúncios e descontos sobre o preço de capa. Patrick Pilkington-

Smythe resolveu atendê-la e isso foi assustador. A regra era os agentes forçarem a barra e o pessoal do marketing resistir. Todos estarem no mesmo patamar de desespero era mau sinal.

A *Book News* soltou uma nota depreciativa sobre a situação e, apesar de a Dalkin Emery insistir que ainda era cedo demais para desistir e que as vendas iriam aumentar quando o Natal chegasse, Jojo sabia que, secretamente, eles não estavam nada otimistas.

O que a incomodava mais era que a Dalkin Emery evitava falar do novo contrato. Não diziam abertamente que *não iriam* assinar, mas Tania continuava adiando o momento, explicando que era preciso que os chefões da editora lessem o novo romance de Lily antes de chegar a uma decisão. Jojo achou que enviar o novo livro era mera formalidade, mas agora percebia o jogo da Dalkin Emery: eles estavam escondendo as cartas e observando o desempenho de *Claro como Cristal* antes de decidir se Lily Wright ainda era um investimento viável.

A pobrezinha da Lily rodara por todo o país, aturando terríveis sessões de leitura uma atrás da outra. Todos os dias ela ou Anton ligava, com a voz cada vez mais fraca e apavorada, perguntando:

— Há novidades? Eles resolveram alguma coisa sobre o novo contrato?

Morriam de medo ao perceber que a Dalkin Emery estava levando muito mais tempo que o esperado, mas a situação era delicada demais para Jojo forçar a barra.

Por várias vezes Jojo tranquilizara Lily e Anton:

— Tania me prometeu uma posição até o fim da semana — dizia ela.

Mas o fim da semana chegava e Tania não tornava a ligar. De repente, quatro semanas já tinham passado e não havia data para a renovação do contrato.

Jojo se sentiu mal, péssima mesmo, por causa de Lily. Ninguém gostava de ver um livro muito esperado se transformar em uma bomba. Naquele caso, em especial, haveria sérias consequências para a carreira de Lily. Aconselhar Lily a esperar fora um jogo. Agora estava claro que Jojo calculara mal as probabilidades de ganhar. Depois do desastre de *Claro como Cristal*, talvez a Dalkin Emery não quisesse editar nenhum livro da autora. Aliás, nenhuma editora.

Terça-feira à tarde, fins de novembro
— Tania Teal na linha um.
— Eu atendo!
Era a resposta, Jojo sabia. As palavras que iriam condenar ou salvar Lily Wright.
— Oi, Tania!
— Desculpe, Jojo, mas Lily Wright já era.
— Espere um instantinho...
— Não vamos renovar o contrato dela.
— Tania, você não pode estar falando sério. Já leu o novo livro dela? Já percebeu o quanto ele é fantástico?
— Jojo, vou lhe dizer o que todo mundo por aqui pensa. *As Poções de Mimi* foi um evento único, um sucesso isolado. A lealdade dos leitores não é para com Lily Wright, a escritora, e sim para com *As Poções de Mimi*, o livro. *Claro como Cristal* foi o maior desastre em toda a nossa história.
— Tudo bem, eu concordo que as vendas do livro em capa dura estão devagar quase parando, mas você sabe o que isso significa? — Jojo se forçou a parecer alegre e casual: — A edição de bolso vai estourar as vendas! Aconteceu exatamente isso com *As Poções de Mimi*! Acho que foi cedo demais para vocês publicarem Lily em capa dura, porque o livro sai mais caro. Os escritores precisam montar uma base sólida de fãs antes de passar para a capa dura. Mais uns dois livros lançados e os romances dela vão sumir das prateleiras.
Tania não disse nada. Não era tola. Já ouvira gritos de muita gente na editora e não seria influenciada.
— Acho que o livro que Lily está escrevendo agora é ótimo — insistiu Jojo.
— Se Lily Wright quiser escrever outro *As Poções de Mimi*, ficaremos felizes em publicá-lo — disse Tania. — Se não for assim, nada feito. Sinto muito, Jojo. Sinto de verdade.

Apesar da frustração, Jojo compreendia Tania. Provavelmente ela estava sendo pressionada por todo mundo na Dalkin Emery. Aceitara o livro, levantara a bola dele, tratando-o como "o livro do ano" e a bomba explodira na sua cara. A carreira de Tania na Dalkin Emery sofreria um abalo por causa desse desastre. Não era de estranhar ela estar com o pé atrás.

— Lily Wright é uma das autoras mais quentes que existem por aí — garantiu Jojo. — Se vocês não quiserem publicar mais nada dela, há um monte de gente que vai querer.

— Eu compreendo e desejo boa sorte para vocês.

— A perda vai ser sua. — Jojo se despediu e bateu o telefone com força. Em seguida recostou-se na cadeira, em sombria contemplação. Uma das autoras mais quentes que existem por aí... Quem dera! Se as coisas continuassem naquele rumo, Lily Wright teria de começar a usar um sino amarrado no pescoço, como os leprosos na Antiguidade.

Ela enterrou o rosto nas mãos. Safados! Agora ela precisava dar a notícia a Lily e preferia dar um tiro na própria cabeça. Suspirando de tristeza, levantou o fone do gancho. Era melhor resolver aquilo de uma vez:

— Lily, tive notícias da Dalkin Emery, a respeito do novo contrato. — Falando depressa, para evitar que Lily criasse falsas esperanças, ela completou: — Sinto muito, mas são más notícias.

— Muito más?

— Eles não querem publicar o seu novo livro.

— Posso escrever outro.

— A não ser que esse outro seja parecido com *As Poções de Mimi*, eles não renovarão o contrato. Sinto muito, muito mesmo — atalhou Jojo, com sinceridade.

Depois de alguns instantes de silêncio, Lily disse, baixinho:

— Tudo bem. Pode acreditar, Jojo, aceitei a notícia numa boa.

Aquilo era a cara de Lily: ela era doce demais para sair gritando, reclamando e xingando.

— Sinto-me péssima por não ter insistido para que você assinasse o contrato em maio. — *Quando eles ainda queriam você.*

— Não se sinta assim. Ninguém me forçou a esperar — disse Lily. — A escolha foi minha. Aliás, minha e de Anton. Só mais uma perguntinha: há alguma esperança de *Claro como Cristal* ressuscitar, a essa altura do campeonato?

— Ainda faltam alguns anúncios em jornais e revistas.

— Talvez se *Claro como Cristal* se recuperar no final, eles mudem de ideia. Ou quem sabe outra editora vai querer me publicar.

— Isso mesmo, garota! É assim que a gente deve encarar as coisas!

Jojo desligou, sentindo-se arrasada. Dar más notícias era parte do trabalho, tanto quanto compartilhar momentos bons, mas ela se viu chateada como não se sentia há muito tempo. Pobre Lily.

Em termos pessoais, e mais egoístas também, esse não era um bom momento para Jojo exibir um fracasso como aquele. Com a decisão sobre o novo sócio da empresa se aproximando, aquela marca no seu imaculado perfil profissional não era bem-vinda. Ela continuava gerando muito mais lucro para a agência naquele ano do que qualquer outro agente, mas sua coroa perderia um pouco do brilho.

Manhã seguinte
Jojo foi olhar na lista de mais vendidos, tentando digitar no teclado e manter os dedos cruzados ao mesmo tempo. Milagres aconteciam, mas só um tolo esperaria por um coelho prestes a sair daquele mato.

Ela foi descendo, descendo, descendo, descendo... Então parou.

— E aí...? — perguntou Manoj, também com os dedos cruzados.

— Parece uma pedra afundando no mar — suspirou Jojo.

Seu telefone tocou e ela imaginou quem poderia ser: Patrick Pilkington-Smythe.

— Vamos parar de anunciar o livro de Lily Wright. Estamos jogando dinheiro fora.

— Vocês vão tirar o time de campo? Isso é mau. Um último empurrãozinho para as vendas de Natal poderia fazer toda a diferença.

Ele riu tão alto que parecia um latido.

— Você nunca desiste, não é, Jojo?

— Digo sempre o que eu penso.

Patrick não retrucou. Ele já trabalhava no mercado há muito mais tempo que Jojo. Fingir que as coisas iam bem não significava que tudo daria certo. O rombo no orçamento provocado pela grana gasta em propaganda para aquele livro era a prova disso.

Vencida, Jojo desligou. Ela também não acreditava mais.

Gemma

Sabem de uma coisa? Escrever um livro não é assim tão simples quanto parece. Primeiro a minha editora (eu adoro falar isso: "minha editora") me obrigou a reescrever montes de páginas para tornar Izzy mais calorosa e Emmet "mais humano e não uma caricatura de Mills & Boon", segundo suas palavras — que cara de pau a dela! Ahn, desculpem... Que cara de pau a da "minha editora". Depois, quando deixei tudo conforme o que a "minha editora" mandou — e isso levou séculos, desde o início de agosto até meados de setembro —, uma preparadora de texto (não era a "minha editora") passou um pente-fino e me devolveu tudo acompanhado de um questionário. O que era "mané"? O Restaurante Marmoset existia de verdade? Eu conseguira permissão do autor para citar a canção *Papa Was a Rolling Stone* no texto? Que tal trocar a frase para "Papai Era um Traidor Sem-Vergonha"?

Depois disso tudo, eu ainda tive que rever a primeira prova da gráfica, analisando cada palavra para ter certeza de que eu a escrevera de forma correta, até que as letrinhas saíram do texto de braços dados e começaram a dançar cancã diante dos meus olhos embaçados.

Que fique bem claro que eu não reclamava de nada, por causa do adiantamento que eles tinham me dado; quase caí dura quando Jojo me informou o valor: sessenta mil. *Sessenta mil*. Libras! Eu teria vendido os direitos por qualquer merreca, pois ser publicada já era um prêmio em si; em vez disso, eles queriam me pagar uma vez e meia o meu salário anual e, para melhorar as coisas, era tudo sem taxas. (Na Irlanda, a renda de "atividades artísticas" é isenta de impostos.)

Minha imaginação, que geralmente já corria solta, ficou descontrolada diante de tal quantidade de grana: eu ia pedir demissão do emprego e viajar pelo mundo todo durante um ano; venderia o meu carrão e compraria outro; iria até Milão só para comprar tudo que estivesse à venda na Prada.

Então coloquei os pés no chão e percebi que aquela sorte inesperada era resultado da desgraça que se abatera sobre minha mãe. Ela teria que se mudar no começo do ano seguinte; o dinheiro do adiantamento faria toda a diferença na hora de escolher um lugar legal para ela morar, em vez de um barraco ou uma pocilga.

Eu também devia muito a Susan e, quando perguntei o que ela queria ganhar de presente, ela confessou que perdera a cabeça na hora de trocar de mobília e comprou um monte de enfeites para o apartamento em Seattle; adoraria se eu quitasse um dos seus débitos. (Pelo fato de seu pai ser um mão-fechada, Susan não tinha a mínima noção de como lidar com grana.)

— Escolha um cartão — disse-me ela. — Pode ser qualquer um.

Escolhi os Modulados Jennifer e prometi zerar o boleto quando ele chegasse.

Prometi, mas ainda não tinha cumprido, porque até então, em fins de novembro, eu ainda não tinha visto a cor do dinheiro. O pagamento fora dividido em três parcelas; um terço na assinatura do contrato (eles passaram tanto tempo mexendo nas cláusulas que eu só o assinara no mês anterior), um terço "na entrega" do texto final e um terço na data do lançamento. Eu achava que tinha "entregado" o texto final no fim de junho, quando eles se interessaram pelo livro, mas a ótica deles era diferente. Eu não "entreguei" nada até eles terem nas mãos um original reescrito que os satisfizesse, e isso só foi conseguido havia duas semanas.

Finalmente eles haviam concordado com um título. Ninguém gostou da minha sugestão de *Doce Papai*, nem *Marte Ataca*. *Choquelate* foi o nome final por algum tempo, mas alguém da Dalkin Emery sugeriu *Caçando Arco-Íris*, e, de repente, todos adoraram. Menos eu, que achava o título bonitinho *demais*.

O dia em que a capa chegou foi inesquecível. Uma aquarela meio desfocada em tons de azul e amarelo, em que se divisava uma jovem com cara de quem acabou de perder a bolsa. Mas o meu nome estava impresso. Meu nome!

— Mamãe, veja só!

Até ela ficou empolgada. Já não parecia tão patética e perplexa quanto nos primeiros meses pós-papai. O interesse dele em acertar um acordo financeiro definitivo a modificara de vez. Aquilo deixou mamãe zangada, o que não era mau.

O temido telefonema de papai comunicando que Colette estava grávida ainda não tinha vindo. No verão, porém, ele nos enviara uma carta confirmando que no minuto exato em que a separação completasse um ano ele entraria com uma petição para vender a casa. A partir daí, foi como se estivéssemos vivendo além do tempo regulamentar. Algo mudara. A partir do dia em que papai foi embora, tanto mamãe quanto eu havíamos considerado a saída dele como temporária, como se nossas vidas estivessem com o botão de pausa apertado. Depois da carta, porém, tive de negociar algumas mudanças. Não podíamos continuar do jeito que estávamos.

Não foi fácil. Antes, mamãe derramava rios de lágrimas e tinha uma seleção de doenças e chiliques, tanto falsos quanto verdadeiros. A partir da carta, ela pareceu concordar com a minha necessidade de espaço e, no fim do verão, eu já conseguia dormir em meu apartamento por três ou quatro noites em cada sete. Eu via muito mais a minha mãe do que a maioria das mulheres de trinta e poucos anos, mas mesmo assim curtia uma liberdade maravilhosa.

Ela analisou a garota meio desfocada na capa do livro.

— Ela é você?

— Não, só simbolicamente.

— Ah, bom. Eu já ia reclamar que o cabelo está com a cor errada. E ela me parece meio desorientada.

— Como se o pai tivesse acabado de abandonar a mãe?

— Como se ela tivesse esquecido o gás de casa ligado, ou não conseguisse lembrar a palavra exata para algo. Meio estranha, como a cara dos reis egípcios que morriam e eram preparados antes de ser enterrados nas pirâmides. Não lembro o nome do processo... Começa com M, está na ponta da língua... Você não *acha*?

Olhei novamente. Mamãe tinha razão. Uma múmia! Era exatamente a jovem da capa.

— Você vai ter que mostrar isso a Owen — disse ela, com ar dissimulado.

Mamãe já sabia sobre Owen: na verdade, ela até o conhecia. Estranhamente, considerando sua desconfiança com tudo que interferia em minha dedicação total a ela — como o meu emprego, por exemplo —, mamãe gostou dele. Eu lhe pedi para não se dar ao trabalho de fazer isso, porque Owen não iria ficar na área muito tempo. Nossa série de encontros — eu me recusava a chamar aquilo de relacionamento, pois seria valorizar demais o caso — continuava aos trancos e barrancos, meio instável, como se estivéssemos para terminar tudo a qualquer momento para nunca mais nos vermos. Mesmo assim, continuávamos em frente, brigando o tempo todo com muito entusiasmo durante o verão e entrando outono adentro. Agora estávamos ali, em pleno novembro, e ainda formávamos um casal — um casal que estaria na seção de produtos defeituosos se estivesse à venda em lojas; mesmo assim, um casal.

— Owen. — Eu dei de ombros, com ar de desprezo.

— Não tente diminuí-lo para mim — disse mamãe. — Ele é mais jovem que você e vai magoar seu coração, mas você vai acabar se casando com ele.

— Casar com ele? A senhora bebeu?

Ela me olhou fixamente e então pediu:

— Por favor, não fale comigo desse jeito, porque... Como é mesmo que a garotada fala...? Isso é um golpe abaixo da cintura, e dói muito.

Sorri para ela. Às vezes eu tinha esperança. Tinha mesmo.

— Eu vivo dizendo à senhora... — informei. — Owen é alguém temporário, um namorado provisório, que só vai funcionar até os profissionais chegarem.

Mas mamãe se mostrava inflexível e garantia que ele era o meu Príncipe Encantado.

— Você é autêntica quando está com ele; mostra o seu "eu" real; é você mesma.

Pode ser, mas o "eu" que eu usava com Owen era o errado, não o da Gemma gente fina.

Por outro lado, ele:

a) era muito bom de cama;
b) além disso, ele... ahn... dançava muito bem;
c) ahn...

— Ninguém chega à minha idade sem aprender uma ou duas coisas sobre romance — insistiu mamãe.

Eu não disse nada, pois seria crueldade demais.

— Vocês, garotas, vivem falando do "homem da sua vida", mas ele vem em várias formas e tamanhos. Muitas vezes a mulher não percebe que ele já é alguém que ela conhece. Sei de uma moça que encontrou o "homem da sua vida" em um barco a caminho da Austrália quando ia atrás de outro sujeito. Durante a viagem ela fez amizade com um rapaz adorável, mas estava tão obcecada pelo australiano que não percebeu que o rapaz que conhecera era o "homem da sua vida". Tentou convencer o australiano a se casar com ela, mas acabou caindo na real. Sua sorte foi que o rapaz do barco ainda estava disponível. Sei também de uma garota que...

Desliguei mamãe da minha cabeça. Casar com Owen? Duvi-de-o-dó. Como eu poderia casar com Owen se eu e Anton iríamos reatar? Aliás, isso era uma coisa que Owen sabia, e com a qual concordava. (Ele voltaria para Lorna, eu voltaria para Anton e todos iríamos passar as férias na Dordonha juntos. Já tínhamos planejado tudo.)

Mamãe foi em frente com sua fantasia e se mostrou quase animada, o que era bom, porque assim eu nem precisava falar com ela e podia pensar um pouco na minha vida. É que eu me sentia meio esquisita por haver mais uma pessoa (além de Owen) a quem eu gostaria de mostrar a capa do livro: Johnny, o farmacêutico. Afinal, aquilo me parecia justo, porque ele sabia tudo a respeito do livro; ele me incentivou desde o início, na época em que eu era cliente assídua da farmácia.

Não nos víamos mais com tanta frequência, e não apenas pelo fato de mamãe estar tomando menos medicamentos. Nada disso. Naqueles dias em que o flerte com Johnny começou a engatar uma segunda,

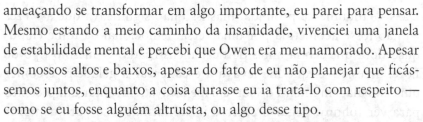

ameaçando se transformar em algo importante, eu parei para pensar. Mesmo estando a meio caminho da insanidade, vivenciei uma janela de estabilidade mental e percebi que Owen era meu namorado. Apesar dos nossos altos e baixos, apesar do fato de eu não planejar que ficássemos juntos, enquanto a coisa durasse eu ia tratá-lo com respeito — como se eu fosse alguém altruísta, ou algo desse tipo.

Johnny deve ter pensado e sentido a mesma coisa, porque, quando tornei a vê-lo, logo depois de pensar essas coisas, ele me perguntou:

— Como vai o seu não namorado?

Fiquei vermelha.

— Ele vai bem.

— Vocês continuam juntos?

— Sim.

— Ah. — É como dizem: às vezes, uma palavra fala mais que muitos livros.

Ele não disse que não devia pisar nos calos de ninguém, mas deixou claro que era o que pensava. Tinha muito respeito por si mesmo. Assim, por mútuo acordo, nos afastamos um do outro. Além do mais, tudo o que nos unia — nosso isolamento do resto do mundo — não rolava mais. Eu conseguira minha vida pessoal de volta e, mesmo parecendo maluca, sentia como se o tivesse abandonado.

Às vezes, quando eu saía para ficar bêbada com Owen, eu via Johnny e ele sorria para mim, mas nunca chegava junto. Teve uma vez em que pensei tê-lo visto com uma garota. Na verdade, ele estava com um monte de gente, mas ficava mais perto dela que dos outros. Ela era bonita, tinha um corte de cabelo fantástico, todo picotado, e admito que fiquei com ciúme, mas provavelmente isso foi mais pelas roupas dela do que outra coisa. Entretanto, na vez seguinte em que o vi, ele estava sozinho, então eu talvez tenha imaginado algo inexistente.

Até que eu me comportei muito bem: *respeitei a nossa decisão*. Inclusive, teve uma semana em que eu estava atolada no trabalho e comprei os remédios de mamãe em outra farmácia.

Mesmo assim, eventualmente eu ainda inventava um desculpa para vê-lo. Qual é, pessoal, eu não sou nenhuma Gandhi! Johnny era como uma caixa de sorvete de morango com cheesecake da Häagen

Dazs — totalmente proibida, mas isso não significava que às vezes eu não fosse acometida por uma versão emocional da fome enlouquecedora que sentia antes de ficar menstruada. O mesmo tipo de Força Irresistível que me levava a escancarar a geladeira e comer uma embalagem inteira de sorvete me levava a inventar um pretexto para ver Johnny, pegar o carro e ir até farmácia só para comprar uma caixa de comprimidos de zinco (por exemplo). O pior é que eu sempre voltava para casa insatisfeita. Ele era muito educado e batíamos altos papos, mas não havia aquele *frisson* — isso porque ele era um cara decente com uma saudável dose de autorrespeito. Acho que ninguém é perfeito.

— Mãe! — Interrompi a história dela a respeito de alguém que deixara de ver o "homem da sua vida" quando ele estava bem debaixo do seu nariz, dançando quase pelado. — A senhora precisa de alguma coisa da farmácia?

Ela pensou antes de responder:

— Não.

— A senhora não acha que devia aumentar um pouco a dose do antidepressivo?

— Na verdade eu pensei em diminuir alguns miligramas.

— Ah, é? Então tá...

Dane-se, vou lá de qualquer jeito.

Equinácea, eu decidi. *É uma coisa bem razoável de se comprar, especialmente nessa época do ano.* Ao me ver chegar à farmácia, Johnny me recebeu com um sorriso. Não que isso seja vantagem, porque Johnny sorri para todos os clientes que chegam, até para o velho com psoríase no corpo inteiro.

— Que veneno deseja para hoje?

— Equinácea.

— Você está resfriada?

— Ahn... Não. É só para prevenir.

— Muito sensato pensar nisso. Bem, temos várias opções.

Droga.

Ele entrou em detalhes a respeito de dosagem, apresentação (líquido ou cápsulas), com ou sem vitamina C, até eu me arrepender de não ter pedido algo mais simples.

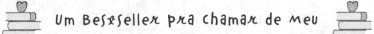

— Você está muito ocupado? — perguntei, tentando fazer com que ele saísse de trás do balcão e viesse falar comigo.

— Muito. As seis semanas que antecedem o Natal são as piores.

— Para mim também. Como vai o seu irmão?

— Está se recuperando numa boa. Ou melhor, se recuperando numa péssima. Anda fazendo um monte de fisioterapia na perna destroçada e não está curtindo nem um pouco.

Fiz alguns ruídos banais do tipo "Ah...", "Puxa..." e de repente soltei um "Ei!", como se tivesse acabado de me lembrar de algo, e peguei a capa do livro na bolsa.

— Acho que você vai gostar de ver isso, Johnny.

— O que é?... A capa do seu livro! — Seu rosto se acendeu. Ele pareceu feliz de verdade, por mim. — Meus parabéns!

Ele analisou a capa durante séculos, enquanto eu o observava. Sabem de uma coisa?... Ele era realmente muito bonito, com aqueles olhos inteligentes e o cabelo liso, sedoso e brilhante. Se bem que seria uma vergonha se o seu cabelo *não fosse* sedoso, já que ele tinha facilidade de escolher entre tantos produtos diferentes...

— Ficou muito bonita — sentenciou, por fim. — Em poucas pinceladas imprecisas eles conseguiram fazê-la parecer meio desolada. Muito bom! Estou louco para lê-lo.

Senti uma fisgada estranha, que não reconheci de imediato.

— O que houve com o título? — questionou ele. Achei que tínhamos concordado que seria *Choquelate*.

Choquelate tinha sido a sugestão dele.

— Pois é... Eu adorei *Choquelate*, mas o pessoal do marketing da editora não gostou.

— Bem, não podemos ter tudo o que queremos.

Será que eu estava imaginando coisas ou havia um significado mais profundo nessa frase? E no jeito como ele me olhou, ao pronunciá-la devagar? Será que eu acabara de ter uma recaída do velho *frisson*?

Suspeitei que sim, mas logo em seguida me bateu a culpa e então, aturdida, me virei para ir embora.

— Sua equinácea! — ele berrou quando eu já estava quase na porta.

* * *

Algum tempo antes, em agosto, depois que o departamento de divulgação da Dalkin Emery me enviou uma página da *Book News* mencionando o contrato que eu assinara para o livro (será que Lily tinha lido?), eu passei a comprar a *Book News* toda semana, para ver se publicavam mais alguma coisa a meu respeito. Embora eu analisasse todas as linhas de todos os artigos em todos os números, nunca mais achei nada, mas em novembro vi uma menção a Lily. Era um artigo sobre as vendas de livros para o Natal, que estavam decepcionando:

> Os livreiros vêm relatando vendas "extremamente desanimadoras" do novo livro de Lily Wright, *Claro como Cristal*. Esperava-se que Wright, autora da celebrada sensação do ano, *As Poções de Mimi*, voltasse ao topo das listas dos livros mais vendidos na época do Natal com o seu novo romance, mas ele não conseguiu figurar nem mesmo entre os dez mais. O livro, lançado ao preço de 18,99 libras, vem recebendo expressivos descontos, sendo vendido a 11,99 libras na rede Waterstones, e até mesmo por 8,99 em algumas lojas de pontas de estoque. Dick Barton-King, diretor de vendas da Dalkin Emery, declarou: "*Claro como Cristal* é um livro que será adquirido como presente, e não para leitura pessoal. As vendas vão melhorar nas próximas semanas, perto do Natal."

Por essa mesma época, li uma resenha de *Claro como Cristal* no jornal (eu acompanhava as resenhas dos lançamentos literários, agora). O crítico dizia que *As Poções de Mimi* fora um livro delicioso de ler, mas o novo romance era pesado, sem charme e só iria desapontar os fãs da autora sem lhe conseguir novos admiradores. Aquilo era terrível para ela.

Tudo bem, eu confesso: adorei a notícia!

* * *

Um belo dia, em dezembro, ao voltar do trabalho, havia uma caixa sobre a mesa da cozinha.

— Balancei a embalagem — confessou mamãe, toda empolgada. — Acho que são livros. Abra logo! — Ela me entregou uma tesoura.

Cortei a fita adesiva em volta da caixa e descobri seis exemplares de *Caçando Arco-Íris* quase com o formato de um livro de verdade. Minhas pernas ficaram moles e precisei me sentar para ler a nota que os acompanhava.

— São apenas exemplares da última prova — avisei. — Ainda existem erros de ortografia, as capas estão soltas e falta a encadernação final. Trata-se de material específico para revisores e críticos literários.

— Mas é um livro! — sussurrou mamãe. — Você o escreveu. E tem o seu nome na primeira página.

— Sim. — Ver o meu livro praticamente no formato definitivo fez com que eu me sentisse estranha, e não de um jeito agradável. Enquanto o folheava, me senti estremecer por dentro e subitamente entendi a fisgada que sentira na farmácia; ali estava descrita, página por página, a solidão de "Will", isto é, Johnny. Eu me espantei com o tamanho da minha imbecilidade. Ao escrever o livro, eu me preocupei tanto com a reação de mamãe que nem me ocorreu que outras pessoas também poderiam ficar magoadas ao se verem retratadas ali. Especialmente Owen. Na verdade, eu nem pensei na possibilidade de ele ainda estar na minha vida quando o livro fosse lançado. Afinal, ele vivia indo embora revoltado e quase não fazíamos outra coisa além de brigar. Mas agora o livro estava pronto, Owen continuava ali e meu herói romântico era baseado em outro homem. Owen era supersensível com os meus arroubos de desconsideração por ele; além do mais, sabia que eu passava — ou pelo menos costumava passar — um monte de tempo na farmácia.

Mesmo na época em que eu fiz os acertos e correções, encarei aquilo apenas como um exercício acadêmico e não algo que iria cair em domínio público, disponível a todos que quisessem pegar e ler. Como eu podia ser tão burra?

E quanto a Johnny? É claro que ele ia se reconhecer na história. Ia descobrir que eu estava a fim dele. Ou tinha estado, pelo menos. Provavelmente ele já desconfiava disso, mas de qualquer modo era uma situação embaraçosa...

Todos aqueles personagens eram pessoas de verdade que iriam ficar sentidas. Talvez ainda desse tempo de eu cortar o problema pela raiz. Mas de que jeito? Não tinha ideia de como proceder com Owen. Para Johnny, talvez eu pudesse oferecer um exemplar do livro e fazer piadinhas sobre o conteúdo, mas desconfiei que isso iria piorar as coisas; era melhor deixar tudo como estava.

Tremendo de medo por dentro, eu me perguntei se haveria jeito de interromper todo o processo. Então abri outro envelope que veio no pacote: um cheque. Um cheque enorme, o primeiro dinheiro que chegava às minhas mãos, vindo da Dalkin Emery.

Olhei para o valor: trinta e seis mil libras esterlinas. Merda. Eles haviam mandado a parcela da assinatura do contrato e a da entrega final do original em uma única remessa, deduzindo apenas os dez por cento de Jojo.

Pelo jeito, não havia retorno.

Resolvi que a melhor maneira de lidar com Owen era evitar que ele lesse o livro pelo máximo de tempo que eu conseguisse; ele nunca lia livro nenhum, mesmo. Isso me acalmou e eu me senti no controle da situação. Foi então que cometi um erro terrível: fui ao banheiro e não levei o celular.

Ouvi o aparelho tocar, mas deixei que a caixa postal atendesse. Só que ele parou de tocar e minha mãe disse:

— Que botão eu aperto?... Alô!... Owen, meu amor, como vai você? Temos novidades! Gemma recebeu os primeiros exemplares do livro. *Claro* que já tem um separadinho para você, chegaram seis! *Além do mais*, ela recebeu uma grana preta, mas eu acho que isso é segredo.

Saí correndo, mas ela já desligara.

— Owen acabou de ligar pra você nesse trem — disse ela, apontando para o celular e alheia à minha cara de pânico. — Ele vem buscar o livro dele.

Olhei com ar de desespero. Mamãe *nunca* atendia meu celular, por que resolvera fazer isso?

Talvez Owen não aparecesse. Não se podia confiar nele.

Só pra contrariar, porém, Owen chegou a jato e irrompeu pela sala, todo empolgado:

— Isso é superdemais! — Passou os dedos sobre o meu nome impresso. — Que capa legal!

— Não parece que a garota que colocaram aí não consegue se lembrar da palavra certa para alguma coisa? — Mamãe se animou.

Owen analisou a imagem:

— Ela está com cara de quem acabou de descobrir que o pneu do carro furou, não tem macaco e vai pedir a alguém para parar e ajudá-la.

Por que será que tudo para Owen tinha a ver com carros?

Ele me entregou o exemplar que segurava, perguntando:

— Você vai autografá-lo para mim?

— São apenas provas da gráfica. O texto ainda está cheio de erros.

— Isso faz com que ele seja ainda mais especial.

Desisti. Senti que não conseguiria escapar daquela furada. Já era.

Escrevi rapidamente "Para Owen, com amor... Gemma" e devolvi avisando, meio nervosa:

— Não esqueça que tudo o que está aí é ficção. Eu inventei tudo, nada é real.

— Aceita uma cervejinha, Owen? — ofereceu mamãe. Ela começara a comprar garrafas de cerveja escura Murphy especialmente para ele.

— Sim, fique mais um pouco e beba alguma coisa, Owen — eu fiz eco.

— Não, obrigado, sra. Hogan, mas vou correndo para casa para ler isto.

Lá se foi Owen e eu fiquei me perguntando se algum dia voltaria a ter notícias dele.

* * *

O mais estranho é que Owen, que era supersensível para certas coisas e se magoava até quando eu não tinha intenção de magoá-lo, não ficou chateado ao ler *Caçando Arco-Íris*.

Ligou para mim logo cedo, no dia seguinte.

— Vou levar você para jantar na noite de sexta para celebrarmos. No Four Seasons.

Eu adorava o Four Seasons mais que qualquer outro restaurante na vida. (Owen detestava... Dizia que todo aquele luxo o deixava sufocado.) Ele me convidar para jantar era um bom sinal.

— Você já leu o livro todo? Gostou?

— Vamos conversar sobre isso durante o jantar.

Mas era claro que ele havia gostado.

— E então?...

— Achei o máximo! Quer dizer... Tem muito mais beijos do que gosto em uma história, e muito menos cadáveres, mas mesmo assim é divertido. Aposto que você baseou o personagem Emmet em mim. Eu deveria ganhar até um agradecimento: "Inspirado em Owen Deegan."

Eu ri, meio sem graça. Não conseguia acreditar que estava escapando daquilo numa boa.

— Eu também sou o cara da farmácia? Ele também foi baseado em mim?

— Olhe o que eu trouxe para você — desconversei, entregando-lhe um pacote embrulhado para presente. — É uma Ferrari. De brinquedo — acrescentei, antes que ele fervesse de tanta empolgação.

Ele abriu o presente e jurou ter adorado o carrinho.

— Uma Ferrari vermelha! — Ele brincou com ela pra cima, pra baixo e sobre a mesa, fazendo "NEEEEEEEAAAARRNNN!", até atingir o sapato feito à mão de um executivo americano. O maître pediu para Owen parar com aquilo e ele atendeu. Voltou para a mesa dizendo:

— Sabe de uma coisa?... Andei pensando...

As palavras terríveis.

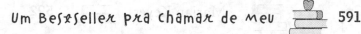

— Eu já conversei com você sobre esse assunto — disse eu, com ar cansado.

— Olhe só... Para celebrar o seu adiantamento, devíamos sair de férias, só eu e você. Tem um lugar que eu descobri, um resort em Antígua. Eles oferecem um monte de esportes aquáticos para os hóspedes, e agora vem a melhor parte: é tudo de graça! Até mesmo as bebidas, e são marcas de primeira qualidade, não é daquelas manguaças produzidas em fundo de quintal que deixam você doidão no primeiro gole. Devíamos ir até lá, Gemma, vai ser bom para nós, bom para a nossa... ahn... relação.

— Você está me dizendo que quer aprender windsurf com a caveira cheia de piña colada de boa qualidade? — Não pretendia bancar uma viagem minha com Owen para lugar nenhum. Precisava de cada *penny* para pagar a mudança da mamãe. Não queria começar a gastar grana comigo mesma. Eu me conhecia bem... Quando começava a gastar, não parava mais.

— Minha namorada assinou um supercontrato com uma editora e tudo que eu ganhei foi esse carrinho de brinquedo — reclamou Owen, e ficamos sentados ali, ressentidos e em silêncio. Isto é, *ele* ficou. Eu também estava calada, mas era um silêncio comum.

— Puxa, é uma grande conquista conseguir ter um livro publicado — continuou ele, depois de algum tempo. — Você devia comemorar, e está com dinheiro para isso. Devia fazer alguma coisa legal por *você*. Sei de sua preocupação com a sua mãe, mas a vida deve continuar.

Eu nunca conseguiria decidir se ele era um fedelho egoísta ou se estava me demonstrando amor de forma rude.

— Tudo bem, pegue o folheto, mas vamos passar só uma semana. Owen ficou *empolgadíssimo*.

— Parabéns! — disse ele. — Finalmente você está começando a se comportar como uma pessoa normal.

Aquele era um momento histórico. Eu ia sair de férias. Iria deixar a minha mãe sozinha por uma semana e ela que se virasse. Eu estava melhorando. Minha vida estava melhorando.

— Se nós conseguirmos passar uma semana inteira juntos sem matar um ao outro, acho que devíamos nos casar — sugeriu Owen.

— Legal. — Eu sabia que a chance de aquilo acontecer era zero.

— Eu acabei de propor casamento a você.

— Obrigada.

— Nunca pedi ninguém em casamento em toda a minha vida. Aliás, para ser franco, esperava um pouco mais de entusiasmo, além de "legal" e "obrigada".

— A vida real não é como nos filmes.

— Ah. Mas, afinal de contas, o carinha da farmácia foi baseado em mim?

— Não. — Eu não poderia mentir.

— Então, quem é esse cara?

— Owen — expliquei, com ar de superioridade —, sou muito mais velha que você. Tive vários namorados e, de certo modo, todos eles me inspiraram na criação do Will.

— Não seja condescendente comigo. Você não é *tão* mais velha do que eu e aposto que tive tantas namoradas quanto você.

A isso se seguiu uma competição para ver qual dos dois tinha dormido com mais pessoas, e isso dissolveu um pouco o clima estranho a respeito de Johnny, o farmacêutico. O pior é que acabamos tendo uma briga monumental quando ficou relativamente claro que eu tinha dormido com mais gente do que ele, mas, enfim, é isso aí...

Lily

BANCO FIRST NATIONAL
Edgeware Square, 23-A, Londres, SW1 1RR

5 de dezembro

Caros sr. Carolan e srta. Wright,

Assunto: Grantham Road, 37, Londres, NW3

Com referência à cláusula 7(b), subcláusula (ii) do contrato assinado entre o Banco First National, o sr. Carolan e a srta. Wright no dia 18 de junho do corrente ano, vimos esclarecer que: a cláusula citada acima determina que um pagamento de £100.000 (cem mil libras esterlinas) deveria ser pago pelo sr. Carolan e pela srta. Wright na data limite de 30 de novembro do corrente ano. Até o dia de hoje, 5 de dezembro, tal pagamento ainda não foi por nós recebido (e uma conversa telefônica com o sr. Carolan confirmou que a dívida não será honrada em um futuro próximo). Sendo assim, não temos opção a não ser invocar a cláusula 18(a), que determina: "Na eventualidade de não pagamento de qualquer dos valores devidos dentro dos prazos determinados, a propriedade será imediatamente retomada."

Desse modo, a residência localizada na Grantham Road, 37, deverá ser desocupada até o dia 19 de dezembro, duas semanas a contar da data de hoje. Todas as chaves da propriedade deverão ser enviadas por correio registrado para o endereço em epígrafe.

Atenciosamente,

Breen Mitchell
Gerente de Empréstimos Especiais

Parecia o fim do mundo.

Tudo aconteceu depressa demais. Quando Jojo ligou com a notícia terrivelmente terrível de que a Dalkin Emery não iria renovar o meu contrato, fiz o que normalmente faço sob pressão: vomitei o almoço. Depois, resolvida essa formalidade, Anton e eu analisamos nossas limitadas opções. A preocupação que nos assombrava era não termos condições de pagar a segunda parcela da casa. Apesar disso, erguemos os ombros e decidimos que, em vez de nos escondermos atrás do sofá, matraqueando sobre o assunto e gaguejando sem parar, iríamos nos comportar como adultos responsáveis e ser diretos com o banco. Assim, Anton ligou para Breen, o gerente de empréstimos, e explicou que, embora não tivéssemos grana nenhuma no momento, um cheque de pagamento de direitos autorais por *As Poções de Mimi* chegaria em março. Será que eles poderiam nos conceder um adiamento de prazo?

Breen nos agradeceu pela ligação e disse que seria melhor irmos pessoalmente ao banco para bater um papo. Só que antes de marcarmos o dia recebemos a carta dizendo que quebráramos os termos do empréstimo e, em vista das circunstâncias, eles não tinham esperança de que os pagamentos voltariam aos trilhos e iriam executar a hipoteca. Teríamos que sair da casa até o dia 19 de dezembro e devolver as chaves.

Assim, pouco antes do Natal, nosso pior pesadelo se materializou.

A reação de Anton foram bravatas do tipo "Eles não podem fazer isso conosco" e juramentos de "Não vamos perder nossa casa, amorzinho". Mas eu sabia que ele estava enganado. Uma casa sendo retomada pelo banco? Eu já vira essa cena antes e sabia que ela poderia — e muito provavelmente tornaria — a acontecer.

É claro que telefonamos para o banco e fizemos todo o possível para tentar convencê-los a esperar pelo pagamento até março, quando estaríamos salvos (pelo menos esperávamos). Eu pedi, Anton implorou, chegamos até, por alguns instantes, a considerar a ideia de colocar Ema na linha, cantando "Brilha, brilha, estrelinha".

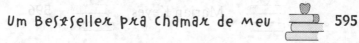

Só que Breen e seus colegas se mostraram irredutíveis e não havia nada que pudéssemos fazer, pois não tínhamos nada a oferecer em garantia. Por fim, enfrentamos a realidade: já era! Assim, com ar cansado, pedimos um período maior, pelo menos até depois do Natal, mas eles recusaram. Pela primeira vez desde que aquele horrível pesadelo começou, nós ficamos indignados, mas eles não se comoveram. Lembraram que, segundo os termos do contrato, não tinham obrigação *nenhuma* de nos dar aviso prévio, e tinham oferecido duas semanas de moradia grátis como prova de seu espírito de Natal. Em algum momento desse período infernal, Zulema se demitiu, também sem aviso-prévio. Ela conseguira outro emprego com uma família de Highgate que lhe oferecera um apartamento independente e um carro. Claro que aquele não era um bom momento para ela ir embora, mas eu reconheci que não tínhamos como mantê-la.

A essa altura, no vai e vem com o banco, já tínhamos perdido uma das duas semanas de prazo para desocupar a casa. Faltavam doze dias para o Natal e tínhamos uma semana para encontrar onde morar. Poderíamos ter nos mudado para Vanish Hall, mas Anton argumentou — e eu concordei — que ir morar com Debs seria autoflagelação demais.

— Seria melhor irmos para um abrigo do Exército da Salvação — garantiu.

Assim, Anton comprou o jornal e marcou vários anúncios de apartamento. Antes mesmo de ver o primeiro, odiei todos.

Os corretores devem ter achado que Anton e eu éramos dois esquisitos. Anton, normalmente tão charmoso e agradável, parecia fora do ar. A pessoa que olhava por trás dos seus olhos não era o Anton que eu conhecia. Sua pele parecia a de um cadáver e, chocada, percebi alguns fios grisalhos em seu cabelo pretíssimo e brilhante. De repente ele parecia muito mais velho.

Quanto a mim, era difícil olhar qualquer pessoa fixamente, porque meus olhos ficavam se remexendo de um lado para outro, como acontece com as pessoas muito estressadas. Eles pareciam os olhinhos agitados de um peixe. Obviamente os corretores não sabiam que era estresse, deviam estar achando que eu simplesmente acabara de fugir do hospício.

Eu me sentia tão oprimida pelo curto tempo para sair da casa que quase sentia os relógios tiquetaqueando à minha volta, com os ponteiros correndo céleres na direção do instante fatídico em que seríamos obrigados a "desocupar a propriedade". Como resultado, mal conseguia ver direito os apartamentos; preferia passar rápido por todos os cômodos para chegar mais depressa ao lugar seguinte.

Nosso plano era percorrer de táxi o caminho para os muitos apartamentos da lista, mas se um veículo com luzinha amarela não aparecesse em três segundos eu forçava Anton a andar — e andar depressa, muito, muito depressa. A ansiedade me queimava por dentro e me acumulava de tanta energia que eu não conseguia fazer uma pausa, mesmo pequena.

Lá fomos nós de apartamento em apartamento e eu já tinha esquecido completamente o que acabara de ver quando entrava no seguinte. Meus circuitos da cabeça trabalhavam numa velocidade tão grande que não conseguiam reter as informações.

Depois de três dias de buscas, fomos obrigados a tomar uma decisão e eu optei pelo último apartamento que tínhamos visitado, porque era o que eu conseguia lembrar. Ficava em Camden, não muito longe da nossa casa. Era novo e sem nada especial além dos aposentos pequenos pintados de branco. Assinamos um contrato de locação por três meses. Tivemos de pagar à vista, porque precisávamos mudar correndo e também porque nossas referências bancárias não seriam animadoras.

E então nos pusemos de joelhos em um piso empoeirado, trabalhando noite adentro para encher um número infinito de caixas. A cena era igualzinha à dos pesadelos que eu tive quando estávamos para comprar a casa, em maio. Até que veio a última manhã, quando o caminhão parou na nossa porta com uma equipe de rapazes neozelandeses usando shorts vermelhos. Eu me encostei na parede e me perguntei: *Isso está realmente acontecendo? Especialmente os shorts vermelhos?*

De repente, não mais que de repente, a casa estava completamente vazia e não havia motivos para ficar ali.

— Vamos, Lily — chamou Anton, com delicadeza.

— OK.

Abandonar a casa dos meus sonhos me deixou muito abalada. Ao levar um ou dois segundos a mais para fechar e trancar a porta da frente pela última vez, senti uma mudança quase física ocorrer dentro de mim. Estava dizendo adeus não apenas a quatro paredes (três paredes e meia, na verdade, porque os operários ainda não tinham terminado o quarto pequeno — não que isso importasse), mas a toda uma vida que Anton e eu não conseguiríamos mais usufruir.

Se fosse por mim, acho que eu nem teria desfeito a mudança e as caixas continuariam fechadas no apartamento novo. Eu instalaria apenas o meu edredom, o travesseiro e viveria confortavelmente naquela floresta de caixas empilhadas. Entretanto, por causa de Ema, era preciso fazer com que algumas coisas funcionassem de imediato. O bercinho dela precisava ser montado e as tralhas da cozinha, desencaixotadas. A tevê, claro, era uma coisa da qual ela não abria mão. Bem como do sofá, para facilitar a visão.

Às oito da noite, a maior parte das coisas essenciais estava no lugar, Anton já tinha até preparado o jantar e a velocidade da mudança foi demais para mim. Aquela era a nossa nova casa agora. Aquele cubículo gélido estava lotado com os nossos pertences e ali estávamos nós, representando uma cena absolutamente doméstica. Mas como? Perplexa, olhei para Anton e perguntei:

— Como foi que as coisas puderam dar tão errado?

Olhei em volta das paredes lisas e brancas e vi que seria como viver dentro de uma caixa de fósforos. Odiei aquilo.

Anton me agarrou pelo pulso, tentando atrair a minha atenção.

— Pelo menos nós temos um ao outro.

Eu ainda absorvia a sensação de estar entre as paredes brancas e frias.

— O quê?...

Ele olhou para mim, desesperado.

— Eu disse que pelo menos ainda temos um ao outro.

Gemma

A noite de véspera de Natal, só eu e mamãe, foi horrenda. Só consegui sobreviver porque matei sozinha quase um litro e meio de Bailey's. A ocasião não seria alegre, de qualquer jeito, mas quando eu contei à mamãe, dias antes, que Owen e eu iríamos sair de férias no fim de janeiro, ela ficou pálida de tão chocada. Tentou disfarçar o sofrimento e disse "Só Deus sabe, filhinha, o quanto você está precisando de alguns dias de folga", mas sua tentativa de ser corajosa só serviu para me fazer sentir pior.

Durante todo o dia de Natal ela ficou repetindo a mesma frase, como se fosse um velho disco arranhado:

— Este vai ser o nosso último Natal nesta casa.

Último Natal? Era o último *mês*. Janeiro se aproximava e papai ia solicitar o mandado judicial para vender a casa. Será que tudo ia ser rápido? Em quanto tempo a casa poderia ser posta à venda? Breda, nossa advogada, disse que o processo talvez levasse meses, mas, conhecendo a minha sorte, sabia que provavelmente teríamos de nos mudar exatamente no dia em que eu ia sair de férias.

De qualquer modo, vocês nunca conseguiriam adivinhar o que aconteceu alguns dias depois...

Vamos lá, podem tentar.

Muito bem... Preparem-se!

No dia 8 de janeiro, data em que completava um ano desde que papai saíra de casa, ele voltou. Assim, sem mais nem menos. Acho que nem se tocou que era o aniversário de sua partida; aquilo era apenas mais uma reviravolta esquisita na esquisitice que foi todo o drama, desde o início. Sua volta foi tão discreta quanto a saída: ele simplesmente apareceu na porta da frente com três sacolas de compras cheias de tralhas e perguntou à mamãe — pelo menos teve a decência de perguntar — se poderia voltar.

Mamãe respondeu se empertigando toda até parecer mais alta do que era e perguntando:

"Sua piranha atirou você no olho da rua, não foi? Pois muito bem... É melhor acertar as coisas com ela, porque aqui você não vai receber as boas-vindas!"

Ah, nada disso, brincadeirinha, gente. Eu não estava em casa nessa hora, então não sei exatamente *quanto* tempo mamãe levou entre colocá-lo correndo dentro de casa e partir rumo à cozinha, a fim de preparar comidinhas para ele, mas seria capaz de apostar que foi muito, *muito* rápido.

Papai retomou seu *status quo* antes de eu ter tempo de piscar. Quando cheguei em casa naquela noite, ele estava acomodado em sua poltrona favorita resolvendo as palavras cruzadas do jornal. Mamãe agitava todas as panelas, cozinhando de montão, e, por um instante, eu cheguei a me perguntar se tinha sonhado tudo o que acontecera durante o ano anterior.

Ignorei papai e seu sorriso nervoso ao me ver e encurralei mamãe junto à tábua de cortar carne.

— Por que a senhora o deixou voltar para casa assim, de cara? Podia ao menos deixá-lo sofrer *um pouquinho*.

— Ele é meu marido — informou ela, mostrando-se esquisita, devotada e inalcançável. — Fiz meus votos matrimoniais perante Deus e os homens

Ah, os votos! Esses tais "votos" são o fim da picada; transforma ram gerações de mulheres em mártires e idiotas. Mas o que se pode fazer? Não havia argumentos contra aquela maluquice.

Pedi que ela mudasse de ideia; nunca era tarde demais para mandá-lo ir se foder. Afinal, ela devia ter respeito por si mesma. Mas de que ia adiantar? Ela estava velha e tinha a férrea determinação de não se modificar. Se isso não acontecera em nenhum momento ao longo do ano que findara, era pouco provável de acontecer agora.

Eu bem que desejava que ela servisse de exemplo para as mulheres em toda parte, mas às vezes as pessoas são muito irritantes, recusam-se a fazer a coisa certa e preferem fazer o que *querem*.

Além do mais, analisando a coisa pelo lado egoísta, a volta de papai era a chave para eu me libertar da cadeia. Minha vida entraria no ritmo normal.

— Por que ele voltou? — eu quis saber.

Imaginei como teria sido o Natal de papai, trancado dentro de casa com os dois monstrinhos de Colette. (Eu nem sabia ao certo se as crianças eram monstrinhos; talvez eu estivesse sendo terrivelmen-te injusta.)

— Porque ele me ama e deixou de amar a *outra*.

— Papai deu alguma explicação sobre o porquê de ele ter passa-do um ano inteiro morando com uma menina de trinta e seis anos?

— Algo a ver com ele entrar na casa dos sessenta anos e seu irmão morrer.

Entendi. Uma crise de meia-idade atrasada, nada que já não tivéssemos imaginado.

— A senhora o perdoou?

— Ele é meu marido. Fiz meus votos matrimoniais em uma *igre-ja*. — Ela se sentou e assumiu uma postura tão inflexível que me deu vontade de ter uma marreta para martelar um pouco de bom senso na cabeça dela.

Graças a Deus que eu sou ateia, é o que eu sempre digo.

Se algo daquele tipo tivesse acontecido comigo, acho que o rela-cionamento nunca mais voltaria ao que era antes, e duvido muito que um dia eu fosse capaz de perdoar. Do jeito que a coisa estava, já era difícil eu me imaginar não desprezando papai. Só de pensar nela como uma esposa dedicada, em vez de uma mulher com sentimentos e direitos, já me irritava. Ver que papai conseguiu de volta o seu lugarzinho na vida que ela mantivera quentinha esperando a sua volta me deixava furiosa além da conta.

— Como é que a senhora sabe que ele não vai virar as costas em menos de um mês e fazer tudo novamente?

— Não vai não. Ele resolveu as pendências que tinha consigo mesmo e tudo ficou para trás.

— Mas ele vai se encontrar com a belezoca da Colette todos os dias, no trabalho.

— Não vai não. — A certeza com que ela disse isso me despertou o interesse, ela parecia quase triunfante. — Seu pai vai se aposentar mais cedo. Você acha que eu ia deixar que ele continuasse a frequentar o lugar aonde *aquela mulher* vai todo dia? Nem a pau, Juvenal, o que quer que essa frase signifique. Eu mandei que ele a despedisse ou se aposentasse. Preferia que ela tivesse perdido o emprego, mas desse jeito também está bom.

De repente eu tive uma grande ideia:

— Vamos até lá, mamãe! — convidei. — Vamos pegar o carro e ir até o escritório só para rir na cara dela.

Por um instante vislumbrei uma luzinha nos olhos da mamãe, mas ela balançou a cabeça e disse:

— Vá você. Preciso preparar um chá para o seu pai. — Em seguida disse, sem muito entusiasmo: — Temos que perdoá-la.

Humpf! Eu não aguentava aquele papo de perdão. Nunquinha eu iria perdoar Colette e não sentia remorso nenhum por isso. Um pouquinho de ódio não fazia mal a ninguém. Vejam só como eu odiei Lily durante *anos* e aquilo nunca me fez mal algum.

Por falar em ódio, eu precisava contar uma coisa a meu pai:

— Vou lançar um livro, papai.

Ele expressou grande alegria — acho que tinha mais a ver com o fato de que eu estava me dirigindo a ele. Quando eu lhe mostrei a capa da última prova da gráfica, ele declarou:

— Esta capa ficou linda! A moça está com cara de quem se trancou do lado de fora da casa, não é? — Passou os dedos sobre o meu nome. — Vejam só... Gemma Hogan, a minha garotinha. *Caçando Arco-Íris* é um título belíssimo. É sobre o que seu livro?

— O senhor abandonando mamãe e indo morar com uma garota só quatro anos mais velha que eu.

Ele se mostrou profundamente chocado e olhou para mamãe com a boca aberta, para confirmar se eu estava de sacanagem com ele.

— Não é piada — afirmei.

— Não é. — Mamãe pareceu muito desconfortável.

— Minha Nossa Senhora das Letras! — Ele pareceu em pânico. — É melhor eu ler esse troço. — Depois das seis primeiras páginas, com a cara muito pálida em um tom meio acinzentado, ele levantou a cabeça. — Temos que colocar um ponto final nisso imediatamente. *Imediatamente!* Isto não pode ser publicado.

— Tarde demais, papai. Assinei um contrato.

— Vamos procurar um advogado.

— Já gastei o monte de dinheiro que eles me pagaram de adiantamento.

— Eu cubro o dinheiro.

— Não quero o seu dinheiro. Quero que meu livro seja publicado.

— Mas olhe só isso! — reclamou ele, batendo no livro com as costas da mão. — Todos esses detalhes pessoais. Não que eu me importe, mas o problema é que muito disto nem mesmo é verdade! Se essa história vier a público, vou me sentir muito embaraçado.

— Ótimo! — disse eu, colocando o rosto bem perto do dele. — Isso se chama aceitar as consequências dos próprios atos.

— Gemma! — ralhou mamãe, chamando-me para ir à cozinha. — Ele já disse que sente muito — explicou ela. — Está sendo sincero. Estava passando por uma crise e não teve como evitar o que aconteceu. Você está sendo muito severa com ele. Para ser franca, acho que está sendo severa com todos nós. Sabe de uma coisa? Você precisa trabalhar a sua raiva.

— E o que a senhora sabe sobre trabalhar a raiva?

— Assisto ao programa do dr. Phil.

— Ah, então tá... De qualquer modo, eu não tenho nenhuma raiva para trabalhar, simplesmente gosto de ver as pessoas sendo punidas pelo que fazem de errado.

— Então precisa trabalhar o seu desejo de retaliação.

— Sim! — concordei. — Preciso, mesmo. Gosto de fazer justiça com as próprias mãos. Sou Gemma, a... O que é que eu sou...? Destruidora? Não exatamente, o que é uma pena. Disciplinadora? Gemma, a Disciplinadora? Não, soa meio sem graça... Já sei! Vingadora! Sou Gemma, a Vingadora!

Circulei pela cozinha apontando os dedos como se fossem uma arma e cantando o tema de abertura da série *Os Vingadores*.

— Não faça isso parecer bonito — reclamou mamãe —, porque não é.

— Além do mais, essa não é a música de *Os Vingadores* — berrou papai da sala. — Esse é o tema de *Os Profissionais*.

Parei no portal, segurei uma bolsa imaginária e debochei:

— Woooooooooh! Agarrem-no!

Naquela mesma noite eu tirei todas as minhas coisas da casa dos meus pais e voltei oficialmente para o meu apartamento. Fiquei me perguntando se eu tinha me acostumado com a casa de mamãe ou se a minha nova liberdade iria parecer com o momento em que a gente acaba as provas finais e se sente culpado por não ter estudado mais, mesmo não fazendo diferença. Decidi que não. Eu não estava nem um pouco receosa de voltar à minha antiga vida.

Liguei para Owen e lhe dei a notícia:

— Vamos poder nos ver o tempo todo agora, se quisermos. Venha para cá, vamos experimentar um pouco da nossa nova vida.

Quando a novela estava mais ou menos na metade, ele chegou.

— Preciso conversar com você — avisou, logo na entrada.

— Por quê?

— Adivinhe o que aconteceu! — Ele sorriu, mas de um jeito meio estranho.

— Que foi?

— Lorna me ligou. — Lorna era a ex-namorada dele, de vinte e quatro anos, e um formigamento na nuca me avisou sobre o que vinha pela frente. — Ela quer voltar.

— Quer?

— Tudo aconteceu exatamente do jeito que você disse: ela nos viu juntos no sábado passado, no shopping, e percebeu o que estava perdendo. Você é brilhante!

— Sou mesmo. — Minha voz estava meio anasalada e irritante.

— Puxa, você não se importa com isso, não é?

— Claro que não me importo. — Quase engasguei, atacada por um ridículo acesso de lágrimas. — Estou superfeliz por você. Sempre soubemos que a nossa relação não ia a lugar algum. — O problema é que não fora a lugar algum por quase nove meses.

Ele ficou estranhamente calado e, quando eu levantei a cabeça, depois do meu ataque de frescura, descobri a razão: ele também estava chorando.

— Nunca vou me esquecer de você, Gemma — disse Owen, enxugando as lágrimas grossas que lhe desciam pelo rosto.

— Ah, deixe de ser melodramático.

— Então tá... — Como por um passe de mágica, as lágrimas sumiram e ele mal conseguiu conter a felicidade e a empolgação por estar indo embora.

— E quanto às nossas férias? — perguntei.

Ele olhou com ar de quem não entendeu a pergunta.

— Em Antígua. Aprendendo windsurf com a caveira cheia de piña colada? A viagem está marcada para daqui a três semanas.

— Nossa, é mesmo! Desculpe, nem me lembrei. Vá você. Leve a sua mãe. Dá até para imaginá-la aprendendo windsurf. Ela vai se divertir.

Pouco antes de entrar no carro, ele berrou, com o astral em alta:

— Vamos nos encontrar todos em breve, eu com Lorna e você com Anton. Precisamos planejar nossas férias na Dordonha!

— E não se esqueça de dar o meu nome ao primeiro bebê que vocês tiverem — consegui dizer.

— Combinado. Mesmo que seja menino.

Então ele saiu a toda com o carro, buzinando como se estivesse em uma carreata ou comemorando um casamento.

Jojo

Janeiro

Jojo voltou para Londres, cheia de esperanças para o ano que se iniciava. Ela tinha passado um Natal e um Réveillon maravilhosos em Nova York, com a família, e sabia que o Natal do ano seguinte seria muito diferente. E não seria em Nova York. Muito provavelmente seria dividindo o espaço com Sophie, a propensa a acidentes, e Sam, o bebum, na nova casa dela e de Mark, onde quer que ela ficasse.

Logo no primeiro dia depois de ela ter voltado de viagem, Manoj chegou e largou uma caixa sobre a mesa.

— Essas são as provas finais de gráfica de *Caçando Arco-Íris*, de Gemma Hogan.

A Dalkin Emery acreditava piamente em reutilização de material: a capa era a de um livro antigo da Kathleen Perry que Jojo rejeitara quase um ano antes por ser completamente idiota. Pois ela voltara com uma roupagem de outono, como se fosse nova; era a capa de *Caçando Arco-Íris*. Mostrava uma aquarela de uma mulher e, embora os contornos não fossem muito precisos e o fundo enevoado, toda vez que Jojo a via tinha a impressão de que a jovem retratada parecia louca de vontade de ir ao banheiro, mas estava a quilômetros do toalete mais próximo.

Apesar disso, a produção gráfica estava boa. Ela pegou dez exemplares, levou-os para Jim Sweetman e sugeriu que ele os mostrasse aos seus amigos produtores de cinema.

— Faça a sua mágica, Jim — disse ela.

* * *

A eleição do novo sócio estava marcada para segunda-feira, 23 de janeiro — dali a três semanas. A primeira semana correu sem novidades. A segunda, também. A contagem regressiva da terceira semana já começara — segunda, terça e quarta já tinham passado —, até que na quinta-feira de manhã um e-mail chegou:

PARA: Jojo.harvey@lipman_haigh.co
DE: Mark.avery@lipman_haigh.co
ASSUNTO: Novidades. Provavelmente ruins

Preciso falar com você. Pode ser na minha sala, o mais depressa possível?
M xxx

O que seria dessa vez?

Mark estava sentado à mesa, parecendo muito sério.

— Queria lhe contar logo, antes da reunião de amanhã de manhã. Richie Gant está com um ás na manga.

— O quê? — Na mesma hora, Jojo ficou agitada e nervosa. O Rei das Piranhas era cheio de surpresas, nenhuma delas agradável.

— Ele fez amizade com o pessoal de marketing da Lawson Global.

— Quem?!...

— Um conglomerado multinacional. Eles possuem fábricas de bebidas, cosméticos, roupas esportivas... Parece que estão interessados em pagar por menções de produtos deles em livros de autores representados pela Lipman Haigh.

Jojo abriu a boca, mas mal conseguiu falar.

— Você está falando de patrocínio publicitário?

— Não exatamente patrocínio de um título, nada de "A Coca-Cola traz para você *O Encantador de Cavalos*". Simplesmente menções a uma marca específica em um romance.

— Mas isso é merchandising — afirmou Jojo. — Exatamente o que nós conversamos, quase um ano atrás. Achamos a ideia podre. Continuo achando isso de um profundo mau gosto.

— Se a coisa for feita com sutileza, não precisa ser ofensiva.

Ela lhe lançou um olhar longo e perplexo.

— Isso não pode estar acontecendo, Mark. Isso é um equívoco. Aliás, você mesmo achou a ideia desprezível.

— Jojo, trata-se de negócios, e possivelmente muito lucrativos.

Ele não falou abertamente, mas a implicação era clara. Abandonar Cassie e montar uma segunda casa com Jojo seria muito dispendioso.

Que se dane! Muito brava, Jojo disse:

— Quando eu tive essa ideia, por que você não me deu força para eu levá-la em frente?

— Porque estávamos falando de brincadeira, e era óbvio que você desprezava a possibilidade. Por falar nisso, se você tivesse achado a ideia realmente boa, nem precisaria de incentivo, teria corrido atrás e conseguido.

Talvez isso fosse verdade, mas só serviu para aumentar a raiva de Jojo.

— Então, como foi que a coisa rolou? Gant chegou para você com o mesmo conceito e você lhe disse "Muito bem, bom trabalho, garoto! Vá nessa!"?

— Nada disso. Soube da história ainda há pouco, agora de manhã. Ele já fez alguns contatos e alinhavou propostas.

— Aposto que nenhuma delas com autores que eu represento — disse Jojo, com amargura. — Afinal de contas, como foi que Richie Gant teve essa ideia ao mesmo tempo que eu?

— Possivelmente porque vocês dois pensam parecido?

Jojo estremeceu ao ouvir isso.

— Não sou parecida em nada com aquele... Esquisito de cabelo seboso. E quer saber do que mais, Mark? Estou desapontada com você.

Ele se mostrou calmo. Assustadoramente calmo.

— Eu dirijo um negócio. Meu trabalho é explorar ideias que possam trazer mais dinheiro para a empresa. Tenho princípios, mas ser escrupuloso demais não funciona em termos comerciais. Se você quer saber, eu reconheço: achei o projeto grosseiro, mas me reservo o direito de mudar de ideia. Especialmente quando ela já me foi apresentada como um fato consumado.

— Saquei — disse Jojo. — Entendi em alto e bom som.

Ela saiu em disparada porta afora, mas ele não fez menção de segui-la. Jojo foi para a rua e ficou parada na calçada, fumando com tanta fúria que um transeunte lhe perguntou:

— O que esse pobre cigarro fez contra você?

Como será que Richie Gant conseguira fazer aqueles contatos?, questionou-se Jojo. Se *ela* trabalhasse em uma multinacional e o pequeno pilantra lhe propusesse algo daquele tipo, ela mandaria o pessoal da segurança atirá-lo no meio da rua. Aliás, quando ele estivesse caído na calçada, ela iria até lá para lhe dar uns chutes nos rins. Aquilo doía muito. Ela lhe daria alguns chutes no saco também, obviamente, para aproveitar a viagem. E na cabeça — só que aí suas botas ficariam cobertas daquele troço oleoso que ele passava no cabelo... Eeeca!

Muito maior do que a raiva por Richie era a raiva consigo mesma. Ela não devia ter ouvido os conselhos de Mark. Devia ter ido em frente com a sua ideia. Não era apenas questão de orgulho ferido. Aquilo teria profundas e imediatas implicações de cunho prático: a decisão sobre o novo sócio seria tomada na segunda-feira, dali a poucos dias. Ela era obrigada a reconhecer o sexto sentido do cara, pensou, dando mais uma tragada furiosa no cigarro, daquelas que duravam três segundos. Richie escolhera o momento perfeito para jogar a ideia no colo dos sócios e eles tomariam a decisão envoltos no frenesi dos milhões corporativos que entrariam no caixa da empresa.

O único consolo é que ela continuava achando aquela ideia de muito mau gosto. No fundo do coração, esperava que, em vez de se mostrar cegos de cobiça, os sócios concordassem com ela.

* * *

Reunião na sexta-feira de manhã
Todos já sabiam a respeito das novas ligações de Richie com o mundo corporativo. Com isso, pelo menos, Jojo não precisou aturar

as pessoas se espantando e balançando a cabeça em "Ooohhhs" de aprovação, como se Richie tivesse acabado de tirar um lenço de seda fedido de uma cartola ensebada.

Mas o show ainda não tinha acabado. Em seu eterno papel de mestre de cerimônias, Richie se pôs a analisar vários cenários possíveis. Estendeu o braço e anunciou:

— Olga!

— É com você, madame — avisou Jojo, não exatamente aos sussurros.

Richie se virou em sua direção.

— Jojo, não se preocupe. Vou fazer o melhor possível pelos seus autores. Quem sabe eu também não posso conseguir para eles alguns contratos de patrocínio?

— Não precisa — garantiu Jojo, com ar encrespado. — Meus autores já ganham o suficiente *escrevendo livros*.

— Depende deles — Richie deu de ombros. — Se os caras querem dispensar dinheiro grátis, não podemos fazer nada. Acho que seria interessante você repassar a ideia para eles, apenas isso. Fico contente por não ser *minha* agente!

— Não tão contente quanto eu, *bafo podre*. — É claro que ela só o chamou de "bafo podre" mentalmente. Era muito profissional.

Richie voltou a atenção para Olga.

— Vamos pensar em Annelise Palmer, por exemplo. — Essa era uma das mais famosas escritoras da lista de clientes de Olga, sempre com algum bestseller na praça. — O estilo de seus livros combina com um dos caríssimos champanhes fabricados pela Lawson Global. Se Annelise topar, é claro. Como eu conheço a velhinha, aposto que toparia. — Richie deu risadas com tanta autoconfiança que Jojo precisou se sentar em cima das mãos espalmadas para evitar lhe dar uns tabefes. — Pois bem, minha gente: se ela aceitar, isso colocará até um milhão a mais em sua conta bancária. É claro que todos os agentes conseguiriam os seus dez por cento e, se pedirmos com jeitinho, a fábrica ainda mandará entregar em suas casas algumas caixas do champanhe mencionado na obra.

Jojo quase implodiu, sentindo-se impotente. Puxa!... Um milhão de libras para um autor era capaz de eclipsar qualquer vídeo sobre os hábitos de acasalamento dos pinguins imperadores.

— Eles realmente fizeram essa proposta? — desafiou Mark. — Chegaram a mencionar essa quantidade de dinheiro para cada autor?

— Mencionar? Eles *prometeram*. De verdade. — Richie concordou com a cabeça, subitamente sério. — Podem acreditar, porque é assim que vai acontecer.

A sala inteira entrou em estado de choque. Até mesmo as partículas de pó que se moviam eternamente no ar pareceram fazer uma pausa em seu giro perpétuo. Um milhão de libras só para mencionar uma marca de champanhe em um romance!

Jojo percebeu que todos os olhares se modificaram — passaram a olhar Richie como se ele fosse um alquimista. Já estavam gastando a grana. Um Mercedes novo, um chalé para férias na Úmbria, uma aposentadoria passada a bordo do *Queen Elizabeth 2*, grana suficiente para abandonar a mulher e montar uma casa confortável para a namorada, sem responsabilidades. Até Aurora French e Lobelia Hall, mulheres que odiavam Gant e nunca veriam muita coisa daquele dinheiro (talvez só a sombra dele), entraram no clima de devaneio. Sapatos e bolsas novas brilharam como cifrões nos olhos de Aurora, e o cintilar de uma semana em Las Vegas apostando alto nas mesas de pôquer apareceu nos de Lobelia. Jojo precisava fazer alguma coisa bem depressa.

— Olga poderia ligar para esses executivos neste instante — propôs Jojo —, para avisá-los que Annalise topa o esquema. Aliás, aproveite para mandá-los entregar aqui na empresa um milhão em notas de cinco libras usadas. — Colocando a bolsa em cima da mesa, estendeu o celular para Olga. — Vamos logo fazer essa ligação.

Mais uma vez a sala pareceu petrificada. Tudo o que se movia eram os músculos das órbitas das pessoas, que jogavam tênis com os olhos, entre Richie e Jojo. Os segundos se arrastaram, a mão de Jojo começou a ficar pegajosa de suor, até que Richie sucumbiu:

— Mas isso foi apenas um exemplo. *Obviamente*!

— Ora... — Jojo fingiu surpresa. — Foi apenas um *exemplo*? Não, não, por favor, não liguem para eles agora. — Fechou o celular suado e piscou para Olga. — Pode ser embaraçoso.

Ao ver os próprios sonhos estremecerem para em seguida se dissolverem, todos voltaram os olhos para Richie como se ele fosse um farsante.

Mas o golpe de misericórdia foi o anúncio de que no dia seguinte três sujeitos da Lawson Global iriam se encontrar com Richie, Jim Sweetman e Mark em um luxuoso resort no campo para jogar golfe e falar de negócios. Jojo tentou disfarçar sua incredulidade. Mark não lhe contara nada sobre aquilo. Além do mais, desde quando aquele bundão do Gant jogava golfe?

— Por que eu não fui convidada para esse evento?

— Por que deveria ser?

— No ano passado eu rendi mais dinheiro para a firma do que qualquer outro agente, e pelo visto vou repetir a dose este ano.

— Você sabe jogar golfe? — perguntou Richie.

— Claro que sei! — Puxa, não devia ser assim tão difícil. Especialmente se ela imaginasse que a bola era a cabeça dele.

— Que pena! — Richie lançou-lhe um olhar duro. — O hotel já foi reservado e não há mais vagas.

— Então não vai haver mulheres? Isso não é discriminação? Existem leis contra esse tipo de coisa.

— Qual é a lei que determina que alguns amigos não podem se encontrar para jogar golfe? E quem disse que não haverá mulheres?

Ele esperou a implicação daquilo no ar, mas Jojo rebateu:

— Ah, eu tinha esquecido o quanto você gosta de strippers que sentam no colo dos clientes.

— Pois eu não esqueci — confirmou ele, sorrindo, o que fez a raiva dela aumentar. — Jim também gosta delas, e Mark provavelmente vai adorar as...

— Um momento! — interrompeu Mark.

Dan Swann se ergueu do costumeiro estado de apatia e começou a murmurar baixinho:

— Porrada! Porrada! Porrada!

Mark assumiu o controle da situação:

— Já chega! Não seja ridículo, Richie, não vai haver strippers sentando no colo de ninguém. Pelo menos é bom que não haja.

Jojo achou que a reação de Mark tornou as coisas ainda piores. Todo mundo ficou imaginando que a namorada de Mark Avery não o queria perto de strippers que sentavam no colo de homens. Todos ali eram seus colegas, mas olhavam para Jojo como se ela fosse a esposa pentelha. Os contornos da situação estavam muito enevoados.

Depois que a reunião se encerrou, ela foi até a sala de Mark, fechou a porta e disse:

— Você não me contou que ia jogar golfe com esses caras.

— Tem razão. Não contei.

— Por quê?

— Porque você não é a minha chefe.

Aquilo foi como uma punhalada no coração.

— Mark! O que está acontecendo? Por que você está me tratando tão mal?

— Por que *você* está me tratando tão mal? — Ele estava absolutamente calmo, e em momentos como esse ela lembrava, *de verdade*, o porquê de ter se apaixonado por ele, para começo de conversa: sua força de caráter, sua habilidade de ter uma visão ampla da situação...

— Eu não estou tratando você mal, Mark.

Ele deu de ombros.

— Estou apenas fazendo o meu trabalho, Jojo. — Ele continuava sem entrar na pilha dela.

— Mesmo quando ele entra em conflito comigo?

— Não vejo as coisas desse modo. Pode ser que você não acredite em mim, mas tudo o que eu faço é por nós dois.

Graças ao Richie Sebento as coisas com Mark estavam começando a sair dos trilhos; Jojo não permitiria isso. Fez um esforço grande, quase sobre-humano, para superar o que sentia.

— Eu acredito em você, Mark.

* * *

Sábado de manhã, apartamento de Jojo

Antes de Mark sair para o fim de semana jogando golfe, Jojo disse:

— Você não vai contar para os caras da Lawson como eu sou na cama, vai?

— Por que eu faria isso?

— Sei muito bem como são os homens; vivem trocando piadinhas machistas e contando coisas íntimas sobre suas mulheres.

— Como é que você sabe?

— Eu sou um deles.

Ele colocou a mão na cintura dela e deixou-a deslizar lentamente pelo seu corpo acima, dizendo:

— Humm... Não acho que você seja um deles.

Ele afastou a mão e ela a recolocou no mesmo lugar.

— Jojo, não temos tempo para isso.

— Temos sim.

— Vou me atrasar.

— Ótimo!

Vinte minutos depois

— Agora eu realmente preciso ir, Jojo.

— Vá! — Ela sorriu para ele da cama. Não vou mais precisar de você por ora. Adeus, querido. Tenha um péssimo fim de semana.

— Vou ter.

Naquela tarde

Jojo estava na Russell & Bromley com Becky, vendo sapatos e bolsas, quando seu celular tocou. Pelo display, viu que era Mark.

— Oi, Mark! — exclamou. — O cara com quem eu queria falar. Você sabe qual é a diferença entre uma manga e um pau? Eu lhe conto: as esposas só curtem chupar manga! *Ka-buum*!

— Jojo...

— O que você faz quando a lavadora de pratos quebra? Dá uma surra nela! *Ka-buum*!

— Jojo...

— Qual é a mulher que você escolhe na hora de contratar? A mais peituda! *Ka-buum*!

Domingo à tarde, apartamento de Jojo
Mark foi do hotel direto para a casa dela.

— Oi, querido. — Ela o abraçou com força, como se ele estivesse voltando da guerra. — Tudo bem... Tudo vai ficar bem com você agora.

Ela o seguiu até a sala de estar e perguntou:

— As coisas foram muito ruins por lá?

Ele sorriu.

— Péssimas. Tive que fumar um charuto. Você sabe que antes de fumar a pessoa deve cortar um pedaço da ponta, não sabe? — Jojo não sabia.

— Pois bem. Um dos rapazes da Lawson ficou fazendo piadinhas sobre circuncisão enquanto cortava o dele.

— Eeeca! Qual foi o pior momento de todo o fim de semana?

Mark pensou antes de responder:

— Um dos caras descreveu outro sujeito como "um idiota tão grande que seria capaz de cair em uma piscina cheia de peitos e sair dela chupando o próprio dedo".

— Eeeeca! — repetiu Jojo.

— Eu contei a eles a sua piadinha sobre a lavadora de pratos — confessou ele. — Acho que os caras gostaram.

— Fico feliz por ajudar. Como Richie se portou?

Mark simplesmente deu de ombros.

— Você podia me dar uma ajudinha aqui? — explodiu Jojo. — Simplesmente me explique como é que alguém pode gostar daquele cara. Será que estou perdendo algum detalhe?

Mark refletiu antes de responder:

— Ele é bom para lidar com gente. Tem intuição sobre o que as pessoas gostam e todo mundo acaba comendo na sua mão.

— Mas ele não consegue essa façanha comigo.

— Porque não precisa que você goste dele.

— Pois vai precisar quando eu for sócia da empresa, e ele não.

Suas palavras ficaram em suspenso no ar e, quando Jojo tornou a falar, a ansiedade que a torturara por todo o fim de semana a derrubou. Ela se sentiu como uma carteira de mão ridiculamente cara e pouco prática.

— Podemos conversar a respeito de amanhã, Mark? Você acha que eu vou conseguir?

— Você merece.

— Mas você acha que eu consigo?

— Tarquin Wentworth, Aurora French e Lobelia Hall já estavam na empresa muito antes de você. Se o tempo de casa contar, o cargo vai para Tarquin.

Ela deu um tapa nele.

— Qual é, Mark? Pare de ser o Senhor Vamos-encarar-os-fatos-de-frente. Todo mundo sabe que a coisa está entre mim e Richie Gant.

— Correto. É entre vocês dois.

— Pois é... Agora, *vamos* falar sério. Eu sou uma grande agente, faço mais dinheiro para a agência que todos os outros, incluindo Gant. Além disso, já fiz de tudo para acabar com a reputação dele. Tem mais alguma coisa que me reste fazer? Não creio.

Jojo acreditava no pensamento positivo. Mesmo assim, acordou no meio da noite pensando de forma não tão positiva. Mark fora para casa e ela ficara feliz com isso; não queria que ele a visse daquele jeito. Ficou imaginando como seria se ela não se tornasse sócia no dia seguinte. Além do choque e da humilhação, Richie Gant seria o novo chefe dela, ou pelo menos um deles. E ele não seria um vencedor generoso. Jojo teria de pedir demissão da Lipman Haigh e começar tudo de novo em outro lugar. Comprovar sua capacidade, construir alianças, gerar lucros. Aquilo faria sua carreira profissional recuar pelo menos dois anos. O pânico formou uma espiral dentro de sua barriga, subindo e descendo até bloquear-lhe a garganta.

Por fim, ela se controlou. Richie Gant era bom — e ardiloso. Mas o seu projeto de merchandising era da boca pra fora. Ninguém tinha perspectiva de ganhar dinheiro com aquilo de imediato. Ela era uma agente melhor. Isso era um fato. Ela gerava mais lucros para a empresa. Seus autores tinham excelentes perspectivas de longo prazo. Como seria possível ela não conseguir o cargo?

Lily

Anton chegou em casa vindo do trabalho. Irrompeu pela sala e disse:

— Veja só o que me mandaram hoje! — Eu não o via tão animado há muito tempo.

Ele balançou um troço na minha frente e, quando percebi que era o livro de Gemma, *Caçando Arco-Íris,* eu pulei, quase sem ar, e o agarrei, louca para lê-lo. Uma sensação familiar de náusea se instalou.

— Como foi que você conseguiu isso?

— É a prova final da gráfica. Jim Sweetman, o cara dos direitos para cinema e teatro da Editora Lipman Haigh, me enviou. A boa notícia — disse ele, muito empolgado — é que o livro não fala nada a respeito de nós dois.

— E a má notícia?

— Não há má notícia.

Fiquei grilada. Ninguém costuma dizer "a boa notícia é..." se não houver uma má notícia.

— Que tal a história? — perguntei. — O livro é bom?

— Ahn... — Mas a empolgação me pareceu bem clara na expressão de Anton e ziguezagueava em várias cores pelo ar.

Surpresa, eu o acusei:

— Você gostou.

— Não gostei.

— Gostou.

— Não gostei.

Prendi a respiração, porque sabia que havia um "porém" chegando.

— Porém — ele disse, por fim — ... Eu bem que gostaria de comprar os direitos de filmagem dessa história.

Fiquei petrificada e muda.

A única coisa que me passou pela cabeça foi que ele não pensou em comprar os direitos de filmagem do meu livro. Aliás, de nenhum dos dois.

Tínhamos saído da nossa casa há cinco semanas, mas a impressão é de que já fazia muito mais tempo. Passamos o Natal desolados em nosso apartamento do tamanho de um ovo. A desolação foi ainda maior porque Jessie e Julian, que vinham da Argentina, desistiram da viagem no último minuto.

Apesar dos vários convites para passar o Réveillon em suas casas — desde Mikey e Ciara até Viv, Baz e Jez, e também Nicky e Simon —, passamos a noite sozinhos. Brindamos um ao outro com o champanhe que a Dalkin Emery me enviara há muito tempo, quando *As Poções de Mimi* seguia firme na lista dos mais vendidos e eles ainda gostavam de mim. Nosso brinde foi "ao ano que vem", na esperança de que ele fosse melhor que o passado. Depois veio o mês de janeiro, mas... O que se poderia esperar? Era janeiro. O melhor a fazer em janeiro é respirar, expirar e esperar fevereiro.

Claro como Cristal não conseguiu, como eu tanto rezara para que acontecesse, decolar no último minuto. Minha confiança e minha criatividade estavam em pedaços e desde outubro eu não escrevera mais nada. De que adiantava, quando eu sabia que ninguém iria querer publicar? Estava frio demais para colocar a cara fora de casa e eu passava o dia todo com Ema, assistindo a *Dora, a Exploradora* e *Jerry Springer* na tevê.

Perder a nossa casa fora catastrófico, mas eu não alimentava ilusões de que havíamos chegado ao fundo do poço. Anton e eu estávamos nos distanciando. Eu parecia assistir a tudo aquilo de longe, como se acontecesse com outro casal.

Já não tínhamos mais nada a dizer um ao outro. Nosso desapontamento era uma presença avassaladora. Eu me ressentia, com muita amargura, da irresponsabilidade de Anton em questões de dinheiro. Ficara obcecada com a casa que perdemos e achava que tudo fora culpa dele. Ele me convencera a comprá-la — eu vivia me lembrando das inúmeras objeções que eu criara, na época — e, se não a tivéssemos comprado, talvez não a tivéssemos perdido. A sensação de perda era excruciante e eu não conseguia perdoar Anton. Por algum motivo, eu não parava de pensar naquele dia em que ele me levara à Selfridges; não tínhamos um centavo no bolso e o que havíamos feito? Arrombamos o cartão de crédito. Na época eu considerei aquilo um glorioso *carpe diem*, mas agora tudo parecia apenas uma irresponsabilidade idiota. O tipo de irresponsabilidade que nos levou a comprar uma casa que só poderíamos perder logo depois.

Embora Anton não dissesse abertamente, eu sabia que *ele* culpava a *mim* por não ter escrito outro livro de sucesso. Por algum tempo, tínhamos estado no auge e era difícil aceitar que toda a empolgação e esperança nos haviam sido arrancadas.

Quase não nos falávamos mais e, quando isso acontecia, era simplesmente para trocar instruções sobre os cuidados com Ema.

Eu sentia como se há muito tempo não respirasse. Cada ato de inspirar era um superficial e assustador esforço que não me trazia alívio, e eu não conseguia dormir mais de quatro horas por noite. Anton continuava me prometendo que as coisas iriam melhorar. De repente ele me pareceu achar que isso acontecera.

— Chloe Drew ficaria perfeita no papel principal! — comentou ele um dia, muito entusiasmado.

— Mas a Eye-Kon não tem dinheiro para comprar os direitos de filmagem do livro.

— A BBC está interessada em uma coprodução. Eles toparam entrar com a grana se Chloe aceitar o papel.

Eu me inclinei na direção dele, com ar de questionamento. Anton já conversara a respeito disso com a BBC? Estava alinhavando um acordo?

— Você já conversou pessoalmente com Chloe sobre isso?

— Já, e ela topou.

Minha nossa!

— Gemma nunca vai aceitar vender os direitos para você. Depois do que fez com ela, pode tirar o cavalinho da chuva.

Mas ele tinha esperanças. Dava para ver em seus olhos. Ele já a estava persuadindo, utilizando-se de todos os meios que fossem necessários. Eu sabia que Anton, apesar de todo o seu charme de cara largadão, era muito ambicioso, mas confirmar isso foi como levar um soco no peito.

Pelo fato de nossas vidas terem desabado de forma tão traumatizante antes do Natal, ele precisava daquilo desesperadamente. Já fazia muito tempo desde que ele conseguira tornar realidade um projeto profissional. Ele tinha voltado a fazer os comerciais que odiava só para trazer algum dinheiro para casa, mas era nos filmes que seu coração morava.

— Lily, isso pode ser a nossa salvação! — Ele parecia uma chama de entusiasmo. — A história tem um fabuloso potencial de sucesso. Todo mundo vai ganhar rios de dinheiro com ela. Nossa vida vai voltar aos trilhos.

Anton precisava disso para recuperar o orgulho. Também precisava achar que alguma coisa poderia dar certo para nós. O problema é que, para garantir os direitos de filmagem do livro, até que ponto ele iria com Gemma? Pelo tamanho do seu desespero, fui atingida por uma forte convicção de que ele era capaz de ir longe. As últimas palavras dela começaram a latejar dentro da minha cabeça: *"Tudo o que vai, volta; lembre-se bem de como você o conheceu, porque é assim que vai perdê-lo."*

— Não se envolva nessa história — pedi baixinho e com ar de desespero. — Por favor, Anton, nada de bom pode sair disso.

— Mas, Lily! — ele insistiu. — É uma tremenda oportunidade! É exatamente o que estamos precisando.

— É Gemma!

— São negócios.

— Por favor, Anton. — Mas a luz não sumiu dos seus olhos e senti vontade de chorar.

* * *

As voltas que o mundo dá...

Durante os últimos três anos e meio, Gemma havia sido uma fonte constante de preocupações. Desde que eu lera sobre o lançamento do seu livro, o terror efêmero que senti havia se solidificado e tomado forma real. Durante meses eu me preparei para algum tipo de retaliação. Só que nunca poderia imaginar que a coisa se manifestaria assim, que ela seria a solução para Anton salvar sua carreira, seu orgulho e sua esperança.

O pior é que Gemma não poderia ter calculado melhor o momento para voltar à vida de Anton nem se tentasse: ele e eu estávamos em crise...

Qual o tamanho da crise? Precisei me perguntar isso, mesmo sentindo o terror escurecer minha visão. Qual o tamanho da crise? O que aconteceria se Gemma aceitasse a proposta de Anton...?

Foi aí que eu descobri que não levava mais fé em nós dois, em mim e Anton. No passado eu achava que permanecendo unidos seríamos indestrutíveis. Agora estávamos frágeis, empoleirados à beira de um abismo. Eu não sabia a exata natureza disso, nem exatamente como a coisa iria se desenrolar; porém, com uma certeza repugnante, alcancei um ponto de equilíbrio e tranquilidade no centro de mim mesma e vi meu futuro talhado em pedra: Anton e eu iríamos nos separar.

Jojo

9:00, segunda-feira de manhã
Provavelmente a manhã mais importante de toda a carreira de Jojo. A caminho do escritório, ela passou pela sala de diretoria. Atrás da porta fechada, estavam todos, até mesmo Nicholas e Cam. *Votem em mim.* Ela tentou uma espécie de vodu, enviando ondas de pensamento através da porta. Então riu para si mesma: ela não precisava do poder do vodu. Era uma agente boa o bastante.

Mesmo assim, estava muito agitada. Acusou Manoj de pousar a xícara de café sobre a sua mesa com força só para assustá-la e, quando o telefone tocou, seu coração quase pulou do peito.

— Vamos ter a resposta até a hora do almoço — tranquilizou-a Manoj.

— É...

Pouco depois das dez, alguém apareceu na porta de sua sala. Mark! Mas era cedo demais. Será que eles tinham feito uma pausa para o café ou...

— Oi.

Em silêncio, Mark fechou a porta cuidadosamente atrás de si e se encostou nela; em seguida, olhou para Jojo fixamente. Na mesma hora ela soube. Mesmo assim, não conseguiu acreditar. Ouviu o som abafado de sua voz perguntar:

— Eles decidiram oferecer a sociedade a Gant?

Mark fez que sim com a cabeça.

Ela custou a acreditar e por um instante achou que poderia explodir. Aquilo não estava acontecendo. Era só uma fantasia em estilo "isso é o pior que poderia acontecer". Só que Mark não sumiu e continuava ali, olhando para ela com preocupação. Embora ela se sentisse em um sonho, sabia que era real.

Mark atravessou a sala em sua direção e tentou abraçá-la, mas ela se desvencilhou.

— Não estrague meu momento de baixo-astral.

Foi até a janela e ficou ali, olhando para o nada. Tudo acabara. A votação aconteceu e ela não conseguiu o cargo. Tudo correu rápido demais. Eles ficaram em reunião por apenas uma hora. Ela esperara tanto por aquilo que não estava pronta para uma solução rápida. Uma onda de pânico a invadiu. *Isso não é real.*

Tentou pensar de forma lógica, mas suas faculdades mentais haviam recebido um duro golpe.

— Você acha que pode ser por causa de nós estarmos juntos?

— Não sei.

Mark parecia muito pálido, meio acinzentado, exausto, e Jojo vislumbrou, por um instante, o quanto aquilo devia ter sido difícil para ele.

— Quem votou em mim? Além de você?

— Jocelyn e Dan.

— Perdi por quatro a três, então. Cheguei perto, mas não dá para acender um charuto e comemorar, certo? — Ela tentou um sorriso forçado. — Não consigo acreditar que Nicholas e Cam não tenham votado em mim. Pensei que eles tivessem me escolhido. Pensei mesmo!

Mark encolheu os ombros, em sinal de impotência.

— Não consigo compreender. Sou responsável por grandes autores, com longas carreiras pela frente. A curto *e* a longo prazo, sou a melhor escolha. Qual a sua avaliação sobre o que aconteceu, considerando que eu produzo mais dinheiro para a empresa do que Richie Gant?

— Pouco mais.

— Como disse?

— Desculpe, eu me expressei mal. O que eu quis dizer foi que eles analisaram apenas os lucros desse último ano. Você e Richie estão quase empatados.

Mark estava com uma cara de quem queria morrer e Jojo sentiu pena por estar descontando em cima dele. Mark não tinha como controlar a cabeça dos outros sócios, eles tomavam as próprias decisões. Mesmo assim, ela precisava saber.

— Conte-me como foi.

— Sinto-me muito mal por você. — Os olhos dele brilharam, rasos d'água. — Você merecia esse cargo e ele significava tanto para você. Só que, pela visão deles, se Richie conseguir um único contrato de merchandising, vai deixar você para trás.

— Mas ele não trouxe nada de concreto até agora. Richie está de papo e eles foram levados no bico. O conceito é grosseiro, sem classe, e aposto que ninguém vai comprar essa ideia. Os escritores têm respeito próprio.

Mark encolheu os ombros e os dois permaneceram imóveis, em silêncio, infelizes e separados.

Então Jojo percebeu o que houve e a surpresa disso, mais que outra coisa, a fez atropelar as palavras:

— É porque eu sou mulher! — Ela já ouvira falar nisso, mas nunca imaginou que pudesse lhe acontecer. — É o famoso *glass ceiling*, a barreira profissional acima da qual as mulheres não podem ascender em uma empresa!

Até aquele exato momento Jojo nem sabia se devia acreditar na existência do *glass ceiling*. Sempre que analisara o assunto, suspeitava que isso era só desculpa de funcionárias incompetentes para salvar seu orgulho ferido quando colegas homens com mais méritos eram promovidos antes delas. Ela nunca se sentiu parte dessa fraternidade feminina; cada mulher tinha de correr atrás de seus objetivos profissionais e cuidar de si. Jojo sempre se considerou tão boa quanto qualquer homem e sempre se achou tratada à altura do seu merecimento profissional. Pois sabem o que houve? Estava enganada.

— Jojo, isso não tem nada a ver com o fato de você ser mulher.

— Em poucas palavras — explicou Jojo, falando devagar —, eles o elegeram sócio porque Richie pode conseguir um bom contrato publicitário junto de seus amiguinhos golfistas.

— Não! Eles votaram nele porque acham que a longo prazo ele vai trazer mais grana para a empresa.

— E como vai conseguir isso? Jogando golfe com outros homens? Pare de tapar o sol com a peneira. Isso é um caso claro de *glass ceiling.*

— Não é não.

— É sim.

— Não é não.

— Só pode ser!

— Não é.

— Tudo bem, você acha que não. Escute, depois a gente fala disso. — Ela o queria fora de sua sala. Precisava pensar.

— O que vai fazer?

— Qual o seu medo, Mark? Que eu dê uma surra em Richie? — Ela apontou para a mesa. — Tenho um monte de trabalho atrasado.

Ele pareceu aliviado.

— Nos vemos mais tarde. — Ele tentou abraçá-la novamente, mas ela tornou a se esquivar. — Jojo, não me castigue por isso.

— Não estou castigando. — O problema é que Jojo não queria que ninguém tocasse nela, não queria nada. Ia ligar o piloto automático até descobrir o que fazer.

Dez minutos depois

Richie Gant se encostou no portal da sala dela, esperou até ela levantar a cabeça e soltou uma risadinha de deboche, dizendo:

— Eles fazem sexo demais, ganham dinheiro demais e acabam as reuniões rápido DEMAIS.

Foi em frente pelo corredor, deixando Jojo com o coração descompassado de raiva.

— O que está rolando por aqui? — perguntou Manoj ao entrar na sala.

— Richie Gant foi eleito o novo sócio da empresa, e não eu.

— Mas...

— Exato.

— Isso não é justo! Você é muito melhor que ele.

— Eu sei. Mas tudo bem. Afinal, ninguém morreu, certo?

— Jojo! — Ele pareceu surpreso, quase desapontado. — Você vai deixar a coisa assim barata?

— Manoj, vou lhe contar uma coisa que pouquíssima gente sabe a meu respeito.

— Só porque me ama?

— Não, porque você é a única pessoa disponível em minha sala agora. Quer saber o motivo de eu ter abandonado o trabalho na polícia e ter vindo para Londres?

Manoj balançou a cabeça para a frente, a fim de incentivá-la.

— Porque meu irmão matou uma pessoa. Ele era policial. Aliás, ainda é. Precisava fazer horas extras e aceitou a missão de ir dar ordem de prisão para um cara. Isso é muito comum no mês de outubro, quando os tiras tentam juntar alguma grana extra para o Natal. Para encurtar a história, meu irmão achou o tal traficante e este, durante os procedimentos legais para a prisão, apontou uma arma para os policiais. Ia atirar. Meu irmão perdeu a cabeça, puxou a própria arma e matou o cara. Tudo bem, talvez ele não tivesse outra opção... Legítima defesa, atire para não morrer, como eles dizem, mas você quer saber de uma coisa?... Eu não queria um emprego em que um dia pudesse matar alguém. No dia seguinte pedi baixa. Vim para a Inglaterra três semanas depois. Trabalhei em um bar como garçonete, depois como leitora crítica para uma editora e acabei me tornando agente literária porque, não importa o que aconteça, eu jamais poderia matar alguém fazendo esse trabalho. Nada em relação ao resto (negociações e o diabo que acontecesse) importava *tanto assim* porque, no fim das contas, nunca seria questão de vida ou morte.

Manoj concordou com a cabeça.

— Agora Richie Gant foi eleito sócio quando devia ter sido eu. Isso está errado, mas ninguém se feriu e ninguém morreu, certo?

— Certo.

Em silêncio, ela ficou remoendo tudo na cabeça.

— De qualquer modo, foi uma MERDA! — desabafou.

— Concordo.

— Eu devia ter conseguido essa promoção. Sou uma agente melhor que ele e merecia.

— Certíssimo. Você não pode aceitar isso assim, numa boa.

Jojo pensou por um instante.

— Isso mesmo! Vou falar com Mark.

Na mesma hora a mente de Manoj se encheu de imagens de Jojo ajoelhada diante de Mark, fazendo-lhe um boquete durante o expediente. Jojo colou o rosto no de Manoj e sussurrou entre dentes:

— Eu não faço esse tipo de coisa.

Manoj engoliu em seco e a viu indo embora. Como é que ela descobriu?

Sala de Mark

Jojo não pretendia escancarar a porta e deixá-la bater na parede. Não queria ser dramática, mas, puxa vida, aquelas coisas aconteciam. Ele levantou a cabeça, assustado.

— Mark, vou entrar com um processo.

Ele pareceu ainda mais assustado.

— Contra quem?

— Contra a Lipman Haigh.

— Baseada em quê?

— Baseada em quê? Tornozelo torcido? Para-choque amassado? — Ela arregalou os olhos. — Discriminação sexual no trabalho, o que mais poderia ser?

O rosto de Mark ficou com a cor de talco. De repente, ele aparentou dez anos mais.

— Não faça isso, Jojo. Richie ganhou em uma disputa justa, sem trapaças. Isso vai parecer despeito.

Ligeiramente perplexa, ela o olhou fixamente.

— Trata-se da *minha* carreira. Estou pouco ligando para o que vai *parecer*.

— Jojo...

Mas ela já dera as costas e fora embora.

Assim que entrou na sala, foi direto para o telefone. Ligou para Becky, mas o único advogado que ela conhecia era o que os ajudara a comprar o apartamento — e eles detestaram o seu trabalho, devido a problemas que surgiram na reta final.

— Ligue para Shayna. Brandon certamente conhece alguém. Ou então ligue para Magda, porque ela conhece todo mundo em toda parte.

Não foi preciso ligar para Magda, porque Brandon conhecia uma boa profissional.

— Eileen Prendergast é a melhor advogada trabalhista que existe. Ela se parece um pouco com você: gente fina, mas assustadoramente boa naquilo que faz. Quando quer vê-la?

— Agora mesmo! — Jojo pareceu surpresa. — Quando mais poderia ser?...

— Puxa, você está determinada. Eileen só deve ter horário vago para daqui a algumas semanas, mas vamos ver o que eu consigo.

Ele ligou três minutos depois.

— Você me deve uma, Jojo. Eileen cancelou um almoço. Venha agora mesmo.

— Chego aí em vinte minutos. — Ela pegou a bolsa e avisou Manoj: — Se Mark aparecer me procurando, pode dizer que eu fui consultar uma advogada trabalhista, mas não conte isso para mais ninguém.

Segunda-feira, hora do almoço
Ao entrar na famosa torre de vidro em pleno centro de Londres, Jojo parou para pensar por um instante. As circunstâncias de tudo lhe atingiram o cérebro de forma quase palpável e ela se sentiu tonta. Como foi que as coisas haviam chegado àquele ponto? E tão depressa? Naquela mesma hora, na véspera, ela já praticamente planejava a comemoração da sua promoção à condição de sócia da empresa. Agora tudo sofrera uma reviravolta de cento e oitenta graus e ela os estava *processando*.

Brandon a encontrou na recepção e a levou para conhecer Eileen, que era alta, linda e se parecia um pouco com Liv Tyler.

Ele fez as apresentações e saiu. Jojo se sentou e passou a relatar os detalhes do caso Richie Gant:

— Eu gero mais lucro para a agência do que ele, mas a diretoria o escolheu porque ele sabe jogar golfe, se enturma com os rapazes do mundo corporativo e está tentando convencê-los a fazer merchandising em obras literárias. Eu, sendo mulher, não poderia fazer isso, na visão deles.

Eileen ouviu tudo, fazendo anotações em um bloquinho, interrompendo Jojo de vez em quando para fazer perguntas:

— Não existe um padrão de você ter sido prejudicada por favorecimentos a ele ou a outro homem?

Jojo balançou a cabeça para os lados.

— Então é um caso isolado, o que torna mais difícil de provar.

— Pode ser, mas não pretendo ficar por lá esperando tornar a acontecer!

Eileen sorriu.

— Sim, tem razão. Agora, vamos às coisas que você precisa saber logo de cara: mesmo que você ganhe a causa, o tribunal não tem o poder de ordenar a sua nomeação como sócia da empresa. Em outras palavras, não importa qual seja a decisão do tribunal, você não se tornará sócia.

— Então, para que eu vou me dar a esse trabalho?

— Se vencer, vai receber uma gorda indenização, além de recuperar a reputação.

— É melhor do que essa marretada na cabeça, eu acho — reagiu Jojo, fazendo uma careta.

— Há outros detalhes. O caso vai ser decidido por um tribunal, mas não se trata de um julgamento. Isso significa que o acesso é aberto, ou, em outras palavras, você não precisa de representação legal para entrar com a ação, embora a maioria das pessoas escolha um advogado. Devido a isso, eles não vão estabelecer um valor para as custas. Portanto, Jojo, mesmo que você vença, vai encarar uma despesa de dez mil, vinte mil libras, talvez mais. Qualquer indenização que você receber poderá ser engolida pelas custas legais. E isso no caso de você vencer.

— Quais são as chances disso?

Eileen avaliou com cuidado.

— Cinquenta por cento. Mesmo que você vença, pode se tornar complicado continuar trabalhando lá. E se perder, será impossível.

Além disso, vai ser difícil conseguir emprego em outra agência literária, pois terá adquirido a fama de pessoa difícil.

— Por quê? Por ter feito a coisa certa?

— Eu sei, mas infelizmente algumas mulheres usam a justiça de forma vergonhosa. Por exemplo, quando elas têm um relacionamento com um colega e a coisa acaba mal, alegam "discriminação sexual" para criar problemas e... O que foi? Por que está fazendo essa cara?

— Escute... — Jojo respirou fundo. — Eu *tenho* um relacionamento com um colega. O sócio administrativo. Não rompemos, estamos muito bem. Isso representa algum problema?

Eileen considerou a informação.

— Jojo, você me garante que a relação está indo bem? Jura que ele não acabou de dar o fora em você e isso tudo é apenas uma vingança?

— Juro.

— E está preparada para que o caso de vocês se torne de conhecimento geral?

— Como assim?

— As audiências são públicas e há sempre repórteres por lá, farejando alguma história suculenta. Tenho a sensação de que o seu caso é bem suculento.

— Esses caras são repórteres de tabloides?

— Exato.

— Mas eu sou obrigada a contar ao tribunal os detalhes do meu envolvimento com Mark?

— Você não vai conseguir manter isso em segredo. — Eileen ficou muito séria. — Todos os detalhes relevantes devem ser disponibilizados. E se não fizer isso por vontade própria, tudo poderá ser usado contra você.

Jojo meditou a respeito. Seria uma barra, mas todo mundo acabaria sabendo em breve, de qualquer jeito.

— Tudo bem — concordou. — Agora, deixe-me ver se eu entendi tudo. Tenho cinquenta por cento de chance de ganhar. Minha representante legal (você, certo?) vai me custar milhares de libras, mas, se eu vencer, ganharei uma indenização que deverá cobrir as despesas. Se perder, vou desembolsar essa grana, mas, puxa, não posso perder, porque a justiça estará do meu lado!

Eileen não pôde deixar de sorrir, mas teve de acrescentar:

— Pode ser que o tribunal não concorde com você. Eles podem achar que Richie era simplesmente o melhor agente, merecia a nomeação e...

— Eles não vão fazer isso. Escolheram-no só porque o sebento sabe jogar golfe. Foi a única razão. Vamos nessa! Qual o primeiro passo?

— A primeira coisa a fazer é enviar uma notificação aos seus empregadores. Eles precisam saber que estão sendo processados.

— Quando poderemos fazer isso?

— O mais depressa possível.

— Ótimo!

No táxi de volta para o trabalho, o alto-astral de Jojo foi diminuindo. Ela acabara de embarcar em um longo e assustador período de provação. Eileen dissera que havia cinquenta por cento de chance de vitória; Jojo imaginava que as probabilidades seriam maiores, mas Eileen era especialista nesses casos...

E se ela perdesse? Começou a suar frio só de pensar na possibilidade. Só porque *ela* sabia que Richie não merecia a promoção, isso não significava que o tribunal concordaria com ela. A justiça nem sempre acertava; ela trabalhara na polícia e sabia como tais coisas eram.

Sentiu uma súbita vontade de cancelar o processo. Seria fácil interromper tudo agora, antes que a notificação fosse entregue à Lipman Haigh. De que serviria processá-los? Mesmo que ela ganhasse, Richie Gant não seria removido do seu cargo, nem ela poderia se instalar em seu lugar. Puxa, o pior já tinha acontecido; ela não poderia desfazer a decisão da diretoria. Nada consertaria aquilo. Será que ela queria correr o risco de ser humilhada novamente, dessa vez em público?

Mas ela não queria desistir. Recusava-se a deixar Gant sair daquele jeito, valsando diante dela. A determinação a deixou feliz. Os próximos três meses ou sabe-se lá quanto que o processo iria levar seriam duros, muito duros. A sorte é que ela também era durona.

De volta ao trabalho
— Mark esteve à sua procura — avisou Manoj.
— Eu sei. — Ele deixara dois recados no celular dela, dizendo que eles precisavam conversar, e quando ela verificou os e-mails, um deles era de Mark, pedindo que ela fosse à sua sala assim que voltasse do almoço. Foi o que ela fez.
— Eu não acredito! — disse ele. — Você foi procurar uma advogada trabalhista?
— Fui.
— E então?...
Ela engoliu em seco, pois não era nada animador ter de contar tudo a Mark.
— Vou processar a Lipman Haigh por discriminação sexual. A notificação judicial vai chegar até o fim da semana.
— Eu não acredito! — ele repetiu. Parecia ter sido esbofeteado.
— Mas, Mark... Aquele lugar era *meu*. Foi errado Richie conseguir a nomeação.
Ele olhou para ela e o desespero apareceu estampado em seu rosto.
— Por favor, não olhe para mim desse jeito — implorou Jojo. — Não sou sua inimiga.
— Caia na real, Jojo. Você está processando a minha empresa.
— Não é a *sua* empresa...
— Sou um dos diretores dela, e um dos donos. O que tudo isso vai fazer com você e comigo? Jojo, eu lhe peço, por *nós*, para parar com isso.
— Mark, não fale assim. Para você, está tudo bem, você é um dos sócios, e sócio *administrativo* ainda por cima. Por favor, Mark, preciso que você me apoie.
— Isso vai nos destruir e você não se importa.
— Mas eu me importo sim! E isso não vai destruir nada! Continuo querendo que você conte tudo à Cassie hoje à noite. Conte a ela e depois vá dormir comigo.

Ele esfregou os olhos.

— OK.

— Tudo vai dar certo, Mark, eu garanto.

Mais tarde, porém, ela recebeu um torpedo pelo celular. Mark nem ao menos deixou uma mensagem de voz na caixa postal.

Esta noite não dá.

M xxx

Tudo bem, então era assim que ia ser.

Dez minutos depois

O telefone tocou e ela atendeu correndo. Mas era Anton Carolan, companheiro de Lily Wright.

— É sobre o livro de Gemma Hogan, *Caçando Arco-Íris*. Preciso conversar com alguém a respeito dele, mas não consigo encontrar Jim Sweetman. Li a prova final da gráfica e nós, da Produtora Eye-Kon, achamos que ele pode virar um fantástico longa-metragem para a tevê. Já conseguimos um compromisso de Chloe Drew, que se interessou pelo papel de Izzy.

— É mesmo?! — Por que se dar ao trabalho de se empolgar? Chloe era a estrela do momento, mas a Eye-Kon era um zero à esquerda.

— Também conversei com Gervase Jones, diretor de dramaturgia da BBC, e ele também se interessou.

Ora, ora... Se a BBC tinha interesse em investir em uma co-produção, a coisa era diferente. Tentando injetar um pouco de animação na voz, Jojo disse:

— Tudo bem, Anton, vou ligar para Gemma agora mesmo.

Nessa noite, sentindo-se profundamente deprimida, Jojo foi para casa. Não queria ver ninguém. Aquele tinha sido uma merda de dia para a sua carreira, e Mark estava dando para trás com relação a ela. Azar em dobro.

E se ela e Mark rompessem por causa daquilo? E se a Lipman Haigh a suspendesse de suas funções durante o processo? Agora era tarde demais para desfazer tudo. Se ela cancelasse o processo, passaria o resto da vida culpando Mark por tentar fazê-la desistir. Além do mais, se ela desistisse, Mark, no fundo, ficaria desapontado. A garota enérgica pela qual ele se apaixonou não levaria desaforo para casa só para manter a harmonia. Ele *queria* que ela processasse a empresa, simplesmente não se dera conta disso! Puxa... Na verdade, ela não conseguia convencer nem a si mesma disso.

Jojo admitiu: estava zangada com ele; se ele a amasse o suficiente, apoiaria sua decisão de processar a agência. O problema é que era a empresa dele, e era fácil de entender por que, na sua visão, Jojo o estava atacando. Que salada! Se ela tivesse sido nomeada sócia, eles estariam celebrando, felizes, a sua primeira noite oficialmente juntos. Bem, talvez não estivessem tão felizes, devido à culpa pela família dele e tudo o mais...

Viu só? Era nisso que dava se envolver com um colega de trabalho. Por outro lado, eles nunca teriam se apaixonado se não trabalhassem juntos.

E agora, o que iria acontecer? Como ela poderia continuar trabalhando na Lipman Haigh? Para onde mais poderia ir? Seu currículo afundara e outras firmas talvez não demonstrassem muito interesse em contratá-la ao saber que ela não conseguira ser nomeada sócia da Lipman Haigh. A única opção era começar a trabalhar por conta própria, mas isso era muito caro e assustador para ser viável.

Durante toda a noite seus pensamentos giraram sem parar, até que, por fim, ela acabou dormindo no sofá, derrubada pela exaustão e por uma garrafa de merlot bebida quase até o fim. Às dez e quinze o telefone tocou e a acordou.

— Alô?!... — atendeu ela, sonolenta.

Mark disse:

— Tudo bem, sócia?

— O quê?...

— Tudo bem, sócia?

Jojo estava confusa. Será que Mark tentava fazer graça?

— Acabei de chegar de uma reunião de emergência com os outros sócios da Lipman Haigh — gritou Mark —, e eles querem oferecer sociedade a você! — Ele parecia eufórico e com o astral lá em cima.

Ela se remexeu no sofá até conseguir se sentar.

— Eles mudaram de ideia? Vou ser eu?... Em vez de Gant?

— Não, *junto* com ele.

— Como assim? Eu achava que só poderia haver no máximo sete sócios.

— Se todos os sócios concordarem, os estatutos da sociedade podem ser alterados — e todos estão dispostos a fazer isso porque querem você a bordo! Essa é uma proposta boa, muito boa, Jojo. Eles não queriam dividir os lucros com mais alguém além do necessário, mas aceitaram fazer isso porque adoram você.

E não queriam a publicidade negativa de um processo nas costas deles, mas não havia necessidade de jogar isso na cara de Mark.

— Posso passar aí? — perguntou ele.

— Claro. Venha correndo.

Na manhã seguinte
Um e-mail foi enviado a todos os funcionários da Lipman Haigh, dando a notícia. A confirmação oficial apareceria na *Book News* de sexta-feira.

— Está feliz agora? — perguntou Mark.

— Hummm.

— Hoje à noite vou resolver tudo com Cassie.

— É melhor esperarmos até sexta-feira — sugeriu Jojo —, até tudo estar certinho e oficializado.

Ele olhou para ela, sério.

— Isso não é um truque.

— Tudo bem.

* * *

Jojo estava em sua sala, analisando uma papelada com Manoj, quando uma sombra caiu sobre a mesa. Na mesma hora ela sentiu um cheiro de loção gosmenta para cabelo. Richie Gant. Ele sorriu para ela, com ar cruel, e disse:

— Ora, ora... Vejo que o seu namorado conseguiu torná-la sócia.

— Saia da minha sala — ordenou Jojo, com ar sereno.

— Só queria saber... Por que será que ele não votou em você logo de cara?

— Saia daqui, por favor!

— Ele não votou em você. Votou em mim.

Jojo se sentiu empalidecer de choque, mas se manteve firme. Olhou para a figura magra dele e avisou:

— Sou pelo menos dez quilos mais pesada que você e conseguiria quebrar o seu braço como se fosse um graveto. Não me faça machucá-lo. Agora, caia fora!

Ele recuou, ainda sorrindo, e, quando desapareceu de vista, Jojo começou a tremer. Uma coisa ela já aprendera: o *Rei das Piranhas* não mentia. Se ele afirmou que Mark não votara nela é porque ele não tinha votado mesmo. Mas como ela poderia descobrir? A quem poderia perguntar? A essa altura do campeonato, ela não confiava em ninguém.

— Você realmente conseguiria quebrar o braço dele como um graveto? — perguntou Manoj.

— Não sei. — Os lábios dela pareciam irritantemente trêmulos. — Mas até que seria uma boa chance de descobrir.

— Ignore-o. Ele ficou putinho porque não foi o único a ser promovido. Está só tentando colocar você contra Mark.

Talvez. Era possível. Só havia um jeito de descobrir.

— Vou falar com Mark. — Pelo menos dessa vez Manoj não imaginou Jojo de joelhos praticando sexo oral em Mark. Não havia chance de acontecer. Não naquele dia.

Sala de Mark
Ele ergueu a cabeça ao vê-la chegar.

— Mark, conte-me a verdade, porque eu vou acabar descobrindo de qualquer jeito. Você votou em mim?

Fez-se um silêncio longo demais. E então:

— Não.

Ela ficou parada ali em pé um tempão, imobilizada pelo choque. Mais uma vez se sentiu como se flutuasse, em um sonho. Começava a se sentir enjoada daquelas experiências fora do corpo.

Ela puxou uma cadeira e se sentou diante da mesa dele.

— Por que não? — quis saber ela. — Tomara que a desculpa seja muito boa.

— Na verdade, é. — Mark pareceu tão seguro de si que Jojo ficou surpresa... E superaliviada. Tudo ia dar certo, tudo ia acabar bem. Aquele era *Mark*.

— Faça as contas, Jojo — pediu Mark. — Acabar com o meu casamento, eu abandonar Cassie e montar casa com você, tudo isso vai nos custar uma grana preta. Richie avisou que se não fosse nomeado sócio ele iria se demitir da agência, levando consigo a ideia de levantar grana com merchandising. Além do mais, se você se tornasse sócia, a sua — a *nossa* — renda iria *despencar* por três anos. Depois daquele sufoco da suposta gravidez, eu percebi que havia a possibilidade de você acabar desistindo de trabalhar, de qualquer jeito. O que vou dizer parece um pouco novelesco, mas eu fiz isso por nós. E tem mais uma coisa... Todos já sabem que estamos juntos e ficaram ligados em qualquer sinal de favoritismo. Para conseguir manter o respeito dos meus sócios, eu *não poderia* votar em você, ainda mais quando fazia mais sentido, em termos financeiros imediatos, votar em Richie.

Muda de frustração, Jojo olhou para ele. Tudo o que Mark falava fazia sentido, pelo menos em tese. Tudo o que ela conseguiu dizer foi:

— Por que você não conversou nada disso comigo?

— Porque conheço você, Jojo. Sabia que você seria capaz de escolher o trabalho em vez de mim. Em vez de nós.

Ela não conseguiu segurar a raiva e explodiu de indignação:

— Você arruinou a minha chance de me tornar sócia da empresa em troca da grana que nos garantiria ficar juntos.

Ele a olhou de um jeito astuto e disse:

— Analise isso de outro modo. Você arriscaria as chances de ficarmos juntos em troca de virar sócia.

Ela levou muito tempo para responder.

— Não percebi que isso representava uma escolha — disse ela, por fim.

Jojo foi embora com a alma arrasada. Será que Mark tinha razão? Ela era ambiciosa demais? O problema é que essa descrição nunca se aplicava aos homens. Do mesmo modo que era impossível uma mulher ser magra demais, era impossível um homem ser ambicioso demais. Um homem jamais teria de escolher entre a ambição e a vida emocional.

Além disso, começou a crescer por dentro de Jojo uma coisa que ela não queria ver — Mark não tinha o direito de tomar aquela decisão por ela.

Mas ela amava Mark. Puxa, *amava* de verdade. De repente lhe veio à cabeça uma pergunta que seu pai costumava fazer: O que você preferiria na vida — vencer ou ser feliz? Além disso, como o próprio Mark lembrara, ela se tornara sócia. Conseguiu o que queria. Tudo estava bem, ela só precisava fazer os sentimentos encaixarem nos fatos.

Escritório de Dan Swann

Jojo precisava conversar com alguém e confiava em Dan, pois ele era maluco demais para ser traidor.

— Adorei você ter se transformado em sócia — ele assegurou.

— Obrigada. E eu agradeço muito por você e Jocelyn terem me apoiado.

— E Jim.

— Jim? Sweetman? Jim Sweetman votou em mim? — Novamente lhe veio aquela sensação de estar fora do corpo. Já estava virando um hábito.

— Ahn... Sim.

— Por quê?

Dan mostrou um ar perplexo. Como, diabos, ele poderia saber?

— Porque ele acha você competente?...

— OK, Dan. Obrigada, mesmo. Preciso ir.

Ela foi direto à sala de Jim.

— Jim, por que você votou em mim?

— Olá para você também.

— Desculpe... Olá. — Ela se sentou. — E então, por que você votou em mim?

— Porque considerei você a melhor pessoa para ocupar o cargo.

— Não o *Rei das Piranhas*?

— Tenho muito respeito por Richie, ele é um grande agente literário, mas não é tão bom quanto você. A ideia de merchandising convenceu os outros, mas eu achei — e continuo achando — que livros são um veículo errado para propaganda, não são sexy o bastante. Pode ser que eu esteja errado, mas acho que aqueles milhões que ele prometeu nunca vão virar realidade.

— Sei... Bem, obrigada. — Ela se levantou para sair, mas então tornou a sentar. — Puxa, Jim, nós éramos tão amigos um do outro. Depois daquela noite no Coach and Horses, quando me disse que eu não conseguiria tentar você, as coisas ficaram meio esquisitas entre nós. O que foi aquilo?

Déjà-vu — ela já tinha tido essa conversa antes. Quando? Então ela lembrou: foi com Mark, e serviu de gatilho para ele declarar o seu amor por ela. Ó céus!...

Jim pareceu embaraçado, remexeu-se na cadeira e por fim riu, pouco à vontade.

— Tudo bem, Jojo, é melhor eu contar logo. Eu tinha uma quedinha por você. Vamos reconhecer, minha cara Jojo Harvey: você é uma mulher fabulosa.

Merda, pensou ela. *Merda, merda.*

— Já superei isso agora — completou ele. — Há três meses estou saindo com uma mulher especial.

Merda, ela pensou de novo. *Merda, merda.* Puxa vida, ela era apenas humana.

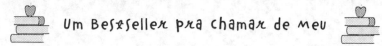

— Ela é fantástica. Eu estou... — Jim procurou a palavra exata — gostando muito dela.

— Que legal! Fico feliz por você.

De volta à sala de Jojo

Algo se encaixou naquela história e ela se viu sem escolha. De qualquer modo, não perderia nada em tentar.

Disse a Manoj:

— Preciso de você trabalhando até mais tarde durante todo o resto da semana.

— Fazendo o quê?

— É segredo. — Ela se inclinou até chegar junto dele. — E se contar a alguém, eu mato você.

— Parece justo. — Ele engoliu em seco e Jojo se sentiu mal com essa situação, não devia apavorá-lo desse jeito, mas era tão *fácil*.

— Quero os telefones pessoais de todos os meus autores.

— Por quê?

— O que foi que eu acabei de lhe dizer?

Gemma

Depois que Owen terminou comigo, para minha grande surpresa, fiquei arrasada. Embora soubesse que era uma tolice sem tamanho, chorei o tempo todo dirigindo a caminho do trabalho; no dia seguinte chorei *durante o expediente* e chorei em casa, à noite. Então acordei no dia seguinte e repeti o mesmo padrão. Era como voltar aos quinze anos de idade e passar por tudo novamente.

Foi diferente quando Anton me dispensou — aquilo me deixou amarga e vencida, me modificara por dentro. Com Owen, eu não o chamei de canalha nem embarquei em fantasias sobre recebê-lo de volta. Não pretendia nem tentar isso. Em vez de gerar amargura, a sua partida abrira dentro de mim um abismo de tristeza.

Liguei para Cody; ele me levou para tomar uns drinques e ficou segurando a minha mão.

— Nunca o levei a sério, Cody, mas... E se Owen for o homem da minha vida?

Ele riu com cara de deboche.

— É sério! — afirmei. — O homem da sua vida vem em várias formas e tamanhos! Muitas vezes não se percebe que ele é alguém que você conhece. Sei de uma mulher que encontrou o "homem da sua vida" em um barco a caminho da Austrália, quando ia atrás de outro sujeito; ao chegar lá, estava fazendo mil planos de casamento e percebeu que o carinha do barco era o verdadeiro homem da sua vida...

— E que mulher é essa?

— Alguém que mamãe conhece.

— Meu bom Deus, ela anda pedindo conselhos para a sua vida amorosa a Maureen Hogan. É como aprender a voar com Osama bin Laden.

— Agora eu não tenho mais com quem compartilhar minhas fantasias sobre Anton.

— Como é que é?!...

— Nós inventávamos histórias. Nelas, Owen sempre voltava para Lorna e eu para Anton. Agora, Owen voltou de verdade para Lorna, e eu... Eu... — Uma longa pausa, para esperar passar um ataque de lágrimas. — NINGUÉM.

— Você passava o tempo com o seu namorado fantasiando (em voz alta, eu suponho) sobre reatar com o seu namorado anterior?... *He-llo?!...*

— A coisa não é do jeito que parece. Estávamos oferecendo conforto um ao outro. — Comecei a chorar tão alto que fiz barulho de canudinho, como Hannibal Lecter, só que sem querer. — Eu gostava muito de Owen e agora sinto tanta falta dele... — Uma nova torrente de lágrimas transbordou de meus olhos e me escorreu pelo rosto. *Isso não é nada legal...*

Cody me observou, fascinado.

— Meu bom Deus Todo-Poderoso... Vocês brigavam o tempo todo!

— Pois é! *Sei* perfeitamente que isso não faz o menor sentido.

— Qual foi a última vez em que você chorou desse jeito?

Tentei lembrar. Quando papai foi embora de casa? Não, eu não derramei uma lágrima. Quando Anton me largou? Não, também não, pelo menos não desse jeito. Eu simplesmente me fechei e passei a odiar todo mundo. Senti um aperto tão grande no coração que não tinha chorado, e aquele aperto nunca mais me abandonou.

— Não sei qual foi a última vez que eu chorei assim. Nunca, eu acho. Puxa vida, Cody, será que estou tendo um esgotamento nervoso?

Qualquer um teria dito "Shh... shh..., não seja tola, você está apenas um pouco chateada". Mas não Cody. Parecendo sério, ele sentenciou:

— Tem algo acontecendo com você, disso não há dúvida. Alguma coisa do passado que está sendo resgatada, ou algo assim. Transferência, esse tipo de coisa.

— Acho que o melhor então é colocar tudo pra fora. — Engoli em seco.

— Hummm... É — concordou ele, meio em dúvida. — Mas tente não fazer isso em público.

— Obrigada, Cody. — Mais um ataque de convulsões de choro acompanhadas pelo barulho de canudinho me fez estremecer. Quando consegui falar novamente, eu disse: — Você está me dando muito apoio... Em se tratando de você.

Chorei ao tentar cancelar minhas férias em Antígua e chorei ainda mais quando eles se recusaram a me devolver o dinheiro da entrada.

— Seu namorado voltar para a antiga namorada não é um fato passível de cobertura pelo seguro contratual — explicou a agente de viagens.

— Mas sempre tem alguma escapatória nesses casos — disse eu, quase me desmontando de chorar.

— Por que você não viaja, mesmo assim?

— Não posso. Não estou em condições de entrar num avião.

Como a mulher ficou realmente com pena de mim, quebrou as regras e me disse que eu não precisava perder o dinheiro e poderia marcar outra viagem no mesmo valor daquela quando estivesse me "sentindo melhor".

— Sei que está achando que isso nunca vai acontecer — disse-me ela, antes de eu ter tempo de argumentar. — Mas ficaria surpresa ao ver como as coisas são.

Eu era a suscetibilidade em forma de gente. Chorava por qualquer coisa. E o fazia *deliberadamente*. Alugava filmes lacrimosos aos quais nem uma pessoa com coração de pedra conseguiria assistir sem chorar. Nas noites em que saía, eu me agarrava às pessoas e as obrigava a ouvir a ladainha da minha tragédia. Na festa de Natal da minha firma (tínhamos sempre que festejar o Natal em janeiro, porque éramos organizadores de eventos e passávamos todo o mês de dezembro atolados, preparando festas alheias), eu fui a garota bêbada que teve de ser levada em casa por não conseguir parar de chorar. Sempre tem de haver uma dessas.

Até mesmo o trabalho me deixava arrasada. Estava organizando um evento muito incomum — Max O'Neill, um rapaz de apenas vinte e oito anos, sofria de uma doença terminal e me contratara para organizar o seu funeral. A princípio eu me senti lisonjeada e feliz por ele ter me escolhido (ao contrário de F&F, diga-se de passagem. Frances vivia resmungando: "Pelo jeito esse aí não vai se tornar um cliente assíduo."). Toda vez que eu o encontrava e fazíamos vídeos. nos quais ele pedia aos amigos que não usassem luto nem sofressem por causa dele, ou quando planejávamos os drinques que seriam servidos na "festa", eu voltava para casa me sentindo um caco.

E em meio a toda essa lacrimosidade, eu acabei indo parar na companhia de Johnny. Um dia, depois de um encontro particularmente arrasador com Max, passei de carro pela farmácia e resolvi, por impulso, ir visitá-lo, em busca de conforto, como se ele fosse um sorvete emocional. Depois de trocarmos votos de um feliz ano-novo, ele me perguntou:

— Deseja alguma coisa da loja?

Eu nem tinha pensado naquele detalhe.

— Oh... Ahn... Eu vim comprar... Um pirulito e... O que é isso aqui? Gaze cirúrgica? Vou levar um pacote também.

— Tem certeza, Gemma?

— Não, não, acho que não. Quero só o pirulito.

Mesmo depois de eu tentar pagar pelo produto (é claro que ele não deixou. "Pelo amor de Deus, é apenas um pirulito."), não fui embora dali.

— Como andam as coisas? — perguntou ele.

— Ótimas — respondi, com a cara arrasada. — Papai voltou para casa. E o seu irmão? Como vai?

— Muito bem, vai voltar a trabalhar em breve e eu vou ter a minha vida de volta. O seu livro já está para ser lançado, não?

— Em maio. Mas vai estar à venda nas livrarias dos aeroportos de todo o país antes disso, em março.

— Puxa, você deve estar empolgadíssima!

— Hummm.

— Estou louco para lê-lo.

— Vou ver se eu lhe consigo um exemplar. — Minhas preocupações sobre ele ler a respeito de si mesmo haviam diminuído, levadas pela tristeza.

Depois de algum tempo, ele perguntou (eu estava querendo saber a mesma coisa a respeito dele):

— Ah, humm... Como vai o seu não namorado?

— Ah, aquilo acabou. Ele voltou para a antiga namorada. Nós nos separamos de forma amigável.

Meus olhos se encheram de lágrimas. Não exatamente aquelas do tipo "uma explosão de emoções", mas o lance foi forte o bastante para Johnny me oferecer um lenço de papel. Tudo bem, ele tinha um estoque deles.

Mais tarde, no conforto do meu lar, percebi que foi a gentileza dele em me oferecer o lenço de papel que deu início ao momento de insanidade que se seguiu. Enxuguei minhas lágrimas e me ouvi dizendo:

— Sabe?... Acho que a gente poderia sair para tomar um drinque uma hora dessas... Você e eu.

Joguei a cabeça meio de lado, para ouvir melhor. *Eu realmente tinha dito isso?*

Então olhei para rosto dele. Vocês precisavam ver. Ele me pareceu realmente insultado.

— Puxa, desculpe — eu disse, e saí correndo. — Sinto muito.

Entrei no carro agarrando com força o meu pirulito grátis. Papai voltara para casa e eu estava muito mais maluca do que jamais estivera.

Mal sabia eu que a vida estava para mudar de maneira radical.

Tudo começou com um telefonema de Jojo:

— Puxa, tenho uma boa novidade, de arrasar, mesmo — disse ela. — Acabei de receber uma ligação de uma produtora de filmes chamada Eye-Kon. Eles estão interessados em comprar os direitos de *Caçando Arco-Íris* e transformá-lo em um filme para a tevê, pois adoraram a história. Não têm grana para a produção, mas andam conversando com a BBC sobre assinar um contrato de coprodução. Anton me disse que...

— *Anton?*

— Sim, Anton Carolan. Ei, ele é irlandês, quem sabe você o conhece...?

— Sim, eu o conheço.

Houve um instante de silêncio.

— Puxa, eu falei brincando, mas... Você conhece Lily, então é claro que também conhece Anton.

— Eu o conheci antes de Lily. — Na verdade eu não disse isso para contar vantagem. Estava atordoada: Anton desejava algo que eu possuía. *Eu tinha uma coisa que Anton queria.* Mesmo em minhas fantasias mais elaboradas, eu jamais imaginara uma situação como essa. Meu pensamento voltou atrás três anos e meio, quando eu me sentia quase suicida pela falta de Anton. Uma época em que eu o queria de forma total e absoluta, mas me via completamente sem condições de reavê-lo. A vida era mesmo muito louca. Quase sem fôlego, pedi: — Jojo, me fale mais a respeito dessa história.

— É só isso. Eu lhe contei tudo o que sei. A Eye-Kon não tem grana, mas a BBC sim. Você está interessada na proposta, a princípio?

— *Claro* que estou interessada!

— Vou avisá-los, mas saiba que essas coisas levam tempo, não fique muito empolgada não. Eu a mantenho informada.

— Mas...

Ela desligou e eu fiquei li sentada, olhando para o telefone, atônita demais para seguir em frente com as minhas atividades diárias. Anton!... Aparecendo do nada!... Querendo meu livro!

Jojo tinha dito que a produtora se chamava Eye-Kon. Na mesma hora eu fui pesquisar na internet e *não consegui* acreditar no que li: eles estavam numa merda federal. Um artigo recente de uma revista de economia dizia que a Eye-Kon não conseguira realizar nenhum projeto, não ganhara dinheiro algum em mais de um ano e se não se erguessem rapidamente teriam de fechar as portas. Pelo visto, *Caçando Arco-Íris* era uma espécie de tábua de salvação para eles. Ou tudo ou nada. Talvez eu estivesse errada, mas... Se fosse isso, até que ponto Anton iria querer o projeto? Pela primeira vez em muito tempo, especulei comigo mesma a respeito dele e de Lily. Ela também não deveria estar numa boa, ainda mais com o fracasso do seu novo livro. Talvez Anton estivesse de saco cheio dela, talvez estivesse pronto para saltar do bonde.

O que eu deveria fazer?, me questionei. Será que devia esperar que a sua proposta para a compra de direitos do livro chegasse através dos canais oficiais ou deveria entrar em contato diretamente com ele? Afinal, éramos velhos amigos...

Ao longo dos dois dias que se seguiram, não consegui pensar em praticamente nada; na verdade, fiquei tão envolvida com aquilo que quase esqueci de chorar.

Então Jojo tornou a ligar.

— Gemma, podemos conversar? Tenho uma proposta para você.

— Outra? Vá em frente.

— Eu resolvi — ela parecia empolgada — trabalhar por conta própria e gostaria de levar você comigo.

Que sortuda! Eu adoraria fazer isso, abrir meu próprio negócio. O problema é que eu gostava do meu rosto do jeito que ele era.

— Então, o que me diz? Está dentro ou fora?

Eu não tinha a menor ideia do que dizer e me deu um branco. Aquela era a mulher que conseguira sessenta mil libras pelo meu livro. Por que eu não deveria colar nela?

— Pode contar comigo, Jojo. Quais os outros autores que você está levando?

— Miranda England, Nathan Frey, Eamonn Farrell...

— Lily Wright?

— Bem, ainda não conversei com ela, mas sim, espero que sim.

— Mesmo o livro dela não tendo ido muito bem? — *Uma catástrofe*. Tinha saído *outro artigo* na última *Book News* a respeito do fracasso do livro e do prejuízo gigantesco que isso causara à Dalkin Emery. Lily estava sem contrato com a editora e o artigo insinuava que ela teria muita sorte se conseguisse publicar outro livro na vida

— Bem, o romance dela foi muito bem-recebido pela crítica.

— Ah, foi? Puxa, eu não li nada a respeito disso.

Jojo

Sexta-feira de manhã

Jojo confirmou que a notícia sobre sua nomeação como uma das novas sócias da Lipman Haigh tinha saído na *Book News*. Foi à sala de Mark e lhe entregou um envelope. Ele olhou para o papel.

— O que é isso?

— Minha carta de demissão. Estou caindo fora.

Mark olhou com cara de cansaço. Parecia profundamente fatigado.

— Jojo, pelo amor de Deus... Você virou sócia! Não é exatamente o que queria?

— Só consegui porque meu namorado mexeu uns pauzinhos.

— Se o seu namorado tivesse feito a coisa certa logo de cara e votado em você, não precisaria mexer os pauzinhos. Sinto profundamente por isso.

— Você fez o que achou certo.

— Não tome essa atitude — ele suplicou. Horrorizada, ela percebeu que ele poderia chorar a qualquer momento. — Você precisa de um emprego.

— Eu *já tenho* um emprego.

— Trabalhando para quem?

— Para mim mesma. Vou ficar sozinha, montar minha própria firma.

Mark soltou uma exclamação de cansaço, algo entre um riso e um suspiro.

— Tenho que fazer isso, Mark. Não há clima para continuar aqui. Imagine... Eu trabalhando lado a lado com Richie Gant, sabendo que não consegui virar sócia pelos canais normais? Nunca daria certo. E também me recuso a trabalhar para outra agência e um dia assistir a tudo isso de novo.

Ele riu, parecendo derrotado, e perguntou:

— E quanto a nós, Jojo? Você e eu? Pretende ficar sozinha em nível pessoal também, além do profissional?

O engraçado é que ela ainda não havia decidido o que fazer com relação a isso, até aquele momento. Olhou para ele, para seu rosto adorado, tão familiar e tão bonito; pensou no afeto e no quanto os dois se curtiam, a amizade que vivenciavam, suas esperanças para o futuro, os filhos que teriam juntos, o companheirismo e o estímulo intelectual que sempre haviam compartilhado e continuariam a fazê-lo, à medida que envelhecessem.

— Sim — ela afirmou. — Está tudo acabado, Mark.

Ele fez que sim com a cabeça, como se isso já fosse o que esperava ouvir.

Então, pela primeira — e última — vez, Jojo fez uma coisa que nunca fizera no trabalho: abraçou-o. Colou o corpo contra o dele, de cima a baixo, na esperança de deixar impressa em sua alma a lembrança de como ele era, do seu cheiro, do calor intenso de seu corpo. Ela o abraçou de forma quase violenta, tentando deixá-lo estampado para sempre em sua memória. Então, virou as costas e foi-se embora.

Ao limpar sua mesa, Jojo se perguntou onde estava o monte de caixas de papelão que se materializava do nada quando as pessoas abandonavam o emprego de uma hora para outra nos filmes. Não que ela tivesse muitas tralhas. Não era mulher de ter vasinhos de plantas. Elas eram tão *carentes*...

Os corredores da Lipman Haigh fervilhavam com especulações sussurradas: Jojo estava esvaziando a mesa, o que estava rolando?

Seu telefone tocou e ela atendeu, com ar distraído. Miranda England.

— Jojo, eu andei pensando...

Jojo ficou gelada.

— Na sua nova agência você não tem um departamento de direitos autorais para o exterior, tem?

— Ainda não. Mas terei.

— E também não tem um departamento de divulgação, certo?

— Terei.

— Sabe o que é, Jojo...? Agora que não estou escrevendo um livro por ano, preciso muito da renda dos meus livros no exterior. Na Alemanha eu vendo quase tantos livros quanto na Grã-Bretanha. E os direitos para o cinema também rendem uma boa grana.

— Miranda, quem procurou você? Richie Gant?

— Ninguém me procurou!

— O que ele ofereceu?

— Nada!

— Uma comissão mais baixa para o trabalho dele? Foi isso? Nove por cento? Oito? Sete?

Miranda esperou um pouco, mas acabou confessando, com ar infeliz:

— Oito. E ele tem razão com relação aos direitos para cinema e teatro, e também a negociação de direitos para o exterior.

Manoj dançava diante dela como um macaco, segurando uma folha com um aviso escrito: "Gemma Hogan na linha. É urgente!"

— Miranda, eu lhe ofereço sete por cento, e estarei com um departamento de mídia e direitos para o exterior montado e funcionando em três meses.

— Vou pensar no assunto.

Gemma

Eu voltava para casa de carro quando meu celular tocou. Atendi e um homem disse:

— Eu poderia falar com Gemma Hogan?

— É ela.

— Aqui é Richie Gant, da agência literária Lipman Haigh.

A firma de Jojo, lembrou Gemma.

— Olá, como vai?

— Gemma, eu adorei o seu livro.

— Obrigada. — Por que será que ele estava me ligando?

— Você provavelmente ainda não sabe, mas a sua agente, Jojo Harvey, decidiu sair da Lipman Haigh e vai trabalhar por conta própria.

— Sim, eu soube.

— Ah, soube?... Bem, é isso... O caso é que Jojo é uma agente excepcional, mas trabalhar por conta própria? Nós, os sócios da firma, estamos preocupados com o futuro dos clientes dela.

— Sério?

— Trabalhando por conta própria, ela não vai ter um departamento de direitos autorais para o exterior. Acho que *Caçando Arco-Íris* poderia virar um filme excelente, mas não há como Jojo lhe oferecer essa possibilidade com uma empresa pouco estruturada.

— Sim, mas...

— O que eu lhe pergunto é: que tal continuar com a Lipman Haigh? Temos vários agentes excelentes aqui e eu mesmo ficaria muito satisfeito em representá-la. Além disso, sou um dos sócios da firma.

Eu disse que ia pensar no assunto e liguei na mesma hora para Jojo. Ela estava ao telefone com outra pessoa, então eu avisei ao assistente que era urgente. Ela me ligou logo em seguida.

— Jojo, um tal de Richie Gant acabou de ligar dizendo que você não tem um departamento de direitos para o exterior e ele quer me representar. O que está acontecendo?

— Você também? Mal apresentei minha carta de demissão e ele já está tentando roubar meus clientes? — Sua voz ficou meio esganiçada. — Isso está parecendo o filme *Jerry Maguire*.

Em sua ligação anterior, Jojo me fizera achar que trabalhar para uma nova agência era uma coisa boa, mas percebi um pouco de pânico na voz dela. Por algum motivo ela precisava cair fora e andava catando clientes para poder montar sua própria agência.

Em um instante, como um choque, tudo se tornou claro na minha cabeça e eu mal acreditava na chance que acabava de cair no meu colo. Jojo precisava de clientes — e se eu lhe dissesse que só topava ir com ela se ela *não levasse* Lily? Eu seria muito mais valiosa para Jojo do que Lily: a carreira de Lily como escritora estava em queda livre, enquanto a minha estava apenas começando.

Sem agente, a carreira de Lily escorreria pelo ralo, e eu tinha o poder de fazer isso acontecer. Além do mais, Anton precisava dos direitos de filmagem do meu livro. Quanto ele estaria disposto a sacrificar, a fim de salvar a própria carreira?... Anton era terrivelmente ambicioso, pelo menos fora há três anos e meio.

Nem nas minhas mais loucas fantasias para me vingar de Lily eu consegui imaginar algo assim — aquilo era muito maior, melhor e, acima de tudo, real.

Uma onda de alívio me invadiu. Onde foi que as coisas começaram a dar tão certo? De repente, e de forma estonteante, eu tinha nas mãos a oportunidade de dar uma virada em minha vida, de apagar anos de humilhação e ainda ficar por cima da carne-seca. Olhei para o poder que tinha nas mãos e cheguei a me sentir tonta. Será que Lily também estava vendo tudo aquilo?

Eu precisava ir a Londres. Era hora de reencontrar Anton.

Lily

Gemma vinha me pegar. Até aquele momento eu admitia que talvez fosse tudo paranoia com relação a ela, e minha culpa inventara tudo aquilo. Só que agora não era mais imaginação.

Anton levava em frente o seu plano de comprar os direitos de filmagem do livro de Gemma. Eles ainda não tinham marcado um encontro, mas era apenas uma questão de tempo, e então tudo acabaria.

Entretanto, Gemma não estava satisfeita em fazer apenas isso, conforme eu descobri na sexta-feira à tarde, ao falar com Miranda England ao telefone.

— Lily — disse-me ela —, andei pensando a respeito da situação de Jojo. Você não está preocupada com o fato de ela não ter um departamento de direitos para o exterior nem um setor de vendas para o cinema e o teatro? Aquele cara de cabelo oleoso, Richie Gant, acabou de me ligar e...

— Que "situação" de Jojo?

Miranda soltou um guincho.

— Não me diga que você ainda não sabe? Jojo está saindo da agência! Vai trabalhar por conta própria.

Eu não ouvira nada a respeito.

— Ela está entrando em contato com todos os autores que representa, para levá-los com ela.

Então aquilo significava que ela não ia me querer? O pânico apertou-me o peito como um torno mecânico.

— Quem mais vai com ela? — perguntei.

— Eamonn Farrell, Marjorie Franks, aquele esquisito do Nathan Frey... — Nossa, tantos autores já tinham sido contatados e eu não.

Como não era burra, sabia que aquilo tinha um significado. Então Miranda disse as palavras que eu receava ouvir: — ... e aquela autora nova também, Gemma Hogan.

O suor brotou-me da testa na mesma hora. Naquele instante eu descobri o porquê de Jojo não ter me telefonado. Gemma devia ter lhe dito, abertamente, que não trocaria de agência se ela me mantivesse como cliente. Sem agente, a pequena brasa que restava da minha carreira literária seria extinta. Nenhum outro agente me aceitaria. Sem Jojo, eu estava liquidada.

Gemma

Peguei o voo de seis e trinta e cinco da manhã, saindo de Dublin, e, ao descer em Londres, fui direto do aeroporto de Heathrow para a Lipman Haigh. Vestia o meu novo terninho preto, da Donna Karan. Não, na verdade era Prada. De qualquer modo, ele fazia com que eu parecesse uma mulher de cintura fina, muito chique. Consegui comprá-lo em uma liquidação por um preço espantosamente razoável, considerando a marca.

— Jojo! Com relação à sua nova agência, eu estou dentro.

— Ótimo, você não vai se arrepender!

Porém, antes mesmo de aceitar a sua mão estendida para o cumprimento e selamento do acordo verbal, eu disse:

— Tem só uma coisinha.

— Sim?

— Lily Wright.

— Lily Wright?

— Não quero que você a traga para trabalhar conosco.

Jojo pareceu preocupada.

— Mas, Gemma... Nem a polícia iria querer Lily Wright neste momento. Se eu a deixar na Lipman Haigh, dificilmente alguém vai querer representá-la. Isso vai significar o fim da sua carreira literária.

Encolhi os ombros.

— Meus termos são esses — afirmei.

Jojo me analisou por alguns instantes. Percebi respeito em seus olhos. Lentamente, ela concordou:

— Tudo bem. Nada de Lily, então.

— Ótimo! — Apertei a mão dela. — Vai ser um prazer trabalhar com você.

No elevador, fechei as mãos com força. O sucesso estava ao meu alcance. Em breve a vingança seria minha. Minha, minha, toda minha!

O escritório da Eye-Kon ficava apenas a três quarteirões dali, mas a caminho de lá eu parei em uma loja de sapatos e comprei dois pares de botas em liquidação. Devido a isso, ao chegar ao compromisso que fora agendado com Anton, eu estava vinte minutos atrasada. Não estava nem aí para esse detalhe... Entrei no prédio balançando o corpo e exibindo minhas sacolas de compras.

Encontrar Anton pela primeira vez depois de três anos e meio foi esquisito. Ele parecia exatamente o mesmo: os olhos agitados, o estilo chique-largadão. E o mesmo carisma, é claro. Toneladas dele. Tem coisas que não mudam.

— Como vai você, sua maluca? — Ele sorriu. — Vamos, entre e sente-se. Quer beber alguma coisa? Pode sentar. Você está com uma aparência fantástica!

Na última vez em que o vira, eu estava doente de amor por ele. O "Incidente-da-Súplica"* passou vagamente pela minha cabeça, mas eu o fiz desaparecer por um passe de mágica. Naquela época Anton estava com todo o poder, a faca e o queijo na mão. Mas agora, não. Devido a um inesperado capricho do destino e pelo fato de a vida ser, pelo menos uma vez, *justa,* eu tinha o futuro dele em minhas mãos.

Ele sorriu para mim e era um sorriso largo, vencedor.

— Venda os direitos do seu livro para mim, Gemma. Vamos lá, a história é o máximo! Vamos fazer um filme excelente a partir dela. Prometo não desapontá-la.

---

* Incidente-da-Súplica (substantivo) — Trata-se de um evento do tipo rito de passagem que marca o fim de todos os relacionamentos. Caracteriza-se pelo fato de a dispensada fazer súplicas ao homem que a dispensou, pedindo para que ele durma com ela uma última vez, enquanto ele, preocupado por não ter ainda alcançado o elevadíssimo nível de humilhação e rejeição que planejara para ela, se recusa a fazer isso. Às vezes, ele conheceu alguém recentemente e, nesse caso, invocará o nome da criatura, dizendo: "Eu jamais faria isso com Anne/Mags/Deirdre" (insira o nome apropriado ao caso).

— Então é assim? — perguntei, com frieza. — Anton, andei fazendo algumas pesquisas. A Eye-Kon está quase falida. Você precisa desesperadamente desse livro.

Isso serviu para nocautear a autoconfiança dele.

— Talvez — reconheceu.

— Nada de talvez, é um fato. A boa notícia, Anton, é que você pode ficar com os direitos. Sem lhe custar um único centavo.

— Posso?!...

— Sob certas condições.

— Quais são elas?

Esperei passar alguns segundos para aumentar a intensidade dramática.

— Como vai Lily? — perguntei. — Como vão as coisas entre vocês dois?

Para minha surpresa — eu não esperava que ele admitisse tudo tão depressa, o que era sinal de que as coisas deviam realmente estar HORRÍVEIS —, ele deixou a cabeça pender para a frente.

— Não vão muito bem.

— Não vão muito bem? Ótimo! Isso tornará as coisas mais fáceis para você, na hora de deixá-la.

Eu esperava um turbilhão indignado no estilo "Do que você está falando?" ou "Não seja louca". Mas ele simplesmente concordou e replicou, baixinho:

— Está bem.

— Está bem? — questionei. — *Está bem?* Simples assim? Você não deve amá-la muito, para colocar a carreira na frente dela.

— Não amo. Não a amo nem um pouco. Nunca amei. Foi tudo um engano. Eu estava solitário, na primeira vez que vim a Londres, e confundi amizade com amor. Depois ela ficou grávida. Como é que poderia largá-la? Mas então li o seu livro e achei que ele tinha *tanto* a sua cara... Ele me fez lembrar da grande garota que você é e do quanto costumávamos nos divertir. Agora, ao ver você aqui hoje, com esse lindo terninho Prada, já não tenho mais dúvidas de que foi você que eu amei todo esse tempo. — Parou junto da janela e olhou para o céu com cor de mingau, tão típico de Londres. — Eu já sabia há muito tempo que ficar com Lily era um erro. Desde que ela fez o implante e entrelaçamento capilar em estilo Burt Reynolds, para cobrir a clareira em seus cabelos. — Deu um longo suspiro. — Sei que deveria ter ido embora naquela época, mas os folículos infeccionaram e ela começou a tomar antibióticos pesados que lhe arrasaram o estômago. Teria sido criminoso abandoná-la em um momento como aquele...

Parei. Não, não estava bom. A fantasia já não funcionava mais. Nem pensar em seguir aquele plano, porque eu não conseguiria ir até Londres só para propor tal coisa a Jojo e Anton, visando destruir Lily. Fiquei quase desapontada comigo mesma — que vingadora de meia-tigela eu era... Uma coisa é querer ir de carro até o trabalho de Colette, esperá-la no estacionamento e zoar da cara dela depois que papai a abandonou. Aquele outro tipo de vingança que eu fantasiara, porém... Será que alguma pessoa real seria capaz de fazê-la?

Talvez uma mulher muito, muito esquisita, conseguisse. Quem sabe alguém que levasse a vida como o roteiro da série *Dinastia*. De qualquer modo, vinganças planejadas minuciosamente ou não, eu não era esse tipo de pessoa. Será que tinha sido alguma vez na vida? Será que eu simplesmente havia perdoado Lily?

Mesmo que eu forçasse a barra e tentasse negociar as coisas naqueles termos com Jojo e Anton, eles provavelmente iriam rir na minha cara ou me mandariam à merda.

Além do mais, que tipo de criatura patética ficaria satisfeita consigo mesma ao conseguir um cara só por ter servido de motor de arranque para sua carreira? Seria o mesmo que comprar alguém.

Jojo continuava do outro lado do meu celular, à espera de uma resposta.

— Jojo, não se preocupe — eu disse. — Estou com você e não abro. Só tem uma coisinha, já que você mencionou *Jerry Maguire*...

Liguei o rádio do carro e procurei um rap para servir de fundo. Eminen... tudo bem, ele servia. Aumentei o volume até ficar quase surda e berrei:

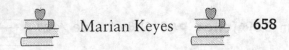

— Jojo, só de gozação, você poderia gritar "Me mostre a grana!", como no filme?

Ela hesitou, obviamente sem muito clima para brincadeiras.

— Ah, tudo bem — aceitou, por fim. — "ME MOSTRE A GRANA!"

Parabéns — disse eu, massageando a orelha. — Você continua sendo minha agente.

Jojo

Sala de Jim Sweetman

— Jim... E quanto ao seu novo relacionamento? Ele é sério? — Quis saber Jojo.

Jim se mostrou surpreso, meio desconfiado até.

— Sim, acho que é sério, sim.

— Não há nenhuma possibilidade de você mudar de ideia a meu respeito?

Com todo o cuidado, ele disse:

— Olhe, Jojo, sem querer ofender você...

— Devo considerar isso como um "não"?

— Ahn... Deve.

— Excelente!

— Por quê?

— Gostaria de lhe oferecer um emprego.

— O quê?!

— Sim, como responsável pelos direitos para cinema e teatro, na minha nova empresa. Não quero nenhuma paixonite de sua parte estragando as coisas. Quanto a Olga, na sua avaliação, quais as possibilidades de sucesso se eu convidá-la para o departamento de direitos autorais no exterior?

— Jojo, eu... Escute. Eu não...

— Pense bem a respeito — disse ela. — Dividiremos os lucros com menos gente e em proporções iguais. — Vamos ganhar rios de dinheiro.

Ela se levantou para sair e ele berrou, na direção das costas dela:

— Jojo, quero conversar com você a respeito de um assunto.

— Que foi?

— Não sei se você está interessada no caso, mas sabe o livro de Gemma Hogan, *Caçando Arco-Íris*? Aquele que a produtora Eye-Kon quer filmar em coprodução com a BBC, tendo Chloe Drew como protagonista?

— Claro que estou interessada. Gemma *ainda é* uma das minhas autoras.

— Acabei de ouvir, na hora do almoço, que Chloe ingeriu uma overdose de um coquetel maluco de cocaína com álcool e está internada em uma clínica de recuperação. Fiz algumas ligações para tentar confirmar a história.

— Diga que não é verdade.

— Sinto muito, Jojo.

— O contrato já era, então?

— O contrato *definitivamente* já era. Chloe era o gancho que garantia o projeto. Sem ela, a BBC não vai aparecer com a grana. Ninguém quer trabalhar com uma drogada ou bêbada, nem mesmo ex-bêbada. As seguradoras vão querer distância dela.

Lily

O mais engraçado é que, menos de uma hora depois de Miranda ter me telefonado, Jojo ligou, explicando que ia trabalhar por conta própria e me pedindo para continuar sendo sua cliente. Quando tomei coragem e perguntei por que ainda não tinha me ligado até aquele momento, ela explicou que todos os seus autores estavam com contratos em vigência.

— Eu precisava saber se eles iam comigo para preparar os acertos jurídicos necessários.

O meu caso, por outro lado, era maravilhosamente simples; não havia contrato com o qual ela se preocupar.

— Se você resolver escrever outro livro — completou ela —, traga para mim e vamos ver o que conseguimos.

Mais tarde, naquele mesmo dia, Anton soube que Chloe Drew tivera uma espécie de esgotamento nervoso — os boatos eram que, na verdade, tratava-se de algo ligado a álcool. Ela era a peça principal para *Caçando Arco-Íris*; sem ela, a BBC não se interessaria pelo projeto e o contrato simplesmente não aconteceria.

Eu devia ficar feliz. Anton e eu estaríamos em segurança agora, não é?

Infelizmente, não: o rápido contato de Anton com Gemma, ou pelo menos com o livro dela, revelara toda a extensão da infestação de cupim que corroía o meu relacionamento com ele.

Além disso, a verdade é que mais uma vez um projeto de Anton fora por água abaixo, convencendo-me de que a vida com ele seria uma eterna montanha-russa financeira. Eu não conseguiria viver desse jeito. Precisava buscar estabilidade em nossa vida, pois devia isso a Ema.

* * *

Naquela mesma noite, fui visitar Irina em seu maravilhoso apartamento novo. No começo falamos muito sobre maquiagem e cuidados com a pele, mas então, aproveitando um hiato na conversa, tentei jogar um verde:

— Anton e eu vamos nos separar.

A maioria das pessoas gritaria, na mesma hora: "O quê? Você e Anton? Mas vocês são loucos um pelo outro! Devem estar apenas passando por uma fase ruim."

Como era Irina, porém, ela simplesmente exalou uma pensativa espiral de fumaça do cigarro e deu de ombros, afirmando:

— Eza é a ferdadeira natureza do amor.

Seu pessimismo fenomenal me serviu de exemplo e incentivou o meu próprio pessimismo a tomar conta de tudo na vida. Irina forneceu o ambiente fértil que me fez ver a extensão do desastre. Não havia a mínima chance de um otimismo descontraído entrar alegremente em minha vida e tomar conta do palco, tirando a desesperança de cena. Pelo menos, não na casa de Irina, pois ela não admitiria aquilo. De repente, eu me ouvi dizer:

— Preciso achar um lugar para Ema e eu morarmos.

— Tenho dois guartos vagos. Voze bode vigar morando agui gomigo. Vassily guase nunca vem a Londres. Grazas a Deus! Ele zó penza em vazer zexo. — De repente ela se ligou no que dizia e mudou levemente de tática: — Voze vai gostar dele, guando o gonhecer.

Aquele era um lindo apartamento e eu fiquei tentada. Mas minha imaginação criou imagens de Ema e eu presas em alguma guerra de territórios; de nós duas amarradas a cadeiras de cozinha com esparadrapo na boca enquanto dois homens de paletós jeans desbotados e bigodes espessos, chamados Leonid e Boris, nos convenciam a revelar o paradeiro do homem/dinheiro/pacote.

Irina adivinhou o que eu estava pensando.

— Vassily está no país legalmente.

— Está? — Certamente a implicação disso era que apenas as *atividades* dele eram ilegais.

— Ele é griminoso — reconheceu ela, parecendo entediada. — É glaro gue é griminoso. Mas não é da Máfia.

Ora, então tudo bem!

Quais eram as minhas outras opções? Vanish Hall? O impacto negativo que Vanish Hall teria em Ema provavelmente seria maior do que ser amarrada a uma cadeira com a boca presa por esparadrapo. Até mesmo um abrigo da assistência social do estado seria melhor que Vanish Hall.

Assim, a partir do momento em que Irina ofereceu sua casa, a sorte estava lançada.

Jojo

Na sexta-feira à tarde, Manoj ajudou Jojo a colocar todas as suas caixas de papelão em um táxi.

— *Não acredito* que você esteja realmente indo embora! — balbuciou ele, com os lábios trêmulos.

— Não seja viadinho! — disse Jojo. — Vou mandar buscar você. Assim que estiver caminhando com as próprias pernas.

O ponto alto que fora a sua demissão dramática estava começando a perder efeito sobre Jojo. Tudo aconteceu tão depressa... Na terça-feira ela começara a convidar seus autores a ir embora com ela, para ver se uma carreira solo seria viável. Só três dias haviam passado.

Durante toda a semana ela se alimentara com a ideia de estar dando um troco ao sistema. Ficaria conhecida como a mulher que derrotara a hierarquia sexista do mercado de trabalho. Aquilo a deixou empolgada e a fez acreditar que essa atitude era correta. Porém, ao olhar para o queixo trêmulo de Manoj, Jojo se viu de volta ao estado onírico que parecia ter sido a tônica de toda a semana e perguntou a si mesma: *O que foi que eu fiz?*

Ela tinha acabado de sair da Lipman Haigh e não pretendia voltar. A percepção definitiva disso foi como um saco de cinco quilos de areia caindo em sua cabeça, atirado de uma altura muito elevada.

Não havia como voltar atrás e retomar a posição de sócia muito bem-paga. Ou voltar para Mark.

Ela mesma fora a responsável por tudo aquilo acontecer.

A viagem de carro para casa foi uma espécie de pesadelo. O que ela estava fazendo — *ou melhor, já fizera* — consigo mesma?

Seu celular tocou. Ela viu quem era na tela — Mark — e deixou a caixa postal atender. Ao chegar em casa, despejou as caixas e notou que a secretária eletrônica piscava. Já?

O primeiro recado era de Jim Sweetman:

— Jojo, sinto-me honrado por sua oferta, mas vou ficar na Lipman Haigh.

Droga!, pensou ela. Mas tudo bem, e daí? Ela conseguiria outra pessoa para cuidar dos direitos para outros meios e Olga ainda estava com ela. Tudo bem, na verdade Olga não dissera "sim" abertamente quando Jojo fez sua abordagem. Simplesmente ficara sentadinha em sua cadeira, exibindo a expressão do mais absoluto assombro. Mas também *não dissera "não"*, e Jojo decidiu que isso era tão bom quanto um sim.

O segundo recado era de Mark:

— Você é realmente boa nessas coisas, reconheço que sim. Quase me convenci, mas não há necessidade de nada disso, Jojo. Já rasguei sua carta de demissão. Simplesmente venha trabalhar na segunda-feira e tudo vai entrar novamente nos eixos. Você é *sócia* da empresa agora, Jojo. Com relação a nós dois, você continua sendo a pessoa mais importante que eu conheci em toda a minha vida e seria bom resolver isso logo. *Precisamos* resolver, *precisamos* de verdade, porque a alternativa é impensável...

Nesse momento o tempo da mensagem acabou, mas o recado seguinte também era de Mark, continuando o discurso como se não tivesse sido interrompido:

— ... Isso tudo pode ser consertado neste exato momento. Você e eu, Jojo, podemos fazer com que as coisas deem certo. Podemos fazer com que qualquer coisa dê certo. Você pode ter o seu velho emprego de volta, ou a sociedade e qualquer coisa que queira. Simplesmente me diga o que você quer e terá na mesma hora...

Ao todo, havia seis recados dele.

Ela foi passar o fim de semana com Becky e Andy.

— Já sei! Você quer ficar junto de pessoas que amam você — compreendeu Andy, solidário, ao abrir a porta.

— Não, é que eu aposto que Mark vai aparecer no meu apartamento no meio da noite e esquecer o dedo na campainha até eu deixá-lo entrar.

— Tome um cálice de vinho. Coloque os pés para cima e esqueça tudo por alguns instantes — tranquilizou-a Becky.

— Não posso! — Jojo acabou de dizer isso e o celular tocou. Ela olhou para a tela, mas não era Mark, pelo menos dessa vez. Apertou o botão verde.

— Oi, Nathan Frey! Sim, fui eu que liguei para você, mais cedo. Andei imaginando se você não teria recebido um telefonema de Richie Gant lhe oferecendo *a lua e as estrelas*.

Jojo foi atender no saguão, onde ficou andando de um lado para outro, falando sem parar. Então voltou à sala e se deixou despencar no sofá.

— Era Nathan Frey. Pelo visto, Richie ligou para todos os autores que eu represento. Todos os importantes, pelo menos. Vou passar o fim de semana trabalhando no rescaldo do incêndio, tentando trazê-los de volta para o meu lado.

O celular tocou mais uma vez, estridente, e ela mergulhou sobre ele, olhando para o identificador de chamadas. Atendeu com muita jovialidade:

— Ora, ora, é o sr. Eamonn Farrell! Por onde, diabos, você andou?

De volta ao saguão, ela recomeçou a andar de um lado para outro e os sapatos de salto alto duelavam com o tom alto de sua voz. Então, por fim, voltou à sala.

— Caraca! Isso é um pesadelo! Gant está oferecendo porcentagens tão absurdamente baixas que vai acabar trabalhando praticamente de graça. Está fazendo isso por pura maldade.

O celular deu novamente sinal de vida.

— Ignore-o — sugeriu Becky.

— Não posso. — Mas, ao olhar na tela, largou o aparelho de volta sobre a mesa como se ele estivesse em brasa. — É Mark novamente.

O telefone tocou e tocou sem parar; parecia aumentar de volume, de forma cada vez mais insistente, a cada toque não atendido. Os três reunidos na sala olharam o aparelho com ar assustado, até que o barulho parou e o ar pareceu vibrar, grato pelo misericordioso silêncio.

— Deixe o celular desligado — implorou Becky.

— Querida, sinto muito, mas não posso. Ainda estou esperando notícias de... — ela contou nos dedos — ... *Oito* autores. Deixei recados na caixa postal dos meus clientes mais importantes quando percebi o que Gant estava aprontando. Ele os assustou, argumentando que vai ser um desastre eu trabalhar por conta própria. Preciso estar disponível para tranquilizá-los.

O celular gorjeou uma vez, depois outra.

— Mensagem de Mark — disse Jojo.

— E você não quer saber qual é?

— Não preciso. Ele vai dizer que me ama e que podemos resolver tudo.

— E você não pretende fazer isso? — perguntou Becky. — Isto é, resolver tudo?

Jojo balançou a cabeça uma vez só e deu um pulo de susto quando o celular tornou a tocar.

Ela olhou para o número que aparecia na tela e entregou o aparelho a Andy.

— Você pode atender para mim?

— É Mark, novamente?

— Não é o seu número, mas estou com um pressentimento de que possa ser ele.

Meio desconfiado, Andy atendeu.

— Ah, olá, Mark!

— Ele é espertinho — disse Jojo a Becky. — Deve estar ligando de algum orelhão.

Andy conversou um pouco com Mark e, por fim, desligou.

— Era Mark — anunciou ele. — Está parado em frente ao seu apartamento, e tocou a sua campainha por mais de meia hora. Disse que vai acampar lá até você recebê-lo. Vai ficar a noite toda, se for preciso.

— Ihhh!... Vai ter muito o que esperar! — Jojo parecia animada, mas sentia-se péssima. Não queria que as coisas estivessem daquele jeito.

Durante o sábado, o domingo e todos os dias da semana seguinte o telefone de Jojo tocou loucamente, sem parar, mas os telefonemas eram do tipo que ela dispensaria. Sua demissão criou — o que era compreensível — grande furor nos círculos publicitários; afinal, ela se demitira no mesmo dia em que fora anunciado que seria sócia da agência. POR QUÊ? As teorias eram muitas. Jojo descobrira que Richie Gant era o filho ilegítimo que tivera aos doze anos e entregara para adoção (essa foi a teoria de um editor especializado em sagas); Jojo era lésbica e estava de caso com Olga Fisher, que a trocara por Richie Gant (essa era de alguém da Virago, uma editora especializada em livros para mulheres); ela estava de caso com Mark Avery, que não votara nela e ainda por cima lhe dera um chute no traseiro (essa era a versão de quase todo o mundo literário de Londres).

Muito pior, porém, do que as pessoas exercitando sua desavergonhada curiosidade eram as ligações de vários escritores. Na terça-feira de tarde, veio a ligação de Miranda England. Ela queria tornar a coisa oficial — iria trabalhar com Richie Gant. A notícia atingiu Jojo como um taco de beisebol.

Na quarta-feira, Marjorie Franks assinou contrato com Richie. Na quinta, Kathleen Perry, Iggy Gibson, Norah Rossetti e Paula Wheeler pularam fora do barco, e, na sexta, três escritores de livros de suspense se foram, todos com boa vendagem.

Toda vez que um autor ia embora, as chances de Jojo como agente independente encolhiam mais e mais.

Becky não parava de perguntar:

— Por que você não volta? Você poderia voltar à agência, ainda por cima como sócia. Pense bem... *Sócia*, Jojo.

— Não aceitarei entrar em cumplicidade com aquele sistema patriarcal. — Jojo aprendera a palavra "patriarcado" com Shayna e gostou. Usava-a sempre que alguém tentava persuadi-la a voltar para a agência. — Agora que eu descobri certas coisas, voltar seria autodestrutivo.

Se bem que era tentador, muito tentador.

O tempo todo ela era bombardeada com recados de Mark: dia e noite ele lhe enviava e-mails, torpedos, escrevia cartas, mandava entregar flores e caixas de produtos Jo Malone, telefonava para o seu número de casa, para o celular e circulava pela rua em frente ao prédio. Por duas noites, muito bêbado, colara o dedo na campainha por mais de três horas. Ficava na calçada e gritava para a janela. Os vizinhos reclamaram e ameaçaram chamar a polícia se ele continuasse a fazer aquilo. A própria Jojo pensou em ligar para a polícia, mas a ideia lhe provocava a reação de suco de limão sobre uma ostra. Ela não podia fazer uma coisa daquelas com ele, seria triste demais.

Muito pior do que Mark se comportando de forma alucinada, porém, era quando ele era astuto e lhe deixava mensagens reiterando que o cargo de sócia ainda estava à sua espera na Lipman Haigh e lembrando que uma vida a dois em companhia dele ainda era possível a qualquer hora. Puxa vida, isso era tentação demais!

Sua frase-slogan era: "Diga o que você quer, Jojo, e você terá."

Só que ela não poderia ter a única coisa que realmente queria: reescrever o passado. Ela queria que Mark tivesse votado nela e não em Richie Gant.

Era esquisito... Ela estava zangada com Mark, mas sentia sua ausência como se lhe faltasse um braço. Porém, não havia volta. O que quer que acontecesse — e ela não sabia exatamente o que seria —, já contaminara a relação deles além de qualquer esperança. Estava tudo acabado.

O espantoso era que, apesar de Mark persegui-la praticamente o dia todo, ela nunca mais falou com ele nem o viu. É claro que isso a ajudava a manter sua posição. Jojo temia que se eles se vissem ela iria desmontar. As coisas, do jeito que iam, eram tão assustadoras que, se ela voltasse ao casulo representado por sua antiga vida, onde era amada e se sabia segura, seria muito difícil de resistir.

Segunda-feira de manhã

O início da sua segunda semana como agente independente. Jojo se sentiu confiante e esperançosa, como se ultrapassasse uma barreira.

O telefone tocou. Era a esposa de Nathan Frey, para comunicar que o novo agente de Nathan era Richie Gant.

Meeerda.

Só lhe restava um escritor importante: Eamonn Farrell.

Jojo resolveu ligar para Olga Fisher. Mais de uma semana se passara e ela ainda não lhe informara a partir de quando iriam passar a trabalhar juntas.

— Oi, Olga. Você já apresentou sua carta de demissão? A partir de quando vamos começar a trabalhar juntas?

— Não seja insolente; que ideia a sua! É claro que eu não apresentei a minha carta de demissão.

— Ei, mas você devia ter me avisado — reagiu Jojo, irritada. — Pensei que você vinha trabalhar para mim.

— Minha cara, essa ideia é tão obviamente ridícula que... Por que diabos eu sairia... Oh! — Com essa exclamação indignada, Olga encerrou a ligação.

Na terça-feira, dois autores de não muita importância saíram.

Quarta-feira, porém, foi o dia em que tudo melou.

Ao ligar o computador, Jojo encontrou um e-mail de Eamonn Farrell avisando que ele fechara contrato com outro agente. Jojo encostou a testa na tela. Então era isso... Seu último grande autor se fora.

Logo em seguida o telefone tocou: Mark. Ele tinha deixado uma súplica desesperada em todos os dias desde a saída de Jojo. Naquela manhã, porém, seu tom de voz pareceu diferente. Mais *normal..*

— Jojo — começou ele —, vou deixar de incomodar você. Sinto muito não termos conseguido resolver as coisas no trabalho. Nunca lamentei algo tanto assim em toda a minha vida. Estivemos a poucos passos da perfeição e quase chegamos lá, mas sei reconhecer uma derrota. Boa sorte na sua vida. Estou sendo sincero.

Depois de dizer isso, desligou. Jojo quase sentiu as moléculas de seu telefone entrando em um estado de relaxamento, após tanto trabalho pesado.

Isso não era mais um truque de Mark para fazê-la mudar de ideia. Jojo conhecia seu estilo; ele se entregou de corpo e alma à tarefa, não conseguiu o resultado esperado e estava tirando o time de campo. Fim de jogo.

Exatamente o que ela queria. Jojo nunca pensou em voltar para ele.

Só que, como em uma experiência fora do corpo, ela viu a si mesma sentada no seu apartamento em uma quarta-feira fria de fevereiro, com seu melhor amigo indo embora para sempre e sua carreira em ruínas.

Diante disso, Jojo chorou tanto que mal se reconheceu no espelho. Ao colocar o rosto na pia cheia de água gelada para diminuir o inchaço dos olhos, pensou em se deixar ali dentro até se afogar. Pela primeira vez em seus trinta e três anos de vida, conseguiu compreender a vontade de tirar a própria vida.

Mas só por meio segundo.

No instante seguinte ela se recuperou. Colegas? Quem precisava deles? Escritores? Puxa, havia muitos mais de onde os clientes dela tinham saído. E outro Mark? Tinha um monte deles por aí também. Ela estava pouco ligando.

Lily

Durante mais de uma semana, convivi com a certeza de que estava tudo acabado entre mim e Anton. Sentia isso no fundo de mim mesma, era uma espécie de conhecimento terrível, como saber que havia uma arma letal debaixo do colchão, algo que me deixava em constante desassossego. Mas eu era incapaz de dar o primeiro passo.

Minha convicção de que estávamos completamente fora de sintonia tinha um peso extra pelo fato de eu já ter passado por aquela situação antes, não só em minha vida pessoal, como também no tempo de papai e mamãe. Eu sabia que o pior *realmente* acontecia todos os dias, em toda parte. Anton e eu pensamos que éramos especiais, imunes aos sufocos da vida. Na verdade, porém, não havia nada incomum ali. Éramos apenas duas almas que não conseguiam segurar a barra quando o bicho pegava.

Apesar de tudo, fiquei profundamente surpresa com a reação de Anton quando eu lhe comuniquei que ia embora. Pensei que ele estivesse com um estado de espírito semelhante ao meu, achei que ambos sabíamos que tudo acabara e estávamos tocando as coisas até pintar o momento certo para a separação. Nas semanas que se passaram desde a mudança para o novo apartamento, nós nos falávamos tão pouco que eu sinceramente acreditei que tínhamos acabado e apenas morávamos na mesma casa. Sabia que ele ia me deixar sair sem dizer nada, reconhecendo com tristeza que era uma pena, as coisas não tinham dado certo e, considerando as circunstâncias, era um milagre termos durado tanto tempo juntos etc.

Mas ele enlouqueceu.

Quando Ema foi para a cama naquela noite, eu peguei o controle remoto da tevê e, sem preâmbulos, desliguei o aparelho.

— Que foi? — perguntou Anton, parecendo surpreso.

— Irina disse que eu e Ema podemos ficar com ela por algum tempo. Quanto mais cedo formos embora, melhor. Amanhã está bom?

Estava pronta para desfiar meu pequeno discurso sobre como ele podia ver Ema sempre que quisesse, mas nem tive a chance porque ele pirou.

— Sobre o que está falando? — Ele apertou meu pulso com tanta força que me machucou. — Lily? — ele perguntou. — Lily, o que houve?

— Estou indo embora — disse, baixinho. — Pensei que você soubesse.

— Não! — reagiu ele, totalmente horrorizado.

Ele implorou. Suplicou. Pegou minhas chaves na bolsa e ficou de costas coladas na porta, embora eu não estivesse de partida naquele exato momento.

— Lily, por favor... — Ele quase engasgou. — Eu lhe peço... Eu lhe *imploro* para pensar bem nisso.

— Mas, Anton, não tenho feito outra coisa na vida a não ser pensar nisso.

— Pelo menos curta uma boa noite de sono para refletir.

— Sono? Eu não tenho uma boa noite de sono há meses.

Ele passou a mão na boca e resmungou alguma coisa; percebi as palavras "por favor" e "Deus".

— Anton, o que foi que você achou que ia acontecer conosco?

— Achei que as coisas iam melhorar. Pensei que já estavam melhorando.

— Mas a gente nem fala mais um com o outro.

— Porque perdemos nossa casa. Foi algo terrível o que aconteceu. Mas achei que estávamos nos refazendo!

— Não estamos nos refazendo. Nunca vamos conseguir nos refazer. Nunca deveríamos ter ficado juntos, para início de conversa, foi errado desde o começo, e é claro que só poderá acabar de forma terrível. Sempre *soubemos* disso.

— Eu não.

— Porque você insiste em ver as coisas pelo lado cor-de-rosa, mas a verdade é que somos um desastre, juntos — lembrei a ele. — Olhe só para o caos em que transformamos nossas vidas. Tínhamos um monte de coisas boas pintando, mas estragamos tudo. — Eu disse "nós", mas queria dizer "*Eu* tinha um monte de coisas boas pintando na minha vida e *ele* estragara tudo." Mas era preciso jogar aquilo em sua cara com todas as letras; ele não era bobo e já devia ter sacado.

— Não tivemos sorte — insistiu.

— Fomos arrogantes, com mania de grandeza e tolos. (*Você* foi.)

— Só porque compramos uma casa com dinheiro que todo mundo sabia que ia pintar? Qual é a mania de grandeza disso? Foi mais uma combinação de planejamento equivocado com falta de sorte, no meu modo de ver.

— Um negócio impulsivo e arriscado, na minha visão.

Ele se encostou à porta.

— É por causa do seu histórico de seu pai perdendo a casa onde a família morava. Foi isso que provocou danos terríveis em você.

Fiquei calada. Provavelmente ele tinha razão.

— Você está com raiva de mim — completou ele.

— Em absoluto! — garanti. — Torço para um dia sermos bons amigos. Só que eu quero que entenda, Anton: nós não combinamos, somos ruins um para o outro.

Ele olhou para mim com o rosto chocado e eu baixei os olhos.

— E quanto a Ema? — perguntou. — Uma separação não vai ser algo bom para ela.

— Resolvi fazer isso *pensando* em Ema. — Subitamente fiquei furiosa. — Ema é a minha prioridade número um. Não admito que ela seja criada do jeito que eu fui. Quero segurança para ela.

— Você está com raiva de mim — repetiu Anton. — Muita raiva.

— Não estou! Mas continue insistindo que vou acabar ficando.

— Não a culpo por essa raiva. Eu mesmo tenho vontade de dar um tiro na cabeça por ter feito tanta burrada.

Resolvi ignorar essa declaração. Não importava o que ele disse-se, eu não ia mudar de ideia. Anton e eu tínhamos acabado definitivamente e era necessário nos separarmos, pois se ficássemos juntos o azar nos perseguiria, até corrigirmos o erro que cometemos quando eu o roubei de Gemma.

Quando eu lhe disse isso, ele explodiu:

— Você está sendo supersticiosa. As coisas não acontecem desse jeito.

— Não era para ficarmos juntos, desde o início. Eu sempre soube que isso ia acabar em desastre.

— Lily, mas, Lily...

— Não importa o que você diga ou faça — afirmei. — Estou saindo fora. Tenho que fazer isso.

Ele se manteve em silêncio, derrotado, e por fim perguntou:

— Já que pretende realmente fazer isso, posso lhe pedir só uma coisa?

— O quê? — perguntei, meio desconfiada. Certamente ele não seria grosso o bastante para me propor uma transa como presente de despedida.

— Ema. Não quero que ela veja isso. Será que você poderia deixar alguém tomando conta dela enquanto você... — parou de falar, engasgado... Faz as malas?

Ele começou a verter lágrimas silenciosas e eu olhei para ele, muito surpresa. *Por que razão aquilo era um choque tão grande para ele?*

— Tudo bem. Peço a Irina para vir pegá-la.

Então fui para a cama. Isso estava sendo muito mais difícil do que imaginara e, quanto mais cedo acabasse, melhor. Ouvi quando ele se deitou na cama, ao meu lado. Na escuridão, ele pousou a testa sobre as minhas costas e sussurrou:

— Por favor, Lily. — Mas eu permaneci dura como uma pedra até ele se afastar.

De manhã, telefonei para Irina, que chegou logo depois, cumprimentou Anton com a cabeça em um gesto que quase pareceu solidário e levou Ema com ela. Então tentei convencer Anton a sair de casa. Não queria que ele estivesse ali, circulando pelo apartamento com cara de doente, seguindo-me como uma sombra por todos os cômodos, observando o que eu fazia como se assistisse a um daqueles *snuff videos* em que as pessoas morriam de verdade. Eu não gostava nem um pouco do que estava fazendo e seu ar de sofrimento extremo fez com que eu me sentisse pior. Ele me viu fazer três malas, recusando-se a me entregar qualquer objeto e explicando:

— Não quero tomar parte nisso.

Mas quando eu lutei para pegar uma mala gigantesca em cima do armário, ele resmungou:

— Pelo amor de Deus, você vai acabar se matando — e a puxou lá de cima para mim.

— Talvez fosse melhor você não estar aqui na hora em que eu for embora — sugeri.

Nem pensar. Ele ficou tentando me demover da ideia o tempo todo, até o último minuto do segundo tempo. Até mesmo na hora de eu entrar no táxi, ele disse:

— Lily, essa situação é apenas temporária.

— Não é temporária não, Anton — afirmei, sustentando o olhar. Precisava que ele se convencesse. — Por favor, acostume-se com a situação, porque isso é para sempre.

Então o carro partiu, levando-me para uma nova vida, e eu sei que o que vou dizer parece terrivelmente cruel, mas pela primeira vez desde o dia em que conheci Anton, eu me senti limpa.

Por tempo demais eu convivera com uma culpa desgraçada por causa de Gemma. Libertar-me daquilo me trouxe um alívio imediato e delicioso; praticamente desde o instante em que eu deixei Anton, a vida começou a melhorar. Consegui trabalho de imediato — através de uma agência, fazendo freelance como redatora de textos publicitários e trabalhando em casa — e esse era o grande sinal que eu precisava.

O apartamento de Irina era grande e silencioso. Eu trabalhava de manhã, enquanto Ema estava na creche, e à noite, quando ela ia dormir. Se eu precisasse trabalhar à tarde, nunca me faltavam babysitters: papai e Poppy nos visitavam sempre; além disso, Ema e Irina se davam maravilhosamente bem. Acho que a quarta parte de sangue eslavo em Ema se integrou muito bem com o sangue eslavo de Irina. Esta, por sua vez, via o rostinho redondo de Ema como a vitrine perfeita para os últimos produtos da Clinique. Tentei impedir Irina de fazer isso, mas não me sentia com forças para apelos passionais. Aliás, não tinha forças para *nada* passional.

Gostei da minha vida nova. Era tranquila, sem nenhum elemento dramático e pouquíssimas coisas aconteciam. Nunca encontrei vizinhos pelos corredores silenciosos do prédio; até parecia que não havia mais ninguém morando no edifício.

Até mesmo o tempo indefinido conspirava para me anestesiar. Céus sem cor e o ar suave e sem movimento garantiam a ausência total de reações de minha parte. Mesmo quando caminhávamos pelo Regent's Park, que ficava ali perto, eu não sentia nada.

Não havia a mínima esperança de eu desenvolver alguma coisa que exigisse criatividade. Depois daquela sucessão de fracassos, não tinha nada para escrever e estava muito contente preparando comunicados à imprensa e redigindo folhetos publicitários. Não tinha grandes planos nem sonhos para o futuro; tudo o que eu queria era que cada dia fosse embora. Curtia a minha vida pequena e discreta. Até recentemente era tudo planejado em grande escala — romances, contratos literários e casas — e eu gostava de ver que agora tudo em minha vida acontecia aos pedacinhos.

Anton estava certo sobre uma coisa: eu tinha raiva por ele ser tão descuidado com dinheiro. Só que, desde que o abandonara, era como se o meu sentimento de raiva estivesse direcionado para outra pessoa; eu sabia que ele estava lá, sabia que me afetava, mas não conseguia vê-lo. Tudo o que sentia era alegria por estar no comando de meu próprio destino.

Não que todos os dias fossem fáceis. Houve momentos difíceis, como quando Katya, uma amiga russa de Irina, veio visitá-la trazendo um lindíssimo bebê de olhos castanhos com apenas seis meses de idade. Seu nome era Woychek e ele até mesmo se parecia com Ema. Isso fez nascer em mim a percepção de todos os filhos que Anton e eu nunca teríamos. Os irmãos e irmãs que Ema já tinha em um universo paralelo, mas, que jamais conheceria. Isso deu início a algo terrível dentro de mim, mas, antes que o pesar me envolvesse por completo, Katya disse, comentando a respeito de Ema:

— Eza griança tem uma pele marravilhoza!

Imediatamente isso atraiu minha atenção.

Será que Irina andava passando cosméticos em Ema? De novo? O redutor de poros com controlador de oleosidade, talvez? Irina tinha verdadeira obsessão por esse produto e o usava, com zelo quase religioso, em todo mundo. Sim, admitiu ela com cara emburrada, ela aplicara uma camada quase invisível de creme redutor de poros em Ema. Quando pressionada, confessou que também usara um pouco de brilho e, em meio à minha irritação, eu me esqueci de ficar triste.

Cada dia tropeçava no seguinte e todos passavam, sem diferença um do outro e sem nada de especial acontecer. Eu não me interessava pelo futuro, exceto quando pensava em Ema. Analisava-a constantemente, à espera de algum sinal de disfunção psicológica. Ela não faxia xixi na cama, mas isso se devia ao fato de não estar ainda totalmente treinada para largar a fralda noturna. Às vezes, ao ouvir a chave de Irina na fechadura, ela arregalava os olhos e perguntava: "Anton?" Tirando isso, porém, se comportava como de costume.

Ema sempre fora uma criança forte e talvez sua robustez física fosse também um sinal de resistência emocional. Eu era obrigada a admitir que ela não parecia abalada pela ruptura em sua vida. Mas eu me preocupava de ela estar, talvez, "introjetando" os problemas, e tudo surgiria aos treze anos, quando se transformaria em uma rebelde ladrazinha de lojas e cheiradora de cola.

Meu único consolo era eu ter tomado a atitude que achava melhor para ela, além de saber que ser mãe significava sentir-se remoída pela culpa quase o tempo todo.

Embora Ema não morasse com Anton, ela o via com frequência. Quase todos os dias ele a levava ao parquinho depois do trabalho e ela dormia com ele aos sábados. Depois das primeiras visitas, quando seus olhos estavam sem expressão devido à tristeza profunda, eu já não aguentava vê-lo e pedi a Irina que recebesse Ema quando ela voltasse da rua com o pai. Sou eternamente grata a ela por ter me atendido. Esse arranjo funcionou a contento até certa noite, mais ou menos três semanas depois de eu ter deixado Anton, quando Irina estava no banheiro no momento errado e eu tive de abrir a porta para receber Ema.

— Lily! — Anton pareceu chocado ao me ver. E eu fiquei chocada ao vê-lo. Sempre foi magro, mas durante aquelas semanas desde que eu saíra de casa ele se tornara assustadoramente esquelético. Não que eu estivesse linda a ponto de ser convidada para algum desfile de moda. (Aliás, se não fosse pela generosidade de Irina com o seu creme redutor de poros, eu estaria tão medonha que talvez precisasse de um transplante de cabeça.)

Ema passou direto por mim e foi para a sala; logo depois ouvi os acordes iniciais de uma canção de *Mogli, o Menino Lobo*.

— Eu não esperava ver você — disse Anton. — Escute... — Ele remexeu no bolso do casaco de couro e fez surgir uma carta. Estava tão embolada e amassada que parecia estar naquele bolso havia semanas. Anton sempre me trazia a correspondência, mas eu percebi que aquela era uma carta diferente. — Fui eu que escrevi — explicou. — Queria lhe entregar em mãos, para ter certeza de que você a receberia. Sei que você não vai querer essa carta agora, mas talvez queira lê-la outra hora.

— Tudo bem — disse eu, com o corpo tenso, sem saber o que fazer. Senti vontade de lê-la, mas o instinto me aconselhou a não fazê-lo. Terrivelmente abalada por ver Anton, eu me despedi e fechei a porta na cara dele. Em seguida fui para o meu quarto, guardei a carta em uma gaveta e torci para esquecê-la.

Eu estava em pé junto da janela do segundo andar e ainda sentia o coração bater em todas as partes do meu corpo quando vi Anton sair do prédio. Quando Irina recebia Ema de volta, eu não me permitia nem mesmo dar uma olhadinha, mas como naquele dia a rotina já fora para o espaço, mesmo, fiquei observando a partida de Anton. Ele seguiu pela calçada e estava a poucos metros da entrada do edifício quando parou e seus ombros começaram a se mover para cima e para baixo, como se estivesse rindo. Eu continuei olhando, espantada, e pensei: *De que diabos ele está achando tanta graça?*

Encontrá-lo cara a cara me deixara tão abalada e ele achava aquilo engraçado? De repente, tive a súbita percepção de que ele não estava rindo e sim chorando. Chorava com o corpo todo. Dei um passo para trás, horrorizada, e senti naquele instante um pesar tão grande que pensei que fosse morrer.

Levei o resto da noite e um quarto de garrafa de vodca pura para recuperar o equilíbrio. Só então fiquei legal. Compreendi que era inevitável aquilo ser doloroso. Anton e eu estivemos apaixonados um pelo outro, tivemos uma filha juntos e sempre fomos os melhores amigos um do outro praticamente desde o momento em que nos conhecemos. O fim de algo tão precioso só poderia ser terrível. Porém, eu sabia que em algum momento do futuro a dor iria parar e Anton e eu poderíamos ser amigos. Eu só precisava ser paciente.

Eu sabia que um dia a minha vida seria completamente diferente, cheia de sentimentos novos, amigos, riso e cor, além de um elenco totalmente novo de pessoas à minha volta; tinha plena certeza de que algum dia apareceria outro homem, novos filhos, um trabalho diferente e uma casa adequada. Não fazia a mínima ideia de como seria a transição entre a vida frugal que eu levava e a que visualizava, muito mais agitada e colorida. Eu só sabia que aquilo iria acontecer. Só que, por enquanto, tudo estava longe de mim, muito longe, e acontecia com uma Lily imaginária e diferente que eu não tinha pressa de alcançar.

Minha passividade era tão completa que eu não conseguia nem me sentir culpada pela imensa generosidade de Irina, não só com a casa, mas também com os cuidados que ela dispensava a Ema. Sob circunstâncias normais, eu teria me transformado em uma neurótica instável e patética, e faria mil planos para ir embora dali o mais rápido possível para não incomodar ninguém, sentindo-me como um peso morto cada vez que acendesse a luz. Às vezes eu tinha de pedir dinheiro emprestado a Irina — meus pagamentos do trabalho freelance eram muito irregulares — e nem disso eu tinha vergonha. Ela quase sempre me emprestava sem comentários nem censuras, exceto por uma vez em que eu voltei de um passeio a esmo pelo parque e disse:

— Irina, o caixa eletrônico se recusou a liberar dinheiro. Dá para você me emprestar algum até meu próximo pagamento?

Ela replicou:

— Por gue vozê nunga tem dinherro? Rezebeu um grrande chegue na semana pazada!

— Mas tive que pagar a você o dinheiro que eu lhe devia, depois comprei um velocípede novo para Ema, pois todas as crianças do parquinho têm um; depois tive que levá-la para fazer um corte de cabelo no estilo Dora, a Exploradora, pois todas as meninas estão usando esse penteado e...

— ... E agora não tem dinherro para alimentá-la — completou Irina. Com ar de censura, acrescentou: — Vozê odeia Anton por zer relaxado com dinherro, mas vozê é igualzinha.

— Nunca disse que não era. Não consigo evitar, fui criada desse jeito. Isso só serve para provar o quanto Anton e eu não servimos para ficar juntos.

Irina suspirou e indicou uma lata de biscoitos.

— Zirva-se — ofereceu ela, e em seguida me entregou um cartão-postal. — Chegou pelo gorreio, para vozê.

Olhei para o cartão, surpresa: era uma foto de três ursos-pardos ao lado de um riacho, tendo ao fundo uma colina com pinheiros espalhados em um lindo cenário natural. O cartão parecia ter sido postado do Canadá. O urso maior tinha um imenso salmão entre os dentes; o urso médio tentava pegar um peixe nas águas do rio e o menorzinho lidava com um peixe que tentava escapar de suas patas. Virei para ler o verso, onde uma legenda informava: "Ursos-pardos ao lado da barragem." Porém, alguém com uma caligrafia muito parecida com a de Anton riscara a legenda oficial e escrevera: "Anton, Lily e Ema curtindo peixe no jantar." Para minha grande surpresa, eu me vi rindo.

Ele também escrevera: "Estou pensando em vocês duas. Com todo amor, A."

Aquilo tinha todo o jeitão e o espírito de Anton: engraçado, inteligente e louco. Pensei então, com ar sonhador: *Aqui começam nos-*

sas lembranças felizes. Finalmente eu chegara ao ponto em que conseguia olhar para trás e analisar o tempo que havíamos passado juntos sem me sentir arrasada.

Fiquei feliz o resto do dia.

Uns dois dias depois o carteiro deixou um cartão-postal de Burt Reynolds, com cara de ídolo das matinês e exibindo um luxuriante bigode. Anton escrevera: "Vi esta foto e me lembrei de você." Mais uma vez eu ri e me senti esperançosa em relação ao futuro.

De repente comecei a esperar com ansiedade a chegada do carteiro, e logo mais um postal chegou, dessa vez mostrando um vaso enfeitado com imagens em bico de pena, em estilo chinês, no qual se divisavam pessoas, xícaras e artefatos de mesa. A legenda dizia: "Vaso Ming representando a cerimônia do chá", mas Anton riscara essa informação e escrevera: "Anton, Lily e Ema, no ano de 1544, curtindo uma xícara de chá depois de um dia fazendo compras no shopping." Quando olhei novamente para a figura, realmente parecia haver sacolas de compras atrás das pessoas.

Virei-me para Irina e disse:

— Sabe, Irina, andei pensando. Quando Anton vier buscar Ema hoje à tarde, acho que eu mesma vou recebê-lo.

— Vozê é gue zabe.

Naquele dia à tardinha, ao abrir a porta para ele, Anton não mostrou surpresa e simplesmente exclamou:

— Oi, Lily! — Como se estivesse empolgado por me ver.

Ele parecia muito melhor do que na última vez em que nos víramos, não tão magro e com menos cara de cansado. Sua aura brilhante e cheia de vitalidade voltara. Obviamente estava a caminho da recuperação. Nós dois estávamos.

— Onde está Irina? Aconteceu alguma coisa com ela? — ele perguntou.

— Não, é que eu... Você sabe... Já me sinto pronta, já está na hora... Anton, obrigado pelos cartões-postais, eles são muito divertidos e me fizeram rir.

— Ótimo! Fiquei feliz por encontrar você, porque queria lhe entregar isso.

Ele me deu um envelope que despertou em mim a lembrança culpada da carta não lida na gaveta de roupas íntimas.

— O que é isso? — perguntei.

— Grana — informou ele. — Muita grana. Agora que eu voltei a fazer filmes publicitários, o dinheiro está jorrando.

— É mesmo? — Aquele era o sinal definitivo de que era melhor continuarmos separados.

— Compre algo legal para vocês... Para Ema. Li no jornal que a Origins lançou um novo perfume. Não se esqueça de comprar uma coisinha para você também!

O brilho estava de volta aos olhos de Anton e eu senti uma imensa onda de afeto por ele, uma onda que quase se transmutou em um abraço apertado. Fiz de tudo para me conter dessa vez, mas não iria me segurar por muito mais tempo. Logo, logo conseguiríamos nos abraçar, como bons amigos.

Gemma

Eu nunca iria conseguir superar a perda de Owen, nem queria isso, pois estava muito bem me sentindo absolutamente miserável. Por isso foi uma espécie de decepção o dia em que eu amanheci me sentindo realmente ótima. Na verdade, levei até algum tempo para identificar a emoção, porque ela já não me era mais familiar.

Subitamente, enxerguei o meu relacionamento com Owen por uma ótica diferente; tinha chegado a hora de ele voltar para o planeta de onde viera, o Planeta dos Homens Mais Jovens. Lá, Lorna estava à sua espera, recebendo-o de braços abertos.

Eu me sentia pronta para reconhecer o quanto as coisas eram curiosas; Owen terminara comigo no mesmo dia em que papai voltara para casa. Era como se ele tivesse sido enviado para mim apenas enquanto eu precisasse dele. Normalmente eu não acredito em um Deus bondoso (aliás, normalmente nem me dou ao trabalho de acreditar em nenhum tipo de deus), mas isso me fez repensar essa possibilidade. Parei de focar no quanto eu sentia a falta dele e, em vez disso, me senti grata por ter tido a sua companhia por tanto tempo.

Tudo bem, eu continuava chorosa e instável, mas não acreditava na mudança que ocorreu em mim — foi como ter uma daquelas gripes que duram só vinte e quatro horas. No meio do sufoco, a gente acha que vai ficar uma semana de molho, e então, ao acordar no dia seguinte, está de volta ao normal numa boa, de forma inexplicável.

Para conversar a respeito da minha espantosa condição, convidei Cody para tomar um drinque, e ele, verdade seja dita, não se fez de rogado e aceitou.

— Prometo que não vou começar a chorar. — Se bem que eu dissera exatamente isso da última vez.

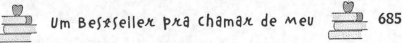

— Vamos a um lugar afastado, só para garantir — propôs ele e então, uma hora mais tarde, em um pub desconhecido de Black Rock, eu lhe confessei a minha recém-conquistada paz de espírito.

— E qual é o problema?

— Estou preocupada de ser muito superficial — expliquei. — Superar Owen tão depressa... Na semana passada, e até dois dias atrás, eu continuava devastada e agora me sinto ótima. Sinto falta dele, mas não acho mais que meu coração vai se despedaçar.

— Você já chorou por um ano inteiro. De qualquer modo, não era apenas com o seu namorado que você estava preocupada. Conversei com Eugene a respeito disso.

— Eugene? Que Eugene?

— Furlong. — Ele era um dos mais renomados psiquiatras da Irlanda e aparecia muito na tevê. — Eugene disse que sua reação foi desproporcional porque você estava pesarosa pelo seu pai.

— Mas meu pai já tinha voltado.

— Exato. Era um momento seguro para começar a sofrer.

— Mas isso não faz sentido.

Cody encolheu os ombros.

— Eu concordo. Isso é puro *nonsense*. Prefiro a teoria de que você é superficial.

Acabei não trabalhando com Anton na produção do filme baseado em *Caçando Arco-Íris*. Algo aconteceu com a atriz principal e o contrato melou. Fiquei desapontada — mas só porque o filme ajudaria o livro a vender mais e seria divertido, especialmente a parte de eu aparecer no set de filmagens e usar um vestido longo com uma fenda aberta até o alto das coxas e um bronzeado artificial na *première* — e não por não ter conseguido encontrar Anton. Depois saí desse clima e descobri que estava até aliviada por isso.

Lily

Ainda estava escuro quando acordei do meu sono profundo e estiquei a mão para tocar em Anton; descobri que ele não estava ali e
por um momento fiquei *surpresa*, até me lembrar de tudo o que
acontecera.

Na noite seguinte eu tornei a acordar, e dessa vez a ausência dele
me fez chorar. Desde que eu o deixara, vinha dormindo otimamente
bem, muito melhor do que quando estava em sua companhia. Não
conseguia entender o porquê de isso estar acontecendo justamente
agora, quando estávamos tão perto de processar as perdas e quase
prontos para ser amigos. Antes de abandoná-lo, eu já estava em paz
com a nossa situação. O pesar não me deixara incapacitada e não me
ocorreu questionar, nem por um momento, o porquê de eu lidar tão
bem com a situação. Simplesmente eu me sentia grata por ser poupa-
da do sofrimento.

Então por que, dois meses depois de tê-lo deixado, eu estava
mais triste do que nunca?

Na manhã seguinte, quando o carteiro chegou, Irina me entregou um envelope pardo com cara de correspondência séria e eu perguntei:

— Não chegou mais nada para mim?

— Não.

— Nadinha?

— Não.

— Um cartão-postal, por exemplo?

— Já dizze que não.

Um pensamento surgiu na minha cabeça: *Preciso sair um pouco,
para mudar de ares.*

Eu devia uma visita à minha mãe, em Warwickshire há muito tempo. Já fazia séculos desde a última vez que eu a apavorara insinuando que iria morar com ela.

Estava preocupada com a grana que iria perder se ficasse algum tempo sem trabalhar quando abri o envelope pardo com cara de assunto sério. Encontrei ali dentro um cheque de valor elevadíssimo com os direitos de *As Poções de Mimi*. O dinheiro que poderia ter salvo a nossa casa se tivesse chegado às minhas mãos em dezembro.

Fiquei com os olhos cheios d'água. Como estaria a nossa vida se aquilo tivesse acontecido? Mas logo enxuguei o rosto e admiti que, analisando o nosso jeito de ser, não estaríamos em muito melhor situação. Em janeiro teríamos de começar a pagar as parcelas mensais do financiamento e salário regular nunca fora o nosso forte.

Foi terrivelmente estranho receber aquele cheque. Ele fazia parte de uma parte tão diferente da minha vida que mais parecia uma mensagem perdida de uma civilização morta há milênios em uma galáxia distante. Mesmo assim, foi o "sinal" que eu precisava para espairecer. Graças àquele cheque, eu poderia tirar alguns dias de folga do trabalho e liguei para mamãe, a fim de lhe dar a boa notícia.

— Por quanto tempo você pretende ficar? — perguntou ela. Um pouco ansiosa demais, talvez?...

— Séculos — respondi. — Pelo menos alguns meses. Olhe, mãe, antes que a senhora comece a hiperventilar, só uma semana. Pode ser?

— Claro!

Fui fazer as malas e, por baixo de algumas camadas de roupas íntimas, achei a carta toda amassada de Anton. Estava dentro de um sutiã meia-taça e eu olhei para ela, quase esperando que se movesse. Estava louca para abri-la. Em vez disso, peguei-a pela ponta do envelope e a atirei dentro da cesta de lixo, algo que já deveria ter feito várias semanas antes.

Irina me ofereceu o seu novo Audi emprestado (um dos presentes que ganhara de Vassily) e eu o carreguei de tralhas. Basicamente bichinhos de pelúcia.

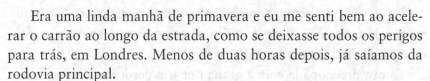

Era uma linda manhã de primavera e eu me senti bem ao acelerar o carrão ao longo da estrada, como se deixasse todos os perigos para trás, em Londres. Menos de duas horas depois, já saíamos da rodovia principal.

— Estamos quase chegando, Ema! — Em seguida exclamei: — Opa! — ao ver que minhas curvas suaves e despreocupadas haviam nos colocado atrás de um caminhão carregado com grossas estacas de concreto, que se arrastava e se sacudia sobre o asfalto a vinte e cinco quilômetros por hora. A estrada era estreita demais, cheia de curvas e não dava para ultrapassar, mas tudo bem. — Estamos no campo agora, Ema. Não temos pressa. — Ema concordou comigo e nos pusemos a desfiar os quatro milhões de versos de "Um elefante incomoda muita gente".

Cantarolando a parte do "incomoda, incomoda, incomoda, incomoda muito mais!...", seguimos nos arrastando lentamente atrás do caminhão quando subitamente — foi como assistir a um filme em câmera lenta — ele pulou ao cair em um buraco da estrada e as estacas de concreto se soltaram das correntes que as prendiam e começaram a se espalhar por todos os lados como se fossem um gigantesco jogo de pega-varetas. Elas despencaram do caminhão bem diante de nós, quicaram ao bater no asfalto e voaram na minha direção. Não deu nem tempo de levar susto. Uma delas estraçalhou o pára-brisas; porém, como por um passe de mágica, o vidro se transformou em um escudo opaco quebradiço e afundou para o interior do carro. Algumas das estacas atingiram o teto do veículo, que também afundou sobre nossas cabeças. Eu não conseguia ver nada adiante e meu pé estava no freio, mas continuávamos nos movendo. Em algum ponto da confusão, paramos de cantar e eu percebi, com clareza cristalina, que íamos morrer. Eu ia morrer junto com minha filhinha em uma estrada secundária de Warwickshire.

Não estou pronta para isso...

Pelo retrovisor, meus olhos se encontraram com os de Ema e ela pareceu intrigada com o movimento, em vez de apavorada.

Ela é minha filha e eu falhei na missão de protegê-la.

A derrapagem pareceu continuar por uma eternidade. Era como se vários anos tivessem passado: Ema entrara na escola, passara pela adolescência e já tivera seu primeiro susto de gravidez não planejada antes de eu ter o primeiro lampejo de que estávamos parando. Era como estar em um sonho daqueles em que a pessoa quer correr, mas as pernas se recusam a obedecer o cérebro; o freio estava pressionado até o piso do carro, mas não respondia.

Finalmente, depois dessa eternidade, o carro parou. Fiquei sentada, muda, por um instante, mal acreditando no silêncio que descera em torno de nós, e me virei na direção de Ema. Ela me estendeu o braço. Havia algo brilhante em sua mãozinha.

— Vidro! — ela informou.

Saí do carro, mas minhas pernas pareciam tão leves que eu me senti flutuar. Recolhi Ema de sua cadeirinha e ela também me pareceu estar sem peso algum. Seu penteado em estilo Dora, a Exploradora, estava salpicado for centenas de minúsculos fragmentos de vidro — a janela traseira se quebrara atrás dela, mas o estranho é que ela não parecia estar ferida. Nem eu. Não havia nada dolorido e nenhuma de nós duas tinha vestígio algum de sangue.

O motorista do caminhão se transformara em uma máquina de gaguejar:

— Mi-minha No-Nossa Senhora! — ele repetia sem parar. — Minha No-Nossa Senhora! Eu a-achei que tinha matado vocês. Pe-pensei que tinha matado vocês!

Ele pegou um celular e fez uma chamada pedindo socorro — pelo menos era o que eu imaginava —, enquanto eu fiquei ali abraçando Ema, olhando o carro que estava em estado de "perda total" e as estacas de concreto espalhadas ao longo da estrada. Senti uma urgente necessidade de me sentar, pois mal sentia as pernas. Deixei-me escorregar sobre a grama do acostamento e apertei Ema junto de mim. Ali, sentada no acostamento, subitamente percebi a razão de estar sem um único arranhão. Não era por um absurdo golpe de sorte, mas sim pelo fato de eu, na verdade, estar morta. Belisquei o braço. Acho que não senti nada, mas não tive certeza. Então belisquei o braço de Ema para confirmar e ela olhou para mim, surpresa.

— Desculpe — pedi.

— Puxa, Lily — ela reclamou. — Não belisca!

Estava um dia meio frio — dava para ver o vapor quando eu expirava —, mas eu me sentia absolutamente confortável: zonza, como se o ar estivesse rarefeito, mas muito serena. Puxei Ema ainda mais para junto de mim, encostando a bochecha na dela, e uma paz profunda desceu sobre nós, como se estivéssemos posando para uma foto. A distância, ouvi o barulho das sirenes. De repente uma ambulância chegou, alguns homens pularam lá de dentro e vieram em nossa direção.

É isso, pensei. Essa é a parte em que eu os vejo colocando meu corpo sem vida sobre uma maca e descubro que estou flutuando a cinco metros acima da cena. Não consegui descobrir se Ema também estava morta ou não.

Uma lanterna fina com luz ofuscante foi colocada diante do meu olho, um medidor de pressão foi preso com velcro em meu braço e as pessoas começaram a me fazer perguntas idiotas. "Que dia é hoje?", "Qual o nome do primeiro-ministro?", "Quem venceu o Big Brother?" O sujeito da ambulância, um homem de meia-idade com ar calmo e reconfortante, olhou para o carro todo amassado e recuou, horrorizado.

— Vocês tiveram uma sorte danada!

— É mesmo? — Aquela era a minha chance. — O senhor está me dizendo que não estamos mortas?

— Não, vocês não morreram — disse ele, sem rodeios —, mas estão em estado de choque. Não faça nada imprudente.

— Como o quê?

— Não sei. Nada imprudente.

— Então tá!

Fomos levadas para um hospital e examinadas minuciosamente. Concluíram que estávamos em perfeitas condições, o que era espantoso, e em seguida mamãe apareceu para nos carregar para casa, um chalé idílico localizado em um vilarejo, junto de uma fazenda. O jardim da casa de mamãe dava para um campo onde havia três ovelhas com ar absolutamente inexpressivo e um carneirinho que pulava animadamente em volta delas como um idiota.

Ema, uma menina da cidade grande, arregalou os olhos diante das primeiras ovelhas de verdade que encontrava em sua vida.

— Cachorro mau — gritou Ema para elas. — Cachorro MAU!

Em seguida começou a latir — uma imitação muito convincente por sinal — e as ovelhas se reuniram junto do portão para observá-la, com as cabeças lanosas juntinhas e uma expressão benigna no olhar.

— Venham, entrem! — pediu mamãe. — Vocês passaram por uma experiência terrível, precisam repousar.

Eu não queria deixar Ema sozinha, nem tirar os olhos dela depois de quase tê-la perdido, mas mamãe garantiu:

— Ela vai ficar a salvo aqui. — De algum modo, acreditei nela. Minutos depois, ela me instalou em um quarto com piso de madeira brilhante e papel de parede com padrão florido, e eu me vi mergulhando em uma cama muito macia com aconchegantes lençóis de algodão. Tudo cheirava a limpeza, conforto e segurança.

— Preciso resolver o problema com o carro de Irina — disse. — E preciso entrar em contato com Anton. Tenho de me certificar de que nada de mau vai tornar a acontecer com Ema. Mas primeiro preciso dormir um pouco.

De repente era de manhã. Abri os olhos e vi mamãe e Ema no quarto. Ema ria de orelha a orelha.

A primeira coisa que eu disse foi:

— Nós não morremos ontem.

Mamãe me lançou um olhar em estilo "Não diante de Ema, por favor" e perguntou:

— Como passou a noite?

— Dormi maravilhosamente bem. Acordei para ir ao banheiro no meio da madrugada, mas não bati com o olho na quina do armário. Portanto, meu nervo ótico não ficou danificado e não vou precisar ter visão dupla pelo resto da vida.

— Seu pai está vindo de Londres. Ele precisa ver com os próprios olhos que você conseguiu escapar das garras da morte. Só que eu e ele não vamos reatar, de jeito nenhum — acrescentou, depressa. — Mamãe sempre fazia questão de me dizer isso sempre que ela e papai se encontravam. — Também liguei para Anton.

— Não deixe que ele venha nos visitar.

— Por que não?

— Porque eu não posso fazer nada imprudente.

Mamãe me olhou com cara triste.

— É uma grande pena o que aconteceu com você e Anton.

— Sim — reconheci. — Pelo menos eu não o peguei usando um saiote vermelho e meias de seda preta, masturbando-se na frente do espelho da minha penteadeira.

— Mas de que diabos... — perguntou ela, com a testa franzida — você está falando?

Eu franzi o cenho de volta.

— Nada, nada! Estou só comentando como é bom que isso nunca tenha acontecido. As coisas ficariam muito mais difíceis para nós, porque cada vez que olhasse para ele eu ia ficar com vontade de rir.

— E que história foi aquela de não bater com o olho na quina do armário?

— Nada. Simplesmente fiquei feliz por isso não ter acontecido.

Uma sombra passou pelos seus olhos e ela puxou Ema para junto de si de forma protetora, dizendo:

— Querida, quer preparar panquecas com a vovó?

As duas desapareceram rumo à cozinha. Eu me vesti lentamente e me sentei no peitoril da janela, ao sol, cantarolando baixinho até que as rodas de um Jaguar com vinte anos de uso chegaram triturando o cascalho da entrada da casa, anunciando que papai e Poppy acabavam de chegar de Londres.

Mamãe observou papai sair do carro e girou os olhos para cima.

— Exatamente como era de esperar, ele está aos prantos — reclamou ela. — Seu pai tem uma quedinha irritante por sentimentalismos. Isso é muito desagradável.

Ela abriu a porta da frente e Ema ficou tão empolgada por ver Poppy que quase engasgou. De mãos dadas, elas correram juntas pela casa, a fim de quebrar algumas coisas, enquanto papai me pegou nos braços e me deu um abraço tão apertado que eu também quase engasguei.

— Minha garotinha! — exclamou ele, com a voz embargada pelas lágrimas. — Não tive um segundo de sossego desde que soube. Vocês tiveram tanta sorte!

— Sim, eu sei. — Consegui me desvencilhar dele e respirei fundo. — Quando a gente pensa nisso, percebe que eu tive sorte durante toda a minha vida.

Ele me olhou ligeiramente intrigado, mas, como eu estivera frente a frente com a morte, ele precisava me animar.

— Pense só... — continuei — em todas as vezes que eu bebi uma lata de Coca-Cola em dias de verão sem nunca, nem por uma vez, ter sido picada por uma vespa que entrou na lata sem ninguém ver. Também nunca tive um choque anafilático daqueles que a língua enrola como uma bola de beisebol e trava. Isso não é maravilhoso?

Mamãe olhou para papai.

— Ela está dizendo coisas assim desde que acordou. Por que, minha filha?

— Estou só puxando conversa.

Caímos todos em um silêncio desconfortável e deu para ouvir os berros felizes de Ema e Poppy atormentando as ovelhas. ("Cachorro mau. Cachorro FEIO.") Mamãe olhou na direção do burburinho, mas então virou a cabeça novamente na minha direção e voltou a atacar:

— E agora, o que está pensando, Lily?

— Em nada! Só estou feliz por lembrar que minhas unhas dos pés sempre cresceram na direção certa. Ter unhas encravadas deve ser muito doloroso. E a operação para desencravá-las sempre me pareceu terrível.

Mamãe e papai trocaram olhares.

("Cachorro sujo. Cachorro PELUDO.")

— Você devia ir ao médico, filha — sugeriu mamãe.

Não concordei. Simplesmente sentia um daqueles surtos de gratidão que quase sempre me acometiam depois de um trauma qualquer. Tentei explicar:

— Ontem eu e Ema poderíamos ter morrido de tantas maneiras diferentes! Poderíamos ter sido atingidas por uma das estacas de concreto, eu poderia ter caído com o carro na vala ao lado da estrada, pois não dava para ver em que direção ia, ou poderíamos ter ficado debaixo do caminhão. Ser salva de tantos modos diferentes ao mesmo tempo me fez lembrar as coisas terríveis que podem nos acontecer todos os dias e não acontecem. Mesmo que nem tudo esteja correndo bem para mim, eu me sinto com muita sorte.

Eles me olharam com o rosto sem expressão, como se não compreendessem, e eu continuei:

— Essa noite eu sonhei que carregava Ema no colo através de uma terra desolada; pedras imensas despencavam do céu e caíam do nosso lado; fendas terríveis se abriam na terra assim que acabávamos de passar. Ema e eu escapamos incólumes e uma trilha segura surgia do nada bem debaixo dos meus pés no exato momento em que eu precisava dela.

Parei de falar. Os rostos de papai e mamãe continuavam parados, sem expressão.

Por fim, papai disse:

— Talvez você tenha sofrido uma concussão na cabeça, querida. — Virou-se para mamãe. — Viu só o que fizemos a essa menina? Isso é culpa nossa.

Papai começou com sua mania de grandeza e disse que ia me levar à Harley Street, pois fazia questão que eu recebesse o melhor atendimento possível, mas mamãe o fez baixar a bola:

— Por favor, deixe de bobagem.

— Obrigada, mamãe. — Pelo menos um dos dois me entendia.

Então ela determinou:

— O médico local serve para esses casos.

Tentei esconder de mim mesma o que acontecia, mas não consegui. Foi como na vez em que eu fui assaltada, só que ao contrário, entendem? Naquela ocasião, eu percebi todas as coisas terríveis que podiam acontecer com um ser humano. Agora eu via todas as coisas ruins que *não aconteciam*.

O mundo é um local seguro, pensei. Viver é uma atividade de baixo risco.

No dia seguinte papai voltou, um pouco relutante, para Londres — Debs precisava dele com muita urgência para abrir um vidro de geleia ou algo desse tipo. Ficamos sozinhas, mamãe, Ema e eu. O tempo estava glorioso e meu estado de espírito acompanhava o clima. Pensei que fosse explodir de alegria por não estar com tétano. Nem lepra.

Com olhar expressivo, perguntei à mamãe:

— Não é maravilhoso não ter artrose?

Ela resolveu:

— Pronto! Já chega! — pegou o telefone e solicitou a visita de um médico.

O dr. Lott, um rapaz de cabelos encaracolados, apareceu em meu quarto revestido de flores menos de uma hora mais tarde.

— Qual é o problema?

Mamãe respondeu antes de mim:

— Ela acabou com um relacionamento de vários anos, sua carreira literária se encerrou e mesmo assim se sente muito feliz. Não é isso, filha?

Assenti com a cabeça. Sim, tudo isso era verdade.

O dr. Lott franziu o cenho e sentenciou:

— Isso é preocupante. Muito preocupante por sinal, mas não é necessariamente sinal de doença.

— Eu quase fui morta — informei-lhe.

Ele olhou para mamãe e levantou as sobrancelhas com ar questionador.

— Não, não foi por ela — atalhei, e expliquei tudo sobre o acidente.

— Ah! — exclamou ele. — Agora tudo faz sentido. — Seu corpo está tão surpreso por ainda estar vivo que você deve estar com um súbito aumento de adrenalina no sangue. Isso explica o seu astral elevado. Não se preocupe, isso logo vai passar.

— Então em breve eu vou começar a me sentir novamente deprimida?

— Sim, sim — confirmou ele, para me animar. — Possivelmente você vai se sentir pior do que normalmente. Você vai passar por uma queda de adrenalina.

— Ora, mas que alívio! — comentou mamãe. — Obrigada, doutor, vou levá-lo até lá fora.

Ela foi com ele até o carro e suas vozes vieram flutuando pela janela:

— Tem certeza de que o senhor não quer receitar nada para ela? — ouvi mamãe perguntar.

— Receitar o quê?

Mamãe pareceu intrigada.

— Algo com efeito contrário ao dos antidepressivos.

— Não há nada errado com ela.

— Mas isso está insuportável! Além do mais, estou preocupada com o que esse excesso de positividade poderá causar à minha neta.

— Aquela que está berrando para as ovelhas? Ela não me parece traumatizada. Aliás, para ser franco, a mãe estar com o ânimo positivo e em alta depois de um choque desses é a melhor coisa para a menina.

Senti vontade de erguer o punho fechado em sinal de vitória. A preocupação com Ema era uma constante pedra no meu sapato; fiquei empolgadíssima ao descobrir que — ainda que por acaso — eu estava fazendo o melhor para ela.

— Não se preocupe — garantiu o dr. Lott para mamãe. — Esse alto-astral de Lily vai passar logo.

— E como aturar isso, enquanto espero?

— Ela é escritora, não é? Por que a senhora não tenta persuadi-la a escrever sobre isso? Pelo menos enquanto estiver escrevendo, ela não vai estar falando.

Mal ele acabou de pronunciar essa frase, eu já estava com caneta e bloco na mão e vi minha mão escrever:

"Graça acordou e descobriu que mais uma vez um avião não caíra sobre a casa durante a noite." Era uma ótima frase de abertura para um livro, pensei.

E o mesmo aconteceu com o parágrafo seguinte, em que Graça tomou uma ducha quente sem se deixar cozinhar; comeu uma tigela de müsli e não se engasgou até morrer com um pedaço de noz; esquentou a chaleira no fogão elétrico sem ser eletrocutada; enfiou a mão em uma gaveta sem cortar uma artéria na lâmina de uma faca; saiu de casa sem escorregar em uma casca de banana que poderia tê-la jogado diante de um carro em alta velocidade; a caminho do trabalho, o ônibus não bateu em nada; ela conseguiu não desenvolver câncer de ouvido por causa do celular e nada pesado caiu do céu em cima da sua mesa de trabalho — tudo isso antes das nove da manhã! Eu já tinha até um título para o novo livro. *Uma Vida Encantada.*

Levei menos de cinco semanas. Durante todo esse tempo, Ema e eu ficamos na casa de mamãe e durante quinze horas por dia, em média, eu ficava diante do computador dela batucando no teclado. Meus dedos mal conseguiam acompanhar a enxurrada de palavras que vinha do meu cérebro.

Quando ficou claro que eu produzia algo importante, mamãe assumiu os cuidados com Ema.

Nos dias em que ela precisava trabalhar (mamãe tinha um emprego de meio expediente em dias variados, vendendo aventais da campanha do governo para a preservação ambiental em um posto ali perto), ela simplesmente levava Ema junto. E quando não estava no trabalho, ela e Ema caminhavam juntas pelas campinas, colhendo flores silvestres e se tornando (nas palavras dela mesma) "mulheres que correm com as ovelhas". Isso me deixava livre para transferir minha história da cabeça para o computador.

Minha heroína era uma mulher chamada Graça (nem um pouco sutil, eu sei, mas era melhor que chamá-la de Fortunata). Ela protagonizava uma complicada história de amor em que havia seis personagens, e a ação se desenrolava sobre um fundo formado por todas as coisas terríveis que *não aconteciam* às pessoas em geral.

A primeira noite eu li o que escrevera para mamãe e Ema.

— Querida, isso é lindo! — elogiou mamãe.

— Sujo — concordou Ema. — Imundo!

— É uma história adorável e muito alegre.

— Mas a senhora é minha mãe — disse eu. — Preciso de alguém que seja imparcial.

— Ora, querida, eu não mentiria para você. Não sou esse tipo de mãe. — Com ar animado, continuou: — Quando insisti para que você se consultasse com um médico, eu não estava sendo antipática, apenas preocupada com você.

— Eu sei.

— A propósito, Anton tornou a ligar. Quer ver Ema, desesperadamente.

— Não. Ele não pode vir. Não posso vê-lo. Estou seguindo os conselhos do médico. Não devo fazer nada imprudente.

— Mas você não pode negar-lhe o direito de ver a própria filha, ainda mais depois de ela quase ter morrido. Lily, por favor, tente ser menos egoísta.

O que me importava Anton? Eu tinha de pensar em Ema, especialmente depois de ela quase ter morrido. Embora ela estivesse lidando com aquele mais recente trauma com a resistência de sempre, o contato regular com o pai era vital para o seu bem-estar.

— Então tá... — resmunguei, mal-humorada como uma adolescente.

Mamãe saiu do quarto, mas voltou logo.

— Anton vem amanhã de manhã — avisou. — Ele me pediu para agradecer a você.

— Mamãe, quando Anton chegar, daqui a pouco, a senhora vai ter que recebê-lo para entregar Ema, porque eu não consigo.

— Mas por quê?

— Porque não — insisti. — Recebi esse conselho do médico. Não posso fazer nada imprudente.

— Como assim... Imprudente?

— Sei lá, apenas... imprudente. Preciso deixar passar esse aumento de adrenalina, essa fase ou lá o que seja. Só depois vou poder tornar a vê-lo.

Mamãe não gostou muito dessa história, especialmente porque eu fechei as cortinas do escritório, para o caso de a visão de Anton provocar algum comportamento imprudente de minha parte. Mergulhei na complicada vida amorosa de Graça e seus golpes de sorte, e esperei o tempo passar.

Horas mais tarde, mamãe entrou no escritório. Tirei os plugues do ouvido (que eu colocara para evitar que a voz de Anton me provocasse um ataque de imprudência) e perguntei:

— Ele já foi?

— Já.

— Como ele estava?

— Bem. Ficou emocionado por ver Ema, e *ela* mal coube em si de contente. *É mesmo* a filhinha do papai.

— Ele perguntou por mim?

— É claro.

— O que ele disse?

— Ele disse: "Como vai Lily?"

— Só isso?

— Acho que sim.

— E sobre o que vocês dois conversaram?

— Bem, nada de especial. Ficamos brincando com Ema. Estávamos fazendo pouco das ovelhas.

— E na hora de sair ele falou alguma coisa a meu respeito?

Mamãe pensou por alguns instantes.

— Não — disse, por fim. Não falou nada.

— Que simpático! — murmurei, olhando para a tela.

— Por que se importa? Você o largou.

— Eu não me importo. Só que mal consigo acreditar que ele tenha sido tão rude.

— Rude? — perguntou mamãe. — Isso, vindo da mulher que se sentou no escritório com as cortinas fechadas e os ouvidos tapados com plugues de silicone. Rude, querida?

A segunda visita de Anton não me perturbou tanto quanto a primeira. Ele viera ver a filha e tinha todo o direito de fazê-lo. Como mamãe disse, eu deveria estar feliz por minha filha ter um pai tão devotado. A partir de então, Anton passou a vir de Londres a cada cinco ou seis dias, mas em cada uma de suas visitas eu permaneci enclausurada. Só uma vez — mesmo com os plugues de ouvido — eu o ouvi rindo e foi como a dor fantasma num membro amputado; fiquei surpresa por ainda ser capaz de sofrer tanto.

Uma noite, ao levar Ema para a cama, ela sussurrou no meu ouvido, tão baixinho que eu quase não consegui ouvir: "Anton cheira gostoso." Aquela frase, em si, não significava grande coisa. Ema não era muito boa para formar frases coerentes e, assim como disse isso, poderia ter dito "Anton lambe árvores" ou "Anton bebe gasolina". Mesmo assim, isso gerou uma nostalgia tão intensa e familiar dentro de mim que eu senti vontade de uivar de tristeza.

Fui obrigada a ressuscitar o mantra que me ajudara a vencer os primeiros dias de separação: Anton e eu nos apaixonamos um pelo outro, tivemos uma filha juntos e parecemos almas-gêmeas desde o momento em que nos conhecemos. O fim de algo tão precioso só poderia ser doloroso, e talvez a ruptura fosse machucar de vez em quando por toda a vida.

Lembrei-me daquele encontro tranquilo, poucos dias antes de eu deixar Londres, quando achei que Anton e eu estávamos a um passo de nos tornarmos apenas bons amigos. Pois sim! Eu me enganara redondamente: não estávamos nem perto disso.

Continuei a escrever todos os dias; as palavras jorravam de mim. Todas as noites, antes de colocar Ema na cama, eu lia para elas o texto que produzira naquele dia e mamãe delirava de emoção. Ema também sempre comentava alguma coisa ("animado"; "cansado"; "fedorento"). Eu não senti a queda de adrenalina que o dr. Lott previu, mas quanto mais avançava na história, mais o meu senso de salvação encolhia. No comecinho de maio, ao acabar o livro, eu já praticamente voltara ao normal. (Embora ligeiramente mais alegre do que antes do acidente.)

Sabia que *Uma Vida Encantada* era um sucesso certo; todo mundo iria adorar a história. Não se tratava de arrogância, pois eu também sabia que os críticos seriam cruéis com o livro. Só que já aprendera uma ou duas coisas sobre o mercado editorial àquela altura.

Vira como as pessoas haviam reagido a *As Poções de Mimi* e tinha a intuição de que o novo livro geraria uma resposta semelhante. A história e o local onde se desenrolava *Uma Vida Encantada* eram completamente diferentes dos de *As Poções de Mimi*, mas o sentimento era igual. Para início de conversa, era terrivelmente não realista. Para ser simpática com o livro (por que não ser?), diria que ele era mágico.

Era hora de voltarmos a Londres; mamãe me pareceu triste, mas tentou me esconder isso.

— Não se trata de mim — explicou ela. — As ovelhas vão se sentir arrasadas. Elas adotaram Ema como se ela fosse uma espécie de deusa.

— Vamos voltar para visitá-las.

— Voltem sim, por favor. E mande lembranças minhas a Anton. Você vai vê-lo quando chegar a Londres? Será que o medo de você fazer algo imprudente passou?

Eu não sabia. Talvez.

— Posso lhe dar um conselho, querida?

— Não, mamãe, por favor não faça isso.

Mas ela já estava no embalo:

— Sei que Anton é pouco confiável com relação a dinheiro, mas é muito melhor viver com um homem mão-aberta do que com um unha-de-fome.

— Como é que a senhora sabe? Quem era unha de fome?

— Peter. — Era seu segundo marido. — Ele tirava dinheiro do bolso como se estivesse arrancando um dente. — Eu nunca tinha percebido aquilo. Ou será que tinha? Talvez tivesse uma leve desconfiança, mas, depois de toda a insegurança de viver com papai, imaginei que mamãe gostasse daquilo.

— Pelo menos viver com o seu pai era divertido — disse ela, com ar saudoso.

— Tão divertido que a senhora se divorciou dele.

— Oh, querida, sinto muito. O problema é que ele me fazia sofrer com todos aqueles esquemas infalíveis de ganhar dinheiro. Mas depois de morar com um homem que calculava quantos dias cada rolo de papel higiênico devia durar, descobri que é melhor passar um dia ao lado de um mão-aberta do que mil anos junto de um unha de fome. — Um ar de ansiedade apareceu em seu rosto. — Isso não significa que eu e seu pai estejamos planejando nos casar novamente. Por favor, não saia daqui com ideias erradas.

Ema e eu voltamos para Londres.

Eu me senti tão mal por devolver o lindo carro de Irina todo amassado que acabei comprando um novo para ela. O fato é que eu estava com aquela grana preta dos direitos de *As Poções de Mimi* depositada no banco, sabem como é... Irina, entretanto, não ficou nem um pouco impressionada com a minha generosidade.

— Vozê não prrezizava fazer izo. O zeguro ia me dar uma carro novo.

Dei de ombros.

— Tudo bem, então... Quando chegar o dinheiro do seguro, você me reembolsa.

— Vozê é dezcuidada com dinheirro — comentou ela, em um tom frio. — Fico irritada com izo.

Mesmo me desprezando por eu lhe comprar um carro novo, ela me perdoou e permitiu que eu e Ema continuássemos morando ali até conseguirmos um lugarzinho só nosso.

Assim que entrei no quarto, notei que a cesta de papéis não fora esvaziada desde que eu fora embora. Obviamente, Irina respeitava minha privacidade. *Merda*. A carta de Anton continuava ali, com uma das pontas para fora. Olhei para ela, perguntando-me o que fazer, e então, mais que depressa, peguei-a e a enfiei no fundo da gaveta de roupa íntima, desconfortável por sentir que ela continuava me assombrando.

Antes de entregar *Uma Vida Encantada* a Jojo, resolvi procurar alguém para ler o livro e me dar uma opinião neutra, alguém que não me enganasse só para me agradar; a escolha óbvia foi Irina, que passou uma tarde inteira lendo o livro. Ao devolvê-lo para mim, seu rosto estava impassível.

— Não gostei — declarou ela.

— Ótimo, ótimo! — incentivei.

— Há esperança demais na história. Mas as outras pessoas vão gostar muito, certamente.

— Sim — disse eu, com ar feliz. — Foi exatamente o que eu pensei.

Gemma

De repente, não mais que de repente, era primavera e a vida era boa. Papai voltara para mamãe, meu livro seria lançado logo — aliás, já estava à venda nos aeroportos, mas ainda era cedo para saber se ia vender bem — e agora que não era mais preciso salvar mamãe financeiramente, eu tinha grana suficiente para quitar a fatura do cartão de crédito, vender meu carro e comprar outro que os homens não se sentissem inclinados a atacar.

Talvez, em breve, eu seguisse o exemplo de Jojo e passasse a trabalhar por conta própria. Só que devido à minha carreira de escritora, que ainda estava no início, decidi não fazer nada a esse respeito, por ora.

A única nuvem negra no meu céu de brigadeiro era eu continuar envergonhada pelo clima que rolara entre mim e Johnny, o farmacêutico. Isso me impedia de passar de carro em frente à farmácia. Mas tudo bem... Mostrem-me alguém cuja vida é inteiramente descomplicada e eu lhes mostrarei uma pessoa mortinha da silva.

Em abril, poucas semanas antes de meu livro ser apresentado ao mundo, finalmente fui curtir minhas férias em Antígua. Andrea resolveu ir no lugar de Owen. Depois, Cody avisou que também queria viajar, e aconteceu o mesmo com Trevor, Jennifer, Sylvie e Niall. Susan avisou que iria direto de Seattle e de repente éramos oito. Como estava virando excursão, sete dias me pareceram pouco tempo. Resolvemos trocar a reserva para duas semanas.

Antes mesmo de deixarmos Dublin, a empolgação já era grande. Na livraria do aeroporto, alguns de nosso grupo se amontoaram em volta da pequena vitrine onde *Caçando Arco-Íris* estava exposto e começaram a comentar em voz alta: "Ouvi dizer que esse livro é fantástico" e "Compraria esse livro para mim, se eu estivesse saindo de férias". Então, quando uma mulher realmente comprou o meu romance, Cody colou nela e informou-lhe que eu era a autora; apesar de ela obviamente achar que estávamos tirando onda com a sua cara, a pobrezinha me deixou autografar seu exemplar e não se importou de aparecer ao meu lado (eu cheia de lágrimas) no pequeno vídeo que Cody fez do evento.

Então, ao chegarmos ao resort, uma mulher deitada junto da piscina — uma mulher diferente da do aeroporto, diga-se de passagem — também lia *Caçando Arco-Íris*. É claro que havia seiscentos e quarenta e sete outras mulheres lendo *As Poções de Mimi*, mas deixa pra lá... Admito que eu sentia uma fisgada no coração cada vez que via uma delas, mas nada que eu não pudesse administrar.

Encontramos Susan, que chegara na véspera de Seattle, e as duas semanas que se seguiram foram uma curtição ininterrupta. O sol brilhou, todos se entrosaram muito bem uns com os outros e sempre havia alguém disponível para me servir de companhia, embora o lugar fosse grande o bastante para o caso de precisarmos de (aquela palavra horrível) "espaço". Havia um spa, três restaurantes, muitos esportes aquáticos e toda a birita de boa qualidade que conseguíssemos consumir. Me submeti a um monte de tratamentos para a pele, fiz aulas de mergulho, li seis livros e tentei aprender windsurf, mas eles me pediram para voltar quando eu não estivesse pra lá de Marrakech com a caveira cheia de *piñas coladas*. Conhecemos milhões de pessoas e Susan, Trevor e Jennifer descolaram uma transa. Na maioria das noites dançávamos até o sol raiar em uma discoteca caidaça, mas — essa era a melhor parte — não temíamos o dia seguinte. (A vantagem da birita de boa qualidade.)

Essas férias foram o meu momento da virada. Acho que eu tinha esquecido como era ser feliz, mas redescobri lá. Na nossa última noite, sentada no bar em frente à praia, ouvindo o som gostoso das ondas e sentindo o fresquinho gostoso da brisa perfumada, percebi que tinha me livrado da amargura com relação a Lily e Anton, depois de arrastá-la por tanto tempo. E também já não tinha vontade de dirigir até onde Colette trabalhava só para zoar dela. Para falar a verdade, sentia pena; com dois filhos, a sua vida não devia ser nada fácil e sua sorte com os homens só podia ser pavorosa *de verdade*, muito pior que a minha, para ela achar meu pai um grande partido. (Com todo o respeito, sei que ele é um homem adorável, simpático e bla-bla-blá, mas *fala sério!*) Eu até me achei disposta a perdoar papai. Inspirava bem-estar, expirava serenidade e sentia boa vontade em relação a todo mundo.

Olhei para as pessoas sentadas à minha volta — Andrea, Cody, Susan, Sylvie, Jennifer, Trevor, Niall e um carinha de Birmingham cujo nome eu esqueci e se juntara a nós na mesa porque andava transando com Jennifer. Na hora, pensei: *Isso é tudo o que eu preciso... Bons amigos, amar e ser amada. Gozo de boa saúde, tenho um emprego bem-remunerado, um livro sendo lançado, um futuro promissor e pessoas que me amam. Estou realizada e completa.*

Tentei explicar a Cody o quanto eu me sentia leve e feliz.

— Claro que sim! — confirmou ele. — Você está pra lá de Marrakech, com a caveira cheia de *piñas coladas* (essa se tornou a frase-símbolo das férias). Só que desistiu dos homens, Gemma, e não deve fazer isso.

Tentei explicar a ele que eu não havia desistido, e sim simplesmente revisto minhas prioridades, mas não o convenci disso, provavelmente por estar pra lá de Marrakech, com a caveira cheia de *piñas coladas*. Mas tudo bem. Felicidade significa não precisar ser compreendida.

Jojo

Jojo acordou e refletiu sobre os primeiros dois pensamentos que lhe vinham à cabeça todas as manhãs. Sentiu que aquele era o dia em que alguma coisa tinha de mudar.

Nas primeiras duas semanas depois de deixar a Lipman Haigh, sua vida andou atribulada. O telefone tocava o tempo todo — autores lhe avisando que iriam pular fora do barco para assinar contrato com Richie Gant, Mark implorando para ela voltar, pessoas do meio editorial loucas para saber o que acontecera — e então, num piscar de olhos, tudo subitamente ficou calmo. Parecia até uma conspiração. O silêncio a incomodava e o tempo começou a passar devagar demais.

Jojo descobriu que ficar sentada em sua sala tentando gerenciar uma agência literária quase sem autores era uma pobreza total. O último levantamento mostrou que ela perdera vinte e um de vinte e nove autores para Richie Gant, e só os menores e pouco lucrativos haviam permanecido com ela.

Nenhum dinheiro estava entrando — nenhum *mesmo*! — e isso a deixava apavorada.

Desde os dezesseis anos, Jojo sempre tivera um emprego; estar sem renda era como balançar em um trapézio sem rede de segurança.

Durante treze semanas, a cada manhã, aquele era o seu segundo pensamento ao acordar. Passou-se o mês de fevereiro, e também março e abril. Já era início de maio e nada mudara.

Ela precisava de novos autores, mas ninguém sabia dela, e o curioso é que a Lipman Haigh não lhe repassava nenhum dos originais que eram enviados diretamente aos seus cuidados.

Uma reportagem com o seu perfil profissional publicada pelo *Times* (matéria conseguida por Magda Wyatt) provocou o envio de vários originais para Jojo. A maioria era horrível, mas sinalizava que ela ainda estava em campo. Entretanto, até aquele momento, nenhum deles resultara em um contrato para publicação.

Os dias de Jojo pareciam intermináveis, pois ela continuava enfiada no apartamento, esperando, sem nada acontecer. Os editores não a levavam mais para almoçar em restaurantes elegantes e Jojo adotara, deliberadamente, a política de não comparecer a eventos badalados do mundo literário em que pudesse dar de cara com Mark. Entretanto, às vezes isso era difícil de evitar, porque ela precisava mostrar aos editores que ainda estava viva.

Mesmo assim, ela fazia de tudo para se manter afastada, porque Mark era a primeira coisa em que ela pensava todas as manhãs. Mesmo agora, mais de três meses desde que ela o vira pela última vez, havia momentos em que a dor tornava difícil até o ato de respirar.

Aquele, portanto, era o dia em que algo teria de acontecer.

Não sobrara dinheiro nenhum; ela vendera a sua pequena carteira de ações, retirara alguma grana antecipada do seu fundo de pensão e entrara no vermelho, tanto no cheque especial quanto nos cartões de crédito. Utilizara todos os recursos, tinha a prestação do seu apartamento para pagar e, não importava o que acontecesse, não queria perdê-lo.

Havia duas opções, nenhuma delas atraente. Ela poderia refinanciar seu apartamento ou voltar a trabalhar em uma agência grande. Seria difícil (melhor dizendo, *impossível*) refinanciar o apartamento sem um emprego estável. Então, na verdade, só havia uma opção, mas dizer que existiam duas fazia com que as coisas parecessem melhor.

Uma parte dela lhe dizia que seria como jogar a toalha se ela voltasse ao sistema que acabara com ela. Outra parte, no entanto, argumentava que sobreviver era o mais importante. Ela bem que tentara levar isso adiante, mas a mulher inteligente sabe quando parar de insistir.

Ela precisava comer. E comprar bolsas.

Desde que a notícia de sua saída da Lipman Haigh fora divulgada, Jojo recebeu ofertas de emprego de quase todas as grandes agências literárias da cidade, mas recusara todas, educadamente. Na verdade, havia respondido que talvez *ela* estivesse oferecendo emprego a *eles* dentro em breve.

Tudo bem, talvez estivesse confiante demais. Mas se os autores tivessem ficado com ela, tudo teria dado certo. De qualquer modo, não adiantava chorar o leite derramado. Jojo sabia de cor e salteado uma lista de pessoas para as quais acharia insuportável trabalhar, e iria começar a escolhê-las de baixo para cima.

Sentindo-se meio estranha e triste, pegou o telefone e ligou para a agência número um da lista, a Curtis Brown. A pessoa com quem precisava falar não estava disponível e ela deixou um recado. Em seguida, ligou para Becky para lhe contar o que resolvera.

— Mas, Jojo!... Voltar para o sistema patriarcal vai ser muito ruim para a sua alma! — matraqueou Becky.

— Estou dura. Além do mais, para que eu preciso de uma alma? Nunca a uso, mesmo. Se tivesse que escolher entre a minha alma e uma bolsa nova, ficaria com a bolsa.

— Já que você pensa assim...

Quando o telefone tocou, ela achou que fosse alguém da Curtis Brown, respondendo ao recado, mas não era.

— Jojo, é Lily. Lily Wright. Tenho um livro novo para você. Eu acho que você vai adorar. Gostar, pelo menos.

— Você acha? Bem, então deixe-me dar uma olhada! — Jojo não tinha esperança alguma nisso. Lily era uma pessoa formidável, mas, em termos literários, era carta fora do baralho. Depois do estrondoso desastre de *Claro como Cristal*, nunca mais alguém iria querer publicar alguma coisa dela.

— Moro perto da sua casa — lembrou Lily. — Em St. John's Wood. Posso dar uma passadinha aí para deixar o original. Ema e eu adoraríamos a chance de um passeio a pé.

— Claro! Por que não? — Jojo disse isso só para incentivar Lily, mas era melhor do que jogar na sua cara que ela não precisava nem se dar ao trabalho.

Lily e Ema chegaram e Lily tomou uma xícara de chá. Ema quebrou a asa de uma caneca e a pendurou na orelha como se fosse um brinco; em seguida, tornaram a sair.

Em algum momento à tarde, uma mulher da Curtis Brown ligou de volta e marcou um encontro para sexta-feira. O dia passou lentamente. Jojo falou com Becky várias vezes, viu tevê a tarde toda, embora tivesse uma regra estrita de nunca assistir à televisão durante o dia. Foi à aula de ioga, voltou para casa, fez o jantar, assistiu a mais um pouco de tevê e, mais ou menos às onze e meia, decidiu que era hora de ir para a cama. Ao procurar algo para ler um pouco até pegar no sono, seu olhar bateu na pilha de páginas que Lily Wright deixara. Já que o livro estava ali, sentou e resolveu dar uma olhadinha.

Vinte minutos depois
Jojo continuava sentada reta na cama agarrando as páginas com tanta força que elas ficaram amassadas. Estava no início do livro, mas *sabia*! Era AQUILO que precisava! Era o original pelo qual estivera esperando, o livro que iria reacender sua carreira. Era *As Poções de Mimi*, volume dois, só que melhor. Ela conseguiria vender aquele manuscrito por uma *fortuna*.

Olhou para o relógio. Meia-noite. Será que era muito tarde para ligar para Lily? Provavelmente. Droga!

A que horas será que ela acordava? Cedo, certamente. Com uma criança pequena em casa, Lily devia acordar muito cedo.

6:30 da manhã seguinte
Será que era cedo *demais*? Ela se forçou a esperar mais uma hora e então pegou o telefone.

Lily

Eu não sou idiota. Mesmo antes de Ema quebrar a asa da caneca e colocá-la pendurada na orelha como um brinco, eu já sabia que Jojo não estava exatamente empolgada por me ver. Não a culpava. O fracasso de *Claro como Cristal* respingara em todos os envolvidos.

Mas ela aceitou o original e prometeu lê-lo "logo". Depois disso, voltei para a casa de Irina e esperei pela ligação de Jojo. Ela aconteceu às 7:35 da manhã seguinte.

— Minha Nossa Senhora dos Livros, Lily — guinchou ela, tão alto que Irina ouviu da sala ao lado. — Temos um sucesso nas mãos! Diga quanto você quer! Não vou nem me dar ao trabalho de oferecer à Dalkin Emery, porque eles não levaram fé em você, no Natal. Podemos ir à Thor. Eles vão se rasgar todos para colocar as mãos nisso e estão em uma fase ótima. Quem sabe...

Eu já tinha um plano em mente. Não tinha certeza se iria novamente conseguir escrever outro livro algum dia; coisas terríveis sempre aconteciam comigo antes de eu conseguir produzir algo que prestasse e, para ser franca, eu preferia ser feliz. Só que aquela era a minha oportunidade de receber um adiantamento que seria a garantia de um futuro seguro.

— Venda! — autorizei Jojo. — Venda pela oferta mais alta.

— Falou! Já estou saindo para tirar cópias do original. Depois, vou começar a dar telefonemas, pedir que mandem os motoboys e sentar para esperar a montanha de dinheiro que vão despejar sobre nossas cabeças.

Gemma

Ao voltar das duas semanas pra lá de Marrakech com a caveira cheia de *piñas coladas*, levei mais uma semana para visitar meus pais — como nos velhos tempos. Quando finalmente resolvi ajeitar a minha vida e aparecer lá, mamãe me disse:

— Isto aqui chegou para você.

Ela me entregou um envelope que exibia vários endereços riscados e outros sobrescritos. Ele fora enviado originalmente para a Dalkin Emery e depois remetido para a Lipman Haigh, que, por sua vez, o mandou para meus pais. Tinha um selo irlandês no envelope.

— Deve ser carta de um fã — disse papai.

Nem me dei ao trabalho de responder. As intuições maravilhosas que eu tivera em Antígua haviam sobrevivido à transição para o mundo real, mas não com relação a papai.

Abri a carta.

Querida Gemma,
Quero apenas lhe dizer o quanto gostei de Caçando Arco-Íris. (Comprei o livro no aeroporto, a caminho de Fuertaventura.)

Parabéns pela grande leitura. Fiquei feliz por Will e Izzy ficarem juntos no final, depois de todos aqueles sufocos e atribulações. Achei que isso não fosse acontecer, especialmente por causa do outro cara que vivia aparecendo. Fiquei com receio de Izzy voltar a ficar mal, mas acabei me convencendo de que eles formam um lindo casal.

Com amor,
Johnny

P.S. — Venha me visitar. Recebi uma nova marca de gaze cirúrgica que talvez interesse a você.

Johnny. Era Johnny, o farmacêutico. Eu não conhecia nenhum outro Johnny. E ele escrevera "com amor" ao se despedir.

Foi como se alguém me espetasse uma agulha de encher bolas de futebol e tivesse começado a bombear alívio em todas as minhas partes internas, mesmo as mais distantes. Ele tinha lido o livro. Ele não me odiava. Ele me perdoara por eu tratá-lo como um tapa-buraco sentimental.

Não tinha percebido o tamanho da angústia que me afligia.

Ele queria me ver...

O que eu senti com relação àquilo?... Senti que devia dar uma passadinha lá ao voltar para casa, foi isso que eu senti! E compreendi uma coisa: finalmente eu estava pronta. Durante todo o ano anterior — até mais — andei muito sem noção para pensar em Johnny, mas acho que, no fundo, queria esperar até voltar a ser eu mesma antes de tentar embarcar em qualquer coisa com ele. Descobri que era por isso que eu continuava com Owen — ficar com ele me impedia de tentar algo com Johnny. Owen era o meu quebra-molas emocional.

Não que eu me sentisse culpada por usar Owen daquele jeito; afinal, eu também desempenhara um papel semelhante em sua vida.

De repente reparei na data da carta e levei um choque: 19 de março — seis semanas antes. Aquele envelope passara todo aquele tempo circulando entre a editora e a agência literária, até ser enviado para meus pais. Subitamente era muito urgente eu ir até a farmácia.

— Que carta é essa? É de algum fã? — quis saber papai.

— Preciso sair.

— Mas você acabou de chegar.

— Volto logo.

Dirigi feito uma louca, na mesma velocidade da primeira noite, há muito tempo, quando eu me lancei na missão especial de conseguir os remédios que impediriam minha mãe de ficar totalmente lelé. Estacionei, abri a porta da loja e lá estava ele, com o guarda-pó branco, curvando-se com muita atenção diante da mão de uma velha, admirando suas marcas senis ou algo assim. Meu coração se encheu de coisas boas.

Então ele levantou a cabeça e eu levei um susto: não era Johnny. Parecia muito com ele, mas não era. Por um instante ensandecido, imaginei que ele pudesse ter sofrido um ataque de alienígenas invasores de corpos, mas então percebi que só podia ser Manquinho, o famoso irmão acidentado.

Estiquei o pescoço para olhar atrás da divisória, torcendo para ver Johnny lá, enchendo um frasco com pílulas ou seja lá o que ele costumava fazer, mas Manquinho entrou em meu campo de visão.

— Deseja alguma coisa?

— Estou à procura de Johnny.

— Ele não está.

Alguma coisa no seu jeito de falar me provocou um mau pressentimento.

— Ele, por acaso, foi para a Austrália?

Minha sorte era desse tipo. Provavelmente ele encontrara a mulher da sua vida nessa viagem de barco...

— Ahn... Não. Bem, pelo menos ontem à noite ele não mencionou que pretendia fazer isso.

— Tudo bem, então.

— Quer deixar algum recado?

— Não, obrigada. Apareço outra hora.

No dia seguinte tornei a ir à farmácia, mas, para meu grande desapontamento, Manquinho continuava atendendo no balcão. No dia seguinte aconteceu a mesma coisa.

— Você tem certeza de que ele não foi para a Austrália?

— Não, mas se você quer falar com ele, por que não aparece aqui durante o dia?

— Porque eu trabalho o dia todo. Ele costumava ficar aqui no turno da noite.

— Mas trocou. Ele agora só atende na loja um dia da semana à noite.

— Que dia é esse? — perguntei, baixinho.

— Hein?

— QUE DIA É ESSE?

— Oh, desculpe. Quinta... Amanhã.

— Quinta-feira? Amanhã é quinta-feira? Tem certeza de que amanhã é quinta-feira?

— Sim. Isto é, *quase* certeza.

Eu estava entrando no carro quando ele berrou lá de dentro:

— Não esqueça de que fechamos às oito horas, agora.

— Oito horas? Não era às dez? Por que mudou?

— Porque sim.

Lily

Jojo marcou o leilão de *Uma Vida Encantada* para dali a uma semana, mas, como previa, recebeu uma enxurrada de ofertas prévias. A Pelham Press ofereceu um milhão por três livros.

— Não — eu recusei. — Não vai haver um segundo livro, nem um terceiro. Esse vai ser um evento único.

A Knoxton House ofereceu oitocentas mil libras por dois. Repeti que aquele livro era o único à venda. O fim de semana passou e então, na segunda de manhã, a Southern Cross ofereceu quinhentas mil apenas por ele.

— Aceite! — eu disse a Jojo.

— Não — ela afirmou. — Eu consigo mais que isso para você.

Três dias depois, na quinta-feira de manhã, ela vendeu o original para a B&B Halder por seiscentas e cinquenta mil libras. Empolgada e rindo à toa, ela me ligou, dizendo:

— Precisamos celebrar. Vamos lá, encontre-me para um drinque. Não se preocupe que eu não vou segurar você até muito tarde. Vou a um evento hoje à noite.

Concordamos em nos ver às seis da tarde em um bar em Maida Vale. Quando eu cheguei, Jojo já estava lá, com uma garrafa de champanhe sobre a mesa.

Depois de alguns cálices, ela me perguntou, como eu sabia que ia acontecer, o porquê de eu fazer questão de um contrato para um único livro.

— Por que insistiu tanto nessa história de contrato para um livro só? Eu poderia ter conseguido *milhões* de libras.

Balancei a cabeça.

— Não vou escrever outro livro depois desse. Pretendo voltar a trabalhar em horário integral redigindo textos, comunicados e folhetos. Isso representa grana certa e constante. Eu curto esse trabalho e ninguém esculhamba meus esforços no caderno literário dos jornais de domingo.

— Sabe o que dizem por aí, Lily?

— "Você vai encontrar um pedaço de castanha cada vez que morder o chocolate?"

— Não... "Quer fazer Deus dar uma gargalhada? Conte-lhe os seus planos."

— Tudo bem — reconheci. — Nenhum de nós sabe ao certo o que vai rolar no futuro. Mas, se depender de mim, não escrevo mais livro nenhum.

— E o que pretende fazer com o dinheiro do adiantamento? — perguntou Jojo. — Investi-lo?

Isso me fez rir alto.

— Qualquer empresa na qual eu investir vai acabar indo para o buraco. É preferível deixar a grana toda numa lata de biscoitos debaixo da cama. É mais seguro, embora eu reconheça que vou acabar comprando um lugar para morar.

Só que dessa vez eu faria isso da forma apropriada.

Algum tempo depois, Jojo olhou para o relógio.

— Sete e meia. Preciso ir. Vou me encontrar com minha prima Becky. Ela vai me acompanhar a uma festa em homenagem a um autor da Dalkin Emery.

— Festa para um autor da Dalkin Emery? — Coloquei a cabeça meio de lado. — Eu não fui uma das autoras deles, um dia? Puxa, não me convidaram para a festa.

— Quer saber de um segredo? — Ela se inclinou na minha direção, rindo. Não me convidaram também até a última hora. Só ontem foi que eles me mandaram o motoboy com o convite. Obrigada por você e pelo seu novo livro, que é fabuloso. Estou de volta ao jogo.

— Que esquisito da parte deles não convidar você, Jojo. E que falta de educação. Você vai lá? Eu os mandaria enfiar a festa naquele lugar.

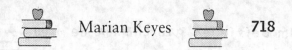

— Preciso ir — disse Jojo, exibindo um súbito ar sombrio.

Eu não disse nada, mas sabia dos boatos, como todo mundo. Aquilo tinha algo a ver com o ex-chefe dela. Diziam que Jojo fora obrigada a sair da agência porque ele terminara com ela, ou algo assim.

Logo depois a sua prima chegou e elas foram embora.

Gemma

Passei toda a quinta-feira desatenta no trabalho — de empolgação, entendem? Finalmente iria reencontrar Johnny naquela noite. Só que um monte de coisinhas conspirou contra aquilo e eu não consegui sair do trabalho antes de seis e meia; então tive de buscar papai no hospital. Ele passara por alguns exames, procedimentos, sei lá (algo a ver com sua próstata, mas eu não fazia questão nenhuma de saber detalhes). Como ele tomou anestesia, não permitiram que voltasse para casa dirigindo. Só que ele levou uma eternidade para sair e foi se despedir de cada uma das enfermeiras como se tivesse ficado internado ali seis meses, em vez de seis horas. Quando conseguimos sair do hospital, já eram quinze para as oito. A farmácia de Johnny fechava às oito e eu tive de tomar uma decisão drástica:

— Papai, antes de deixar o senhor em casa, preciso passar na farmácia.

— Para comprar o quê?

— Band-Aid.

— Mas você não se cortou.

— Lenços de papel, então.

— Está resfriada?

— Tudo bem então... Tylenol — disse eu, irritada.

— Está com dor de cabeça?

— Agora fiquei.

Estacionei na porta da farmácia e papai soltou o cinto de segurança. Muito ansiosa, pedi:

— Papai, fique no carro, o senhor não está bem.

Quem dera... Ele já tinha percebido algo diferente no ar.

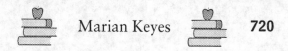

— Eu também preciso comprar umas coisinhas.

— O quê, por exemplo?

— Ahn... — Ele olhou os produtos da vitrine. — Óleo de prímula. Segurando alguma coisa entre as pernas com as duas mãos, ele me seguiu.

Lily

Depois de Jojo e sua prima irem embora do pub, eu fui para casa, coloquei Ema na cama e então me preparei. Era hora de ler a carta de Anton.

Não havia escolha. Eu sabia que ela não iria desaparecer dali.

Recostei-me no sofá e tirei do envelope três folhas manuscritas e muito amassadas.

Minha adorada Lily,

Quando você estará lendo esta carta? Seis meses depois de terminarmos? Um ano? Não importa quanto tempo faz, obrigado por lê-la. Tem só uma coisa que eu quero que você saiba: o quanto estou desolado pela infelicidade que eu lhe trouxe. Como quem está escrevendo sou eu, provavelmente vou gastar muitas folhas para transmitir essa mensagem.

Agora você se sente enjoada só de pensar no tempo que passamos juntos, louca para colocar uma distância grande entre nós e convencida de que tudo foi um erro gigantesco, do início ao fim.

Quando nos conhecemos, a escolha que você teve de fazer — entre mim e Gemma — foi terrível. Tentei compreender, bem que eu tentei. A verdade, porém, é que naquela época eu era um grandessíssimo idiota loucamente feliz, tão empolgado com o quanto combinávamos um com o outro que não percebi o tamanho da culpa que você sentia. Agora, analisando em retrospectiva, creio que nunca percebi por completo a profundidade daquela culpa nem o seu medo de ser punida. Em minha defesa, devo dizer que tentei, mas a felicidade que sentia por estarmos juntos continuava lavando a minha alma e carregando todo o resto para longe.

Não sei se você conseguirá se convencer algum dia de que ficarmos juntos era mais do que correto. Por favor, tente... Não arruíne o resto da sua vida arrastando essa pesada corrente de vergonha. Será que você poderia focar em Ema? Ela é uma alminha luminosa, faz do mundo um lugar melhor e fomos nós que a fizemos, você e eu. Alguma coisa boa, portanto, resultou de estarmos juntos.

Eu também queria pedir perdão a você e a Ema por fazê-las perder a casa em que moravam. As palavras são absurdamente inadequadas para transmitir a extensão da minha lástima.

Analisando o meu entusiasmo na compra da casa, percebo que forcei você a fechar o negócio e fico doente comigo mesmo só de lembrar. Como poderia explicar o funcionamento da minha cabeça na época? Comprar a casa foi um risco, mas me pareceu um risco seguro. Tínhamos todos os sinais de que o dinheiro iria pintar — Jojo pensou assim, a Dalkin Emery pensou assim e até o banco pensou assim.

Eu temia que se não comprássemos logo uma casa para nós, você e eu iríamos torrar os direitos do livro, conseguidos a duras penas, para acabarmos com um monte de merda (carros, um som novo e todos os produtos do catálogo da boneca Barbie) e nenhum lugar seguro (você sabe como nós somos com dinheiro). Aquilo foi uma tentativa para nos obrigar a agir como adultos responsáveis. Comprar algo além das nossas posses me pareceu a coisa mais esperta a fazer — em vez de comprar um lugar pequeno por um ano, depois fazer outra mudança e pagar duas vezes o imposto de transmissão, era mais fácil pular o processo intermediário. Como era um tolo, achei que tinha uma grande visão de futuro. Nada disso, porém, importa agora. Não ouvi os seus temores, tudo desmontou em nossas vidas e eu odeio ouvir minhas tentativas de justificação absolutamente patéticas.

Eu me considerava um otimista e você me achava um tolo; você tinha razão, e se eu tivesse a chance de voltar ao passado, teria feito tudo de forma completamente diferente.

Sabendo da infância insegura que você teve, era mais importante que todo o resto lhe trazer segurança. No entanto, tudo o que eu levei para a sua vida foi caos.

Eu me arrependo muito dos erros que cometi, me arrependo imensamente pela infelicidade que lhe causei, mas jamais vou me arrepender do tempo que passamos juntos. Quando eu tiver oitenta anos e olhar para trás, revendo a minha vida, vou saber que houve pelo menos uma coisa boa e pura nela. Desde aquele instante em que nos vimos pela primeira vez, no lado de fora da estação do metrô, eu me senti o cara mais sortudo do planeta, e essa sensação nunca desapareceu. Em cada dia que nós passamos juntos eu mal conseguia acreditar na minha sorte — a maioria das pessoas não consegue em toda a existência o que nós tivemos em três anos e meio, e serei sempre grato a você por isso. Sei que você vai seguir em frente e acabará encontrando outra pessoa, e eu vou ser sempre apenas um capítulo da sua vida, mas para mim você foi, é e sempre será o livro inteiro.

Do seu, para sempre,

Anton

Baixei a carta e olhei para o teto. Olhei e olhei.

Eu sabia que isso ia acontecer. Sabia há várias semanas, desde antes de ir para a casa de mamãe. Aliás, *esse* era o motivo de eu ter ido para lá.

Ao abandonar Anton, imaginei ter aceitado a situação e suas consequências. Depois, na época em que os cartões-postais começaram a chegar, descobri que não aceitara absolutamente nada. Estava anestesiada, como um braço que ficara dormente por mais de uma semana, e ao voltar a sentir coisas nele fugi para a casa de mamãe, em uma tentativa inútil de escapar do inevitável.

Mesmo naquela ocasião, eu já sabia que teria de escolher. Meu amor por Anton voltara devagarzinho, sem eu perceber. Apesar de ter sido despejado do meu coração, que se quebrara por causa da casa, ele voltou com toda a força, obrigando-me a encará-lo de frente.

E agora, como eu poderia lidar com aquilo?

Não fazia a menor ideia.

Pelo menos agora eu compreendia o que acontecia dentro de mim: eu tive raiva de Anton — perder casas era um assunto delicado na minha vida. Porém, e eu não sabia o motivo — seria o tempo?... A distância?... — Eu já não o culpava. Achei que jamais poderia perdoá-lo, mas já o fizera.

Antes mesmo de ler a carta, percebi o que ele tentara fazer com aquela casa: ele assumira um risco, mas, se analisarmos bem, fora um risco bem calculado. Ele simplesmente não deu sorte.

E quanto a mim? Eu também estava lá, podia ter dado o contra. Em vez disso, fui cúmplice de tudo, complacente e passiva, agarrando-me a uma posição a partir da qual pudesse culpar alguém do fracasso, se necessário.

Anton era descuidado com dinheiro, sem dúvida. Mas eu não era melhor que ele. Quem nunca contraiu dívidas atire o primeiro cheque.

Será, porém, que a percepção de tudo o que deu errado servia como garantia de que as coisas não voltariam a ficar esquisitas? Se fôssemos apenas Anton e eu, poderíamos assumir os riscos de novas mágoas e tentar de novo, sabendo que, se mais uma vez a coisa não desse certo, conseguiríamos sobreviver. Mas tínhamos uma filha que já passara por muitas coisas em sua vidinha. O próximo passo devia ser muito cuidadoso, nós devíamos isso a Ema. De repente, um pensamento me cintilou na cabeça: certamente seria muito melhor se os pais dela estivessem juntos, não é? Mas talvez eu estivesse dizendo aquilo para mim mesma só porque amava Anton.

E quanto a Gemma? Será que algum dia eu conseguiria superar o que tinha feito com ela? Se tivesse tido a chance, nunca teria causado um único instante de sofrimento a ela. No entanto, eu lhe provoquei dores inimagináveis. Isso, porém, era passado, já acontecera. Eu não conseguiria desfazer o que estava feito, mesmo que Anton e eu continuássemos separados para sempre.

Dei um longo suspiro, com ar cansado, ainda olhando para o teto, como se esperasse ver as respostas escritas ali.

Felicidade era algo raro e a gente devia aproveitar as oportunidades de ser feliz quando elas apareciam. Eu queria fazer a coisa certa desde o princípio, mas não havia como prever o futuro e não existia garantia de nada.

Eu poderia ficar ali, tentando racionalizar as coisas até ficar careca de vez, mas não tinha a menor ideia do que estava certo ou errado.

Decidi fazer uma lista, como se pudesse tomar a maior decisão da vida marcando estrelas na margem de um guia de programação de tevê. Tudo bem, aquele era um método tão bom quanto qualquer outro...

- Ema ficaria muito melhor se seus pais permanecessem juntos.
- Eu me sentia pronta a superar a culpa que sentia por causa de Gemma.
- Eu já tinha perdoado Anton pela casa e seríamos mais cautelosos com nossas finanças no futuro.
- Anton era a minha pessoa predileta no mundo, disparado (com exceção de Ema).

Hummm...

Bem, pensei... Pelo menos não faria mal *conversar* com Anton. Assim, depois de invocar as forças do universo, tomei uma decisão.

Iria ligar para ele — naquele momento e uma vez só; se não conseguisse encontrá-lo, aceitaria o fato como um sinal de que as coisas não eram para acontecer assim. Com todo o cuidado, levantei o fone do gancho, na esperança de transmitir ao aparelho a importância do momento solene e da missão que lhe estava sendo confiada. Perguntei-me onde Anton poderia estar naquele momento e quais seriam os planos do destino para nosso futuro. Então teclei cada número bem devagar e grudei o ouvido no fone. Ouvi o primeiro toque e comecei a rezar.

Jojo

Na festa da Dalkin Emery, Jocelyn Forsyth fazia hora parado na porta, parecendo estar de saco cheio. Estava achando difícil se adaptar à vida de aposentado e tinha vontade de continuar em ação. Mesmo assim, talvez pedir um convite para essa festa tivesse sido um erro. Até o momento, pelo menos, tudo era terrivelmente desapontador. O lugar estava lotado de Jovens Turcos e não havia nenhuma gatinha interessante com quem ele pudesse conversar. Então, bem na porta, viu alguém que encheu seu coração de alegria.

— Jojo Harvey! Achei que você tinha morrido!

Jojo parecia particularmente sedutora e vinha acompanhada por uma criatura quase tão linda quanto ela, que lhe foi apresentada como sendo a sua prima Becky.

— Muito bem, meus parabéns pela maravilhosa notícia de Lily "Lázaro" Wright. A carreira dela tinha sido declarada morta quantas vezes, se contarmos com essa? E você trabalhando sozinha, o que é sempre um lance arriscado. — Ele se inclinou um pouco. — Aquela história com o jovem Gant foi algo selvagem e animalesco. Adorei que tudo tenha dado certo para você. É claro que, se havia alguém capaz de sair daquela situação ilesa, seria você.

Jojo jogou os cabelos para trás e sorriu.

— Obrigada, Jocelyn. — Em seguida, foi em frente. Não tinha tempo para ficar de papo com ninguém, pois estava ali em missão. De certo modo.

Com Becky a tiracolo, Jojo circulou através do espaço lotado, recebendo aplausos e elogios por onde passava. Seus sentidos estavam em alerta vermelho, seus nervos esticados como cabos de aço, e ela ficou o tempo todo atirando os cabelos para trás e sorrindo com exuberância. Mesmo quando conversava apenas com Becky, o show não parava, até que ela sussurrou:

— Quer parar com isso? Até parece que você cheirou alguma coisa antes de vir para cá.

Jojo sussurrou de volta:

— Não dá pra parar. E se ele estiver aqui? Tenho que parecer feliz!

— Jojo, talvez você ainda não esteja pronta para essa prova de fogo.

— Vou ter de encontrá-lo em algum momento. Não posso ficar me esgueirando pelos cantos, morrendo de medo de dar de cara com ele. Já está na hora de enfrentar isso.

Só que depois de mais vinte minutos de show, ela admitiu a Becky:

— Acho que ele não veio. Vamos comer alguns frangos *satay* e dar o fora.

Gemma

Acompanhada por papai, que me seguia mancando como se tivesse sofrido uma amputação do saco, corri para a farmácia. Estava quase *enjoada* de tanta ansiedade. Havia um homem atrás do balcão e ele vestia o uniforme oficial, um guarda-pó branco; tinha o corpo do tamanho certo, mas não dava para ver o seu rosto.

Se ele se virasse na minha direção e eu desse de cara com o irmão Manquinho, iria desistir, pensei. Era sinal de que o lance entre mim e Johnny não ia rolar.

Então, em um excruciante movimento de câmera lenta, o homem se virou e — *puxa, obrigada, Senhor* — era Johnny!

— Gemma! — Seu rosto se acendeu, mas logo em seguida ele olhou por cima do meu ombro, com ar questionador.

— Ahn... Aquele lá é o meu pai — informei. — Ignore-o.

— Certo.

Cheguei mais perto.

— Recebi a sua carta — disse eu, com jeito tímido. — Obrigada. Você realmente gostou do livro?

— Muito. Em especial da história de amor entre Izzy e Will.

— É mesmo? — Fiquei da cor de um carro de bombeiros.

— Foi legal o jeito como eles ficam juntos, no final. Will era um cara legal. — Ele deu outra olhada para trás de mim, com ar perplexo, na direção de papai. *Droga de sujeito egoísta. Por que ele teve de entrar comigo?*

— Bem, Will é uma cara *muito* legal. — Tentei me concentrar na missão específica a que eu me propusera, que era a de assegurar o coração ou pelo menos o interesse de Johnny. — Will é o máximo!

— Izzy também.

Atrás de mim, ouvi papai exclamar:

— Minha nossa, você é o Will! Recém-saído das páginas do livro! — Ele mancou mais um pouco até o balcão. — Sou Declan Nolan, o pai que fugiu de casa...

Eu o interrompi antes que o clima de camaradagem aumentasse e anunciei:

— E eu sou Izzy.

— Sim, uma boa garota — confirmou papai.

— A história é de Will e Izzy.

Finalmente a ficha caiu.

— Ah, entendi! — exclamou papai. — Bem... Vou deixá-los a sós por um instante. — Ele foi caminhando na direção da saída e eu me virei para Johnny. Tive uma súbita visão de nós dois congelados naquela cena para todo o sempre; o balcão com tampo de vidro nos separando um do outro, eu pedindo produtos idiotas dos quais não precisava e ele vendendo-os para mim com olhos cheios de bondade. Aquele era o momento da verdade. Algo precisava ser dito para a cena ir em frente.

— Gemma. — Foi ele quem falou primeiro.

— Sim? — Prendi a respiração.

— Andei pensando...

— Sim?

— ... Em uma coisa que você me disse faz um tempão.

— Sim?

— Sobre sairmos para tomar um drinque.

— Sim?

— Bem, será que não está na hora de...

— *Siiiiim!*

Algum tempo depois, já de volta ao carro, papai disse:

— Não consigo acreditar. Você veio de carro até o trabalho de um homem e lhe passou uma cantada. A que ponto o mundo chegou!

— Qual é, papai, o que isso tem demais? Pelo menos eu não pedi para ele abandonar a esposa e trinta e cinco anos de casamento.

Nossa, eu realmente tinha dito isso? Ficamos olhando um para o outro, meio desconfiados.

Por fim, papai falou:

— Talvez devêssemos consultar um psicólogo familiar ou algo desse tipo. O que acha?

— Papai, corta essa... Somos irlandeses!

— Mas esse clima de ressentimento não pode continuar.

Refleti a respeito.

— Vai passar — garanti. — Por favor, me dê algum tempo.

— O tempo cura tudo, não é?

Voltei a refletir.

— Não, não cura. — Em seguida cedi um pouco: — ... Mas cura a maioria das coisas.

Jojo

De repente, depois de quase atirar os cabelos sobre os ombros e jogá-los dentro do drinque de Kathleen Perry, Jojo o viu — junto da parede dos fundos do salão, vestindo um terno preto. Ele a observava. Seus olhares se cruzaram e isso a atingiu em cheio como um soco no estômago. Era como se (lá vinham de novo os escritores e aquele papo de pupilas dilatadas) os dois fossem as únicas pessoas em todo o salão.

O coração dela lhe martelou o peito com mais velocidade; a mão que segurava o drinque ficou suada de um segundo para outro e a realidade pareceu entrar em alta definição. Ele pronunciou devagar, fazendo mímica com a boca: "Espere." E em seguida: "Por favor." Então se virou e começou a empurrar as pessoas com delicadeza, indo na direção dela.

— Ele vem vindo aí! — alertou Becky. — Corra!

— Não. — Aquilo tinha de ser enfrentado. Talvez só houvesse aquela oportunidade para os dois se encontrarem mais uma vez, então era bom que acontecesse logo.

Ele sumiu de vista na multidão e depois tornou a aparecer, tentando forçar a passagem através da massa compacta de Jovens Turcos. Becky se dissolveu na paisagem.

Então ali estava ele, bem diante dela.

— Jojo? — Seu tom de voz mostrou que ele queria confirmar se ela estava realmente ali.

— Oi, Mark. — Até mesmo pronunciar o nome dele parecia um alívio.

— Você parece... — Ele procurou uma palavra que fosse adequada o bastante para descrevê-la: — ... Ótima!

— Estou mesmo — ela confirmou. O rosto dele se acendeu de alegria e por um momento era exatamente como nos velhos tempos. Até Jojo perguntar: — Como vão Cassie e as crianças?

— Vão bem — respondeu ele, com cautela.

— Você e Cassie continuam juntos?

Ele hesitou e disse:

— Cassie descobriu tudo sobre... Você sabe... Nós dois.

— Merda. Como?

— Depois que você foi embora, ficou óbvio que algo estava errado. — Ele riu de leve. — Eu desmontei.

Jojo também não se sentira no sétimo céu.

— Ela já desconfiava?

— Bem, Cassie tinha uma vaga suspeita de que havia alguém, mas não sabia que era você.

— Sinto muito. Sinto muito mesmo por magoá-la.

— Ela disse — e pode até ser verdade — que foi um alívio finalmente descobrir com certeza. Segundo ela, fingir não reparar que eu nunca estava em casa acabava com ela. Nos últimos meses temos tentado consertar as coisas.

— E já ofereceram a grande festa para renovar os votos de casamento?

— Não. — Mark conseguiu sorrir. — Mas estamos fazendo análise. A ideia é tentar de verdade, mas... — parou. — Ainda penso em você o tempo todo.

Jojo se colocara mais perto dele, atraída por sua presença. Erguendo a cabeça e endireitando os ombros, tornou a se afastar, apavorada com a possibilidade de sentir o cheiro dele, pois sabia que isso iria desarmá-la.

— Será que não poderíamos nos encontrar um dia desses? — perguntou ele. — Só para tomarmos um drinque?

— Você sabe que não poderíamos fazer isso.

De repente, ele começou a desabafar:

— Mesmo agora, todos os dias, eu não consigo acreditar no quanto as coisas deram errado. Fui muito egoísta ao pensar em nós, em vez de pensar em você. Se eu pudesse voltar àquele momento, no dia da reunião, eu...

— Pare, Mark. Também andei pensando. Não foi só a questão da sociedade na firma. Foi também a culpa que eu sentia por Cassie e as crianças. — Na hora H, acho que não conseguiria ir até o fim. Cheguei perto, mas amarelei. E sabe de uma coisa? Não acredito muito nesse papo de psicólogos, mas aposto que você não conseguiria jogar tudo para o alto, e por isso me cozinhava em banho-maria.

— Não! — ele protestou. — De jeito nenhum!

— Foi sim! — garantiu ela, com firmeza

— Absolutamente não.

— Tudo bem, como você quiser. É só uma teoria, mesmo. — Ela não ia insistir naquilo. Já não importava mais.

As pessoas olhavam para eles, pois sua intimidade era muito óbvia.

— Mark, preciso ir embora agora.

— Sério? Mas...

Ela foi passando através da massa humana, reconhecendo quase todo mundo, sorrindo, sorrindo, sempre sorrindo, até alcançar a porta de saída.

Ao colocar o pé na rua, apertou o passo, com Becky atrás tentando acompanhá-la. Ao perceber que estava a uma distância segura, Jojo parou junto de uma porta e dobrou o corpo para a frente, deixando os cabelos tombarem em direção ao chão.

— Você vai vomitar? — sussurrou Becky, passando a mão em círculos pelas costas da prima.

— Não — respondeu Jojo, com a voz embargada. — É que isso dói.

Elas ficaram paradas ali por alguns minutos. Jojo emitia ruídos estranhos, como se choramingasse, e Becky se compadeceu a ponto de mal suportar. De repente, Jojo ajeitou o corpo, jogou os cabelos para trás e pediu:

— Você tem um lenço de papel?

Becky remexeu em sua bolsa e passou o pacotinho para ela, dizendo:

— Você poderia voltar para ele. Sabe disso.

— Isso nunca vai acontecer. Está tudo acabado e enterrado.

— Como assim? Você sente terrivelmente a falta dele!

— E daí? Vou superar. Aliás, puxa, já estou quase lá. E se eu quiser, arrumo alguém qualquer hora dessas. Afinal, olhe só para mim... Sou uma mulher independente, tenho meu próprio negócio. Todos os meus dentes são verdadeiros e meus cabelos também. Também sei consertar bicicletas.

— E se parece com a Jessica Rabbit...

— Sou feríssima para resolver palavras cruzadas...

— E faz uma sensacional imitação do Pato Donald.

— Exato! Sou *fabulosa*.

Lily

O telefone de Anton tocou a primeira vez. Tocou a segunda. Meu coração pulava no peito, minhas mãos estavam úmidas e eu balbuciava: "Por favor, Deus." Tocou três vezes. Quatro vezes. Cinco vezes. Seis vezes.

Merda...

No sétimo toque, houve um clique, uma explosão de risos e conversas ao fundo, como o barulho de um pub, e então alguém — Anton — perguntou:

— Lily?

Isso era um sinal. A alegria foi tão grande que eu me senti zonza. (Embora deva confessar que liguei para o celular dele. Não queria me arriscar a não encontrá-lo.) Agora, antes mesmo de dizer uma única palavra, ele já sabia que era eu! Outro sinal! (Talvez ele soubesse que era eu pelo identificador de chamadas.)

— Anton? Posso me encontrar com você?

— Quando? Agora?

— Sim. Onde você está?

— Na Wardour Street.

— Você pode me encontrar na porta da estação do metrô em St. John's Wood?

— Vou para lá agora mesmo. Chego aí em quinze minutos, vinte no máximo.

Cheia de energia, corri para o espelho e passei uma escova no cabelo. Remexi no meu estojo de maquiagem, mas nem precisava de pintura, pois já parecia transformada. Mesmo assim, passei um pouco de blush e brilho labial, porque não faria mal. E rímel. E mais um pouquinho de um creme estranho de cor bege que Irina sempre me forçava a usar. Então parei — estava ficando neurótica — e fui pedir a Irina para cuidar de Ema.

— Vou dar uma saidinha — expliquei.

— Por quê? — ela perguntou.

— Vou fazer algo imprudente.

— Em gompanhia de Anton? Ótimo! Mas vozê não pode zair na rua azim gom a gara limpa. Preziza do greme redutor para poros. — Foi pegar sua maleta de maquiagem, mas eu fugi.

Tinha de sair do apartamento. Embora ainda não tivesse dado tempo de Anton chegar à estação, eu estava nervosa demais e cheia de energia para ficar confinada entre quatro paredes.

A noite caía, o céu já estava azul-marinho e, na velocidade em que eu ia, levei menos de cinco minutos para chegar à estação.

A visão do futuro que eu tive quando estava em estado de anestesia, lamentando por Anton, voltou com força total; eu tinha me convencido de que uma nova vida estava à minha espera, cheia de sentimentos, risos, cores e um elenco totalmente novo de atores para a nova temporada. Não deixara de acreditar nessa visão e alguns dos atores principais permaneceram os mesmos. Anton ainda era o galã, no papel dele mesmo.

Virei a esquina, quase chegando lá, e através da escuridão fixei os olhos na entrada da estação, o portal mágico que me traria aquele novo futuro.

Então percebi que alguém alto e magro junto à entrada da estação me observava. Embora estivesse muito escuro para ver direito e muito cedo para Anton ter chegado tão depressa do centro de Londres, eu soube na mesma hora que era ele. Tive certeza de que era *ele*.

Não tropecei nos próprios pés, fisicamente falando, mas senti como se isso tivesse acontecido. Foi como vê-lo pela primeira vez.

Meus passos diminuíram a velocidade, eu já sabia o que ia acontecer. Quando eu chegasse perto dele, já era! Ninguém diria nada, ficaríamos parados, mesclados um no outro para sempre.

Eu poderia ter parado. Na mesma hora eu poderia ter dado meia-volta e apagado o futuro, mas continuei em frente, colocando um pé à frente do outro, de forma mecânica, como se um fio invisível me carregasse até ele.

Cada vez que eu respirava, o ar ecoava, parecia aumentar e diminuir, como se eu vestisse equipamento de mergulho, e conforme fui chegando mais perto me obriguei e desviar os olhos dele. Foquei a calçada — vi uma sacola vazia da Fortnum and Mason, uma rolha de champanhe, restos de lixo brilhantes e sofisticados; afinal, ali era St. John's Wood — até me ver diante dele.

Suas primeiras palavras foram:

— Reconheci você a quilômetros de distância. — Ele pegou uma das pontas do meu cabelo.

Cheguei mais perto da sua altura, da sua beleza, do seu jeito todo Anton de ser e mergulhei na luz da sua presença.

— Eu também vi que era você.

Enquanto multidões passavam por nós, entrando e saindo da estação como em um filme acelerado, Anton e eu permanecemos imóveis como estátuas, seus olhos nos meus e suas mãos em meus braços, completando o círculo mágico. Então eu disse o que soube desde o início:

— Assim que eu o vi, sabia que era você.

EPÍLOGO

Gemma

Quase nove meses exatos depois daquele dia em que Owen terminou comigo, ele e Lorna tiveram uma filhinha e a batizaram como — adivinhem só!... — Agnes Lana May. Nada que tenha a ver, nem remotamente, com "Gemma". Eles não me convidaram para ser madrinha dela e, até o momento, não existem planos de irmos passar as férias na Dordonha.

Meu livro saiu no meio de maio e foi um fracasso. Culparam a capa, o título e as críticas pavorosas. O tom geral delas era:

"... um requentado mingau escapista. A esposa abandonada se reinventa, arranja um namorado muito mais novo e em menos de seis meses já está à frente de um lucrativo negócio. Um verdadeiro deboche da situação das mulheres da vida real que se veem abandonadas pelos maridos depois de muitos anos de fiéis serviços. É claro que o marido volta para casa no fim do livro, arrasado pelas constantes exigências sexuais da amante, e descobre que a ex-mulher não o quer de volta..."

Isso era terrivelmente humilhante. As únicas resenhas simpáticas saíam nas revistas de baixo nível que costumavam publicar histórias do tipo "Roubei o marido da minha filha". Uma dessas revistas chamou meu livro de Literatura de Vingança, mostrando claramente que aprovava o texto.

Só que isso não era o bastante para vender livros, e devo admitir que eu também não ajudei muito: pouco antes de o livro ser lançado, papai me pediu para eu não participar de nenhum programa ou entrevista que confirmasse a parte real da história, e eu devia estar com o coração mole, porque tive pena dele e concordei. (Isso não me tornou nem um pouco popular no departamento de divulgação da Dalkin Emery. Eles já tinham marcado um monte de programas de tevê vespertinos, aos quais eu e mamãe iríamos para meter o pau em papai. Só que mamãe desistiu de tudo isso no dia em que papai voltou para casa.)

Não haverá outro livro; não tenho imaginação para isso e nada de ruim me aconteceu — a não ser as resenhas horríveis e o fato de eu não conseguir escrever mais nada, mas isso é meio pós-moderno. O fato é que a minha vida está ótima e existem coisas muito piores por aí.

No momento, limito minhas habilidades artísticas a inventar histórias para mulheres abandonadas, sempre falando de seus namorados fujões. Sou muito boa nisso e em meu círculo de amizades tenho boa reputação. Para mim, isso já está de bom tamanho. Ainda tenho quase todo o adiantamento que recebi pelo livro (eles não me obrigaram a devolvê-lo, apesar de o livro ter praticamente encalhado nas lojas). Talvez em algum momento do insondável futuro eu resolva trabalhar por conta própria. A coisa não é assim tão simples quanto parece, e nem todas conseguem ser Jojo Harvey, que agora trabalha em um escritório cheio de salas de vidro fumê no Soho, e tem quatro pessoas trabalhando para ela, incluindo o seu antigo assistente, Manoj. Além de eu ser uma covarde, comparada a ela, sou proibida por contrato de levar qualquer cliente meu, se um dia me demitir.

A carreira literária de Lily vai de vento em popa. Ela escreveu um novo livro, chamado *Uma Vida Encantada*, que fez tanto sucesso quanto *As Poções de Mimi* e vendeu milhões de exemplares. Depois, *Claro como Cristal*, o livro que quase levou a Dalkin Emery à falência, surpreendeu todo mundo ao ser indicado ao prêmio Orange de literatura, e *a partir daí* também vendeu milhões. Parece que ela está escrevendo um livro novo agora e todos estão muito entusiasmados.

Para falar a verdade, acabei encontrando Lily e Anton em um evento do meio editorial, logo depois do lançamento de *Caçando Arco-Íris*, quando meus editores ainda falavam comigo. Eu estava no meio de uma multidão, tentando encontrar o toalete feminino. Subitamente, eu e Lily nos vimos paradas uma de cara para a outra.

— Gemma? — grasnou Lily. Ela me pareceu aterrorizada.

Depois de todas as fantasias que eu criara ao longo dos anos — de jogar um cálice de vinho tinto no rosto dela, fulminá-la com olhares mortíferos e sair berrando pela sala cheia diante de todos os seus amigos e colegas, contando sobre a piranha que ela era —, eu me vi cumprimentando Lily com ar plácido e dizendo, com alguma sinceridade:

— Gostei muito de *As Poções de Mimi*. Minha mãe também.

— Obrigada, obrigada de verdade, Gemma. Eu também adorei *Caçando Arco-Íris*. — Ela me lançou aquele sorriso de menina doce. Nesse momento Anton chegou, mas deu tudo certo e ficamos bem. Tivemos alguns instantes de um bate-papo informal e, depois que eles saíram, Anton tentou pegar na mão de Lily. Ela não deixou e eu a ouvi sussurrando: "Tenha um pouco de consideração." Acho que ela se referia a mim.

Sim, naquele momento fiquei triste. Aquele gesto de grandeza era a cara de Lily; ela sempre teve preocupação em nunca magoar ninguém. Era uma pena não podermos ser amigas, porque (tirando o incidente do roubo do namorado) ela era uma pessoa adorável e eu gostava muito dela.

Mas vamos em frente que atrás vem gente.

Quando mamãe conheceu Johnny, o farmacêutico, pela primeira vez, analisou seus ombros largos, seu ar gentil e o brilho dos seus olhos, que são uma característica permanente agora que ele não trabalha mais dia e noite. Ela se inclinou na minha direção e murmurou:

— Gemma, parece que os profissionais chegaram.

Ela gosta dele. Merda!

Mas nem isso me fez perder o interesse em Johnny.

Colette não ficou sozinha por muito tempo. Conheceu um cara — amigo de um amigo do irmão do cunhado de Trevor — e, como Dublin é uma cidade pequena, eu descobri logo. Pelo que eu soube, o carinha é muito melhor do que papai. (Pelo menos não usa camiseta regata por baixo da camisa social.)

Quanto a mamãe e papai... Bem, ele resolve as palavras cruzadas do jornal e joga golfe; ela compra roupas e o faz tentar adivinhar o preço; os dois assistem a filmes de mistério e fazem passeios de carro. A não ser pelo fato de eu ter publicado um livro e termos um estoque de gaze cirúrgica em casa para o resto da vida, parece que ele não esteve um único dia longe de casa...

Impresso no Brasil pelo
Sistema Cameron da Divisão Gráfica da
DISTRIBUIDORA RECORD DE SERVIÇOS DE IMPRENSA S.A.
Rua Argentina 171 – Rio de Janeiro, RJ – 20921-380 – Tel.: 2585-2000